Pancerne serce

Jo Nesbø

Pancerne serce

przełożyła
Iwona Zimnicka

Wydawnictwo Dolnośląskie

Tytuł oryginału
Panserhjerte

Projekt okładki
Mariusz Banachowicz

Redakcja
Iwona Gawryś

Korekta
Mariola Langowska-Bałys

Redakcja techniczna
Paweł Bednara

Copyright © Jo Nesbø 2009
Published in arrangement with Salomonsson Agency

Polish edition © Publicat S.A. MMX

ISBN 978-83-245-8995-1

Wrocław

Wydawnictwo Dolnośląskie
50-010 Wrocław, ul. Podwale 62
oddział Publicat SA w Poznaniu
tel. 71 785 90 40, fax 71 785 90 66
e-mail: wydawnictwodolnoslaskie@publicat.pl
www.wydawnictwodolnoslaskie.pl

Część I

1 UTONIĘCIE

Obudziła się. Zamrugała w oślepiającej ciemności. Szeroko otworzyła usta, lecz oddychała przez nos. Znów zamrugała. Czuła, jak spływająca łza rozpuszcza sól innych łez. Ale do gardła nie ściekała już ślina, cała jama ustna była sucha i stwardniała, policzki napięte wskutek nacisku z wewnątrz. Obce ciało w ustach jakby rozsadzało jej głowę. Ale co to było? Co to mogło być? Kiedy się ocknęła, najpierw pomyślała, że chce wrócić w tę ciemną ciepłą głębię, w którą się zapadła. Zrobiony przez niego zastrzyk ciągle działał, ale wiedziała, że bóle już nadchodzą, poznawała je po powolnych, głuchych uderzeniach pulsu i skokowym przemieszczaniu się krwi przez mózg. Gdzie on był? Stał tuż za nią? Wstrzymała oddech, nasłuchując. Niczego nie słyszała, ale czuła jego obecność. Był jak lampart. Ktoś kiedyś mówił, że lampart porusza się bezszelestnie, w ciemności potrafi podejść tuż do zdobyczy, dostosować oddech do rytmu jej oddechu. Wstrzymuje go, kiedy i ona przestaje oddychać. Wydało jej się, że czuje ciepło jego ciała. Na co on czeka? Znów zaczęła oddychać. W tej samej chwili poczuła oddech na karku. Odwróciła się, machnęła ręką, ale trafiła w pustkę. Zgięła się wpół, starała się być jak najmniejsza, by w ten sposób się ukryć. Bez powodzenia.

Jak długo była nieprzytomna?

Narkotyk zadziałał jeszcze przez moment. Trwało to zaledwie ułamek sekundy, ale wystarczyło, by dać jej przedsmak, obietnicę. Obietnicę tego, co miało nastąpić.

Ciało obce, które położono przed nią na stole, było wielkości kuli bilardowej z błyszczącego metalu i miało wyciśnięte sztancą dziurki, figury i znaki. Z jednego otworka zwisał czerwony sznurek z pętelką. Natychmiast przywiódł jej na myśl choinkę, którą za tydzień, w dzień przed Wigilią, powinna ubrać u rodziców. Przystroić ją bombkami, krasnalami, koszyczkami, świeczkami i norweskimi flagami. Za osiem dni powinni śpiewać *Cichą noc*, a ona powinna patrzeć w błyszczące oczy dzieci rodzeństwa, kiedy będą otwierać prezenty od niej. Myślała o wszystkim, co powinna była zrobić inaczej. O wszystkich dniach, które należało przeżywać mocniej, prawdziwiej, wypełniać je radością, miłością, oddychać pełną piersią. O miejscach, przez które tylko przejeżdżała, o miejscach, do których zmierzała. O mężczyznach, których spotkała, o tym jedynym, którego jeszcze nie poznała. O płodzie, którego się pozbyła, gdy miała siedemnaście lat, i o dzieciach, których jeszcze nie urodziła. O dniach, które zmarnowała, bo myślała, że tyle jeszcze dni przed nią.

W końcu przestała myśleć o wszystkim innym oprócz znajdującego się przed nią noża. I oprócz miękkiego głosu nakazującego jej włożyć tę kulę do ust. Usłuchała, oczywiście, że usłuchała. Z bijącym sercem otworzyła usta tak szeroko, jak tylko mogła, i wepchnęła do nich kulę w taki sposób, by sznurek wystawał z ust. Metal miał gorzkosłony smak, jak łzy. Potem siłą odchylono jej głowę, a stal zaczęła parzyć skórę, gdy nóż przylgnął płasko do jej szyi. Pomieszczenie wraz z sufitem oświetlała latarka oparta o ścianę w rogu. Szary, goły beton. Oprócz latarki był tu jeszcze stolik kempingowy z białego plastiku, dwa krzesła, dwie puste butelki po piwie i dwoje ludzi. On i ona. Poczuła zapach skórzanej rękawiczki, gdy palec wskazujący lekko pociągnął za czerwoną pętelkę zwisającą jej z ust. W następnej chwili miała wrażenie, że rozsadza jej głowę.

Kula się powiększyła, naciskając na wnętrze ust. Bez względu na to, jak szeroko starała się je otworzyć, nacisk się nie zmieniał. On obejrzał jej otwarte usta ze skupioną, przejętą miną, jak dentysta, który sprawdza, czy aparat na zęby trzyma się prawidłowo. Lekki uśmiech świadczył o zadowoleniu.

Sprawdziła językiem, że z kuli wystają bolce, że to one naciskają na podniebienie, na miękką tkankę dolnej szczęki, na wewnętrzną stronę zębów i języczek. Spróbowała coś powiedzieć. On cierpliwie słuchał nieartykułowanych dźwięków wydobywających się z jej ust. Kiwnął głową, gdy się poddała, i wyjął strzykawkę. Kropelka na czubku igły zaśniła w świetle latarki. Szepnął jej do ucha: „Nie dotykaj sznurka".

Wbił igłę w szyję z boku.

Odpłynęła w ciągu kilku sekund.

***

Wsłuchiwała się w swój przerażony oddech, mrugając w ciemności. Musiała coś zrobić.

Położyła dłonie na siedzeniu krzesła, lepkiego od jej własnego potu, i wstała. Nikt jej nie zatrzymywał.

Szła małymi kroczkami, dopóki nie natknęła się na ścianę. Obmacywała ją, aż natrafiła na gładką zimną powierzchnię. Metalowe drzwi. Pociągnęła za rygiel. Nie dawał się ruszyć. Zamknięte na klucz. Oczywiście, że tak, co właściwie jej się wydawało? Czy naprawdę usłyszała śmiech, czy też dźwięk dochodził z wnętrza jej głowy? Gdzie on jest? Dlaczego bawi się nią w taki sposób?

Trzeba coś zrobić. Myśleć. Ale po to, by myśleć, musiała najpierw pozbyć się tej metalowej kuli, zanim ból doprowadzi ją do szaleństwa. Włożyła kciuk i palec wskazujący w kąciki ust, badając bolce. Na próżno usiłowała wsunąć palec pod któryś z nich. Złapał ją atak kaszlu, wpadła w panikę, gdy nie mogła złapać tchu. Uświadomiła sobie, że pod wpływem nacisku bolców gardło zaczęło puchnąć, groziło jej więc uduszenie. Kopnęła w metalowe drzwi, próbowała krzyczeć, ale kula dławiła dźwięk. Znów zrezygnowała. Oparła się o ścianę, nasłuchiwała. Czyżby odgłos ostrożnych kroków? Czyżby on krążył po tym pomieszczeniu, bawił się z nią w ciuciubabkę? A może to jej własna krew, pędząc przez żyły, dudniła w uszach? Przygotowała się na ból i z całej siły zacisnęła usta. Ledwie zdołała odrobinę wepchnąć bolce z powrotem do środka kuli, a już znów zaczęły naciskać tak jak poprzednio. Kula zdawała się teraz pulsować, zmieniła się w serce z żelaza, stała się częścią niej samej.

Trzeba coś robić. Myśleć.

Sprężyny. Bolce są umocowane na sprężynach.

Wystrzeliły, kiedy pociągnął za sznurek.

Powiedział: „Nie dotykaj sznurka".

Dlaczego? Co by się wtedy stało?

Osunęła się po ścianie i usiadła. Od betonowej posadzki ciągnęło wilgotnym zimnem. Znów była bliska krzyku, ale brakowało jej już sił. Cisza. Milczenie.

Wszystkie te słowa, które powinna była wypowiedzieć do ukochanych najbliższych, zamiast słów, którymi wypełniała ciszę, przebywając z ludźmi jej obojętnymi.

Nie było żadnej drogi wyjścia. Tylko ona i ten potworny ból, głowa, która zdawała się pękać.

„Nie dotykaj sznurka".

Gdyby za niego pociągnęła, może bolce cofnęłyby się, schowały do kuli, uwalniając ją od bólu?

Myśli krążyły po tym samym kole. Jak długo tu była? Dwie godziny? Osiem? Dwadzieścia minut?

Jeśli to takie proste, że wystarczy pociągnąć za sznurek, to dlaczego jeszcze tego nie zrobiła? Z powodu ostrzeżenia wyraźnie chorego człowieka? A może to część zabawy? Może rzecz w tym, by dała się oszukać i nie zakończyła tego całkiem zbędnego bólu? A może w zabawie chodziło o to, aby sprzeciwiła się ostrzeżeniu i pociągnęła za sznurek, tak by... by stało się coś strasznego. A jeśli tak, to co? Co to za kula?

Tak, to zabawa, jakaś okrutna zabawa. Musiała coś zrobić. Ból był nie do zniesienia, gardło spuchło, wiedziała, że wkrótce się udusi.

Znów próbowała krzyknąć, ale z ust wydarł jej się jedynie szloch, i chociaż mrugała, z oczu nie popłynęło więcej łez.

Palce odnalazły sznurek zwisający poza wargę. Pociągnęła leciutko, naprężył się.

Żałowała wszystkiego, czego nie zrobiła, to oczywiste. Ale gdyby życie polegające na ciągłej rezygnacji przywiodło ją w inne miejsce, niż to, w którym znajdowała się teraz, wybrałaby raczej takie. Chciała tylko żyć. Wszystko jedno jakim życiem. Po prostu.

Pociągnęła za sznurek.

Z końcówek bolców wystrzeliły igły. Miały po siedem centymetrów długości. Cztery przebiły policzki, trzy wbiły się w zatoki, dwie w przewód nosowy, a dwie w brodę. Jedna przekłuła przełyk i jedna prawą gałkę oczną. Dwie przeszły przez tylną część podniebienia i dotarły do mózgu. Ale nie to było bezpośrednią przyczyną śmierci. Ponieważ metalowa kula blokowała usta, krwi płynącej z ran nie dało się odpluwać. Zaczęła więc ściekać do tchawicy i dalej do płuc, uniemożliwiając pobieranie tlenu, co z kolei doprowadziło do zatrzymania akcji serca i tego, co patolog w raporcie z sekcji miał nazwać hypoksją, czyli niedotlenieniem mózgu. Innymi słowy: Borgny Stem-Myhre utonęła.

2 WYJAŚNIAJĄCA CIEMNOŚĆ

Dni są krótkie. Na dworze wciąż jest jasno, ale tu, w mojej montażowni, panuje wieczna ciemność. W świetle lampki biurkowej osoby na fotografiach przypiętych do ściany wyglądają na irytująco zadowolone, jakby niczego się nie domyślały. Są takie pełne nadziei, pewne, że mają życie przed sobą, spokojne, niczym niezmącone jak powierzchnia morza czasu podczas flauty. Pociąłem gazetę, usunąłem łzawe historie o rodzinach pozostających w szoku, a także ociekające krwią szczegóły opisu znalezienia zwłok. Wziąłem jedynie nieodłączne zdjęcie, które jakiś krewny czy przyjaciel dał natrętnemu dziennikarzowi, zdjęcie z czasów, kiedy wyglądała najlepiej, kiedy uśmiechała się tak, jakby była nieśmiertelna.

Policja niewiele wie. Na razie. Ale już niedługo dostaną więcej szczegółów, nad którymi będą mogli pracować.

Czym jest i gdzie się kryje to, co czyni z człowieka mordercę? Czy to wrodzone, czy mieści się w jakimś genie, czy jest dziedziczną możliwością, którą jedni posiadają, a inni nie? Czy też zostaje wywołane koniecznością, rozwija się w zetknięciu ze światem, jest strategią przetrwania, ratującą życie chorobą, racjonalnym szaleństwem? Bo tak jak rozpalone ciało ostrzeliwuje chorobę gorączką, tak szaleństwo pozwala na niezbędny odwrót do miejsca, w którym człowiek może się na nowo okopać.

Osobiście uważam, że zdolność do zabijania jest fundamentalna dla każdego zdrowego człowieka. Nasze życie to walka o byt, a ten, kto nie potrafi zabić bliźniego, nie ma usprawiedliwienia dla swojego istnienia. Zabijanie to przecież po prostu przyspieszanie tego, co nieuniknione. Śmierć nie robi wyjątków, i dobrze, bo życie jest bólem i cierpieniem. Pod tym względem każde zabójstwo jest więc aktem miłosierdzia. Tylko trudno o tym myśleć, kiedy słońce grzeje skórę, woda pluska na wargach, człowiek czuje idiotyczną chęć życia w każdym uderzeniu serca i gotów jest zapłacić nawet za okruchy czasu tym, co zdołał zdobyć w życiu: godnością, pozycją, zasadami. To wtedy trzeba sięgać głęboko, ominąć ogłupiające i oślepiające światło. Trzeba sięgnąć do zimnej wyjaśniającej ciemności.

I poczuć twarde jądro. Prawdę. Bo właśnie ją musiałem znaleźć. Właśnie ją znalazłem. To, co czyni z człowieka mordercę.

A co z moim własnym życiem? Czy sądzę, że ono także jest niezmąconą powierzchnią morza czasu?

Wcale nie. Niedługo ja też spocznę na wysypisku śmierci razem z innymi autorami tego małego dramatu. Bez względu jednak na to, w jakim stadium rozkładu znajdować się będzie moje ciało, nawet jeśli zostanie z niego tylko szkielet, to będzie się uśmiechać. Bo po to właśnie teraz żyję. To jedyne usprawiedliwienie mojego istnienia. Moja możliwość oczyszczenia się, uwolnienia od wszelkiej hańby.

Ale to dopiero początek. Teraz zgaszę lampę i wyjdę na światło dzienne. Na tę resztkę, która jeszcze została.

3 HONGKONG

Deszcz nie ustał od razu. Od drugiego razu też nie. Po prostu w ogóle nie ustawał. Mokry i ciepły, padał tydzień za tygodniem. Ziemia nasyciła się już wodą, szosy europejskie się zawalały, ptaki wstrzymały odlot do ciepłych krajów i donoszono o pojawieniu się owadów, jakich nigdy dotąd nie widziano tak daleko na północy. Kalendarz uparcie twierdził, że jest zima, ale trawników w Oslo nie pokrywał śnieg – nie były nawet brązowe, tylko zielone i zapraszające, jak boisko ze sztuczną trawą w Sogn, gdzie zrezygnowani wyczynowcy musieli ograniczyć się do biegania w trykotach firmy Dæhlie, na próżno czekając na odpowiednio zaśnieżone trasy wokół jeziora Sognsvann. W sylwestra mgła była tak gęsta, że choć odgłos fajerwerków niósł się z centrum Oslo aż do Asker, nie dało się zobaczyć choćby iskierki, nawet z tych puszczanych we własnym ogrodzie. Mimo to Norwegowie wystrzelili tego wieczoru sztuczne ognie za sześćset koron na każde gospodarstwo domowe – tak wykazało to samo badanie konsumenckie, z którego wynikało również, że liczba Norwegów realizujących marzenie o białych świętach na białych plażach Tajlandii podwoiła się w ciągu ostatnich trzech lat. Wyglądało jednak na to, że także w południowo-wschodniej Azji pogoda naćpała się kwasu; groźne „małpy", zwykle widywane na mapach pogody jedynie w sezonach tajfunów, teraz nadciągały rzędem przez Morze Południowochińskie. W Hongkongu, gdzie luty zazwyczaj był jednym z najsuchszych miesięcy w roku, tego poranka lało, a zła widoczność kazała samolotowi linii Cathay Pacific Airways, lot 713 z Londynu zrobić dodatkową rundę, zanim zszedł do lądowania na Chek Lap Kok.

– Cieszmy się, że nie lądujemy na starym lotnisku – odezwał się wyglądający na Chińczyka pasażer do Kai Solness, która z całych sił zaciskała dłonie na podłokietnikach. – Tamto leżało w samym środku miasta, więc na pewno wpadlibyśmy na któryś wieżowiec.

Były to pierwsze słowa, jakie mężczyzna wypowiedział od startu przed dwunastoma godzinami. Kaja chciwie skorzystała z szansy skupienia się na czymś innym niż fakt, że znajdowała się w powietrzu, akurat dość niespokojnym.

– Dziękuję, *sir*. To mnie uspokoiło. Jest pan Anglikiem?

Drgnął, jakby wymierzyła mu policzek, zrozumiała więc, że głęboko go uraziła, sugerując, iż mógłby należeć do byłych władców kolonii.

– Może więc Chińczykiem?

Zdecydowanie pokręcił głową.

– Hongkońskim Chińczykiem. A pani, panienko?

Kaja Solness zastanawiała się przez moment, czy nie powinna odpowiedzieć: „hokksundzką Norweżką", ale ograniczyła się do Norweżki, nad czym hongkoński Chińczyk przez chwilę rozmyślał; zaraz z triumfalnym: „Aha!" poprawił ją na „Skandynawkę" i spytał, w jakiej sprawie przybywa do Hongkongu.

– Muszę znaleźć pewnego mężczyznę – odparła, zerkając na stalowoszare chmury z nadzieją, że wkrótce gdzieś ujrzy ziemię.

– Aha! – powtórzył hongkoński Chińczyk. – Pani jest bardzo ładna, panienko. I niech pani nie wierzy we wszystko, co pani usłyszy o tym, że Chińczycy żenią się wyłącznie z Chinkami.

Kaja lekko się uśmiechnęła.

– Ma pan na myśli hongkońskich Chińczyków?

– Zwłaszcza ich. – Z zapałem pokiwał głową, wyciągając rękę bez obrączki. – Zajmuję się mikroczipami, rodzina ma fabryki w Chinach i w Korei Południowej. Co pani robi dziś wieczorem?

– Mam nadzieję, że będę spać – ziewnęła Kaja.

– A jutro?

– Liczę, że jutro już znajdę tego, kogo szukam, i będę wracać do domu.

Mężczyzna zmarszczył brwi.

– Aż tak się pani spieszy, panienko?

Kaja podziękowała mu za propozycję podrzucenia do miasta i wsiadła do piętrowego autobusu. Godzinę później stała sama w korytarzu hotelu Empire Kowloon i starała się głęboko oddychać. Włożyła już kartę-klucz w drzwi przydzielonego jej pokoju, teraz pozostawało więc tylko je otworzyć. Zmusiła wreszcie dłoń do naciśnięcia klamki. Szarpnęła drzwi i zajrzała do środka.

W pokoju nikogo nie było.

Oczywiście, że nie.

Weszła, walizkę na kółkach postawiła przy łóżku, stanęła przy oknie i wyjrzała. Najpierw patrzyła na mrowie ludzi rojących się na ulicy siedemnaście pięter niżej, potem na drapacze chmur, które wcale nie przypominały swoich pełnych gracji, a przynajmniej pompatycznych braci z Manhattanu, Kuala Lumpur czy Tokio. Te tutejsze wyglądały jak termitiery, przerażające i imponujące zarazem, stanowiły groteskowe świadectwo umiejętności przystosowawczych ludzkiego gatunku, kiedy ponad siedem milionów jego przedstawicieli musi się zmieścić na przestrzeni nieco ponad tysiąca kilometrów kwadratowych. Kaja poczuła ogarniające ją zmęczenie. Zrzuciła buty i położyła się na łóżku. Chociaż miała dwuosobowy pokój, a hotel był czterogwiazdkowy, łóżko o szerokości stu dwudziestu centymetrów i tak zajmowało całą podłogę. Pomyślała, że właśnie w tych termitierach musi odnaleźć jednego konkretnego człowieka, który w dodatku – jak wszystko wskazywało – nie był tym szczególnie zainteresowany.

Przez chwilę rozważała dwie możliwości: zamknąć oczy czy brać się do roboty. W końcu wzięła się w garść i wstała. Zdjęła ubranie i weszła pod prysznic. Później spojrzała w lustro i bez popadania w samouwielbienie stwierdziła, że hongkoński Chińczyk miał rację. Była piękna. Wcale jej się tak nie wydawało, to był fakt, oczywiście na tyle, na ile może nim być uroda. Twarz z mocno zaznaczonymi kośćmi policzkowymi, kruczoczarne i wyraźne, ale ładnie zarysowane brwi nad dużymi niemal jak u dziecka oczami o zielonych tęczówkach, błyszczącymi z intensywnością młodej, lecz dojrzałej kobiety. Miodowozłote włosy, pełne wargi, które ledwie się stykały jak przy pocałunku, odrobinę zbyt szerokie usta. Długa szczupła szyja, równie szczupłe ciało z drobnymi piersiami, wzniesionymi jak leniwe fale na powierzchni idealnie gładkiej, chociaż po zimowemu bladej skóry. Miękkie zaokrąglenie bioder. Długie nogi, które kazały przedstawicielom dwóch agencji modelek z Oslo wybrać się do Hokksund, gdy jeszcze chodziła do liceum, i z wielkim niedowierzaniem zaakceptować jej odmowę. A najbardziej ucieszyła się wtedy, gdy jeden z nich rzucił na pożegnanie: „No dobrze, ale zapamiętaj sobie, moja droga, nie jesteś idealną pięknością. Masz małe ostre ząbki i nie powinnaś się tyle uśmiechać".

Od tamtej pory uśmiechała się częściej i łatwiej.

Włożyła bawełniane spodnie w kolorze khaki, cienką kurtkę od deszczu i bezszelestnie, niemal w stanie nieważkości zjechała windą do recepcji.

– Chungking Mansion? – powtórzył recepcjonista, nie mogąc powstrzymać się od uniesienia brwi, i pokazał palcem: – Kimberley Road do Nathan Road i w lewo.

Wszystkie pensjonaty i hotele w krajach członkowskich Interpolu miały obowiązek rejestrowania gości zagranicznych, ale kiedy Kaja zadzwoniła do sekretarza ambasady norweskiej, żeby sprawdzić ostatnie miejsce pobytu człowieka, którego szukała, sekretarz wyjaśnił, że Chungking Mansion nie jest ani hotelem, ani żadnym *mansion* w znaczeniu rezydencji. To zbiorowisko sklepów, ulicznych garkuchni, restauracji i prawdopodobnie ponad stu certyfikowanych i niecertyfikowanych hoteli, mających od dwóch do dwudziestu pokoi, rozdzielonych między cztery wielkie wieżowce. Tamtejsze pokoje do wynajęcia można sklasyfikować od prostych, czystych i przyjemnych po szczurze nory i jednogwiazdkowe cele więzienne. A co najważniejsze, w Chungking Mansion człowiek niewymagający zbyt wiele od życia może spać, jeść, mieszkać, pracować i rozmnażać się bez opuszczania termitiery.

Na Nathan Road, ruchliwej ulicy handlowej z markowymi sklepami, wyglansowanymi fasadami i wielkimi oknami wystawowymi, Kaja znalazła wreszcie wejście do Chungking. I weszła.

Weszła w zapach jedzenia z ulicznych fast foodów, w postukiwanie młotków z warsztatów szewskich, w muzułmańskie modlitwy nadawane przez radio i w zmęczone spojrzenia ludzi w sklepach z używaną odzieżą. Uśmiechnęła się przelotnie do zdezorientowanego backpackera z przewodnikiem *Lonely Planet* w dłoni i białymi zmarzniętymi łydkami wystającymi ze zbyt optymistycznych wojskowych szortów.

Strażnik w mundurze spojrzał na kartkę, którą mu pokazała, powiedział: „*Lift C*" i wskazał w głąb jednego z korytarzy.

Do windy wiła się długa kolejka, Kai udało się wsiąść dopiero w trzeciej turze. Ludzie tak się ściskali w trzeszczącej i podskakującej żelaznej trumnie, że Kai na myśl przyszli Cyganie, którzy grzebią swoich zmarłych na stojąco.

Hotel miał muzułmańskiego właściciela w turbanie, który zaraz z wielkim entuzjazmem pokazał jej nie tyle pokój, co właściwie boks; w jakiś cudowny sposób udało się w nim zmieścić telewizor na ścianie nad nogami łóżka i charczący klimatyzator nad głową.

Entuzjazm właściciela zmalał, kiedy przerwała mu akcję marketingową, pokazała zdjęcie mężczyzny z nazwiskiem zapisanym tak, jak powinno widnieć w jego paszporcie, i spytała, gdzie może go teraz znaleźć.

Widząc reakcję muzułmanina, natychmiast poinformowała go, że jest żoną. Sekretarz ambasady uprzedził, że w Chungking wymachiwanie oficjalnym policyjnym identyfikatorem może się okazać „kontrproduktywne". A kiedy Kaja na wszelki wypadek dodała, że z mężczyzną na zdjęciu ma pięcioro dzieci, nastawienie właściciela zmieniło się radykalnie. Młoda poganka z Zachodu, która wydała już na świat tyle potomstwa, wymusiła na nim szacunek. Westchnął ciężko, pokręcił głową i w jękliwym rwanym angielskim powiedział:

– Smutne, bardzo smutne, proszę pani. Przyszli i zabrali mu paszport.

– Kto?

– Kto? Triada, proszę pani. Zawsze triada.

– Triada? – zawołała Kaja.

Oczywiście słyszała o tej organizacji, lecz właściwie była chyba przekonana, że chińska mafia istnieje przede wszystkim w komiksach i filmach karate.

– Proszę siadać.

Czym prędzej przysunął jej krzesło, na które Kaja ciężko opadła.

– Szukali go. Jego nie było. Zabrali paszport.

– Paszport? Dlaczego?

Zawahał się.

– Bardzo pana proszę, muszę się tego dowiedzieć.

14

– Obawiam się, że pani mąż obstawia konie.

– Konie?

– Happy Valley. Tor wyścigowy. Paskudztwo.

– Ma długi hazardowe? Długi wobec triady?

Pokiwał i pokręcił głową kilka razy, na zmianę potwierdzając ten fakt i wyrażając dezaprobatę.

– I zabrali mu paszport?

– Będzie musiał go wykupić, zwrócić dług, jeśli zechce wyjechać z Hongkongu.

– Przecież nowy paszport może po prostu dostać w konsulacie norweskim.

Turban zakołysał się z boku na bok.

– No tak. Może też wyrobić sobie fałszywy za osiemdziesiąt dolarów amerykańskich tu, w Chungking. Ale to nie paszport jest problemem. Problemem jest to, że Hongkong to wyspa. Jak się pani tu dostała?

– Samolotem.

– I jak pani wyjeżdża?

– Samolotem.

– Jedno lotnisko. Bilety lotnicze. Wszystkie nazwiska w komputerze. Dużo punktów kontrolnych. Na lotnisku wielu takich, którym triada trochę płaci za rozpoznawanie twarzy. Rozumie pani?

Z namysłem pokiwała głową.

– Trudno uciec.

Właściciel ze śmiechem zaprzeczył:

– Nie, proszę pani, nie trudno. To niemożliwe. Ale w Hongkongu można się schować. Siedem milionów. Łatwo się zgubić.

Kai zaczęło dawać się we znaki niewyspanie, na moment przymknęła oczy. Właściciel hotelu musiał ją źle zrozumieć, bo pocieszającym gestem położył jej rękę na ramieniu i mruknął:

– Już dobrze, dobrze… – Zawahał się, pochylił i szepnął: – Wydaje mi się, że on ciągle tu jest.

– No tak, rozumiem.

– Mam na myśli tutaj, w Chungking. Widziałem go.

Podniosła głowę.

– Dwa razy – dodał. – U Li Yuana. Tam je. Tani ryż. Niech pani nikomu nie mówi, że to powiedziałem. Pani mąż to dobry człowiek. Ale kłopot.

– Uniósł oczy do góry tak, że prawie zniknęły pod turbanem. – Duży kłopot.

U Li Yuana okazało się ladą, czterema krzesłami i jednym Chińczykiem, który uśmiechnął się do niej pocieszająco, kiedy po sześciu godzinach, dwóch porcjach smażonego ryżu, trzech kawach i dwóch litrach wody obudziła się z gwałtownym drgnięciem, podniosła głowę z zatłuszczonego blatu i spojrzała na niego.

– *Tired?* – zaśmiał się, pokazując braki w uzębieniu.

Kaja ziewnęła, zamówiła czwartą filiżankę kawy i dalej czekała. Przyszli dwaj Chińczycy, usiedli przy ladzie, nie odzywając się ani niczego nie zamawiając. Nie zaszczycili jej nawet jednym spojrzeniem, z czego się cieszyła. Tak zesztywniała od siedzenia w ciągu ostatniej doby, że ból przeszywał ciało bez względu na pozycję. Poruszyła głową z boku na bok, żeby choć trochę pobudzić krążenie krwi. Odchyliła ją do tyłu i usłyszała trzaśnięcie w karku. Spojrzała na niebieskobiałe świetlówki na suficie, opuściła głowę. I zobaczyła udręczoną bladą twarz. Mężczyzna przystanął przed jedną z opuszczonych stalowych żaluzji w korytarzu i wzrokiem przeskanował niewielki przybytek Li Yuana. Spojrzenie zatrzymało się na dwóch Chińczykach przy ladzie. Poszedł dalej.

Kaja zdołała wstać, ale zdrętwiała noga ugięła się pod nią. Sięgnęła jednak po torebkę i pokuśtykała za mężczyzną najszybciej, jak umiała.

– *Welcome back!* – usłyszała za plecami wołanie Li Yuana.

Mężczyzna był bardzo chudy. Na zdjęciach miał szerokie bary i sięgał prawie do nieba, a w telewizyjnym talk-show krzesło, na którym siedział, wydawało się zrobione dla Pigmejów. Ale Kaja nie miała najmniejszych wątpliwości, że to on. Nierówna czaszka z włosami ostrzyżonymi na jeża, duży nos, oczy z pajęczyną naczyń krwionośnych i rozmyte alkoholem jasnoniebieskie tęczówki. Zdecydowany podbródek i zaskakująco miękkie, prawie piękne usta.

Wyskoczyła na Nathan Road. W świetle neonów dostrzegła górujące nad tłumem plecy w skórzanej kurtce. On raczej nie szedł szybko, lecz mimo to musiała podbiegać, żeby dotrzymać mu kroku. Skręcił z ruchliwej handlowej ulicy i gdy znaleźli się w węższych, mniej zatłoczonych zaułkach, zwiększyła dystans. Zauważyła tabliczkę z nazwą ulicy, Melden Row. Miała ochotę podejść do niego i się przedstawić, mieć to już za sobą.

Postanowiła jednak trzymać się planu: dowiedzieć się, gdzie on mieszka. Deszcz przestał padać i nagle skrawek chmury odsunął się na bok, niebo ponad nią było wysokie, czarne jak aksamit, ponakłuwane migoczącymi gwiazdami.

Po dwudziestu minutach mężczyzna nieoczekiwanie zatrzymał się na rogu. Kaja przestraszyła się, że ją zauważył, ale on się nie odwrócił, tylko wyjął coś z kieszeni kurtki. Popatrzyła zdumiona. Butelka ze smoczkiem?

Skręcił za róg.

Kaja poszła za nim i znalazła się na dużym otwartym placu pełnym ludzi, w większości młodych. Na drugim jego końcu nad szerokimi drzwiami świecił szyld z napisem po angielsku i po chińsku. Rozpoznała tytuły kilku filmów, których nigdy nie miała czasu zobaczyć. Odszukała wzrokiem skórzaną kurtkę i zdążyła zauważyć, że odstawił butelkę na niski cokół rzeźby z brązu, przedstawiającej szubienicę z pustą pętlą. Mężczyzna minął dwie zajęte ławki i usiadł na trzeciej, sięgnął po leżącą na niej gazetę, po dwudziestu sekundach wstał, wrócił do rzeźby, w przelocie złapał butelkę, schował ją z powrotem do kieszeni kurtki i ruszył tą samą drogą, którą przyszedł.

Znów się rozpadało, gdy zobaczyła, że wszedł do Chungking Mansion. Powoli zaczęła się przygotowywać do wygłoszenia swojej przemowy. Przy windach nie było już kolejki, on jednak wszedł po schodach piechotą, skręcił w prawo i zniknął w wahadłowych drzwiach. Kaja pospieszyła za nim i nagle znalazła się na zrujnowanej bezludnej klatce schodowej, przesyconej smrodem kocich szczyn i mokrego betonu. Wstrzymała oddech, ale słyszała jedynie odgłos kapiącej wody. Właśnie podjęła decyzję, że pójdzie dalej na górę, gdy gdzieś na dole trzasnęły drzwi. Zbiegła więc po schodach i znalazła jedyne drzwi, które mogły tak trzasnąć, metalowe, powyginane. Położyła rękę na klamce, poczuła nadciągające drżenie, zamknęła oczy i zaklęła w duchu. Szarpnęła drzwi i weszła w ciemność. To znaczy wyszła na zewnątrz.

Coś przebiegło jej po stopach, lecz ani nie krzyknęła, ani się nie poruszyła.

W pierwszej chwili pomyślała, że znalazła się w szybie windy, ale kiedy spojrzała w górę, zobaczyła czarny od sadzy mur, pokryty plątaniną rur wodociągowych, przewodów, pogiętych kawałków metalu i zwalonych zardzewiałych rusztowań. To nie było podwórze, tylko kilka metrów kwadratowych powierzchni między wieżowcami. Jedyne światło pochodziło z niewielkiego prostokąta z gwiazdami widocznego wysoko w górze. Mimo bezchmurnego nieba krople cały czas uderzały o asfalt, padały też na jej twarz. Nagle zrozumiała, że to skondensowana woda z małych zardzewiałych klimatyzatorów wystających poza płaszczyznę fasad. Cofnęła się, oparła plecami o metalowe drzwi.

Czekała.

Wreszcie z ciemności padło:

– *What do you want?*

Nigdy wcześniej nie słyszała jego głosu. Chociaż właściwie słyszała, w tym talk-show, kiedy mówił o seryjnych zabójcach, ale zupełnie inaczej brzmiał na żywo. Była w nim zniszczona chropowatość, przez co wydawało się, że ma więcej niż tych niespełna czterdzieści lat, o których wiedziała. A jednocześnie biły z niego pewność siebie i spokój, niepasujące do twarzy ściganego człowieka, którą ujrzała przy barze Li Yuana. Głębia i ciepło.

– Jestem Norweżką – powiedziała.

Żadnej odpowiedzi. Przełknęła ślinę. Wiedziała, że pierwsze słowa będą najważniejsze.

– Nazywam się Kaja Solness. Mam zadanie cię odszukać. Gunnar Hagen mi to zlecił.

Żadnej reakcji na nazwisko jego szefa z Wydziału Zabójstw. Czyżby sobie poszedł?

– Pracuję dla Hagena, jestem oficerem śledczym – rzuciła w ciemność.

– Gratuluję.

– Nie ma czego. Wiedziałbyś, gdybyś przez ostatnie miesiące czytał norweskie gazety.

Gotowa była odgryźć sobie język. Próbowała być dowcipna? To przez to niewyspanie. Albo przez nerwowość.

– Gratuluję dobrze wykonanego zadania. Zostałem odnaleziony, możesz wracać.

– Zaczekaj! – zawołała. – Nie chcesz wiedzieć, o co chodzi?

– Wolałbym nie.

Ale słowa, które Kaja sobie zapisała i które ćwiczyła, już się z niej wysypywały:

– Zabito dwie kobiety. Sekcje wskazują na tego samego sprawcę. Poza tym nie mamy żadnych śladów. Prasa, chociaż dostaje minimalną ilość szczegółów, już dawno krzyczy o kolejnym seryjnym zabójcy. Niektórzy piszą, że być może zainspirował go Bałwan. Ściągnęliśmy ekspertów z Interpolu, ale do niczego nie doszli. Naciski z mediów i władz...

– To oznacza: nie – powiedział głos.

Trzasnęły jakieś drzwi.

– Halo! Halo? Jesteś tam?

Po omacku ruszyła do przodu i znalazła drzwi. Otworzyła je, zanim strach zdążył na dobre się w niej obudzić, i stanęła na innej, pogrążonej w ciemności klatce schodowej. Trochę wyżej dostrzegła światło, wbiegła na górę, przeskakując po trzy stopnie naraz. Światło wpadało przez szybę wahadłowych drzwi. Pchnęła je i znalazła się w nagim korytarzu, w którym zrezygnowano z łatania kruszącego się tynku. Ze ścian bił cuchnący oddech wilgoci. Oparci o tę wilgoć stali dwaj mężczyźni z papierosami w kącikach ust. Do Kai dotarł słodkawy zapach. Popatrzyli na nią zamglonymi oczami. Zbyt zamglonymi, pomyślała z nadzieją. Niższy z mężczyzn był czarny, pewnie Afrykanin z pochodzenia. Wyższy, biały, miał na czole bliznę w kształcie piramidy niczym trójkąt ostrzegawczy. W branżowym magazynie „Policja" czytała, że po ulicach Hongkongu chodzi blisko trzydzieści tysięcy policjantów, uważany jest więc za najbezpieczniejszą wielomilionową metropolię na świecie. No ale ci policjanci chodzą po ulicach.

– *Looking for hashish, lady?*

Pokręciła głową, spróbowała się spokojnie uśmiechnąć, zachować tak, jak sama radziła młodym dziewczynom, gdy jeszcze jeździła z pogadankami po szkołach, wyglądać, jakby wiedziała, dokąd idzie, a nie jak ktoś, kto się odłączył od stada. Nie jak zdobycz.

Odpowiedzieli uśmiechem. Jedyne drugie drzwi w korytarzu były zamurowane. Mężczyźni wyjęli ręce z kieszeni, papierosy z ust.

– *Looking for fun, then?*

– *Wrong door, that's all* – odparła i odwróciła się do wyjścia. Poczuła dłoń zaciskającą się na nadgarstku. Strach miał w ustach smak cynfolii. Znała to z teorii. Ćwiczyła na gumowych matach w oświetlonej sali gimnastycznej, z instruktorem i w otoczeniu kolegów.

– *Right door, lady. Right door. Fun is this way.*

Oddech, który poczuła na twarzy, cuchnął rybą, cebulą i marihuaną. W sali gimnastycznej był tylko jeden przeciwnik.

19

– *No, thanks* – wydusiła z siebie, usiłując panować nad głosem.

Czarny podszedł do niej, złapał ją za nadgarstek drugiej ręki i powiedział głosem przechodzącym w falset:

– *We will show you.*

– *Only there's not much to see, is there?*

Wszyscy troje odwrócili się do wahadłowych drzwi.

Kaja wiedziała, że w paszporcie wpisano mu sto dziewięćdziesiąt cztery centymetry wzrostu, ale kiedy stanął w drzwiach miary hongkońskiej, wyglądał co najmniej na dwa dziesięć, a w barach na dwa razy szerszego niż zaledwie przed godziną. Zwieszone ręce lekko odstawały od boków, ale się nie poruszał, nie gapił, nie warczał, tylko patrząc spokojnie na białego, powtórzył:

– *Is there, jau-ye?*

Kaja poczuła, że palce białego na jej nadgarstku napinają się i rozluźniają. Czarny przestąpił z nogi na nogę.

– *Ng-goy* – odparł mężczyzna w drzwiach.

Z wahaniem ją puścili.

– Chodź – mruknął, biorąc ją lekko pod rękę.

Kiedy wychodzili, paliły ją policzki. Efekt napięcia i wstydu. Zażenowania ulgą, którą poczuła, powolnością pracy jej mózgu w tej sytuacji, lekkością, z jaką pozwoliła mu załatwić sprawę z dwoma niewinnymi handlarzami haszyszu, którzy chcieli tylko trochę ją nastraszyć.

Poprowadził ją dwa piętra w górę i przez kolejne wahadłowe drzwi, ustawił przy windzie, wcisnął guzik ze strzałką w dół, stanął obok niej i utkwił wzrok w jedenastce na wyświetlaczu.

– Gastarbeiterzy – powiedział. – Są sami i po prostu się nudzą.

– Wiem – odparła gniewnie.

– Wciśnij "G" jak *groundfloor*, skręć w prawo, dalej idź prosto, aż wyjdziesz na Nathan Road.

– Proszę, wysłuchaj mnie. Jako jedyny w Wydziale Zabójstw masz specjalne kompetencje do rozwiązywania spraw seryjnych zabójców. To ty dopadłeś Bałwana.

– Zgadza się. – Coś drgnęło w jego oczach, przeciągnął palcem wzdłuż szczęki obok prawego ucha. – A potem złożyłem wymówienie.

– Wymówienie? Chcesz powiedzieć, że wziąłeś urlop.

– Wymówienie. To znaczy, że rzuciłem robotę.

Dopiero teraz zobaczyła, że prawa strona szczęki sterczy mu w dziwnie nienaturalny sposób.

– Gunnar Hagen twierdzi, że kiedy wyjeżdżałeś z Oslo sześć miesięcy temu, dał ci bezterminowy urlop.

Mężczyzna uśmiechnął się, a wtedy jego twarz całkowicie się zmieniła.

– Po prostu dlatego, że Hagenowi nie mieści się w głowie... – urwał, a uśmiech zniknął. Spojrzenie padło na wyświetlacz nad windą, na którym teraz pojawiła się piątka. – Wszystko jedno, i tak już nie pracuję w policji.

– Potrzebujemy cię... – Wzięła głęboki oddech. Wiedziała, że stąpa po cienkim lodzie, ale musiała działać, zanim on znów zniknie jej z oczu. – A ty potrzebujesz nas.

Przeniósł na nią wzrok.

– Co cię, na miłość boską, skłania do takiego myślenia?

– Jesteś winien pieniądze triadzie. Kupujesz na ulicy narkotyki w butelce ze smoczkiem. Mieszkasz... – skrzywiła się – ...tutaj. I nie masz paszportu.

– Dobrze mi tu, na co mi paszport?

Rozległ się dzwonek, drzwi windy rozsunęły się ze zgrzytem, od ciał znajdujących się w środku buchnęło cuchnące gorąco.

– Ja nie wsiadam! – oświadczyła Kaja głośniej, niż planowała, spoglądając na twarze patrzące na nią z niecierpliwością i wyraźnym zaciekawieniem.

– Owszem, wsiadasz. – Położył dłoń na jej krzyżu i delikatnie, ale zdecydowanie pchnął. Natychmiast otoczyły ją ciała zagradzające wyjście, uniemożliwiające jakikolwiek ruch. Gdy w końcu odwróciła głowę, zobaczyła, że drzwi windy się zasuwają.

– Harry! – zawołała.

Ale jego już nie było.

4 SEX PISTOLS

Stary właściciel hotelu w zamyśleniu przyłożył palec do czoła pod turbanem i przez dłuższą chwilę badawczo się jej przyglądał. W końcu sięgnął po telefon i wybrał numer. Rzucił kilka słów po arabsku i się rozłączył.

– Czekać – powiedział. – Może. Może nie.

Kaja z uśmiechem kiwnęła głową.

Wpatrzeni w siebie siedzieli po przeciwnych stronach wąskiego stolika pełniącego funkcję recepcji.

W końcu telefon zadzwonił. Arab odebrał, posłuchał i odłożył słuchawkę, nie wypowiadając ani słowa.

– Sto pięćdziesiąt tysięcy dolarów – oznajmił.

– Sto pięćdziesiąt? – powtórzyła z niedowierzaniem.

– Hongkońskich, proszę pani.

Kaja policzyła w pamięci. To było około stu trzydziestu tysięcy koron norweskich. Mniej więcej dwa razy tyle, ile dostała do dyspozycji.

Kiedy wreszcie go znalazła, minęła już północ i blisko czterdzieści godzin, odkąd spała. Trzy godziny krążyła po wieżowcach. Narysowała sobie w głowie mapę wnętrza, gdy wędrowała przez hotele, kafejki, snack bary, kluby masażu i pokoje modlitw, aż doszła do najtańszych noclegowni, pokojów i sal sypialnych, w których mieszkała importowana siła robocza z Afryki i Pakistanu, do tych, które miały tylko boksy bez drzwi, bez telewizora, bez klimatyzacji i bez prywatności. Czarny nocny portier, który ją wpuścił, długo patrzył na zdjęcie, a jeszcze dłużej na studolarowy banknot w jej ręce, nim wreszcie go wziął i wskazał na jeden z boksów.

Harry Hole, pomyślała. *Got you!*

Leżał na materacu na wznak i oddychał prawie bezgłośnie. Na czole rysowała mu się głęboka zmarszczka, a kość szczęki pod prawym uchem wystawała jeszcze wyraźniej, kiedy spał. Z sąsiednich boksów dochodziło pokasływanie i pochrapywanie innych mężczyzn. Kapiąca z sufitu woda uderzała w betonową posadzkę z przeciągłym zniechęconym westchnieniem. Przez otwór wejściowy wpadała smuga zimnego niebieskiego światła świetlówek z recepcji. Kaja zobaczyła szafę na ubrania pod oknem, krzesło i plastikową butelkę z wodą obok materaca na podłodze. To wszystko. Czuć było słodko-gorzki zapach przypominający spaloną gumę. Dym unosił się z peta w popielniczce stojącej na podłodze obok butelki ze smoczkiem. Kaja usiadła na krześle i zobaczyła, że on trzyma coś w dłoni. Tłustą żółtobrązową grudkę. Dość się naoglądała haszyszu w ciągu tamtego roku, kiedy patrolowała ulice, by wiedzieć, że to nie haszysz.

Była prawie druga, kiedy się obudził.

Usłyszała jedynie leciutką zmianę w rytmie oddechu i nagle w ciemności ukazały się białka jego oczu.

– Rakel? – spytał szeptem. I znów zasnął.

Pół godziny później nagle szeroko otworzył oczy, poderwał się, obrócił i sięgnął po coś pod materac.

– To ja – szepnęła. – Kaja Solness.

Ciało przed nią zastygło w pół ruchu i zaraz znów zwaliło się na posłanie.

– Co tu, do cholery, robisz? – wydusił z siebie głosem, w którym chrzęścił żwir.

– Przyszłam po ciebie.

Zaśmiał się cicho z zamkniętymi oczami.

– Po mnie? Ciągle?

Kaja wyjęła kopertę i nachylając się, przysunęła mu ją do twarzy. Otworzył jedno oko.

– Bilet lotniczy – powiedziała. – Do Oslo.

Oko znów się zamknęło.

– Dziękuję, ale zostanę tutaj.

– Skoro ja cię znalazłam, to tylko kwestia czasu, kiedy oni cię dopadną.

Nie odpowiedział. Kaja czekała, wsłuchana w jego oddech i odgłos kapiącej wody. Kiedy znów otworzył oczy, potarł twarz pod prawym uchem i uniósł się na łokciach.

– Masz papierosa?

Pokręciła głową.

Zrzucił prześcieradło, wstał i podszedł do szafy. Był zaskakująco blady jak na ponadpółroczny pobyt w klimacie podzwrotnikowym. I tak chudy, że żebra sterczały mu nawet na plecach. Budowa ciała świadczyła o tym, że kiedyś był atletyczny, ale teraz resztki mięśni rysowały się jedynie w postaci cieni pod białą skórą. Otworzył szafę. Zdumiały ją ubrania poskładane tak starannie, że dałoby się je policzyć. Włożył T-shirt i dżinsy, te same, które nosił poprzedniego dnia, i nie bez wysiłku wyciągnął z kieszeni zmiętą paczkę papierosów.

Dosłownie wszedł w japonki i wyminął Kaję, klikając zapalniczką.

– Chodź – rzucił. – Pora na obiad.

Było wpół do trzeciej w nocy. W sklepach i jadłodajniach w Chungking pozaciągano szare stalowe żaluzje. Ale nie u Li Yuana.

– No to jak się znalazłeś w Hongkongu? – spytała Kaja, patrząc, jak Harry w nieelegancki, ale skuteczny sposób pochłania lśniący szklisty makaron z białej miski.

– Przyleciałem samolotem. Zimno ci?

Kaja odruchowo wyciągnęła dłonie spod ud.

– A dlaczego akurat tutaj?

– Byłem w drodze do Manili. W Hongkongu miało być tylko międzylądowanie.

– Filipiny. Co zamierzałeś tam robić?

– Rzucić się do wulkanu.

– Do którego?

– No cóż. Jakie znasz nazwy?

– Żadnej. Czytałam tylko, że jest ich tam dużo. Głównie chyba na... hm... Luzonie?

– Nieźle. W sumie jest osiemnaście wulkanów, a trzy duże na Luzonie. Ja chciałem wejść na Mayon. Dwa i pół tysiąca metrów. Stratowulkan.

– Wulkan ze stromymi zboczami utworzonymi z warstw lawy pochodzącej z kolejnych wybuchów.

Harry przestał jeść i spojrzał na nią.

– Erupcje w czasach nowożytnych?

– Dużo. Trzydzieści?

– Kartoteka karna mówi, że czterdzieści siedem od 1616 roku. Ostatnia w 2002. Podejrzany o co najmniej trzy tysiące zabójstw.

– Co się stało?

– Ciśnienie narastało.

– Mam na myśli ciebie.

– Mówię o sobie. – Na jego twarzy pojawił się cień uśmiechu. – Pękłem. W samolocie zacząłem pić wódkę. Wysadzili mnie w Hongkongu.

– Do Manili lata więcej samolotów.

– Zrozumiałem, że oprócz wulkanów Manila nie ma nic, czego nie miałby Hongkong.

– Na przykład?

– Na przykład odległości od Norwegii.

Kaja pokiwała głową. Czytała protokoły ze sprawy Bałwana.

– A co najważniejsze – dodał, wskazując pałeczką – tu jest sojowy makaron Li Yuana. Spróbuj! Samo to wystarczy, żeby ubiegać się o obywatelstwo.

– Makaron i opium.

Taka bezpośredniość nie była w jej stylu, ale wiedziała, że musi zapomnieć o wrodzonej wstydliwości, że to jej jedyna szansa, by osiągnąć to, po co tu przyjechała.

Harry wzruszył ramionami i znów skupił się na jedzeniu.

– Palisz opium regularnie?

– Nieregularnie.

– Dlaczego to robisz?

Odparł z pełnymi ustami:

– Żeby nie pić. Jestem alkoholikiem. To zresztą jeszcze jedna zaleta Hongkongu w porównaniu z Manilą. Niższe kary za narkotyki. I czystsze więzienia.

– O alkoholu wiedziałam, ale czy ty jesteś narkomanem?

– Zdefiniuj narkomana.

– M u s i s z brać?

– Nie, ale chcę.

– Bo?

– Znieczulenie. To brzmi jak rozmowa w sprawie pracy, której wcale nie chcę, Solness. Paliłaś kiedyś opium?

Kaja pokręciła głową. Kilka razy próbowała marihuany, kiedy z plecakiem przemierzała Amerykę Południową, ale niezbyt jej się to spodobało.

– Za to Chińczycy palili. Dwieście lat temu Brytyjczycy importowali opium z Indii, żeby poprawić bilans handlowy. Z połowy Chińczyków zrobili narkomanów. – Pstryknął palcami wolnej ręki. – A kiedy chińskie władze rozsądnie zakazały opium, Brytyjczycy ruszyli na wojnę o swoje prawo do odurzenia Chin do końca. Wyobraź sobie, że Kolumbia zaczyna bombardować Nowy Jork, bo Amerykanie nie przepuścili przez granicę partii kokainy.

– Do czego zmierzasz?

– Jako Europejczyk uważam za swój obowiązek wypalić choć trochę tego świństwa, które sprowadziliśmy do tego kraju.

Kaja usłyszała własny śmiech. Naprawdę potrzebowała snu.

– Szłam za tobą, kiedy kupowałeś – powiedziała. – Widziałam, jak to robicie. W tej butelce ze smoczkiem były pieniądze, kiedy ją zostawiłeś. A później opium, prawda?

– Mhm – mruknął Harry z ustami pełnymi klusek. – Pracowałaś w narkotykowym?

Zaprzeczyła.

– Dlaczego butelka ze smoczkiem?

Harry wyciągnął ręce nad głowę. Stojąca przed nim miska była już pusta.

– Opium cholernie cuchnie. Jeśli ma się grudkę w kieszeni, choćby w folii, psy mogą cię wywęszyć nawet w wielkim tłumie. A na butelki ze smoczkiem nie ma zastawu, więc nie ryzykujesz, że jakiś dzieciak albo pijaczyna przypadkiem ci ją zwinie podczas transakcji. Takie rzeczy się zdarzały.

Kaja z namysłem kiwnęła głową. Harry zaczął się rozluźniać, musiała to kontynuować. Każdy, kto przez pół roku nie miał możliwości mówienia w ojczystym języku, robi się gadatliwy, kiedy spotka rodaka. To naturalne, po prostu trzeba iść dalej.

– Lubisz konie?

Harry żuł wykałaczkę.

– W zasadzie nie. Są cholernie kapryśne.

– Ale lubisz obstawiać?

– Lubię. Ale hazard nie jest jednym z moich nałogów.

Uśmiechnął się, a ją znów uderzyła zmiana, jaka zaszła w jego twarzy. Od razu stawał się ludzki, przystępny, chłopięcy. Pomyślała o skrawku otwartego nieba, które ujrzała nad Melden Row.

– Hazard to na dłuższą metę marna strategia, ale kiedy nie ma się już nic do stracenia – jedyna. Postawiłem wszystko, co miałem, i sporo tego, czego nie miałem, na jedną gonitwę.

– Postawiłeś wszystko, co miałeś, na jednego konia?

– Na dwa. Quinella. Typujesz w dowolnej kolejności konie, które zajmą pierwsze i drugie miejsce.

– I pożyczyłeś na to pieniądze od triady?

Po raz pierwszy dostrzegła w oczach Harry'ego zaskoczenie.

– Co może skłonić poważny chiński kartel przestępczy do pożyczenia pieniędzy uzależnionemu od opium cudzoziemcowi, który nie ma nic do stracenia?

– No cóż. – Harry wyjął papierosa. – Cudzoziemcy mają wstęp do loży VIP-ów na torze w Happy Valley przez pierwsze trzy tygodnie od podstemplowania paszportu. – Przypalił papierosa i wypuścił dym w stronę wiatraka na suficie kręcącego się tak wolno, że muchy woziły się na nim jak na karuzeli. – Obowiązują także reguły co do stroju, więc uszyłem sobie garnitur. Dwa pierwsze tygodnie wystarczyły, żeby w tym zasmakować. Poznałem Hermana Kluita, Południowoafrykańczyka, który w latach dziewięćdziesiątych potwornie się wzbogacił na minerałach z Afryki. Pokazał mi, jak stracić mnóstwo pieniędzy w wielkim stylu. Całkiem po prostu spodobał mi się ten koncept. Wieczorem przed wyścigami w trzecim tygodniu mojego pobytu byłem na kolacji u Kluita, podczas której zabawiał gości, pokazując swój zbiór afrykańskich narzędzi tortur z Gomy. Kierowca Kluita dał mi wtedy cynk. Faworyt jednego z biegów był kontuzjowany, ale utrzymywano to w tajemnicy, bo mimo wszystko miał startować. Rzecz polegała na tym, że był oczywistym faworytem – mogło dojść do *minus pool*, czyli wygrana przez postawienie na niego byłaby niemożliwa. Natomiast można było nieźle zarobić stawianiem na wszystkie pozostałe konie, na przykład typując Quinellę. Ale oczywiście, jeśli chciało się naprawdę coś wygrać, trzeba było mieć spory kapitał. Kluit pożyczył mi na moją uczciwą gębę. I na garnitur od krawca. – Harry, wpatrzony w żar papierosa, jakby uśmiechnął się na to wspomnienie.

– No i? – dopytywała się Kaja.

– Faworyt wygrał o sześć długości. – Harry wzruszył ramionami. – Kiedy przyznałem się Kluitowi, że jestem kompletnie spłukany, szczerze mi współczuł, ale uprzejmie wyjaśnił, że jako człowiek interesu musi się trzymać swoich zasad. Zapewnił mnie, że nie obejmują one wykorzystania narzędzi tortur z Konga, a rzecz po prostu polega na sprzedaniu długu z rabatem triadzie, co, jak przyznał, wcale nie jest o wiele lepsze. Dodał jeszcze, że w moim wypadku wstrzyma się ze sprzedażą trzydzieści sześć godzin, żebym zdołał się wydostać z Hongkongu.

– A ty nie skorzystałeś?

– Czasami ciężko myślę.

– A później?

Harry rozłożył ręce.

– To. Chungking.

– Plany na przyszłość?

Wzruszył ramionami. Kai przypomniała się okładka płyty, którą kiedyś pokazał jej Even, ze zdjęciem Sida Viciousa z Sex Pistols. I muzyka w tle: *No fu-ture, no fu-ture.*

Harry zgasił papierosa.

– Wiesz już to, co ci było potrzebne, Kaju Solness.

– Co mi było potrzebne? – Zmarszczyła czoło. – Nie rozumiem.

– Nie? – Wstał. – Wydaje ci się, że gadam o opium i długach, bo jestem samotnym Norwegiem, który w końcu spotkał rodaka?

Nie odezwała się.

– Powiedziałem ci o tym, żebyś zrozumiała, że nie jestem człowiekiem, który wam się przyda. Możesz wracać bez poczucia niewywiązania się z obowiązku. Żebyś więcej nie wpadała w kłopoty na klatkach schodowych i żebym mógł spać spokojnie, nie myśląc o tym, że ściągniesz na mnie wierzycieli.

Popatrzyła na niego. Miał w sobie coś surowego, ascetycznego, czemu jednak przeczyło rozbawienie w oczach, mówiące, że nie trzeba wszystkiego traktować tak poważnie, a raczej że jego nic już nie obchodzi.

– Zaczekaj! – Kaja otworzyła torebkę, wyjęła z niej małą czerwoną książeczkę, podała mu ją i obserwowała reakcję. Dostrzegła zdumienie rozlewające się na jego twarzy, gdy ją przeglądał.

– Cholera, to wygląda na mój oryginalny paszport!

– Bo nim jest.

– Wątpię, by Wydział Zabójstw miał na to budżet.

– Kurs twoich długów spadł – skłamała. – Dostałam rabat.

– Mam nadzieję. Dla twojego dobra, bo nie zamierzam wracać do Oslo.

Kaja długo na niego patrzyła. Bała się. Bo teraz nie miała już drogi odwrotu. Będzie musiała zagrać ostatnią kartą, którą Gunnar Hagen kazał jej zachować na sam koniec, gdyby ten uparciuch mimo wszystko nie dał się przekonać.

– I jeszcze jedno. – Kaja cała się spięła.

Harry uniósł brew, może wychwycił coś w tonie jej głosu.

– Chodzi o twojego ojca, Harry. – Uświadomiła sobie, że użyła jego imienia, i próbowała sobie wmówić, że zrobiła to szczerze, nie dla efektu.

– O mojego ojca? – powtórzył, jakby zaskoczony, że ktoś taki w ogóle istnieje.

– Tak. Kontaktowaliśmy się z nim, żeby się dowiedzieć, czy nie wie, gdzie jesteś. Okazało się, że jest chory.

Wbiła wzrok w blat.

Słuchała jego oddechu.

– Poważnie? – W głosie znów zachrzęścił żwir.

– Tak. Przykro mi, że akurat ja musiałam być tą osobą, która cię o tym zawiadomi.

Wciąż bała się podnieść oczy. Wstydziła się. Czekała. Wsłuchiwała się w skrzekliwy dźwięk kantońskiego z telewizora za plecami Li Yuana. Przełknęła ślinę i czekała. Wiedziała, że wkrótce musi się przespać.

– O której jest samolot?

– O ósmej. Przyjdę tu po ciebie za trzy godziny.

– Przyjadę sam. Mam jeszcze parę rzeczy do załatwienia. – Wyciągnął otwartą dłoń.

Kaja popatrzyła zdziwiona.

– Do tego potrzebny mi będzie paszport. A ty powinnaś coś zjeść. Nabrać trochę ciała.

Zawahała się, w końcu podała mu paszport i bilet.

– Ufam ci – powiedziała.

Spojrzał na nią bez wyrazu.

Wyszedł.

Zegar przy wyjściu C4 na Chek Lap Kok pokazywał za kwadrans ósmą i Kaja już się poddała. To oczywiste, że on nie przyjdzie. Naturalnym odruchem rannych ludzi i zwierząt jest ukrywanie się. A Harry Hole zdecydowanie został zraniony. Policyjne protokoły ze sprawy Bałwana szczegółowo opisywały wszystkie zabójstwa kobiet. Ale Gunnar Hagen dodatkowo opowiedział jej jeszcze o tym, o czym w nich nie pisano. O tym, jak była partnerka Harry'ego Hole, Rakel, i jej syn Oleg wpadli w szpony zabójcy-szaleńca. O tym, że zaraz po zakończeniu sprawy Rakel z synem opuścili kraj. I o Harrym, który złożył wymówienie i wyjechał. On był po prostu głębiej zraniony, niż miała tego świadomość.

Już oddała kartę pokładową i szła w stronę rękawa. W myślach powoli zaczynała się zastanawiać, co napisze w raporcie o nieudanym zadaniu, gdy nagle zobaczyła, że Harry biegnie w promieniach słońca ukośnie wpadających do budynku terminalu. Miał ze sobą zwykłą torbę podróżną przerzuconą przez ramię i torbę ze sklepu bezcłowego. Gorączkowo wchłaniał dym papierosa. Zatrzymał się przy stanowisku, gdzie sprawdzano karty pokładowe. Ale zamiast wręczyć swoją czekającej obsłudze, postawił torbę i posłał Kai zrezygnowane spojrzenie.

Wróciła do stanowiska odprawy pokładowej.

– Jakieś problemy? – spytała.

– *Sorry*, nie mogę z tobą jechać.

– Dlaczego?

Pokazał na torbę *tax free*.

– Właśnie sobie uświadomiłem, że do Norwegii można wwieźć tylko jeden karton papierosów na osobę. A ja mam dwa. Chyba że... – dodał obojętnie.

Kaja przewróciła oczami, próbując ukryć ulgę.

– Dawaj.

– Dzięki – powiedział, otworzył torbę, w której, jak zauważyła, nie było butelek, i podał jej otwarty karton cameli z brakującą jedną paczką.

Ruszyła przodem do samolotu, żeby nie zauważył jej uśmiechu.

Udało jej się nie zasnąć na tyle długo, by obserwować start, zobaczyć Hongkong znikający w dole i spojrzenie Harry'ego przyklejone do wózka stewardesy zbliżającego się skokami przy wtórze wesołego podzwaniania butelek. Widziała też, jak zamknął oczy i na pytanie stewardesy odpowiedział ledwie słyszalnym: *No, thank you.*

Zastanawiała się, czy Gunnar Hagen miał rację. Czy siedzący obok niej mężczyzna jest rzeczywiście człowiekiem, którego potrzebowali.

Zaraz potem odpłynęła. Śniło jej się, że stoi przed zamkniętymi drzwiami i słucha dobiegającego z lasu samotnego, zimnego krzyku ptaka, i że ten krzyk brzmi tak dziwnie, bo słońce nie przestaje świecić. Że otwiera drzwi i...

Obudziła się z głową na jego ramieniu i z zaschniętą śliną w kącikach ust.

Kapitan informował, że schodzą do lądowania w Londynie.

5 PARK

Marit Olsen lubiła biegać na nartach w górach. Za to nienawidziła joggingu. Nienawidziła zadyszki łapiącej już po kilkuset metrach, przypominającego trzęsienie ziemi drżenia, gdy stawiała stopy, lekko zdumionych spojrzeń spacerowiczów i obrazków, które się pojawiały, kiedy próbowała popatrzeć na siebie ich oczami. Trzęsących się podbródków, zwałów tłuszczu przelewających się pod dresem, bezradnego wyrazu twarzy ryby wyciągniętej na ląd, jaki sama widywała u trenujących ludzi z dużą nadwagą. To był jeden z powodów, dla których swoje stałe trzy rundy w tygodniu po parku Frogner odbywała o dziesiątej wieczorem: wtedy nie było tam prawie nikogo. A ci, co byli, widzieli możliwie najmniej, gdy ciężko dysząc, sunęła w ciemności między nielicznymi latarniami na ścieżkach przecinających wzdłuż i wszerz największy park w mieście. Z tych nielicznych, którzy na nią patrzyli, i tak mało kto rozpoznawał parlamentarzystkę reprezentującą Partię Pracy z regionu Finnmarku. Zresztą o r o z p o z n a n i u nie było mowy. W ogóle niewielu ludzi kiedykolwiek p o z n a ł o Marit Olsen. Kiedy się wypowiadała – z reguły w imieniu rodzinnego regionu – nie przyciągała takiej uwagi, jaka przypadała w udziale innym, bardziej fotogenicznym koleżankom z parlamentu. Poza tym nie powiedziała ani nie zrobiła nic złego w ciągu tych dwóch kadencji, kiedy zasiadała w Stortingu. W każdym razie tak to sobie tłumaczyła. Określenie redaktora z „Finnmark Dagblad", który nazwał ją politycznym zawodnikiem wagi lekkiej, było jedynie złośliwą grą słów, odnoszącą się do jej wyglądu. Redaktor nie wykluczał jednak, że pewnego dnia będzie można ją zobaczyć w rządzie Partii Pracy, bo przecież spełniała najważniejsze wymagania: nie miała wykształcenia, nie była mężczyzną i nie pochodziła z Oslo.

No cóż, może i miał rację, że jej siła nie polegała na tworzeniu wielkich, skomplikowanych – i ulotnych – idei. Ale była osobą z ludu, wiedziała, jak się czuje prowincja, i mogła przemawiać jej głosem tu, wśród zajętych przede wszystkim sobą egoistów ze stolicy. Bo głos Marit Olsen mówił wprost o tym, co jej leżało na wątrobie. To właśnie stanowiło jej prawdziwe kwalifikacje, to zaprowadziło ją tu, dokąd mimo wszystko doszła. Jej błyskotliwość i poczucie humoru, takie, jakie ludzie z południa chętnie nazywali „północnonorweskim" albo „solonym", gwarantowały jej wygraną w nielicznych debatach, do których ją dopuszczono. To jedynie kwestia czasu, zanim zaczną zwracać na nią uwagę. Byle tylko zdołała się pozbyć tych kilogramów. Według badań ludzie mają mniej zaufania do osób otyłych, bo podświadomie uważają, że brakuje im samokontroli.

Dotarła do miejsca, w którym teren się wznosił, zacisnęła zęby i skróciła długość kroku – szczerze mówiąc, przechodząc właściwie na coś w rodzaju szybszego spaceru. *Power walk.* Tak, właśnie to. Marsz ku władzy. Waga się zmniejsza, notowania rosną.

Usłyszała chrzęst żwiru za sobą i poczuła, jak jej plecy automatycznie się prostują, a puls przyspiesza jeszcze o kilka uderzeń. To był ten sam odgłos, który słyszała podczas biegania trzy dni temu. I dwa dni wcześniej. Za każdym razem ktoś biegł za nią przez blisko dziesięć minut, nim odgłos wreszcie ucichł. Ostatnio Marit odwróciła się i zobaczyła czarny dres i czarny kaptur, jakby to komandos za nią trenował. Tyle że nikomu, a już z pewnością komandosowi, nie przyszłoby do głowy biegać tak wolno jak Marit Olsen.

Oczywiście nie mogła być pewna, że to ta sama osoba. Ale coś w brzmieniu kroków mówiło jej, że właśnie tak jest. Ze wzniesienia prowadzącego do Monolitu pozostał jeszcze tylko kawałeczek, potem już prosta droga w dół, do domu, na Skøyen, do męża i do uspokajająco brzydkiego przekarmionego rottweilera. Kroki się zbliżyły. I nagle wcale się już tak nie cieszyła, że minęła dziesiąta, a park jest ciemny i wyludniony. Marit Olsen bała się wielu rzeczy, ale najbardziej bała się cudzoziemców. Owszem, wiedziała, że lęk przed cudzoziemcami pozostaje w absolutnej sprzeczności z programem jej partii, ale przecież strach przed tym, co obce, to mimo wszystko rozsądna strategia przetrwania. Akurat w tej chwili żałowała, że głosowała za wszystkimi sprzyjającymi imigrantom projektami ustaw, które forsowała jej partia. Żałowała, że i w tych kwestiach nie mówiła bardziej wprost o tym, co jej leżało na osławionej wątrobie.

Ciało poruszało się za wolno. Mięśnie ud piekły, płuca krzykiem domagały się powietrza. Wiedziała, że już wkrótce nie będzie mogła się ruszyć. Mózg starał się walczyć z lękiem, próbował przypominać, że Marit Olsen nie jest oczywistym materiałem na ofiarę gwałtu.

Strach zaprowadził ją na samą górę. Miała stąd widok na drugą stronę wzgórza, na Madserud allé. Spod bramy jednej z willi wyjeżdżał tyłem samochód. Dobiegłaby, dzieliło ją od niego tylko nieco ponad sto metrów. Zboczyła na śliską trawę i ruszyła w dół stoku, ledwie trzymając się na nogach. Nie słyszała już kroków za sobą, wszystko zagłuszał jej własny oddech. Samochód wyjechał na ulicę, skrzynia biegów zazgrzytała paskudnie, gdy kierowca przerzucił ze wstecznego na jedynkę. Marit Olsen była już przy końcu zbocza, do ulicy i niosących ocalenie świateł samochodu zostało jej kilka metrów. Na drodze w dół znacząca masa ciała zyskała jednak niewielką przewagę i teraz nieubłaganie ciągnęła ją do przodu. Nogi w końcu nie nadążyły, poleciała na drogę, w światła. Brzuch ściśnięty przemoczonym od potu poliestrem uderzył w asfalt, po trosze się ześlizgiwała, po trosze turlała. W końcu znieruchomiała, z gorzkim smakiem ulicznego pyłu w ustach, z piekącym bólem dłoni poranionych drobnymi kamykami.

Ktoś stanął nad nią. Ujął ją za ramię. Z jękiem przewróciła się na bok, zasłaniając się rękami. Ale to nie był komandos, tylko jakiś starszy pan. Drzwi stojącego za nim samochodu zostały otwarte.

– Wszystko w porządku, panienko? – spytał.

– A jak się panu wydaje? – Marit Olsen poczuła wzbierającą złość.

– Chwileczkę! Już cię gdzieś widziałem!

– Też mi coś! – Odepchnęła jego gotową do pomocy rękę i stękając, sama podniosła się na nogi.

– Występujesz w tym programie rozrywkowym?

– Akurat to – rzuciła, wpatrując się w pustą, milczącą ciemność parku i masując wątrobę – gówno cię obchodzi, dziadku.

6 POWRÓT DO DOMU

Volvo amazon, ostatnie, jakie wytoczyło się z fabryki Volvo w roku 1970, zatrzymało się przed przejściem dla pieszych przy hali przylotów w Porcie Lotniczym Oslo, Gardermoen.

Przed samochodem paradował sznureczek przedszkolaków w szeleszczących płaszczach przeciwdeszczowych. Niektóre dzieciaki z ciekawością zerkały na stary dziwny samochód z pasami wyścigowymi wzdłuż maski i na dwóch mężczyzn widocznych za wycieraczkami ścierającymi przedpołudniowy deszcz.

Mężczyzna na siedzeniu pasażera, nadkomisarz Gunnar Hagen, wiedział, że widok trzymających się za ręce dzieci powinien wywołać u niego uśmiech, myśl o wspólnocie, trosce i społeczeństwie, w którym ludzie nawzajem o siebie dbają. Ale pierwszym skojarzeniem Hagena była tyraliera poszukująca osoby już uznanej za zmarłą. To właśnie robiła z człowiekiem praca szefa Wydziału Zabójstw. Albo jak jakiś dowcipniś napisał na drzwiach pokoju Harry'ego Hole: *I see dead people*.

– Co, do jasnej cholery, robi na lotnisku przedszkole? – zdumiał się mężczyzna za kierownicą. Nazywał się Bjørn Holm, a amazon był jego najukochańszą własnością. Już sam zapach hałaśliwego, ale straszliwie wydajnego systemu ogrzewania, przepocone skajowe siedzenia i zakurzona półka na kapelusz zapewniały właścicielowi spokój duszy. Szczególnie, gdy akompaniował mu silnik pracujący na właściwych obrotach, czyli wtedy, kiedy jechał około osiemdziesięciu kilometrów na godzinę po płaskim terenie. I Hank Williams z magnetofonu. Bjørn Holm z Wydziału Techniki Kryminalistycznej na Bryn był fanem hillbilly ze Skreia, w kowbojskich butach z wężowej skóry, o twarzy jak księżyc w pełni i lekko wyłupiastych oczach, przez co wydawał się stale jakby zdziwiony. Przez tę twarz niejeden kierujący śledztwem pomylił się co do Bjørna Holma. Prawda zaś była taka, że Bjørn Holm był największym talentem wśród techników kryminalistycznych od czasów świetności Webera. Nosił miękką zamszową kurtkę z frędzlami i robioną na drutach rastafariańską czapkę, spod której wystawały, prawie całkowicie zakrywając policzki, najgęstsze i najczerwieńsze bokobrody, jakie Hagen widział po tej stronie Morza Północnego.

Holm skręcił amazonem na parking krótkoterminowy. Samochód zatrzymał się z czknięciem i obaj mężczyźni wysiedli. Hagen od razu podniósł kołnierz płaszcza, co oczywiście nie powstrzymało deszczu od natychmiastowego zbombardowania całkiem łysego czubka głowy, otoczonego z kolei włosami tak gęstymi i grubymi, że w podejrzeniach niejednego Hagen miał wspaniałe włosy i tylko ekscentrycznego fryzjera.

– Powiedz mi, ta twoja kurtka naprawdę wytrzymuje deszcz? – spytał Hagen, długimi krokami kierując się do wejścia.

– Nie – odparł Holm.

Kaja Solness zadzwoniła do nich, gdy już siedzieli w samochodzie, i powiedziała, że samolot SAS-u lecący z Londynu wylądował dziesięć minut przed czasem. I że zgubiła Harry'ego Hole.

Gunnar Hagen rozejrzał się, kiedy doszli do obrotowych drzwi. Zobaczył Kaję siedzącą na walizce przy stanowisku taksówek, lekko skinął jej głową i pospieszył do drzwi prowadzących do hali przylotów. Razem z Holmem wemknęli się, kiedy się otworzyły, by wypuścić jakichś pasażerów. Strażnik chciał ich zatrzymać, ale kiwnął głową, a właściwie wręcz się ukłonił, kiedy Hagen wyciągnął identyfikator i krótko warknął:

– Policja.

Hagen skręcił w prawo, wszedł między celników i ich psy. Minął błyszczące metalowe lady, które przywiodły mu na myśl stoły sekcyjne w Instytucie Medycyny Sądowej, i skierował się prosto do pomieszczenia za nimi.

Tam zatrzymał się tak gwałtownie, że Holm wpadł mu na plecy. Gdzieś z przodu znajomy głos syczał przez zaciśnięte zęby:

– Cześć, szefie. Przepraszam, że nie mogę się przywitać.

Bjørn Holm wyjrzał ponad ramieniem szefa wydziału.

Ukazał mu się widok, który miał go prześladować jeszcze długo.

Pochylony nad oparciem krzesła stał człowiek, który był żywą legendą nie tylko w komendzie policji w Oslo; każdy policjant w Norwegii słyszał o nim jakąś niesamowitą historię, wszystko jedno, dobrą czy złą. Człowiek, z którym sam Holm kiedyś blisko współpracował. Ale nie tak blisko jak celnik, który teraz stał za nim, a jego obciągnięta lateksową rękawiczką dłoń częściowo obejmowała blade pośladki legendy.

– On jest mój – oświadczył Hagen i machnął identyfikatorem. – Puśćcie go!

Celnik spojrzał na Hagena, wyraźnie nie chcąc rezygnować, ale gdy zjawił się starszy funkcjonariusz ze złotymi paskami na pagonach i z przymkniętymi oczami skinął głową, celnik obrócił rękę po raz ostatni i w końcu przyciągnął ją do siebie. Ofiara cicho jęknęła.

– Wciągaj portki, Harry! – rzucił Hagen, odwracając głowę.

Harry włożył spodnie, spojrzał na celnika, który już zdejmował gumową rękawiczkę, i spytał:

– Tobie też było tak przyjemnie?

Kaja Solness wstała z walizki, kiedy jej trzej koledzy pojawili się w drzwiach. Bjørn Holm poszedł po samochód, a Gunnar Hagen kupić coś do picia w kiosku.

– Często cię kontrolują? – spytała Kaja.

– Za każdym razem – odparł Harry.

– Mnie chyba jeszcze nigdy celnicy nie zatrzymali.

– Wiem.

– Skąd...

– Ponieważ jest tysiąc maleńkich znaków, których oni szukają, a ty nie masz żadnego. Ja natomiast co najmniej połowę.

– Chcesz powiedzieć, że celnicy są uprzedzeni?

– No cóż. Przemycałaś coś kiedyś?

– Nie. – Roześmiała się. – No dobrze. Ale skoro są tacy świetni, to powinni się chyba zorientować, że jesteś policjantem. I cię puścić.

– To na pewno też zauważyli.

– Przestań. Tylko w filmach potrafią z daleka wyczuć policjanta.

– Na pewno wyczuli upadłego policjanta. – Harry zaczął szukać papierosów. – Przesuń wzrokiem wzdłuż stanowiska taksówek. Stoi tam facet z wąskimi, trochę skośnymi oczami. Zauważyłaś go?

Kiwnęła głową.

– Odkąd przyszliśmy, dwa razy podciągnął spodnie za pasek. Tak jakby wisiało przy nim coś ciężkiego. Kajdanki albo pałka. Ten gest staje się automatyczny po przepracowaniu kilku lat w radiowozie patrolowym albo w areszcie.

– Jeździłam w patrolach i nigdy...

– On teraz pracuje w narkotykowym i wypatruje ludzi, którzy po wyjściu przez śluzę celną okazują trochę za dużą ulgę. Albo takich, którzy idą prosto do toalety, bo nie są w stanie dłużej utrzymać towaru w odbytnicy. Albo walizek zmieniających właściciela, przekazywanych przez naiwnego, skorego do pomocy pasażera przemytnikowi, któremu udało się namówić idiotę do przeniesienia tej jednej jedynej walizeczki z prochami przez kontrolę celną.

Kaja przekrzywiła głowę i popatrzyła na Harry'ego z uśmiechem.

– Możliwe też, że to całkiem zwyczajny facet w za dużych portkach, który czeka tu na matkę, a ty się mylisz.

– Oczywiście. – Harry zerknął na swój zegarek, a potem na duży zegar na ścianie. – To mi się stale zdarza. Naprawdę jest środek dnia?

Volvo amazon zjechało na autostradę dokładnie w chwili, gdy zapaliły się latarnie.

Z przodu Holm żywo konwersował z Kają Solness, a z magnetofonu dobiegały umiarkowane szlochy Townesa Van Zandta. Na tylnym siedzeniu Gunnar Hagen pogłaskał gładką świńską skórę neseseru, który położył sobie na kolanach.

– Żałuję, ale nie mogę powiedzieć, że dobrze wyglądasz – rzucił cicho.

– To *jet lag*, szefie – odparł Harry, bardziej leżąc, niż siedząc.

– Co się stało z twoją szczęką?

– To długa i nudna historia.

– Wszystko jedno, witaj w domu! Przykro mi z powodu okoliczności.

– Wydawało mi się, że złożyłem wymówienie.

– Nie pierwszy raz.

– To ile musisz ich mieć?

Gunnar Hagen spojrzał na swojego dawnego komisarza i opuścił brwi, a głos zniżył jeszcze bardziej:

– Tak jak powiedziałem, przykro mi z powodu okoliczności. Poza tym dobrze rozumiem, że ta ostatnia sprawa dała ci popalić. Wiem, że i ty, i ludzie, których kochasz, zostaliście w nią wmieszani w sposób, który... który może człowieka skłonić do szukania innego życia. Ale to jest twoja praca, Harry. To jest to, co umiesz.

Harry pociągnął nosem, jakby już nabawił się powitalnego przeziębienia.

– Dwa zabójstwa. Nie jesteśmy nawet pewni, w jaki sposób ich dokonano. Wiemy tylko, że są identyczne. A mając drogo okupione doświadczenie z poprzedniego razu, wiemy, co to oznacza... – Nadkomisarz urwał.

– Wymówienie tego słowa nie jest takie groźne, szefie.

– Ja już nie wiem.

Harry patrzył na falujące brunatne, nieprzykryte śniegiem pola.

– Już nie raz wołano „wilk!", ale okazuje się, że seryjny zabójca to rzadkie zwierzę.

– Wiem – skinął głową Hagen. – Bałwan to jedyny, jakiego mieliśmy u nas w kraju za moich czasów. Ale tym razem jesteśmy najzupełniej pewni. Ofiar nic nie łączyło, a w ich krwi znaleziono identyczny środek odurzający.

– To już coś. Powodzenia!

– Harry...

– Wyznacz kogoś, kto się nadaje do tej roboty, szefie.

– Ty się nadajesz.

– Ja się rozpadłem na kawałki.

Hagen głęboko odetchnął.

– To cię poskładamy.

– *Beyond repair* – powiedział Harry.

– Jesteś jedyną osobą w kraju, która ma kompetencje i doświadczenie z seryjnymi zabójstwami.

– Ściągnijcie jakiegoś Amerykanina.

– Dobrze wiesz, że to tak nie działa.

– No to przykro mi.

– Naprawdę? Na razie dwie osoby nie żyją. Młode kobiety…

Harry powstrzymał Hagena ruchem ręki, gdy ten otworzył neseser i wyjął z niego brązową teczkę.

– Mówię prawdę, szefie. Serdecznie dziękuję, że wykupiliście mój paszport i w ogóle, ale skończyłem już z krwawymi fotografiami i nudnymi raportami.

Hagen rzucił mu urażone spojrzenie, lecz mimo wszystko położył mu teczkę na kolanach.

– Zerknij, o nic więcej cię nie proszę. I jeszcze pamiętaj: nikomu nie mów, że pracujemy nad tą sprawą.

– O! A to dlaczego?

– To skomplikowane. Po prostu o tym nie wspominaj, dobrze?

Rozmowa na przednich siedzeniach zamarła. Harry utkwił wzrok w tyle głowy Kai. Ponieważ amazon Bjørna Holma został wyprodukowany na długo przed wymyśleniem określenia „przyspieszeniowo-opóźnieniowy uraz kręgosłupa szyjnego", samochód nie miał zagłówków, Harry mógł więc obserwować jej szczupły, pokryty białym puszkiem kark, odsłonięty dzięki upiętym włosom, i myśleć o tym, jakie to wszystko delikatne. Jak szybko wszystko się zmienia i ile można zniszczyć w ciągu kilku sekund. Że życie jest właśnie procesem niszczenia, rozkładu czegoś, co w punkcie wyjścia jest doskonałe. Pewne napięcie wiąże się jedynie z pytaniem, czy ulegniemy destrukcji nagle, czy powoli. Smutno mu się zrobiło, a mimo to zatrzymał tę myśl. Aż do chwili, gdy wjechali w tunel Ibsena, szarą, anonimową cząstkę ulicznego mechanizmu miasta, która mogłaby się znajdować w jakimkolwiek innym mieście na świecie. A mimo to właśnie wtedy to poczuł. Gwałtowną i bezwarunkową radość z tego, że tu jest. W Oslo. W domu. Uczucie tak nim owładnęło, że na kilka sekund całkiem zapomniał, dlaczego wrócił.

***

Amazon zniknął, a Harry patrzył na budynek przy Sofies gate 5. Na fasadzie było więcej graffiti, niż kiedy wyjeżdżał, ale niebieski kolor pod spodem pozostał ten sam.

A więc powiedział, że nie bierze tej sprawy. Że ma ojca w szpitalu i to jedyny powód, dla którego wrócił. Nie powiedział im natomiast, że gdyby miał wybierać, czy ma się dowiedzieć o chorobie ojca, czy nie, to wolałby nie wiedzieć. Bo nie wrócił tu z miłości. Wrócił ze wstydu.

Popatrzył w dwa czarne okna na trzecim piętrze, które były jego oknami.

Potem otworzył kluczem bramę i wszedł na tylne podwórze. Pojemnik na śmieci stał w tym samym miejscu co zwykle. Harry podniósł pokrywę. Obiecał Hagenowi, że zerknie na teczkę z kopiami dokumentów sprawy. Głównie dlatego, żeby szef nie stracił twarzy, bo wydział musiał przecież sporo zapłacić za jego paszport. Wsunął teczkę pod pokrywę śmietnika, między popękane plastikowe torby, z których wysypywały się fusy od kawy, pieluchy, zgniłe owoce i obierki od ziemniaków. Wciągnął nosem zapach i stwierdził, że odór śmieci jest zdumiewająco internacjonalny.

W dwupokojowym mieszkaniu niczego nie ruszono. A jednak coś się zmieniło. Pudrowoszara poświata, jakby ktoś przed chwilą opuścił to miejsce, ale został po nim jeszcze zmrożony oddech. Harry przeszedł do sypialni, odstawił torbę i wyjął nieotwarty karton z papierosami. Tutaj było tak samo. Szarość jak skóra dwudniowego trupa. Położył się na plecach na łóżku, zamknął oczy. Witał się ze znajomymi dźwiękami. Z kapaniem z dziury w rynnie na blachę parapetu. To nie było powolne usypiające kapanie z sufitu w Hongkongu, tylko gorączkowe bębnienie, przejściowy moment między kroplami a cieknięciem, niczym przypomnienie, że czas płynie, sekundy biegną jedna za drugą, że koniec osi liczbowej się zbliża. Zwykle przywodziło mu to na myśl *La Linea*, włoskie filmiki animowane, których bohater zawsze po czterech minutach spadał, znikał, bo kończyła się linia narysowana przez rysownika-stwórcę.

Wiedział, że w szafce pod zlewem stoi niedopita butelka Jima Beama. Wiedział, że może zacząć od tego, na czym skończył w tym mieszkaniu. Cholera, tamtego dnia pół roku temu był pijany, jeszcze zanim wsiadł do taksówki na lotnisko. Nic dziwnego, że nie zdołał dotrzeć do Manili.

Mógł też po prostu iść do kuchni i wylać zawartość butelki do zlewu. Jęknął.

To idiotyzm, że w ogóle zastanawiał się, do kogo ona jest podobna. Dobrze to wiedział. Była podobna do Rakel. Wszystkie były podobne do Rakel.

7 SZUBIENICA

– Ale ja się boję, Rasmus – oświadczyła Marit Olsen. – Naprawdę!

– Wiem – odparł Rasmus Olsen, stłumionym przyjemnym głosem, który towarzyszył jego żonie i uspokajał ją przez dwadzieścia pięć lat politycznych wyborów, egzaminów na prawo jazdy, wybuchów wściekłości, a od czasu do czasu napadów paniki. – To całkiem naturalne – dodał i objął Marit. – Ciężko pracujesz, masz wiele spraw na głowie. Mózg nie ma zapasu energii na odcięcie się od takich myśli.

– Od takich myśli? – Obróciła się na kanapie i popatrzyła na niego. Już dawno straciła zainteresowanie filmem DVD, który oglądali. *To właśnie miłość*. – Od bzdurnych myśli, tak uważasz?

– To, co ja uważam, nie jest ważne – powiedział, lekko przesuwając koniuszki palców. – Ważne jest...

– Co ty uważasz – dokończyła, przedrzeźniając go. – Na Boga, Rasmus, musisz przestać oglądać *Dr. Phila*.

Roześmiał się miękko.

– Mówię tylko, że jeśli czujesz się zagrożona, to jako parlamentarzystka oczywiście możesz poprosić o ochronę, która będzie za tobą chodzić. Ale czy właśnie tego chcesz?

– Mmm... – mruknęła, kiedy zaczął masować ją w miejscu, w którym, jak wiedział, najbardziej to lubiła. – Co znaczy: „czy tego chcesz"?

– Zastanów się, jak to będzie?

Marit Olsen się zastanowiła. Zamknęła oczy i czuła, jak palce męża wmasowują w jej ciało spokój i harmonię. Poznała Rasmusa, będąc zatrudniona w Urzędzie Pracy w Alta. Wybrano ją na męża zaufania i Norweski Związek Urzędników wysłał ją na szkolenie do centrum kursowo-szkoleniowego w Sørmarka. Tam chudy mężczyzna o żywych niebieskich oczach i dość głębokich zakolach podszedł do niej pierwszego wieczoru. Mówił w sposób, który przypominał jej nawiedzonych chrześcijan z młodzieżowego klubu w Alta. Tylko że on mówił o polityce. Pracował w sekretariacie klubu poselskiego Partii Pracy – pomagał parlamentarzystom w rozwiązywaniu praktycznych spraw biurowych, w wyjazdach, kontaktach z mediami, a od czasu do czasu pisał dla nich przemowy.

Rasmus postawił jej piwo, spytał, czy nie zechciałaby zatańczyć, a po czterech coraz spokojniejszych *evergreenach* z coraz bliższym kontaktem cielesnym spytał, czy nie poszłaby z nim. Ale nie do jego pokoju, tylko do jego partii.

Po powrocie do domu zaczęła chodzić na zebrania partyjne w Alta, a wieczorami długo rozmawiała z Rasmusem przez telefon o tym, co robili i co myśleli tego dnia. Marit oczywiście nigdy nie powiedziała tego na głos, ale często myślała, że to był ich najlepszy wspólny czas, dwa tysiące kilometrów od siebie. Potem zadzwonili z komitetu wyborczego, wpisali ją na listę i pstryk, została wybrana do samorządu gminy Alta. Dwa lata później była już zastępcą przewodniczącego partii w gminie, po roku zasiadała w radzie regionu, a potem był jeszcze jeden telefon, tym razem z komitetu zajmującego się wyborami do parlamentu.

Teraz miała maleńkie biuro w Stortingu, partnera, który pomagał jej układać wystąpienia, i widoki na kolejny awans, gdyby wszystko ułożyło się pomyślnie. No i gdyby uniknęła wpadek.

– Wyznaczą jakiegoś policjanta, żeby mnie pilnował – powiedziała. – Prasa koniecznie będzie chciała się dowiedzieć, dlaczego jakaś parlamentarzystka, o której do tej pory nikt nie słyszał, zażyczyła sobie *bodyguarda* na koszt podatników. A kiedy już się dowiedzą dlaczego – w y d a w a ł o jej się, że ktoś idzie za nią w parku – to stwierdzą, że przy takim uzasadnieniu co druga kobieta w Oslo powinna prosić o ochronę policyjną opłacaną z budżetu państwa. Nie chcę ochrony. Zapomnijmy o tym.

Rasmus zaśmiał się bezgłośnie i palcami wmasował swoją zgodę.

Wiatr szumiał głucho wśród bezlistnych drzew w parku Frogner. Na czarnej powierzchni wody kołysała się kaczka z łebkiem wsuniętym pod skrzydło. Na kąpielisku Frogner zgniłe liście lepiły się do kafelków w pustych basenach. Miejsce wyglądało na ostatecznie i na wieki opuszczone, na przeklęty świat. W głębokim basenie wiatr wywoływał turbulencje, monotonnie zawodząc pod dziesięciometrową białą wieżą do skoków, która na tle nocnego nieba wyglądała jak szubienica.

8 SNOW PATROL

Była trzecia po południu, kiedy Harry się obudził. Otworzył torbę, wyjął czyste ubrania, w szafie odnalazł wełniany płaszcz i wyszedł. Mżawka rozbudziła go na tyle, że wyglądał na mniej więcej trzeźwego, kiedy wszedł do brunatnych od tytoniowego dymu pomieszczeń restauracji U Schrødera. Jego stolik był zajęty, wybrał więc ten najbardziej w głębi, pod telewizorem.

Rozejrzał się. Nad szklankami z piwem zobaczył dwie twarze, których wcześniej nie widział, ale oprócz tego czas się tu zatrzymał. Nina postawiła przed nim biały kubek i stalowy dzbanek z kawą.

– Harry – powiedziała, nie na powitanie, tylko po to, by uzyskać potwierdzenie, że to naprawdę on.

– Cześć, Nina. Są jakieś stare gazety?

Nina zniknęła na zapleczu i wróciła stamtąd z plikiem pożółkłego papieru. Harry nigdy nie zdołał wyjaśnić, dlaczego U Schrødera zbierają gazety, ale już nie raz mu się to przydało.

– *Long time* – stwierdziła Nina i odeszła, a Harry przypomniał sobie, dlaczego lubi Schrødera, oczywiście poza tym, że to lokal z koncesją na alkohol położony najbliżej jego mieszkania. Z powodu krótkich zdań. I szacunku dla prywatności. Stwierdzano, że wróciłeś, i nikt nie żądał sprawozdania z czasu, który upłynął.

Harry wypił dwa kubki zaskakująco niedobrej kawy, przerzucając gazety w systemie *fast forward*, żeby uzyskać generalny obraz tego, co się działo w królestwie przez ostatnie miesiące. Jak zwykle niewiele. Właśnie to najbardziej lubił w Norwegii.

Ktoś wygrał *Idola*, jakaś gwiazda odpadła z konkursu tańca, trzecioligowy piłkarz zażywał kokainę, a Lene Galtung, córka armatora Andersa Galtunga, wzięła część milionów jako zaliczkę na spadek i zaręczyła się z przystojnym, lecz prawdopodobnie niezbyt bogatym inwestorem o imieniu Tony. Redaktor naczelny „Liberała", Arve Støp, uważał, że dla narodu, który chętnie występowałby w roli modelowej socjaldemokracji, zachowanie monarchii zaczyna być kłopotliwe. Nic się nie zmieniło.

Dopiero w gazetach z grudnia Harry znalazł pierwsze wzmianki o morderstwach. Rozpoznał przekazany przez Kaję opis miejsca zbrodni, piwnicę we wznoszonym dopiero kompleksie biurowym w Nydalen. Przyczyna śmierci nie była znana, ale policja nie wykluczała zabójstwa.

Harry przerzucił dalej – wolał czytać o polityku, który chwalił się rezygnacją z funkcji ministra, bo chciałby więcej czasu spędzać z rodziną.

Archiwum Schrødera nie było w żaden sposób wyczerpujące, ale drugie zabójstwo pojawiło się w gazecie z datą dwa tygodnie późniejszą.

Kobietę znaleziono za rozbitym datsunem, porzuconym na skraju lasu nad jeziorem Dausjøen w Maridalen. Policja nie wykluczała „czynu przestępczego", ale i tu nie wspomniano o przyczynie zgonu.

Harry przeskanował artykuł wzrokiem i stwierdził, że milczenie policji wynika z tego, co zwykle: po prostu nie mieli nic. Radar obserwował otwarte puste morze.

Tylko dwa zabójstwa. A jednak Hagen wydawał się przekonany, kiedy mówił, że mają do czynienia z seryjnym zabójcą. Jaki jest więc związek? O czym nie pisały gazety? Harry poczuł, że mózg wkracza na dawne znajome ścieżki. Zaklął w duchu, że nie potrafi się powstrzymać, i dalej przeglądał nagłówki.

Kiedy stalowy dzbanek był już pusty, położył na stoliku wymięty banknot i wyszedł na ulicę. Mocniej owinął się płaszczem i mrużąc oczy, spojrzał w szare niebo.

Zatrzymał taksówkę. Podjechała pod chodnik. Szofer wyciągnął się ukosem między przednimi siedzeniami i otworzył drzwiczki z tyłu. Taką sztuczkę rzadko już dawało się oglądać, więc Harry postanowił nagrodzić go napiwkiem. Nie tylko dlatego, że dzięki temu mógł od razu wsiąść, ale też dlatego, że w szybie w drzwiczkach odbiła się twarz za kierownicą samochodu stojącego tuż za nim.

– Szpital Centralny – rzucił Harry i przesunął się na środek tylnego siedzenia.

– Już się robi – odparł taksówkarz.

Gdy ruszali, Harry bacznie wpatrywał się w lusterko.

– A zresztą proszę najpierw pojechać na Sofies gate pięć.

Na Sofies gate taksówka czekała z włączonym hałaśliwym silnikiem Diesla, a Harry w tym czasie pokonywał schody długimi, pospiesznymi krokami. Mózg rozważał możliwości. Triada. Herman Kluit. A może stara dobra paranoja? Sprzęt leżał tam, gdzie go położył przed wyjściem, w skrzynce na narzędzia w szafce z jedzeniem. Stary nieaktualny identyfikator. Dwa zestawy kajdanek marki Hiatts ze sprężynową zapadką do *speedcuffingu*, błyskawicznego zakuwania. I służbowy rewolwer Smith & Wesson, kaliber 38.

Kiedy z powrotem zszedł na ulicę, nie patrzył ani w prawo, ani w lewo, tylko od razu wsiadł do taksówki.

– Szpital Centralny? – spytał kierowca.

– W każdym razie proszę jechać w tym kierunku – odparł Harry, pilnie patrząc w lusterko, kiedy skręcali na Stensberggata, a potem na Ullevålsveien. Nic nie widział. Co oznaczało jedną z dwóch rzeczy: że to jednak stara dobra paranoja. Albo że facet jest naprawdę dobry.

Zawahał się, ale w końcu powiedział:

– Do Szpitala Centralnego.

Nie odrywał oczu od lusterka, kiedy mijali kościół Vestre Aker i Szpital Ullevål. Za nic w świecie nie powinien ich zaprowadzić bezpośrednio tam, gdzie jest najbardziej wrażliwy. Tam, gdzie zawsze starają się dotrzeć. Do rodziny.

Największy szpital w kraju leżał wysoko ponad miastem.

Harry zapłacił kierowcy, który podziękował za napiwek i powtórzył sztuczkę z tylnymi drzwiczkami.

Budynki wznoszące się przed Harrym wydawały się zaczepiać o niskie chmury.

Wziął głęboki oddech.

Olav Hole uśmiechał się ze szpitalnej poduszki tak łagodnie i bezsilnie, że Harry z trudem przełknął ślinę.

– Byłem w Hongkongu – powiedział. – Musiałem pomyśleć.

– I udało ci się?

Harry wzruszył ramionami.

– Co mówią lekarze?

– Jak najmniej. To raczej nie jest dobry znak, ale czuję, że tak wolę. Radzenie sobie z rzeczywistością, jak wiesz, nigdy nie było mocną stroną naszej rodziny.

Harry zastanawiał się, czy będą rozmawiać o matce. Miał nadzieję, że nie.

– Masz pracę?

Pokręcił głową. Leżące na czole ojca włosy były tak delikatne i siwe, że Harry pomyślał, że to nie jego własne, tylko coś, co przydzielono mu razem z piżamą i kapciami.

– Nic? – spytał ojciec.

– Zaproponowano mi wykłady w Wyższej Szkole Policji.

To była niemal prawda. Po sprawie Bałwana Hagen złożył mu taką propozycję jako coś w rodzaju urlopu.

– Nauczyciel? – Ojciec zaśmiał się cicho i ostrożnie, jakby głośniejszy śmiech mógł go złamać. – Sądziłem, że jedną z twoich zasad jest nie robić nigdy tego co ja.

– Nigdy tak nie myślałem.

– W porządku. Zawsze robiłeś wszystko na swój sposób. Ta historia z policją... No cóż, chyba powinienem się cieszyć, że nie poszedłeś w moje ślady. Nie jestem dobrym wzorem. Wiesz, że po śmierci twojej matki...

Harry siedział w białej szpitalnej sali od dwudziestu minut i już czuł rozpaczliwą chęć ucieczki.

– Po śmierci twojej matki nie bardzo umiałem sobie ze wszystkim poradzić. Wycofałem się. Nie potrafiłem znaleźć żadnej radości w kontaktach z innymi ludźmi. Wydawało mi się, że w samotności jestem najbliżej niej. Ale to błąd, Harry. – Uśmiechnął się łagodnie jak anioł. – Wiem, że bardzo przeżyłeś stratę Rakel, ale nie wolno ci postąpić tak jak ja. Nie chowaj się, Harry. Nie wolno ci zamykać drzwi i wyrzucać kluczy.

Harry spojrzał na swoje dłonie i kiwnął głową. Czuł mrówki pełzające po całym ciele. Musiał coś z tym zrobić.

Wszedł pielęgniarz, przedstawił się jako Altman, podniósł do góry strzykawkę i lekko sepleniąc, zapowiedział, że poda tylko „Olavowi" coś, po czym będzie mu się lepiej spało. Harry miał ochotę spytać, czy i dla niego coś by się nie znalazło.

Ojciec obrócił się na bok, skóra twarzy mu obwisła, wyglądał na starszego, niż kiedy leżał na plecach. Patrzył na Harry'ego przygnębionym, pustym spojrzeniem.

Harry poderwał się tak gwałtownie, że nogi krzesła głośno zajazgotały po podłodze.

– Dokąd idziesz? – spytał ojciec.

– Na papierosa. Niedługo wrócę.

***

Harry stanął przy niskim murku, skąd miał widok na parking, i zapalił camela. Po drugiej stronie autostrady widział Blindern, budynki uniwersytetu, na którym studiował ojciec. Niektórzy uważali, że synowie zawsze są mniej lub bardziej przebranymi wariantami swoich ojców, że przekonanie o zerwaniu nigdy nie jest niczym więcej niż iluzją, że człowiek zawsze wraca, bo siła przyciągania krwi jest nie tylko silniejsza niż wola, ale dosłownie jest wolą. Według Harry'ego on sam stanowił dowód na to, że jest odwrotnie. Dlaczego więc, kiedy ujrzał odkrytą, nagą twarz ojca na poduszce, miał wrażenie, że patrzy w lustro? Nagle słuchał go tak, jakby słuchał samego siebie. Jego myśli, słowa… były jak wiertło dentystyczne, które z niezawodną pewnością trafiało w nerwy Harry'ego. Dlatego, że był kopią. Cholera! Wzrok natrafił na białą corollę na parkingu.

Zawsze biały, najbardziej anonimowy z kolorów. Kolor corolli pod restauracją U Schrødera, tej z twarzą za kierownicą, tą samą, która niespełna dobę wcześniej wpatrywała się w niego wąskimi skośnymi oczami.

Rzucił papierosa i wbiegł z powrotem do szpitala. Uspokoił kroki, kiedy znalazł się w korytarzu prowadzącym do sali ojca. Skręcił tam, gdzie korytarz rozszerzał się w otwartą poczekalnię. Udawał, że przegląda plik czasopism, i zerkał na boki, obserwując ludzi, którzy tam siedzieli.

Mężczyzna schował się za egzemplarzem „Liberała".

Harry wziął plotkarskie „Se og Hør" ze zdjęciem Lene Galtung z narzeczonym i wyszedł.

Olav Hole leżał z zamkniętymi oczami. Harry przyłożył ucho do jego ust. Ojciec miał tak lekki oddech, że ledwie go było słychać, ale Harry poczuł strumień powietrza na policzku.

Chwilę posiedział na krześle przy łóżku, patrząc na ojca, a przez głowę przelatywały mu źle wyreżyserowane wspomnienia z dzieciństwa, w przypadkowej kolejności i bez żadnego przewodniego wątku, oprócz tego, że te fragmenty przynajmniej pamiętał.

Potem przesunął krzesło pod drzwi, które zostawił uchylone, i czekał.

Minęło pół godziny, nim zobaczył mężczyznę z poczekalni idącego korytarzem. Harry stwierdził, że ten krępy, niewysoki człowiek ma niezwykle krzywe nogi; wyglądał tak, jakby idąc, ściskał między kolanami piłkę plażową. Zanim skręcił do drzwi z międzynarodowym znakiem oznaczającym męską toaletę, podciągnął spodnie. Jakby przy pasku wisiało mu coś ciężkiego.

Harry wstał i poszedł za nim.

Przed wejściem do toalety zatrzymał się i wziął głęboki oddech. To już tak dawno. W końcu pchnął drzwi i wszedł.

Toaleta była taka jak cały Szpital Centralny: czysta, ładna, nowa i przesadnie wielka. Pod jedną z dłuższych ścian znajdowało się sześcioro drzwi prowadzących do kabin, w żadnych nie było czerwonego paska nad klamką. Na krótszej ścianie cztery umywalki, a na drugiej dłuższej – cztery porcelanowe miski na wysokości bioder. Mężczyzna stał przy jednym z pisuarów odwrócony do Harry'ego tyłem. Ponad nim wzdłuż ściany biegła rura z wodą. Wyglądała solidnie. Dostatecznie solidnie. Harry wyjął rewolwer i kajdanki. Międzynarodowa etykieta w męskich toaletach nakazuje nie patrzeć na siebie. Kontakt wzrokowy, nawet niezamierzony, to podstawa do zabójstwa. Dlatego mężczyzna nie odwrócił się, żeby spojrzeć na Harry'ego. Nawet wtedy, gdy ten z największą ostrożnością przekręcał zamek w drzwiach wejściowych, gdy spokojnym krokiem podchodził do niego i gdy przystawiał mu lufę rewolweru do tłustego wałka między głową a karkiem, szepcząc to, co, jak twierdził jeden z jego kolegów, wolno szepnąć każdemu policjantowi przynajmniej jeden raz w całej karierze:

– *Freeze*.

Mężczyzna właśnie to zrobił. Harry widział, jak wygolony gładko wałek na karku drętwieje i pokrywa się gęsią skórką.

– *Hands up!*

Mężczyzna uniósł krótkie, silne ręce nad głowę. Harry wychylił się do przodu. I w tej sekundzie pojął, że popełnił głupstwo. Szybkość reakcji nieznajomego była zdumiewająca. Po tylu godzinach spędzonych na ćwiczeniu techniki bezpośredniej walki Harry wiedział, że umiejętność zadawania ciosów jest równie ważna, jak sztuka ich przyjmowania, a wszystko polega na odpowiednim rozluźnieniu mięśni, na zrozumieniu, że kary nie da się uniknąć, a jedynie można ją zredukować. Kiedy więc mężczyzna miękko jak tancerka obrócił się w koło z uniesionym kolanem, Harry poddał się temu ruchowi. Ledwie zdołał przesunąć ciało w tym samym kierunku co kopniak. Stopa trafiła go tuż nad biodrem. Stracił równowagę, upadł i na plecach odczołgał się po wykładanej kaflami podłodze, aż znalazł się poza zasięgiem tamtego. Tam leżał, wzdychając i patrząc w sufit, w końcu wyciągnął paczkę papierosów i włożył jednego do ust.

– *Speedcuffing* – wyjaśnił. – Nauczyłem się tamtego roku, kiedy byłem na kursie zorganizowanym przez FBI w Chicago. Cabrini Green, nora, nie mieszkanie. Wieczorem biały nie miał tam nic do roboty, chyba że chciał, by go obrabowali zaraz po wyjściu z domu. Dlatego siedziałem u siebie i ćwiczyłem dwie rzeczy. Opróżnianie i ładowanie rewolweru po ciemku w jak najkrótszym czasie. I *speedcuffing* na nodze od stołu.

Podniósł się na łokciach.

Mężczyzna wciąż stał z krótkimi rękami wyciągniętymi nad głową. Były przykute kajdankami do rury. Patrzył na Harry'ego z obojętnością.

– *Mister Kluit sent you?* – spytał Harry.

Tamten wytrzymał jego spojrzenie bez mrugnięcia.

– *The Triade? I've paid my debts, haven't you heard?*

Harry obserwował jego twarz. Mimika, a raczej jej brak, była może azjatycka, ale nie miał kształtu twarzy ani cery charakterystycznej dla Chińczyków. Może Mongoł.

– *So what do you want from me?*

Żadnej odpowiedzi. To kiepska nowina, ponieważ najprawdopodobniej oznaczała, że mężczyzna nie zjawił się tu, by czegoś się domagać, tylko żeby coś zrobić.

Harry wstał i obszedł go półkolem, by stanąć z boku. Przyłożył rewolwer do skroni mężczyzny, a lewą rękę wsunął mu pod marynarkę. Dłoń dotknęła zimnego metalu broni, zanim znalazła portfel.

Harry cofnął się o trzy kroki.

– *Let's see... mister Jussi Kolkka.* – Harry podniósł do światła kartę American Express. – *Finnish?* Fin? To może rozumiesz po norwesku? I znów żadnej odpowiedzi.

– Byłeś policjantem, prawda? Kiedy cię zobaczyłem w hali przylotów na Gardermoen, sądziłem, że tropisz przemyt narkotyków. Skąd wiedziałeś, że przylatuję akurat tym samolotem, Jussi? Mogę tak do ciebie mówić? Bardziej naturalne wydaje mi się zwracanie po imieniu do faceta, który stoi przede mną z fiutem na wierzchu.

Rozległo się krótkie charknięcie, zanim porcja śliny przeleciała przez powietrze, zakręciła się wokół własnej osi i wylądowała na piersi Harry'ego.

Spojrzał na swój T-shirt. Czarna od snusu grudka dokładnie przecięła „o" w napisie „Snow Patrol".

– A więc rozumiesz po norwesku – stwierdził Harry. – No to dla kogo pracujesz, Jussi? I czego chcesz?

W twarzy tamtego nie drgnął żaden mięsień. Ktoś na korytarzu nacisnął klamkę, zaklął i odszedł.

Harry westchnął. W końcu uniósł rewolwer na wysokość czoła Fina i zaczął naciskać cyngiel.

– Wydaje ci się może, że jestem zwyczajną, w pełni obliczalną osobą, Jussi. No cóż, oceń, na ile jestem obliczalny. Mój ojciec leży bezradny, tu, w szpitalnym łóżku, ty się o tym dowiedziałeś, a ja w związku z tym mam problem. Można go rozwiązać tylko w jeden sposób. Na szczęście jesteś uzbrojony, więc będę mógł powiedzieć policji, że to była samoobrona.

Wcisnął spust jeszcze mocniej i poczuł ogarniające go znajome mdłości.

– KRIPOS.

Harry zatrzymał cyngiel.

– *Repeat?*

– Jestem z KRIPOS. – Szwedzkie słowa zostały wyrzucone z fińskim akcentem, który tak lubią opowiadający dowcipy na norweskich weselach.

Harry przyjrzał mu się uważniej. Nawet przez moment nie wątpił, że ten człowiek mówi prawdę, a jednak było to kompletnie niezrozumiałe.

– Portfel! – syknął Fin, ale złość brzmiąca w głosie nie odbiła się w oczach.

Harry zajrzał do portfela i wyjął z niego laminowany identyfikator. Informacje były skąpe, ale wyczerpujące. Mężczyzna, który stał przed Harrym, pracował w norweskiej Centrali Policji Kryminalnej, KRIPOS, w Oslo, która wspomagała lokalne jednostki policji przy sprawach zabójstw w całym kraju, a zazwyczaj również je nadzorowała.

– Czego, u diabła, chce ode mnie KRIPOS?

– Spytaj Bellmana.

– A kto to jest Bellman?

Fin wydał z siebie krótki, trudny do określenia dźwięk, nie wiadomo, kaszel czy śmiech.

– Nadkomisarz Bellman, głupi dupku. Mój szef. A teraz mnie uwolnij, *cute boy*!

– Cholera! – Harry znów spojrzał na identyfikator. – Niech to jasna cholera!

Rzucił portfel na podłogę i ruszył do drzwi.

– Halo! Halo!

Krzyki Fina urwały się, kiedy Harry zatrzasnął drzwi i korytarzem ruszył do wyjścia. Pielęgniarz, który wcześniej był u ojca, szedł w przeciwną stronę i gdy się dostatecznie zbliżył, z uśmiechem skinął mu głową. Harry rzucił w powietrze kluczyk do kajdanek.

– W kiblu stoi ekshibicjonista, Altman.

Pielęgniarz odruchowo złapał klucz w obie ręce. Harry czuł na plecach jego zdumiony wzrok, dopóki nie opuścił korytarza.

9 SKOK Z WIEŻY

Była za kwadrans jedenasta wieczorem. Dziewięć stopni ciepła, a Marit Olsen pamiętała, że według prognozy pogody jutrzejszy dzień będzie jeszcze cieplejszy. W parku Frogner nie było widać żywej duszy. Wielki zespół basenów kąpielowych pod gołym niebem przywiódł jej na myśl porzucone statki, opuszczoną rybacką wioskę, w której wiatr świszcze wokół pustych domów, albo wesołe miasteczko poza sezonem. Oderwane wspomnienia z dzieciństwa. Takie jak rybacy topielcy, którzy straszyli na Tronholmen, wyłaniali się nocą z morza, z wodorostami we włosach i maleńkimi rybkami w nozdrzach i ustach. Upiory bez oddechu, będące jednak w stanie czasem zanieść się ochrypłym zimnym krzykiem mewy. Topielcy z rozmiękłymi członkami, które zaczepione o gałąź odrywały się z chrzęstem, co nie powstrzymywało ich w marszu ku samotnemu domowi na wyspie, gdzie mieszkali babcia z dziadkiem. Gdzie i ona leżała w pokoju dziecinnym, cała się trzęsąc. Marit Olsen oddychała. Wciąż oddychała.

Tam, na dole, było bezwietrznie, ale na szczycie dziesięciometrowej wieży do skoków odczuwało się ruchy powietrza. Jednak Marit przede wszystkim miała świadomość własnego pulsu dudniącego w skroniach, w gardle, w kroczu, w kończynach, do których płynęła świeża życiodajna krew. Cudownie było żyć. Być żywą. Prawie się nie zdyszała, wchodząc po wszystkich tych stopniach na wieżę. Czuła jedynie, jak serce, ten wierny mięsień, nie przestaje walić. Zapatrzyła się w pusty basen w dole, któremu światło księżyca przydawało wręcz nienaturalnego niebieskawego blasku. Kawałek dalej, na drugim końcu basenu, widziała duży zegar. Wskazówka zatrzymała się na dziesięć po piątej. Czas znieruchomiał. Słyszała miasto, widziała światła samochodów na Kirkeveien. Tak blisko. A jednak za daleko. Za daleko, by ktoś mógł ją usłyszeć.

Oddychała. A mimo to była martwa. Na szyi miała sznur, gruby jak lina okrętowa. Słyszała mewie krzyki upiorów, do których wkrótce i ona miała dołączyć. Ale nie myślała o śmierci. Myślała o życiu, o tym, jak bardzo chciała je przeżyć. O małych i wielkich rzeczach, które pragnęła zrobić. Chciała pojechać do krajów, w których jeszcze nie była, patrzeć, jak siostrzeńcy rosną, jak świat przychodzi po rozum do głowy.

Widziała nóż. Ostrze błysnęło w świetle latarni, gdy przysuwało się do jej szyi. Mówi się, że strach dodaje sił. Jej wszystkie odebrał. Pozbawił ją jakiejkolwiek zdolności do działania. Myśl o tym, że metal ma wbić się w ciało, zmieniała ją w roztrzęsiony, pozbawiony woli tłumok. Kiedy więc kazano jej przeleźć przez ogrodzenie, nie dała rady, zwaliła się na ziemię i leżała bezwładnie jak fotel Sacco, ze łzami spływającymi po policzkach. Wiedziała, co nastąpi. I wiedziała też, że nie jest w stanie temu zapobiec, że zrobi wszystko, byle tylko ten nóż jej nie pociął. Bo tak bardzo chciała pożyć jeszcze trochę. Jeszcze kilka lat, jeszcze kilka minut, to ten sam rachunek, ta sama ślepa zwariowana racjonalność, która kieruje człowiekiem.

Odezwała się, by wyjaśnić, że nie przejdzie przez płot. Zapomniała, że ma być cicho. Nóż wbił jej się w usta jak wąż, obrócił, zachrzęściły zęby, ale zaraz został wyciągnięty. Krew zaczęła płynąć od razu. Głos szeptał coś zza maski, popychając ją przed sobą w ciemności wzdłuż ogrodzenia. Do krzaków, za którymi kryła się dziura w płocie.

Marit Olsen przełknęła krew, dalej napływającą do ust. Patrzyła na trybuny w dole, również skąpane w księżycowej poświacie. Takie puste. To był proces bez publiczności i ławy przysięgłych. Z samym tylko sędzią. Egzekucja bez gawiedzi. Jedynie z katem. Ostatnie publiczne wystąpienie, którego nikt nie uznał za warte fatygi. Marit Olsen pomyślała, że tak jak w życiu, tak i w śmierci brakuje jej charyzmy. A teraz nie mogła nawet mówić.

– Skacz.

Widziała, jaki piękny jest park, nawet zimą. Żałowała, że zegar na końcu basenu nie chodzi, bo mogłaby policzyć sekundy życia, które teraz kradła.

– Skacz! – powtórzył.

Musiał zdjąć z twarzy maskę, bo głos mu się zmienił, teraz go rozpoznała. Wstrząśnięta odwróciła głowę. Poczuła uderzenie nogą w plecy. Krzyknęła. Nie miała już oparcia pod stopami. Przez jeden pełny zdumienia moment stała się nieważka. Ale ziemia przyciągała ją do siebie, ciało nabierało przyspieszenia i Marit zorientowała się, że biało-niebieska ceramika basenu sunie w górę, by ją zmiażdżyć.

Trzy metry nad dnem basenu lina wokół szyi Marit Olsen się zacisnęła. To był staroświecki sznur, zrobiony z włókien lipy i wiązu, pozbawiony elastyczności. Potężne ciało Marit Olsen nie zdołało w jakikolwiek sposób zahamować, tylko oderwało się od głowy i z głuchym hukiem uderzyło w dno basenu. Głowa i szyja zostały na linie. Krwi nie było wiele, w końcu głowa wyślizgnęła się z pętli, upadła na niebieską bluzę od dresu Marit Olsen i poturlała się po kafelkach.

Na terenie kąpieliska znów zapanowała cisza.

Część II

10 PONAGLENIE

Była trzecia w nocy, kiedy Harry zrezygnował ze spania i wstał. Odkręcił kran w kuchni, podsunął szklankę i przytrzymał, dopóki zimna woda nie przelała się przez krawędź i nie popłynęła po nadgarstku. Bolała go szczęka. Wzrok wbił w dwie fotografie przymocowane nad kuchennym blatem.

Na jednej, tej z paskudnym zagięciami, była Rakel w błękitnej letniej sukience. Ale zdjęcia nie zrobiono latem, bo liście za nią miały jesienne barwy. Czarne włosy opadały jej na nagie ramiona, a oczy wyglądały tak, jakby szukały kogoś poza obiektywem, może fotografa. Czy on zrobił to zdjęcie? Dziwne, że nie pamiętał.

Na drugim zdjęciu był Oleg. Harry sfotografował go komórką na stadionie Valle Hovin podczas treningu na łyżwach zeszłej zimy. Na razie Oleg był drobnym chłopcem, ale gdyby dalej trenował, wkrótce wypełniłby czerwoną bluzę. Co teraz robił? Gdzie był? Czy Rakel udało się stworzyć dla nich dom tam, dokąd pojechali? Dom, w którym czuli się bezpieczniej niż w Oslo? Czy w ich życiu pojawili się nowi ludzie? Czy kiedy Oleg był zmęczony albo tracił koncentrację, wciąż zdarzało mu się nazywać Harry'ego tatą?

Zakręcił kran. Pod kolanami czuł drzwiczki szafki. Ze środka Jim Beam zawołał go szeptem po imieniu.

Harry włożył spodnie i T-shirt, przeszedł do pokoju i nastawił *Kind of Blue* Milesa Davisa. To był oryginał, ten, na którym nie skorygowano minimalnego opóźnienia nagrywarki w studio, więc cała płyta była ledwie zauważalnym przesunięciem rzeczywistości.

Posłuchał jeszcze przez chwilę, zanim w końcu podkręcił głośność tak, by zagłuszyła szept dochodzący z kuchni. Zamknął oczy.

KRIPOS. Bellman.

Nigdy nie słyszał tego nazwiska. Oczywiście mógł zadzwonić do Hagena i się dowiedzieć, ale nie miał siły. Bo domyślał się, o co tu może chodzić. Lepiej tego nie tykać.

Doszedł do ostatniego utworu, *Flamenco Sketches*, kiedy się poddał. Wstał, kierując się do kuchni. W korytarzu jednak skręcił w lewo, wsunął stopy w martensy i wyszedł.

Znalazł teczkę pod przedziurawionym workiem na śmieci. Całą okładkę z przodu pokrywało coś, co przypominało zakrzepłą zupę grochową. Usiadł w zielonym fotelu i trzęsąc się z zimna, zaczął czytać.

Pierwsza kobieta nazywała się Borgny Stem-Myhre, miała trzydzieści trzy lata i pochodziła z Levanger. Samotna, bezdzietna, mieszkała w dzielnicy Sagene w Oslo. Pracowała jako stylistka, miała duży krąg znajomych, szczególnie wśród fryzjerów, fotografików i ludzi z prasy zajmującej się modą. Często bywała w barach i restauracjach, nie tylko tych najpopularniejszych. Poza tym lubiła przyrodę, wędrówki po górach od schroniska do schroniska – i pieszo, i na nartach.

„Nigdy nie przestała być dziewczyną z Levanger", napisano w ogólnym sprawozdaniu z przesłuchań kolegów z pracy. Harry zakładał, że to opinia tych kolegów, którzy uważają, że im udało się oderwać od prowincjonalnych korzeni.

„Wszyscy ją lubiliśmy. Była jedną z niewielu szczerych osób w tej branży".

„To niepojęte. Nie mieści się w głowie, żeby ktoś mógł chcieć ją zabić".

„Ona była za dobra. A to prędzej czy później wykorzystywali wszyscy mężczyźni, w których się zakochiwała. Stawała się dla nich zabawką. Całkiem po prostu mierzyła za wysoko".

Harry spojrzał na zdjęcie kobiety. Jedyne w teczce przedstawiające ją jeszcze za życia. Blondynka, może farbowana. Dość ładna, żadna uderzająca piękność, ale stylowo ubrana w wojskową kurtkę i rastafariańską czapkę. Stylowa i naiwnie dobra. Czy jedno z drugim trzyma się kupy?

Była w klubie Mono, gdzie odbywała się comiesięczna impreza z okazji wydania nowego numeru magazynu modowego „Sheness". Część oficjalna trwała od siódmej do ósmej. Potem Borgny powiedziała koleżance-przyjaciółce, że wraca do domu, bo musi przygotować na następny dzień sesję, na którą fotograf zażyczył sobie „skrzyżowania dżungli z punkiem w stylu lat osiemdziesiątych".

Przypuszczali, że poszła na najbliższy postój taksówek, ale żaden z taksówkarzy przebywających w okolicy w tamtych godzinach (listy z Norgestaxi i Oslo Taxi w załączeniu) nie rozpoznał Borgny Stem-Myhre na zdjęciu ani też nie miał kursu na Sagene. Krótko mówiąc, nikt jej nie widział, odkąd wyszła z Mono. Aż do chwili, gdy dwaj polscy murarze przyszli do pracy, zobaczyli, że kłódka na żelaznych drzwiach do piwnicy jest przecięta, i weszli do środka. Borgny leżała na środku w dziwnej pozycji, ubrana.

Harry popatrzył na zdjęcie. Ta sama wojskowa kurtka, twarz wyglądała jak uszminkowana na biało. Lampa błyskowa rzuciła ostre cienie na ścianę piwnicy. Sesja fotograficzna. Stylowo.

Patolog stwierdził, że Borgny Stem-Myhre umarła między godziną dwudziestą drugą a dwudziestą trzecią. We krwi znaleziono ślady ketanominy, silnie znieczulającego środka, który działa bardzo szybko, nawet gdy zostanie podany domięśniowo. Ale bezpośrednią przyczyną śmierci było utonięcie we własnej krwi spływającej z ran w ustach.

I teraz właśnie zaczynał się najbardziej niepokojący fragment. Patolog znalazł w ustach dwadzieścia cztery nakłucia, rozłożone symetrycznie i wszystkie – oprócz tych, które przebiły twarz na wylot – o dokładnie tej samej głębokości siedmiu centymetrów. Ale śledczy nie umieli powiedzieć, z jaką bronią czy narzędziem mogą mieć do czynienia. Śladów technicznych nie było wcale, żadnych odcisków palców, żadnego DNA, nawet śladów butów, ponieważ betonową posadzkę dzień wcześniej starannie uprzątnięto – planowano instalowanie ogrzewania podłogowego. W raporcie Kima Erika Lokkera, technika kryminalistycznego, którego najwyraźniej zatrudniono już po wyjeździe Harry'ego, znajdowało się zdjęcie dwóch szaroczarnych kamyczków znalezionych na posadzce i różniących się od żwiru w pobliżu miejsca zbrodni. Lokker pisał, że takie małe kamyki często się wbijają w buty na podeszwie o grubym bieżniku i wypadają z nich, kiedy się wejdzie na jakieś twardsze podłoże, na przykład na beton. Dodawał, że kamyki są na tyle niezwykłe, że jeśli podobne pojawią się w późniejszym śledztwie, na przykład na żwirowej ścieżce, to będzie można je porównać. Być może. W raporcie pod podpisem i datą znajdował się jeszcze dopisek, że na wewnętrznej stronie dwóch zębów trzonowych ofiary znaleziono ślady żelaza i koltanu.

Dalszego ciągu Harry już się domyślał. Przerzucił kartkę.

Druga dziewczyna nazywała się Charlotte Lolles. Ojciec Francuz, matka Norweżka. Mieszkała na Lambertseter w Oslo. Skończyła dwadzieścia dziewięć lat, z wykształcenia prawniczka. Mieszkała sama, ale miała chłopaka, niejakiego Erika Fokkestada, którego już dawno wyeliminowano z kręgu podejrzanych, ponieważ przebywał na seminarium geologicznym w Parku Narodowym Yellowstone w amerykańskim stanie Wyoming. Charlotte miała z nim jechać, ale uznała, że ważniejszy jest spór o nieruchomość, nad którym pracowała.

Koledzy z pracy ostatnio widzieli ją w kancelarii we wtorek wieczorem, około dziewiątej. Najprawdopodobniej już nie dotarła do domu, bo neseser z dokumentami dotyczącymi nieruchomości znaleziono obok ciała za skasowanym samochodem na skraju lasu w Maridalen. Obie strony sporu o nieruchomość też wykluczono ze sprawy. Protokół z sekcji stwierdzał, że pod paznokciami Charlotte Lolles znaleziono fragmenty lakieru samochodowego i rdzy, co zgadzało się z raportem z miejsca zdarzenia, opisującym zadrapania wokół zamka bagażnika, jak gdyby próbowała go otworzyć. Bliższe badania wykazały zresztą, że wcześniej przynajmniej raz próbowano otworzyć zamek wytrychem. Ale raczej nie zrobiła tego Charlotte Lolles. Harry przypuszczał, że musiała zostać przykuta do czegoś, co znajdowało się w bagażniku, i dlatego za wszelką cenę starała się dostać do środka. To coś zabójca później zabrał. Ale co to mogło być? I czemu służyło?

Protokoły z przesłuchań, cytowane słowa koleżanki z kancelarii adwokackiej: „Charlotte była ambitną dziewczyną. Zawsze pracowała do późna, chociaż na ile ta praca była efektywna, tego nie wiem. Zawsze była pogodna, ale nie tak, jak mógł na to wskazywać jej uśmiech i południowy wygląd. Całkiem po prostu ceniła prywatność. Rzadko na przykład opowiadała o swoim partnerze. Ale szefowie ją lubili".

Harry wyobraził sobie, jak ta koleżanka serwuje Charlotte jedno intymne wyznanie za drugim, a w zamian otrzymuje jedynie uśmiech. Mózg śledczego działał jak na włączonym autopilocie. Może Charlotte odmówiła przyłączenia się do beztroskiej siostrzanej wspólnoty, może miała coś do ukrycia, może...

Spojrzał na zdjęcia. Nieco ostre, ale ładne rysy. Ciemne oczy, podobne do oczu... Cholera! Zamknął powieki. Kiedy je otworzył, zaczął szukać raportu patologa. Przesuwał wzrokiem po kartce.

Musiał sprawdzić imię Charlotte na górze strony, by się upewnić, że nie czyta po raz drugi protokołu z sekcji Borgny. Środek znieczulający.

Dwadzieścia cztery rany w ustach. Utonięcie. Żadnych oznak zewnętrznej przemocy czy wykorzystania seksualnego. Jedyną różnicą była przypuszczalna godzina zgonu, którą w tym wypadku określono na między dwudziestą trzecią a północą. Również tutaj znajdował się dopisek o znalezieniu śladów żelaza i koltanu na zębach ofiary. Prawdopodobnie Wydział Techniki Kryminalistycznej dopiero po czasie zrozumiał, że to może mieć znaczenie, skoro podobne ślady znaleziono u obydwu ofiar. Koltan. Czy nie z tego zbudowany był Terminator Schwarzeneggera?

Harry uświadomił sobie, że ani trochę nie chce mu się spać i że siedzi na samym brzeżku fotela. Czuł drżenie, napięcie. I mdłości. Jak wtedy, gdy pił pierwszego drinka, od którego żołądek wywracał się na lewą stronę, który ciało tak rozpaczliwie odrzucało, a wkrótce miało błagać o więcej. A potem o jeszcze więcej. Dopóki zniszczeniu nie ulegnie on sam i wszystko wokół niego. Tak jak to. Poderwał się tak gwałtownie, że zakręciło mu się w głowie. Złapał teczkę i chociaż wiedział, że jest za gruba, to mimo wszystko zdołał przedrzeć ją na pół.

Pozbierał kawałeczki papieru i zaniósł je z powrotem do pojemnika na śmieci. Spuścił wzdłuż brzegu i poprzesuwał worki ze śmieciami, żeby szczątki dokumentów ześlizgnęły się bokiem na samo dno. Śmieciarka zjawi się przypuszczalnie jutro albo pojutrze.

Kiedy noc za oknem przybrała odcień szarości, usłyszał pierwsze odgłosy budzącego się miasta. Ale ponad równym szumem zaczynającego się porannego ruchu na Pilestredet gdzieś z oddali przebiło się też przenikliwe wycie policyjnej syreny. Mogło się zdarzyć cokolwiek. Usłyszał kolejną syrenę. Cokolwiek. I jeszcze jedną. To już nie cokolwiek.

Rozdzwonił się stacjonarny telefon.

Podniósł słuchawkę.

– Mówi Hagen. Właśnie dostaliśmy zgłoszenie…

Harry się rozłączył.

Telefon znów zadzwonił. Harry wyjrzał przez okno. Nie zatelefonował do Sio. Dlaczego? Nie chciał się pokazywać młodszej siostrze, swojej najbardziej zagorzałej, ubóstwiającej go bezwarunkowo wielbicielce? Tej, która miała, jak sama mówiła, malutkiego Downa, a mimo to radziła sobie z życiem o wiele lepiej niż on? Była jedynym człowiekiem, którego nie mógł rozczarować.

Telefon przestał dzwonić. I znów zaczął.

Harry ze złością szarpnął słuchawkę.

– Nie, szefie. Moja odpowiedź brzmi: nie. Nie chcę pracować.

Na drugim końcu przez moment panowała cisza. Wreszcie rozległ się obcy głos:

– Dzwonię z Zakładu Energetycznego Oslo. Pan Hole?

Harry zaklął w duchu.

– Tak?

– Nie zapłacił pan faktur, które panu wysłaliśmy. Nie odpowiadał pan również na wezwania do zapłaty. Dzwonię z informacją, że dzisiaj o godzinie dwunastej wyłączamy prąd w pana mieszkaniu na Sofies gate pięć.

Harry nie odpowiedział.

– Prąd będzie mógł zostać ponownie podłączony dopiero, gdy należność wpłynie na nasze konto.

– Ile wynosi ta należność?

– Z odsetkami, opłatą za ponaglenie i za odcięcie prądu to łącznie czternaście tysięcy czterysta sześćdziesiąt trzy korony.

Pauza.

– Halo?

– Jestem. Nie mam teraz tyle pieniędzy.

– Należność będzie ściągana drogą sądową. No i miejmy nadzieję, że nie będzie mrozów, prawda?

– Prawda – stwierdził Harry i odłożył słuchawkę.

Za oknem odgłos syren wznosił się i opadał.

Harry poszedł się położyć. Przez kwadrans leżał z otwartymi oczami, w końcu się poddał, znów się ubrał i wyszedł z mieszkania, żeby wsiąść do tramwaju jadącego do Szpitala Centralnego.

11 DRUKOWANIE

Kiedy się obudziłem rano, wiedziałem, że znów tam byłem. We śnie zawsze jest tak: leżymy na ziemi, krew płynie, a kiedy zerkam w bok, widzę, że ona tam stoi i patrzy na nas. Patrzy na mnie z żalem w oczach, jakby dopiero teraz odkryła, kim jestem, zobaczyła mnie i przekonała się, że nie jestem tym, którego chce.

Śniadanie było wyśmienite. Piszą o tym w gazecie telewizyjnej. „Martwa parlamentarzystka znaleziona w basenie kąpieliska Frogner". Internetowe strony gazet są pełne. Tylko drukować i wycinać, wycinać.

Już niedługo w internecie pojawi się nazwisko. Do tej pory całe to tak zwane śledztwo prowadzone przez policję było tak śmieszną amatorszczyzną, że mogło jedynie irytować, nie emocjonować. Ale tym razem zaangażują wszystkie siły. Nie będą się bawić tak jak z Borgny i Charlotte. Marit Olsen zasiadała mimo wszystko w Stortingu. Najwyższa pora, by to powstrzymać. Bo wybrałem już kolejną ofiarę.

12 MIEJSCE ZBRODNI

Harry palił papierosa przed szpitalem. W górze niebo było bladobłękitne, ale w dole mgła spowijała miasto położone wśród niskich zielonych wzgórz jak w kotle. Ten widok przypominał mu dzieciństwo na Oppsal, gdy razem z Øysteinem wagarowali z pierwszej lekcji i wyprawiali się do niemieckich bunkrów na Nordstrand, skąd patrzyli na mgłę w kolorze grochówki skrywającą centrum Oslo. Ale z upływem lat poranna mgła stopniowo znikała z miasta razem z przemysłem i opalaniem domów drewnem.

Zgniótł papierosa obcasem.

Olav Hole wyglądał lepiej. A może to była tylko sprawa światła. Spytał, dlaczego Harry się uśmiecha. I co właściwie stało się z jego szczęką.

Harry bąknął coś o nieuwadze i zaczął się zastanawiać, w jakim wieku następuje zamiana, w którym momencie to dzieci zaczynają chronić rodziców przed rzeczywistością. Doszedł do wniosku, że około dziesiątego roku życia.

– Twoja młodsza siostra tu była – odezwał się ojciec.

– Co u niej słychać?

– Wszystko dobrze. Kiedy się dowiedziała, że wróciłeś, stwierdziła, że musi się tobą zaopiekować, bo teraz to ona jest duża, a ty mały.

– Mhm. Mądra dziewczyna. A ty jak się dzisiaj czujesz?

– Dobrze. A właściwie bardzo dobrze. Wydaje mi się, że najwyższa pora, żeby stąd wyjść.

Uśmiechnął się, a Harry odpowiedział uśmiechem.

– A co mówią lekarze?

Olav Hole nie przestawał się uśmiechać.

– Stanowczo za dużo. Porozmawiamy o czymś innym?

– Jasne. A o czym chcesz rozmawiać?

Olav Hole się zamyślił.

– Chcę rozmawiać o niej.

Harry pokiwał głową. A potem siedział w milczeniu i słuchał opowieści ojca o tym, jak się poznali z matką. Jak się pobrali. Jak matka zachorowała, kiedy Harry był ledwie chłopcem.

– Ingrid zawsze mi pomagała. Zawsze. Ale tak rzadko mnie potrzebowała. Aż do czasu tej choroby. Nieraz nawet myślałem, że ta choroba to błogosławieństwo.

Harry drgnął.

– Zrozum, dzięki chorobie mogłem jej odpłacić. I odpłacałem się. Robiłem wszystko, o co prosiła. – Olav Hole wbił wzrok w syna. – Wszystko. Prawie.

Harry kiwnął głową.

Ojciec mówił dalej, o Sio i o Harrym. O tym, jaka kochana i pogodna była Sio, i jak uparty był Harry. Jak bał się ciemności, ale nie chciał nikomu się do tego przyznać. Kiedy rodzice podsłuchiwali pod drzwiami, słyszeli, jak na zmianę płacze i przeklina niewidzialne potwory. Wiedzieli jednak, że nie mogą wejść, by go pocieszyć i uspokoić, bo od razu zacząłby krzyczeć, że wszystko psują, i żądałby, żeby natychmiast wyszli.

– Zawsze chciałeś walczyć z potworami w pojedynkę, Harry.

Olav Hole opowiedział też starą historię, jak to Harry nie wypowiedział ani słowa, dopóki nie miał prawie pięciu lat. Ale wtedy pewnego dnia zaczęły wypływać z niego całe zdania. Powolne i poważne, pełne dorosłych słów, których nie wiadomo skąd się nauczył.

– Sio ma rację – uśmiechnął się ojciec. – Ty znów jesteś mały. Znów nie mówisz.

– Mhm. A chcesz, żebym mówił?

Ojciec pokręcił głową.

– Ty masz słuchać. Ale na razie wystarczy. Przyjdź kiedy indziej.

Harry uścisnął lewą dłoń ojca swoją prawą i wstał.

– Mogę przez kilka dni pomieszkać na Oppsal?

– Dziękuję, że to proponujesz. Nie chciałem ci zawracać głowy, ale dom potrzebuje opieki.

Harry przemilczał, że w jego mieszkaniu odetną prąd.

Ojciec nacisnął dzwonek i zaraz przyszła młoda roześmiana pielęgniarka. Zwracała się do niego po imieniu, w niewinny, zalotny sposób, a Harry usłyszał, jak ojciec zaczyna mówić głębszym głosem, kiedy wyjaśnia, żeby wydano Harry'emu walizkę z kluczami. Widział, jak chory mężczyzna w łóżku próbuje jeszcze stroszyć pióra. I z jakiegoś powodu nie wydało mu się to wcale żałosne. Było takie, jak być powinno.

Na pożegnanie ojciec powtórzył:

– Wszystko, o co mnie prosiła. – A szeptem dodał: – Oprócz jednego.

Pielęgniarka zaprowadziła Harry'ego do przechowalni, a po drodze powiedziała, że lekarz chce z nim zamienić kilka słów. Harry odnalazł klucze w walizce i chwilę później zapukał do drzwi wskazanych przez siostrę.

Doktor skinął głową w stronę krzesła, sam odchylił się na swoim i złączył dłonie koniuszkami palców.

– Dobrze, że pan wrócił do domu. Próbowaliśmy pana odnaleźć.

– Wiem.

– Są przerzuty.

Harry kiwnął głową. Ktoś kiedyś mówił mu, że komórka rakowa ma właśnie taką pracę: rozprzestrzeniać się.

Lekarz przyglądał mu się badawczo, jakby rozważał kolejny krok.

– Tak – powiedział Harry.

– Tak?

– Tak, jestem gotów na to, by usłyszeć resztę.

– Zazwyczaj już nie mówimy rodzinie, na ile oceniamy długość życia pacjenta. Odstępstwa i wynikające z nich obciążenia są zbyt duże. Ale w tym wypadku uważam za słuszne powiedzieć panu, że pański ojciec już przekroczył wyznaczony mu czas.

Harry wyjrzał przez okno. W dole mgła była równie gęsta.

– Ma pan komórkę, pod którą moglibyśmy pana łapać, gdyby coś się działo?

Harry pokręcił głową. Czyżby z mgły dochodził odgłos syren?

– A ktoś znajomy, kto mógłby przekazać panu informację?

Harry znów pokręcił głową.

– Ale to żaden problem. Sam będę dzwonił i codziennie odwiedzał ojca, dobrze?

Lekarz skinął głową i patrzył, jak Harry wstaje i wychodzi.

Była już dziewiąta, kiedy Harry przybył do kąpieliska Frogner. Cały park Frogner zajmował pięćdziesiąt hektarów, ale ponieważ zespół basenów pod gołym niebem stanowił zaledwie niewielką jego część, a poza tym był ogrodzony, policja miała dość łatwą pracę przy zabezpieczeniu miejsca zbrodni. Policjanci zwyczajnie rozciągnęli taśmę wzdłuż całego ogrodzenia, a w bramie, gdzie sprzedawano bilety, stanął strażnik. Stado sępów, dziennikarzy z działów kryminalnych, już się poderwało do lotu. Sfruwali po kolei, gdakali przed bramą, zastanawiając się, jak dopaść truchła. To przecież była prawdziwa parlamentarzystka, do jasnego pioruna! Opinia publiczna ma prawo zobaczyć zdjęcia tak znamienitych zwłok.

Harry kupił *americano* U Kawiarek. Przez cały luty kawiarnia wystawiała stoliki na zewnątrz. Usiadł, zapalił papierosa, przyglądając się stadu przy bramie.

– Harry Hole we własnej osobie. Gdzieś ty się podziewał?

Harry podniósł wzrok. Sąsiednie krzesło zajął Roger Gjendem, dziennikarz z działu kryminalnego „Aftenposten", zapalił papierosa i gestem wskazał na park.

– Marit Olsen w końcu ma to, czego chciała. Do ósmej wieczorem stanie się gwiazdą. Powiesić się na wieży do skoków w kąpielisku Frogner? *Good career move.* – Odwrócił się do Harry'ego i skrzywił. – Co się stało z twoją szczęką? Wyglądasz okropnie.

Harry nie odpowiedział. Małymi łykami popijał kawę i nie zrobił nic, by skrócić tę kłopotliwą ciszę, w próżnej nadziei, że dziennikarz zrozumie, iż nie jest mile widzianym towarzystwem. Z morza mgły nad ich głowami dobiegło klepanie śmigła. Roger Gjendem zmrużył oczy.

– Na pewno „VG". To oni mają zwyczaj wynajmowania helikoptera. Mam nadzieję, że mgła się nie rozwieje.

– Mhm. Lepiej żeby nikt nie miał zdjęć, niż żeby miało je „VG"?

– No jasne. A co ty wiesz?

– Na pewno mniej niż ty. Zwłoki znalazł jeden z dozorców o świcie. I od razu wezwał policję. Teraz ty.

– Głowa oderwała się od ciała. Wygląda na to, że ta kobieta skoczyła ze szczytu wieży z pętlą na szyi, a była bardzo gruba. Tak w kategorii stu pięćdziesięciu kilogramów. Znaleźli na płocie włókna, które mogą pasować do jej dresu. Tam, którędy, jak sądzą, weszła na teren kąpieliska. Żadnych innych śladów nie ma, więc uważają, że była sama.

Harry zaciągnął się dymem. *Głowa oderwała się od ciała.* Ci dziennikarze mówią tak, jak piszą, w odwróconej piramidzie, jak to nazywają. Najważniejsza informacja na początku.

– To się pewnie stało dziś w nocy? – spytał Harry.

– Raczej wczoraj wieczorem. Mąż Marit Olsen mówi, że wyszła z domu wczoraj za piętnaście dziesiąta, pobiegać.

– Trochę późno jak na przebieżkę.

– Podobno taki miała zwyczaj. Lubiła mieć park dla siebie.

– Mhm.

– Próbowałem zresztą odszukać tego dozorcę, który ją znalazł.

– Po co?

Gjendem zbaraniał.

– Żeby mieć relację z pierwszej ręki, oczywiście.

– Oczywiście. – Harry znów się zaciągnął.

– Ale wygląda na to, że się gdzieś ukrył. Nie ma go ani tu, ani w domu. Pewnie jest w szoku, biedaczysko.

– No cóż. Nie pierwszy raz znalazł trupa w basenie. Podejrzewam, że to raczej kierujący śledztwem zadbali, żebyście go nie dopadli.

– Co masz na myśli, mówiąc, że to nie pierwszy raz?

Harry wzruszył ramionami.

– Sam byłem tu wzywany dwa czy trzy razy. Do młodych chłopców, którzy przedostali się tu nocą. Raz to było samobójstwo, drugi raz wypadek. Czterech pijanych chłopaków wracało z imprezy do domu. Chcieli się trochę zabawić. Urządzili zawody, kto z nich stanie najdalej na brzegu. Ten, który okazał się największym śmiałkiem, miał dziewiętnaście lat. Najstarszy był jego bratem.

– O cholera – zaklął Gjendem z obowiązku.

Harry spojrzał na zegarek, jakby gdzieś się spieszył.

– Ta lina musiała być nieźle mocna – zauważył Gjendem. – Urwana głowa. Słyszałeś kiedyś o czymś takim?

– Tom Ketchum. – Harry jednym łykiem dopił kawę i wstał.

– Ketchup?

– Ketchum. Gang Hole-in-the-Wall. Powieszony w Nowym Meksyku w dziewięćset pierwszym. Zwyczajna szubienica, tylko użyli trochę za długiej liny.

– Oj! Jak długiej?

– Trochę ponad dwa metry.

– Nie dłuższej? To musiał być cholernie gruby.

– Wcale nie. Ale to pokazuje, jak łatwo stracić głowę.

Gjendem jeszcze coś do niego zawołał, ale Harry nie zrozumiał. Przeszedł przez parking po północnej stronie kąpieliska, dalej przez park i skręcił w lewo przez mostek w stronę głównej bramy. Płot miał ponad dwa i pół metra wysokości na całej długości. *W kategorii stu pięćdziesięciu kilogramów.* Marit Olsen być może próbowała, ale nie przedostała się przez ten płot sama.

Po drugiej stronie mostku Harry skręcił w lewo i zbliżył się do kąpieliska od przeciwnej strony. Przeszedł ponad pomarańczową policyjną taśmą i zatrzymał się na szczycie pagórka przed krzakami. Przerażająco dużo zapomniał w ostatnich latach, ale sprawy pamiętał. Wciąż miał w pamięci imiona tamtych czterech chłopaków na wieży. Tysiącmetrowe spojrzenie starszego brata w nicość, kiedy matowym głosem odpowiadał na pytania Harry'ego. I jego rękę wskazującą miejsce, w którym przedostali się do środka.

Harry stąpał ostrożnie, żeby nie zniszczyć ewentualnych śladów, i lekko rozchylił krzaki. Zarząd Parków w Oslo musiał układać plany konserwacji terenów zielonych z ogromnym wyprzedzeniem. Jeśli w ogóle miał jakiś plan. Dziura w płocie ciągle tu była.

Harry przykucnął, przyglądając się ostrym końcówkom przerwanej siatki. Zauważył ciemne nitki. Ktoś się tędy nie tyle prześlizgnął, ile przedarł. Albo został przepchnięty. Rozejrzał się za innymi śladami. Na drucie u samej góry wisiała czarna długa wełniana nitka. Dziura w płocie była na tyle wysoka, że ktoś musiał stać wyprostowany, by dotknąć ogrodzenia. Głową. To pasuje do wełny. Wełniana czapka. Czy Marit Olsen miała wełnianą czapkę? Według Rogera Gjendema wyszła z domu za piętnaście dziesiąta pobiegać w parku, tak jak to miała w zwyczaju.

Harry spróbował to sobie wyobrazić. Widział niezwykle ciepły wieczór w parku. Widział biegnącą grubą spoconą kobietę. Nie widział czapki.

Nie widział też nikogo innego, kto by nosił czapkę. A już na pewno nie z powodu zimna. Ale może po to, by nie zostać zobaczonym albo rozpoznanym. Czarna wełniana czapka. Kominiarka?

Ostrożnie wyszedł z krzaków.

Nie usłyszał, jak nadchodzą.

Jeden trzymał pistolet, prawdopodobnie steyr, austriacki, półautomatyczny. Mierzył nim w Harry'ego. Mężczyzna z pistoletem miał jasne włosy i rozchylone usta z mocno wysuniętą żuchwą, a kiedy jeszcze zaniósł się śmiechem, przypominającym chrumkanie świni, Harry przypomniał sobie przezwisko Trulsa Berntsena z KRIPOS. Beavis. Ten z serialu animowanego *Beavis i Butt-head*.

Drugi był niski, miał niesłychanie krzywe nogi, a ręce trzymał w kieszeniach płaszcza, które, jak Harry wiedział, skrywały broń i identyfikator KRIPOS z fińskobrzmiącym nazwiskiem.

Ale uwagę Harry'ego przyciągnął trzeci mężczyzna, w szarym eleganckim prochowcu. Stał bardziej na lewo od pozostałych, ale było coś w mowie ciała tego od pistoletu i Fina, w sposobie, w jaki kierowali się częściowo do Harry'ego, a częściowo do tego faceta, jakby stanowili jego przedłużenie, jakby tak naprawdę to on trzymał pistolet. Tym, co Harry'ego w nim uderzyło, nie była jego niemal kobieca uroda, ciemne rzęsy doskonale widoczne i na górnej, i na dolnej powiece, tak ciemne, że można by podejrzewać, iż umalował je tuszem. Ani nos, broda, miękki kształt policzków, ani włosy, gęste, ciemne i zadbane, sporo dłuższe niż przewidywał standard w branży, ani też liczne drobne plamki na opalonej skórze, przez co wyglądał, jakby spadł na niego kwaśny deszcz. Tym, co Harry'ego uderzyło, była nienawiść. Nienawiść w spojrzeniu, które ten człowiek wbił w niego, tak wielka, że Harry'emu wydała się wręcz namacalna, biała i twarda.

Mężczyzna czyścił zęby wykałaczką. Głos miał jaśniejszy i bardziej miękki, niż Harry by przypuszczał.

– Wtargnąłeś na odgrodzony teren, na którym prowadzone jest śledztwo, Hole.

– To niezaprzeczalny fakt. – Harry powiódł wzrokiem dokoła.

– Dlaczego?

Harry patrzył na niego, w milczeniu odrzucając jedną odpowiedź po drugiej, aż wreszcie uświadomił sobie, że całkiem po prostu nie ma żadnej.

– Skoro wygląda na to, że mnie znasz – odezwał się w końcu – to z kim mam przyjemność?

– Wątpię, by to była przyjemność dla któregokolwiek z nas, Hole. Dlatego proponuję, żebyś natychmiast stąd odszedł i nigdy więcej nie pokazywał się w pobliżu miejsc zbrodni, którymi zajmuje się KRIPOS. Zrozumiałeś?

– No cóż. Usłyszałem, ale nie całkiem zrozumiałem. A jeśli mogę wnieść swój wkład w pracę policji, podsuwając pewną wskazówkę co do tego, w jaki sposób Marit Olsen...

– Twoim jedynym wkładem w pracę policji – przerwał mu miękki głos – była twoja zła sława. W moim notesie jesteś pijakiem, przestępcą i szkodnikiem, Hole. I moja rada dla ciebie jest taka, żebyś wpełzł pod ten kamień, spod którego wypełzłeś, zanim ktoś cię rozdepcze.

Harry poczuł, że i serce, i brzuch mówią to samo: Wykorzystaj to, wycofaj się. Nie masz czym kontrować. Wykaż się sprytem.

Naprawdę pragnął być sprytny, naprawdę ceniłby tę zdolność. Wyciągnął papierosy.

– I tym kimś miałbyś być ty, Bellman? Bo ty jesteś Bellman, prawda? Ten geniusz, który wysłał za mną tę małpę z fińskiej sauny. – Wskazał na Fina. – Sądząc po tej próbie, nie jesteś w stanie zdeptać... zdeptać... – Harry gorączkowo szukał porównania, ale nic mu nie przychodziło do głowy. Przeklęty *jet lag*!

Bellman go uprzedził.

– Spieprzaj, Hole! – Nadkomisarz wskazał kciukiem za swoje ramię. – I to już!

– Ja... – zaczął Harry.

– Wystarczy. – Bellman uśmiechnął się szeroko. – Jesteś aresztowany, Hole.

– Co?

– Trzykrotnie polecono ci usunąć się z miejsca zdarzenia, a ty nie usłuchałeś. Ręce na plecy!

– Posłuchaj! – warknął Harry. Ogarniało go uczucie, że jest nieskończenie przewidywalnym szczurem w laboratoryjnym labiryncie. – Chcę tylko...

Berntsen alias Beavis szarpnął go za ramię tak, że papieros wypadł mu z ust na mokrą ziemię. Harry pochylił się, żeby go podnieść, ale stopa

Jussiego pchnęła go w plecy i poleciał do przodu. Czołem uderzył o glebę, w ustach poczuł smak ziemi i żółci, a tuż przy uchu usłyszał miękki głos Bellmana:

– Stawiasz opór przy aresztowaniu, Hole. Poprosiłem cię, żebyś przesunął ręce na plecy, prawda? O tutaj... – Lekko dotknął dłonią pośladków Harry'ego.

Harry ciężko oddychał przez nos, nawet nie drgnął. Wiedział, co Bellman chce osiągnąć. Napaść na funkcjonariusza na służbie, dwóch świadków. Sprawa z paragrafu sto dwadzieścia siedem, zagrożenie karą pięciu lat. *Game over*. I chociaż Harry miał co do tego bezwzględną jasność, to wiedział, że Bellman niedługo może dostać to, co chce. Dlatego skupił się na czymś innym. Odciął się od chrumkającego śmiechu Beavisa i wody kolońskiej Bellmana. Myślał o niej. O Rakel. Ręce położył na plecach, nakrył nimi dłoń Bellmana i obrócił głowę. Wiatr akurat rozwiał mgłę, więc widział białą wysmukłą wieżę do skoków na tle szarego nieba. Z krawędzi na szczycie coś powiewało na wietrze. Może lina.

Miękko kliknęły kajdanki.

Bellman stał na parkingu przy Middelthuns gate i patrzył, jak odjeżdżają. Wiatr wesoło szarpał mu poły płaszcza.

Dyżurny w areszcie czytał gazetę, gdy nagle zauważył trzech mężczyzn przed kontuarem.

– Cześć, Tore – powiedział Harry. – Masz coś z widokiem, dla niepalących?

– Cześć, Harry. Dawno się nie widzieliśmy. – Dyżurny wyjął klucz z szafki za plecami i podał Harry'emu. – Apartament dla nowożeńców.

Harry dostrzegł zdumienie Torego, kiedy Beavis nachylił się, wyrwał mu klucz i warknął:

– To on jest aresztowany, staruszku.

Harry przeprosił Torego spojrzeniem, podczas gdy ręce Jussiego obszukiwały mu kieszenie, wyjmowały klucze i portfel.

– Dobrze by było, żebyś zadzwonił do Gunnara Hagena, Tore. On...

Jussi szarpnął kajdankami tak mocno, że metal wbił się w skórę. Harry zatoczył się do tyłu za tamtymi już zmierzającymi do wejścia do cel.

Kiedy zamknęli go w celi dwa i pół na półtora metra, Jussi poszedł do Torego podpisać papiery, natomiast Beavis został za drzwiami z kraty i przyglądał się Harry'emu. Harry widział, że tamten chce coś powiedzieć, więc czekał. W końcu usłyszał głos drżący od tłumionej wściekłości:

– Jakie to właściwie uczucie? Być taką pieprzoną gwiazdą, dopaść dwóch seryjnych zabójców, występy w telewizji i w ogóle, a teraz siedzieć za kratami i gapić się na nie od środka?

– Na co ty się tak wściekasz, Beavis? – spytał Harry cicho, zamykając oczy. W ciele czuł kołysanie, jakby właśnie zszedł na ląd po długiej morskiej podróży.

– Ja się nie wściekam. Ale jeśli chodzi o punków, którzy strzelają do dobrych policjantów, to nich nie znoszę.

– Trzy błędy w jednym zdaniu – stwierdził Harry, kładąc się na pryczy.

– Po pierwsze, nie mówi się „nich nie znoszę", tylko „ich nie znoszę". Po drugie, komisarz Waaler nie był dobrym policjantem. A po trzecie, wcale go nie zastrzeliłem, tylko urwałem mu rękę. Tu, przy barku – pokazał.

Beavis otworzył usta, ale nic nie powiedział.

Harry znów zamknął oczy.

13 BIURO

Następnym razem Harry otworzył oczy po dwóch godzinach leżenia na pryczy w areszcie. Gunnar Hagen stał na zewnątrz i mocował się z kluczem.

– Przepraszam, Harry, byłem na zebraniu.

– Mnie to pasowało, szefie. – Harry przeciągnął się i ziewnął. – Jestem wolny?

– Rozmawiałem z prokuratorem, powiedział, że wszystko będzie w porządku. Areszt to środek zapobiegawczy, a nie kara. Słyszałem, że to dwaj chłopcy z KRIPOS cię przywieźli. Co się stało?

– Liczę, że ty mi to wytłumaczysz.

– Ja?

– Odkąd wylądowałem w Oslo, KRIPOS łazi za mną.

– KRIPOS?

Harry usiadł na pryczy, przeciągnął dłonią po jeżu na głowie.

– Poszli za mną nawet do szpitala. Aresztowali mnie za formalności. Co tu się wyprawia, szefie?

Hagen zadarł brodę i pociągnął się za skórę na szyi.

– Do diabła, powinienem był to przewidzieć.

– Co?

– Że to wycieknie. To, że próbujemy cię odnaleźć. Że Bellman będzie chciał to powstrzymać.

– Bardzo cię proszę, mów pełnymi zdaniami.

– Tłumaczyłem ci już, że to skomplikowane. Chodzi o obcinanie wydatków i racjonalizację w policji. O uprawnienia. Stara wojna. Wydział Zabójstw przeciwko KRIPOS. I o to, czy w małym kraju jest dość środków na dwie wyspecjalizowane jednostki o porównywalnych kompetencjach. Dyskusja rozgorzała, kiedy KRIPOS dostała nowego wiceszefa. Niejakiego Mikaela Bellmana.

– Opowiedz mi o nim.

– O Bellmanie? Wyższa Szkoła Policji. Krótki rozbieg w Norwegii, zanim trafił do Europolu w Hadze. Wrócił do KRIPOS jako cudowne dziecko, które chce się pokazać. Od pierwszego dnia zaczęła się awantura, bo postanowił zatrudnić dawnego kolegę z Europolu. Cudzoziemca.

– Przypadkiem nie Fina?

Hagen kiwnął głową.

– Jussiego Kolkkę. Wykształcenie policyjne w Finlandii, ale nie ma żadnych formalnych kwalifikacji, żeby pracować jako policjant w Norwegii. Związki zawodowe się wściekły. Ostatecznie rozwiązano to w ten sposób, że Kolkkę zatrudniono na czas określony w ramach wymiany. Kolejnym występem Bellmana było oświadczenie, że przepisy należy rozumieć w następujący sposób: w wypadku poważniejszych zabójstw to KRIPOS decyduje, czy bierze daną sprawę, czy przekazuje ją miejscowej komendzie, a nie odwrotnie.

– I?

– I to jest, rzecz jasna, nie do przyjęcia. My mamy największy w kraju Wydział Zabójstw i sami musimy decydować, jakie sprawy z rejonu Oslo załatwiamy we własnym zakresie, w czym potrzebujemy pomocy, a co oddamy KRIPOS. Przecież ta jednostka powstała, żeby pomagać okręgom i służyć ekspertyzą, ale Bellman bez wahania nadał swojej instytucji status cesarstwa. W sprawę włączono Ministerstwo Sprawiedliwości, a tam natychmiast dostrzeżono możliwość realizacji tego, co tak długo udawało nam się hamować: scentralizowania śledztw w sprawach zabójstw w jednym ośrodku posiadającym wszelkie kompetencje. Nie chcą słuchać naszych argumentów o niebezpieczeństwie zapatrzenia się w jedną stronę i chowu wsobnego, o znaczeniu znajomości danego terenu, rozdzielaniu kompetencji, rekrutacji i...

– Dzięki, szefie, mnie nie musisz nawracać.

Hagen uniósł rękę.

– No dobrze, ale Ministerstwo Sprawiedliwości pracuje teraz nad projektem...

– I...

– Twierdzą, że kierują się pragmatyzmem, że chodzi o jak najlepsze wykorzystanie niewielkich zasobów, jakimi dysponujemy. Jeśli KRIPOS zdoła wykazać, że najlepsze rezultaty osiąga bez współpracy z komendami okręgowymi...

– ...to cała władza przejdzie na Bryn – dokończył Harry. – Wielki gabinet dla Bellmana i pożegnanie z Wydziałem Zabójstw.

Hagen wzruszył ramionami.

– Mniej więcej. Kiedy za tym datsunem znaleziono ciało Charlotte Lolles i zauważyliśmy podobieństwo do sprawy tej dziewczyny z piwnicy na budowie, nastąpiło zderzenie. KRIPOS twierdziła, że chociaż zwłoki znaleziono na terenie Oslo, to jest sprawa jej, a nie naszej komendy, i wszczęła śledztwo na własną rękę. Zrozumieli, że właśnie ta sprawa będzie decydującą bitwą o poparcie ministerstwa.

– Więc chodzi o to, żeby rozwiązać tę zagadkę przed nimi?

– Mówiłem ci już, że to skomplikowane. Ci z KRIPOS nie chcą się z nami dzielić informacjami, nawet jak kompletnie utkną. Zamiast tego poszli do ministerstwa. Nasz komendant miał telefon z ministerstwa, które „chętnie widziałoby, aby to KRIPOS prowadziła tę sprawę, dopóki nie ustali się podziału obowiązków na przyszłość".

Harry z namysłem pokiwał głową.

– Zaczyna mi się przejaśniać. Wpadliście w desperację.

– Nie używałbym tego słowa.

– W desperację do tego stopnia, że wykopaliście spod ziemi starego łowcę seryjnych zabójców, Harry'ego Hole. Outsidera, którego nie ma już na liście płac, ale który będzie mógł poprowadzić ciche śledztwo. To dlatego miałem nikomu o niczym nie mówić.

Hagen westchnął.

– Najwyraźniej Bellman to wywęszył i przydzielił ci cień.

– Żeby się przekonać, czy zastosowaliście się do uprzejmej prośby ministerstwa. Chcieli mnie złapać na gorącym uczynku, kiedy będę czytał stare raporty albo przesłuchiwał starych świadków.

– Albo jeszcze skuteczniej, żeby wyłączyć cię z gry. Bellman wie, że wystarczy jeden błędny krok, jedno jedyne piwo na służbie, jedno naruszenie regulaminu, żeby cię zawiesić.

– Mhm. Albo na przykład stawianie oporu podczas aresztowania. Ten dureń zamierza dalej to ciągnąć.

– Porozmawiam z nim. Zostawi cię w spokoju, kiedy mu powiem, że i tak nie bierzesz tej sprawy. Nie wciągamy policjantów w błoto, jeśli to nie ma żadnego sensu. – Hagen zerknął na zegarek. – Mam robotę, która nie może dłużej czekać. Zabierajmy się stąd.

Z aresztu przeszli przez parking i zatrzymali się przed wejściem do Budynku Policji, którego betonowo-stalowa sylwetka królowała na szczycie parkowego wzniesienia. Obok, połączone z Budynkiem Policji podziemnym korytarzem jak pępowiną, wznosiły się stare, szare mury Więzienia Okręgowego w Oslo. W dole w stronę fiordu i portu rozciągała się dzielnica Grønland. Fasady były po zimowemu blade i brudne, jak posypane popiołem. Dźwigi w okolicach portu na tle nieba przypominały szubienice.

– Niezbyt piękny widok, prawda?

– Rzeczywiście. – Harry wciągnął powietrze.

– Ale to miasto i tak ma coś w sobie.

– Pewnie.

Jeszcze przez chwilę stali, kołysząc się na piętach, z rękami w kieszeniach.

– Chłodno – rzucił Harry.

– Właściwie to nie.

– Może, ale mój termostat jest ciągle nastawiony na Hongkong.

– No tak.

– Masz może filiżankę kawy na górze, szefie? – Harry ruchem głowy wskazał szóste piętro. – A może naprawdę czeka na ciebie robota? Ta sprawa Marit Olsen?

Hagen nie odpowiedział.

– Mhm. A więc Bellman i KRIPOS zabrali i to.

Po drodze przez korytarze w czerwonej strefie na szóstym piętrze kilka osób w milczeniu skinęło Harry'emu głową. Był tu wprawdzie legendą, ale to wcale nie znaczyło, że cieszył się sympatią.

Minęli drzwi do pokoju z przyklejoną kartką z napisem: *I see dead people.*

Hagen chrząknął.

– Musiałem pozwolić, żeby Magnus Skarre zajął ten pokój. Wszędzie jest tłok.

– No jasne – powiedział Harry.

Nalali sobie po tekturowym kubku słynnej kawy z ekspresu w pokoju socjalnym.

W gabinecie Hagena Harry usiadł naprzeciwko biurka nadkomisarza na krześle, na którym siedział już tyle razy wcześniej.

– Widzę, że wciąż go masz. – Harry wskazał na cokolik z czymś, co na pierwszy rzut oka wyglądało na biały wykrzyknik. Był to wypchany mały palec. Harry wiedział, że należał do jednego z japońskich dowódców w czasie drugiej wojny światowej. Podczas odwrotu komendant odciął sobie palec na oczach swoich ludzi, przepraszając ich w ten sposób, że nie mogą wrócić po poległych. Hagen uwielbiał wykorzystywać tę historię, kiedy się mądrzył przed podwładnymi na temat dowodzenia.

– A ty ciągle go nie masz. – Hagen wskazał na zaciśniętą wokół kubka dłoń Harry'ego, pozbawioną środkowego palca.

Harry kiwnął głową i wypił łyk. Kawa też była taka sama. Miała smak roztopionego asfaltu. Skrzywił się.

– Potrzebny mi zespół. Trzyosobowy.

Hagen wypił powoli i odstawił kubek.

– Nie większy?

– Zawsze o to pytasz. Dobrze wiesz, że nie pracuję w dużych grupach.

– W tym wypadku nie będę się opierał. Mniej ludzi to mniejsze szanse, żeby do KRIPOS i Ministerstwa Sprawiedliwości dotarło, że zajmujemy się tym podwójnym zabójstwem.

– Potrójnym – ziewnął Harry.

– Przestań, przecież nie wiemy, czy Marit Olsen...

– Samotna kobieta wieczorem zostaje uprowadzona w inne miejsce, gdzie ktoś uśmierca ją w niekonwencjonalny sposób. Trzeci raz w maleńkim Oslo. Potrójne, możesz mi wierzyć. Ale bez względu na to, jak niewielu nas będzie, to wiesz, że trzeba się cholernie starać, żeby nasze ścieżki nie skrzyżowały się z KRIPOS.

– Owszem – przyznał Hagen. – Zdaję sobie z tego sprawę. Dlatego stawiam warunek: jeśli to śledztwo wyjdzie na jaw, to nie ma ono nic wspólnego z Wydziałem Zabójstw.

Harry zamknął oczy, a Hagen ciągnął:

– Oczywiście będziemy ubolewać, że niektórzy z naszych pracowników zostali w to wciągnięci, ale powiemy wyraźnie, że to ten, który notorycznie gra solo, Harry Hole, rozpoczął działania na własną rękę bez wiedzy dowództwa. A ty to potwierdzisz.

Harry otworzył oczy i wbił wzrok w Hagena. Szef wytrzymał jego spojrzenie.

– Jakieś pytania?

– Tak.

– Słucham.

– Gdzie jest przeciek?

– Słucham?

– Kto informuje Bellmana?

Hagen wzruszył ramionami.

– Nie odnoszę wrażenia, żeby miał systematyczny wgląd w to, co robimy. O twoim powrocie mógł się dowiedzieć w wielu miejscach.

– Wiem, że Magnus Skarre ma długi język.

– Nie pytaj mnie więcej, Harry.

– Okej. Gdzie będzie główna kwatera?

– No właśnie, no właśnie. – Gunnar Hagen kilka razy pokiwał głową, jakby rozmawiali o tym już od jakiegoś czasu. – Jeśli chodzi o pokoje...

– Tak?

– To tak jak mówiłem, straszny tu u nas tłok. Więc musieliśmy znaleźć coś na zewnątrz, ale w pobliżu.

– No dobrze. Gdzie?

Hagen wyjrzał przez okno. Na szare mury więzienia.

– Chyba żartujesz – powiedział Harry.

14 REKRUTACJA

Bjørn Holm wszedł do sali konferencyjnej Wydziału Techniki Kryminalistycznej na Bryn. Za oknami słońce znikało z fasad, oddając miasto popołudniowemu zmierzchowi. Parking przed budynkiem był przepełniony, a przed wejściem do KRIPOS po drugiej stronie ulicy stał biały autobus z wielkim talerzem do zupy na dachu i logo telewizji norweskiej na boku.

Jedyną osobą w sali była szefowa Bjørna, Beate Lønn, niezwykle blada, delikatna i spokojna kobieta. Ktoś, kto jej nie znał, uważałby, że taka osoba będzie miała problemy z kierowaniem bandą dorosłych, bardzo profesjonalnych, świadomych własnej wartości, w każdym wypadku dziwacznych, za to nigdy nieunikających konfliktów techników kryminalistycznych. Ale ktoś, kto ją znał, wiedział też, że to jedyna osoba, która umiała ich okiełznać. Nie dlatego, że szanowali ją, ponieważ wciąż potrafiła chodzić z podniesioną głową, mimo że odprowadziła na wieczną służbę już dwóch policjantów, najpierw własnego ojca, a potem ojca swego dziecka, tylko dlatego, że po prostu była z nich najlepsza i miała w sobie nietykalność, niezłomność i moc, które sprawiały, że kiedy Beate Lønn ze spuszczonym wzrokiem i czerwonymi policzkami szeptem wydawała rozkazy, wykonywano je natychmiast. Bjørn Holm też przyszedł najszybciej, jak tylko mógł.

Siedziała na krześle przysuniętym do samego telewizora.

– Transmitują na żywo konferencję prasową – powiedziała, nie odwracając głowy. – Siadaj.

Holm od razu rozpoznał osoby na ekranie. Uświadomił sobie, że trochę dziwnie się czuje, oglądając przekaz telewizyjny, który pokonał tysiące kilometrów w przestrzeni kosmicznej i wrócił tylko po to, by pokazać mu, co akurat w tej chwili dzieje się po drugiej stronie ulicy.

Beate podgłośniła.

– Owszem, to zostało właściwie zrozumiane – mówił Mikael Bellman, nachylając się do stojącego przed nim na stole mikrofonu. – Na razie nie mamy ani śladów, ani podejrzanych. I pozwolę sobie powtórzyć jeszcze raz: nie wykluczamy, że zmarła mogła sama odebrać sobie życie.

– Ale powiedział pan... – podniósł się głos spośród dziennikarzy.

Bellman przerwał kobiecie.

– Powiedziałem, że badamy ten zgon jako podejrzany. Z pewnością zna pani terminologię, a jeśli nie, to należałoby... – zawiesił głos, wskazując na coś za kamerą.

– „Stavanger Aftenblad" – zabeczał powoli ktoś z akcentem z Rogaland.

– Czy policja łączy tę śmierć z dwoma poprzednimi zgonami...

– Nie! Gdyby pan słuchał uważniej, to dotarłoby do pana, że nie wykluczamy związku. Już o tym mówiłem.

– To zrozumiałem – ciągnął dialekt z Rogaland nieznośnie wolno. – Ale nas, tu obecnych, bardziej interesuje to, co przypuszczacie, niż to, czego „nie wykluczacie".

Bjørn Holm widział, jak Bellman gromi dziennikarza wzrokiem, kąciki ust drgały mu niecierpliwie. Siedząca obok niego kobieta w mundurze zasłoniła ręką mikrofon, nachyliła się i szepnęła mu coś do ucha. Nadkomisarzowi pociemniała twarz.

– Mikael Bellman robi błyskawiczny kurs obchodzenia się z mediami – stwierdził Bjørn. – Lekcja numer jeden. Głaskać ich z włosem. Szczególnie tych z prasy lokalnej.

– On jest jeszcze świeży – zauważyła Beate. – Nauczy się.

– Tak myślisz?

– Tak. Bellman to typ, który się uczy.

– Słyszałem, że niełatwo nauczyć się pokory.

– Prawdziwej nie, ale płaszczenie się wtedy, kiedy to przydatne, jest podstawową umiejętnością w nowoczesnej komunikacji. Ninni właśnie to mu teraz tłumaczy, a Bellman jest na tyle bystry, że to zrozumie.

Na ekranie telewizora Bellman chrząknął. Zmusił się do niemal chłopięcego uśmiechu i nachylił nad mikrofonem.

– Przepraszam, jeśli zabrzmiało to zbyt surowo. Ale wszyscy mamy za sobą długi dzień i mam nadzieję, że rozumiecie, jak bardzo nam się spieszy do śledztwa w tej tragicznej sprawie. Teraz musimy już kończyć. Jeśli jednak ktoś ma jeszcze jakieś pytania, to proszę przekazać je Ninni. Obiecuję, że postaram się osobiście do was wrócić wieczorem, jeszcze przed zamknięciem numerów. Czy to wam odpowiada?

– A nie mówiłam! – triumfalnie zaśmiała się Beate.

– *A star is born* – orzekł Bjørn Holm.

Ekran telewizora zgasł i Beate wreszcie się od niego odwróciła.

– Harry dzwonił. Chce, żebym cię oddała.

– Mnie? – zdziwił się Bjørn. – Do czego?

– Dobrze wiesz, do czego. Słyszałam, że byłeś z Gunnarem Hagenem na lotnisku, kiedy Harry wrócił.

– Ups! – uśmiechnął się Holm, pokazując zęby w górnej i dolnej szczęce.

– Przypuszczam, że Hagen chciał cię wykorzystać do operacji nakłaniania, bo wie, że jesteś jednym z tych, z którymi Harry lubi pracować.

– W ogóle do tego nie doszło, Harry powiedział, że nie bierze tej sprawy.

– Ale teraz zmienił zdanie.

– Coś ty? Co go do tego skłoniło?

– Tego nie powiedział. Mówił jedynie, że uznał za ważne, aby to przeszło przeze mnie.

– To oczywiste, przecież ty jesteś tu szefową.

– Jeśli chodzi o Harry'ego, to nic nie jest oczywiste. Wiesz, że znam go całkiem nieźle.

Holm kiwnął głową. Wiedział. Wiedział, że Jack Halvorsen, partner Beate i przyszły ojciec jej dziecka, zginął, pracując dla Harry'ego. Pewnego lodowatego dnia zimą na ulicy na Grünerløkka zaatakowano go nożem. Bjørn Holm zjawił się tam chwilę później. Pamiętał ciepłą krew wsiąkającą w twardy lód. Śmierć policjanta. Nikt nie obwiniał Harry'ego. Nikt oprócz jego samego, rzecz jasna.

Podrapał się w baki.

– I co mu odpowiedziałaś?

Beate głęboko odetchnęła. Wyjrzała jeszcze na dziennikarzy i fotografów pospiesznie opuszczających siedzibę KRIPOS.

– To samo, co powiem teraz tobie. Ministerstwo dało sygnał, że KRIPOS ma pierwszeństwo i w związku z tym nie mam w tej sprawie możliwości oddawania techników do dyspozycji nikomu innemu niż Bellman.

– Ale?

Beate Lønn mocno zabębniła długopisem Bic o blat stołu.

– Ale są inne sprawy niż to podwójne zabójstwo.

– Potrójne – stwierdził Holm, a kiedy Beate ostro na niego spojrzała, dodał: – Uwierz mi.

– Nie bardzo wiem, jakie śledztwo prowadzi akurat w tej chwili komisarz Hole, ale w każdym razie nie jest to sprawa żadnego z tych zabójstw, co do tego jesteśmy zgodni – podsumowała Beate. – A do tej sprawy czy spraw, o których nic więcej nie wiem, zostajesz niniejszym oddelegowany. Na dwa tygodnie. Kopia pierwszego raportu z tego, nad czym pracujecie, ma trafić do mnie na biurko za pięć dni roboczych od dzisiaj. Jasne?

Kaja Solness w duchu uśmiechała się promiennie i czuła wręcz nieodpartą potrzebę, by raz czy dwa okręcić się na obrotowym krześle.

– Jeśli Hagen się zgadza, to oczywiście się przyłączę – powiedziała, próbując nad sobą panować, ale i tak słyszała radość we własnym głosie.

– Hagen się zgadza – odparł mężczyzna oparty o futrynę drzwi niczym przekątna. – Będzie nas tylko troje: Holm, ty i ja. A sprawa, nad którą będziemy pracować, jest tajna. Zaczynamy jutro, zbiórka o siódmej w moim biurze.

– Hm... o siódmej?

– O siódmej, owszem. Siódmej zero zero.

– No dobrze. A w którym biurze?

Wyjaśnił z szerokim uśmiechem.

Kaja popatrzyła z niedowierzaniem.

– Mamy mieć biuro w więzieniu?

Przekątna oderwała się od futryny.

– Masz się stawić przygotowana. Jakieś pytania?

Kaja miała ich mnóstwo, ale Harry'ego już nie było.

Sen zaczął się spełniać i w ciągu dnia. Z daleka słyszę, jak zespół wciąż gra Love Hurts. *Rejestruję, że jacyś mężczyźni ustawili się wokół nas, ale nie interweniują. To dobrze. Sam patrzę na nią. Próbuję powiedzieć: Zobacz, co zrobiłaś. Spójrz teraz na niego, wciąż go pragniesz? O Boże, jak ja jej nienawidzę. Chciałbym wyrwać nóż z ust i wbić go w nią. Podziurawić ją, patrzeć, jak wypływa z niej krew, wnętrzności, kłamstwa, głupota, to jej idiotyczne samolubstwo. Ktoś powinien jej pokazać, jaka paskudna jest w środku.*

Oglądałem konferencję prasową w telewizji. Nieudacznicy, idioci! Żadnych śladów, żadnych podejrzanych? A złote czterdzieści osiem pierwszych godzin? Piasek w klepsydrze się przesypuje, więc się pospieszcie. Czego ode mnie chcecie? Mam to napisać krwią na ścianie?

To wy, nie ja, pozwalacie, by to zabijanie trwało.

List jest już napisany.

Pospieszcie się.

15 ŚWIATŁA STROBOSKOPÓW

Stine patrzyła na chłopaka, który właśnie się do niej odezwał. Miał brodę, jasne włosy i czapkę. Tutaj, w środku. I nie była to wcale żadna domowa czapka, tylko gruba czapa, która miała grzać uszy. Koleś snowboardzista? Zresztą kiedy uważniej mu się przyjrzała, stwierdziła, że to nie chłopak, tylko mężczyzna. Ponad trzydziestoletni. W każdym razie miał białe zmarszczki na opalonej skórze.

– No i co? – przekrzyczała muzykę dudniącą ze wzmacniaczy w Krabbe. Nowo otwarty klub już wcześniej grzmiał, że w Stavanger jest ulubionym lokalem młodych, pnących się w górę muzyków, ludzi filmu i pisarzy, których faktycznie namnożyło się całkiem sporo w tym zorientowanym na biznes petrodolarowym mieście. To się miało dopiero okazać, awangarda jeszcze nie zdecydowała, czy Krabbe zasłuży na jej łaskę. Tak jak Stine jeszcze się nie zdecydowała, czy ten chłopak-mężczyzna zasłuży na jej względy.

– Tylko to, że moim zdaniem powinnaś posłuchać, jak o tym opowiadam – uśmiechnął się do niej spokojnie i popatrzył na nią oczami, które wydały jej się nieco zbyt jasnoniebieskie. Ale może to przez te światła. Stroboskopowe? Czy to fajne? Okaże się.

Obrócił szklankę z piwem w dłoni i nachylił się nad barem, tak że ona też musiała się pochylić, jeśli chciała słyszeć, co mówi. Ale na to nie dała się nabrać. Chłopak miał na sobie grubą puchówkę, a mimo to na jego twarzy nie było znać ani kropli potu pod tą śmieszną czapką. A może czapka była fajna?

– Jest bardzo niewiele osób, które wróciły z wyprawy motocyklowej na obszar delty Irawadi w Birmie na tyle żywe, by mogły o tym opowiedzieć.

„Na tyle żywe". Niezły gawędziarz. Niezbyt to lubiła. Kogoś jej przypominał. Jakiegoś amerykańskiego bohatera kina akcji ze stale powtarzanych filmów i seriali z lat osiemdziesiątych.

– Poprzysiągłem sobie, że jeśli uda mi się wrócić do Stavanger, to wyjdę na miasto, zamówię piwo, podejdę do najładniejszej dziewczyny, jaką zobaczę, i powiem to, co mówię teraz. – Rozłożył ręce i uśmiechnął się szeroko, pokazując białe zęby. – Wydaje mi się, że ty jesteś dziewczyną spod niebieskiej pagody.

– Co?

– Rudyard Kipling! Jesteś tą, która czeka na angielskiego żołnierza przy niebieskiej pagodzie w Moulmein. I co ty na to? Pojedziesz ze mną chodzić boso po marmurze pagody w Shwe Dagon? Jeść mięso kobry w Bago? Zasypiać przy wtórze nawoływania muzułmanów na modlitwę w Yangon i budzić się przy buddystach w Mandalay?

Musiał zaczerpnąć oddechu. Stine się nachyliła.

– Więc ja jestem tutaj najładniejszą dziewczyną?

Rozejrzał się.

– Nie, ale masz największe cycki. Jesteś ładna, ale konkurencja o tytuł najładniejszej jest ostra. Idziemy?

Roześmiała się i pokręciła głową. Nie wiedziała, czy on jest zabawny, czy tylko szalony.

– Jestem tu z koleżankami. Wypróbuj swoje sztuczki na kimś innym.

– Elias.

– Co?

– Na pewno jesteś ciekawa, jak mi na imię. Na wypadek, gdybyśmy znów się spotkali. Jestem Elias. Elias Skog. Nazwisko zapomnisz, ale Eliasa zapamiętasz. Wkrótce się zobaczymy. Szybciej niż ci się wydaje.

Przekrzywiła głowę.

– Czyżby?

On też przekrzywił głowę i przedrzeźniając ją, rzucił:

– Czyżby.

Dopił piwo, odstawił szklankę na bar, roześmiał się i wyszedł.

– Co to był za facet?

To pytała Mathilde.

– Nie wiem – odparła Stine. – Nawet miły. Tylko dziwny. Mówił z dialektem østlandzkim.

– Dziwny?

– Miał coś dziwnego w oczach. I w zębach. Czy tu są takie stroboskopowe światła?

– Stroboskopowe?

Stine się roześmiała.

– Tak, takie jak w solarium, koloru pasty do zębów. Wygląda się w nich jak zombie.

– Potrzebujesz drinka. – Mathilde pokręciła głową. – Chodź.

Idąc za nią, Stine odwróciła się jeszcze w stronę wyjścia. Wydawało jej się, że za oknem widzi twarz, ale nic tam nie było.

16 SPEED KING

Była dziewiąta wieczorem, a Harry szedł przez centrum Oslo. Dzień poświęcił na przenoszenie krzeseł i stołów do nowego biura. Po południu wybrał się do szpitala, ale ojca zabrano na badania. Wrócił więc, zrobił kopie protokołów, odbył kilka rozmów telefonicznych, zamówił bilet lotniczy do Bergen, zajrzał do City i kupił kartę modemową wielkości niedopałka.

Szedł długim krokiem. Zawsze lubił podróż piechotą ze wschodu na zachód przez to kompaktowe miasto. Lubił stopniowe, ale wyraźne zmiany w ludziach, modzie, narodowości, architekturze, sklepach, kawiarniach i barach. Zajrzał do McDonalda, zjadł hamburgera, do kieszeni płaszcza schował trzy słomki do napojów i poszedł dalej.

Jeszcze pół godziny temu stał w przypominającej getto pakistańskiej dzielnicy Grønland, a teraz znalazł się w pięknej, nieco sterylnej, kredowobiałej krainie zachodniej części miasta. Kaja mieszkała na Lyder Sagens gate, jak się okazało, w jednej z tych wielkich starych drewnianych willi, do których mieszkańcy Oslo ustawiali się w kolejkach, gdy którąś z rzadka wystawiano na sprzedaż. Nie po to, by kupić – prawie nikogo nie było na nie stać – tylko żeby obejrzeć, pomarzyć i uzyskać potwierdzenie, że dzielnica Fagerborg, Piękny Zamek, rzeczywiście jest tym, za co uchodzi, sąsiedztwem, w którym bogaci nie są zbyt bogaci, pieniądze nie są zbyt nowe i nikt tu nie ma basenów, automatycznych drzwi do garażu czy innych nowoczesnych wulgarnych wynalazków. Bo piękni mieszkańcy pięknych zamków robili to, co zawsze tu się robiło. Latem przesiadywali pod jabłoniami w swoich dużych, cienistych ogrodach, na meblach ogrodowych równie starych i niepraktycznie wielkich, jak wille, z których je wyniesiono. A gdy wnoszono je z powrotem, bo dni stawały się krótsze, w okienkach z małymi szybkami zapalały się świece. Na Lyder Sagens gate atmosfera Bożego Narodzenia panowała od października do marca.

Furtka zazgrzytała tak głośno, że prawdopodobnie pies był zbędny. Pod stopami zachrzęścił żwir. Harry ucieszył się jak dziecko, gdy odnalazł w szafie swoje stare buty, ale całkiem mu już przemokły.

Wszedł na górę po wbudowanych w płaszczyznę fasady schodach i wcisnął dzwonek, przy którym nie było żadnej tabliczki z nazwiskiem.

Przed drzwiami stała para niedużych damskich butów, a obok nich męskie. Ocenił je na rozmiar czterdzieści sześć. Najwyraźniej mąż Kai to potężnie zbudowany mężczyzna. Bo oczywiście miała męża, nie pojmował, jak mógł sądzić inaczej. Przecież zastanawiał się nad tym, prawda? Zresztą nieważne. Drzwi się otworzyły.

– Harry?

Była w rozpiętym za dużym wełnianym swetrze, znoszonych dżinsach i bardzo starych filcowych kapciach – Harry gotów był się założyć, że mają plamy wątrobowe. Kompletny brak makijażu, tylko uśmiechnięte zdziwienie. A jednak jakby się spodziewała jego wizyty. Wiedziała, że spodoba mu się właśnie taka. Oczywiście zauważył to w jej spojrzeniu już w Hongkongu, tę fascynację, którą tyle kobiet okazuje każdemu mężczyźnie owianemu jakąś sławą. Wszystko jedno, dobrą czy złą. Nie przeprowadził też żadnej starannej analizy poszczególnych wyborów, których suma doprowadziła go pod te drzwi. Może i dobrze, że sobie tego oszczędził. Rozmiar buta czterdzieści sześć. Albo czterdzieści sześć i pół.

– Dostałem twój adres od Hagena – wyjaśnił. – A ponieważ mieszkasz w odległości spaceru od mojego mieszkania, pomyślałem, że zajrzę, zamiast dzwonić.

Uśmiechnęła się krzywo.

– Przecież nie masz komórki.

– Błąd. – Harry wyjął z kieszeni czerwony telefon. – Dostałem od Hagena, ale już nie pamiętam PIN-u. Przeszkadzam?

– Nie, nie. – Otworzyła drzwi na oścież i Harry wszedł do środka.

To było żałosne, ale kiedy na nią czekał, serce zabiło mu odrobinę szybciej. Piętnaście lat temu rozzłościłby się, ale już zrezygnował, pogodził się z tym banalnym faktem, że uroda kobiety zawsze miała nad nim odrobinę władzy.

– Robię kawę. Masz ochotę?

Weszli do salonu. Ściany pokrywały tu obrazy i półki z tyloma książkami, że wątpił, by zdołała wszystkie zgromadzić sama. Pokój miał wyraźnie męski charakter, duże kanciaste meble, globus, fajka wodna, winylowe płyty, mapy i fotografie wysokich, pokrytych śniegiem gór. Harry wyciągnął wniosek, że mąż musi być od niej sporo starszy. Telewizor był włączony, ale bez dźwięku.

– Sprawa Marit Olsen jest w czołówce wszystkich wiadomości. – Kaja sięgnęła po pilota i ekran telewizora zgasł. – Dwaj czołowi działacze opozycji zażądali szybkiego wyjaśnienia sprawy i stwierdzili, że rząd systematycznie ogranicza policję. KRIPOS w najbliższych dniach nie będzie miała za dużo spokoju do pracy.

– Kawy chętnie się napiję – odpowiedział Harry, Kaja wyszła więc do kuchni.

Usiadł na kanapie. Na niskim stole obok damskich okularów do czytania leżała otwarta książka Johna Fante, tuż przy zdjęciach z kąpieliska w parku Frogner. Nie samego miejsca zdarzenia, tylko ludzi, którzy zebrali się przy taśmach, żeby popatrzeć. Harry mruknął z uznaniem. Nie dlatego, że Kaja przyniosła robotę do domu, tylko że grupa pracująca na miejscu zdarzenia wciąż robiła takie zdjęcia. To Harry swego czasu nakazał fotografowanie wszystkich, którzy przychodzili. Na kursie FBI dotyczącym ścigania seryjnych zabójców nauczył się, że powiedzenie „zbrodniarz powraca na miejsce zbrodni" nie zawsze bywa mitem. Zarówno braci King w San Antonio, jak i zabójcę z K-Mart złapano właśnie dzięki temu, że nie potrafili się powstrzymać od podziwiania swego dzieła, od obserwowania zamieszania, jakie wywołali, i napawania się poczuciem nietykalności. Fotografowie z Wydziału Techniki Kryminalistycznej nazywali to szóstym przykazaniem Holego. I tak, owszem, było też dziewięć innych. Harry przejrzał zdjęcia.

– Nie używasz mleka, prawda? – zawołała Kaja z kuchni.

– Tak.

– Naprawdę? Na Heathrow…

– Mam na myśli: „Tak, masz rację, nie używam mleka".

– Aha, przerzuciłeś się na kantoński.

– Słucham?

– Przestałeś używać podwójnego zaprzeczenia. Kantoński jest bardziej logiczny, a ty lubisz to, co logiczne.

– Naprawdę tak jest? Z kantońskim?

– Nie wiem – roześmiała się. – Po prostu chciałam powiedzieć coś mądrego.

Harry zauważył, że fotograf zachowywał się dyskretnie. Cykał z biodra, bez lampy. Uwaga gapiów skupiała się na wieży. Zamglone spojrzenia, półotwarte usta, jakby się nudzili, czekając na przebłysk czegoś okropnego, czegoś do odnotowania w pamiętnikach, do wystraszenia sąsiada. Jakiś mężczyzna podniósł do góry komórkę, bez wątpienia robił nią zdjęcia. Harry sięgnął po szkło powiększające leżące na pliku raportów i po kolei studiował twarze. Nie wiedział, czego szuka, mózg miał pusty. To był najlepszy sposób na nieominięcie tego, co ewentualnie mogło się tam kryć.

– Masz coś? – Stanęła za kanapą i nachyliła się, żeby zobaczyć. Poczuł lekki zapach lawendowego mydła, ten sam, który czuł w samolocie, kiedy zasnęła z głową na jego ramieniu.

– A myślisz, że można coś tu znaleźć? – spytał, biorąc kubek z kawą.

– Nie.

– To dlaczego zabrałaś te zdjęcia do domu?

– Bo dziewięćdziesiąt pięć procent każdego śledztwa polega na szukaniu w niewłaściwym miejscu.

Zacytowała trzecie przykazanie Harry'ego.

– I musisz polubić również te dziewięćdziesiąt pięć procent, bo inaczej będziesz łazić po ścianach.

Czwarte przykazanie.

– A w protokołach?

– Oczywiście mamy tylko nasze własne dokumenty z zabójstw Borgny i Charlotte. I tam nie ma nic. Żadnych śladów technicznych, żadnych świadków, którzy zauważyliby coś niezwykłego. Nikt nie wiedział nic o zaciekłych wrogach, zazdrosnych kochankach, chciwych spadkobiercach, zaburzonych wielbicielach, niecierpliwych dilerach czy innych wierzycielach. Krótko mówiąc...

– Nie ma śladów, nie ma wyraźnego motywu, nie ma narzędzia zbrodni. Chętnie zacząłbym przesłuchiwać ludzi w sprawie Marit Olsen, ale, jak wiesz, nie pracujemy nad tym.

– Oczywiście, że nie – uśmiechnęła się Kaja. – Rozmawiałam dzisiaj zresztą z dziennikarzem z działu politycznego w „VG". Powiedział mi, że żaden z ich wysłanników do Stortingu nie słyszał, by Marit Olsen miała depresję, załamanie nerwowe czy myśli samobójcze. Albo wrogów, wszystko jedno, czy w pracy, czy prywatnie.

– Mhm. – Harry powiódł wzrokiem po szeregu twarzy gapiów. Zatrzymał się na kobiecie o spojrzeniu lunatyczki z dzieckiem na ręku.

– Czego chcą ci wszyscy ludzie? – spytała Kaja.

Bardziej z tyłu plecy odchodzącego już stamtąd mężczyzny. Puchówka. Wełniana czapka.

– Przeżyć szok. Wstrząs. Zaznać rozrywki. Oczyszczenia...

– Niewiarygodne.

– Mhm. A ty czytasz Johna Fante. Zdaje się, lubisz to, co starsze. – Skinął głową, wskazując na pokój i dom. I to właśnie miał na myśli, ale liczył, że Kaja powie coś o mężu, jeśli rzeczywiście był od niej o tyle starszy, jak Harry przypuszczał.

Popatrzyła na niego z ożywieniem.

– Czytałeś Fantego?

– Kiedy byłem młody i przechodziłem okres fascynacji Charlesem Bukowskim, czytałem coś, ale tytułu nie pamiętam. Kupowałem te książki głównie dlatego, że Bukowski był ich zdecydowanym fanem. – Demonstracyjnie zerknął na zegarek. – Ho, ho, pora wracać do domu.

Kaja zdziwiona spojrzała na niego i na nietkniętą kawę.

– *Jet lag* – uśmiechnął się Harry i wstał. – Możemy o tym porozmawiać jutro na zebraniu.

– Oczywiście.

Poklepał się po kieszeniach.

– Papierosy mi się skończyły. Ten karton cameli ze sklepu wolnocłowego, który przewiozłaś...

– Zaczekaj – uśmiechnęła się.

Gdy wróciła z otwartym kartonem, Harry stał w korytarzu już w kurtce i butach.

– Dziękuję. – Od razu wyjął jedną paczkę i otworzył.

Stanął na schodach, a Kaja oparła się o futrynę.

– Może nie powinnam tego mówić, ale mam wrażenie, że to był jakiś test.

– Test? – Harry zapalił papierosa.

– Nie będę pytać, na czym polegał, ale zdałam?

Harry zaśmiał się krótko.

– Chodziło tylko o to. – Zszedł ze schodów i zamachał kartonem. – Siódma zero zero.

***

Harry otworzył kluczem drzwi do mieszkania. Zapalił światło i stwierdził, że prądu na razie jeszcze nie odcięli. Zdjął płaszcz, wszedł do pokoju, nastawił Deep Purple, swój ulubiony zespół w kategorii „mimowolnie komiczny, ale mimo wszystko znakomity". *Speed King* i Ian Paice na perkusji. Usiadł na kanapie i przycisnął koniuszki palców do skroni. Psy szarpały się na łańcuchach. Wyły, warczały, szczekały, zębami rozszarpywały wnętrzności. Gdyby tym razem je spuścił, nie byłoby drogi odwrotu. Teraz już nie. Wcześniej zawsze miał jakieś powody, dostatecznie dobre, by przestać. Rakel. Oleg. Praca. Może nawet ojciec. Nic już z tego nie zostało. Nie mógł do tego dopuścić. Alkohol był wykluczony. Musiał mieć jakieś alternatywne odurzenie, takie, które da się kontrolować. Dzięki ci, Kaju. Nie wstydził się? Oczywiście, że się wstydził. Ale duma to luksus, na który nie było go już stać.

Zerwał plastik z kartonu z papierosami. Wyjął ostatnią paczkę, tę na samym dnie. Prawie nie było widać, że folia na niej jest przerwana. To fakt, że takich kobiet jak Kaja nikt nigdy nie sprawdza na cle. Otworzył pudełko i wyciągnął cynfolię. Rozwinął ją i przyjrzał się brązowej bryłce. Wciągnął słodki zapach.

Potem zaczął szykować.

Znał wszelkie możliwe sposoby palenia opium, od stosowanych w palarniach rytualnych skomplikowanych procedur przypominających chińską ceremonię picia herbaty, przez rozmaite fajki, aż po ten najprostszy: podpalić grudkę, przystawić do niej słomkę do napojów i z całych sił wdychać, w miarę jak specyfik dosłownie uchodzi z dymem. Bez względu na sposób chodziło o jedno i to samo: o wprowadzenie substancji czynnych – morfiny, tebainy, kodeiny i bukietu innych chemicznych przyjaciół – do krwiobiegu. Metoda Harry'ego była prosta. Przykleił taśmą do krawędzi stołu metalową łyżeczkę, położył na niej oddzielony od bryłki kawałeczek wielkości łebka od zapałki i podgrzał go zapalniczką. Kiedy opium zaczęło dymić, umieścił nad łyżeczką zwykłą szklankę, w której zbierał się dym, potem wsunął rurkę – najlepsze były te ze zgięciem – do szklanki i zaczął go wciągać. Zauważył, że ręce nie drżą mu ani trochę. W Hongkongu regularnie sprawdzał poziom uzależnienia, pod tym względem był najbardziej zdyscyplinowanym nałogowcem, jakiego znał. Potrafił z góry wydzielić sobie alkohol i po wypiciu tej porcji się zatrzymywał, bez względu na to, jak bardzo był pijany. W Hongkongu rezygnował z opium na tydzień czy dwa i zamiast tego brał dwie tabletki paralgin forte, które i tak nie powstrzymywały symptomów odstawienia, ale być może miały pewne działanie psychologiczne, ponieważ wiedział, że zawierają malusieńką dawkę kodeiny. Nie był szczególnie przywiązany do rodzaju odurzenia. Do samego odurzenia, owszem, ale nie do opium. Choć oczywiście skala jest śliska. Bo już kiedy przyklejał łyżeczkę, czuł, że psy się uspokajają. One już wiedziały, już czuły, że zaraz dostaną.

I uspokoją się. Do następnego razu.

Rozgrzana zapalniczka już parzyła mu palce. Na stole leżały słomki z McDonalda.

Minutę później wciągnął pierwszy haust dymu.

Działanie było natychmiastowe. Bóle, nawet te, których nie czuł, zniknęły. Pojawiły się skojarzenia i obrazy. Wiedział, że tej nocy będzie spał.

Bjørn Holm nie mógł zasnąć.

Próbował czytać biografię Hanka Williamsa autorstwa Escotta o krótkim życiu i długiej śmierci legendy muzyki country, słuchać pirackiego nagrania koncertu Lucindy Williams w Austin, liczyć krowy rasy Texas Longhorn, ale nic nie pomagało.

Dylemat.

Właśnie to. Problem bez jednoznacznego rozwiązania. Technik kryminalistyczny Holm nienawidził tego rodzaju problemów.

Skulił się na trochę za krótkiej rozkładanej kanapie, którą przywiózł ze Skreia razem z kolekcją czarnych płyt Elvisa, Sex Pistols, Jasona & The Scorchers, trzema ręcznie szytymi garniturami z Nashville, amerykańską Biblią i kompletem mebli do jadalni, który przetrwał trzy pokolenia Holmów. Ale nie potrafił się skupić.

Dylemat polegał na tym, że gdy badali linę, na której powieszono, a raczej urwano głowę Marit Olsen, dokonał ciekawego odkrycia. Nie był to ślad, który koniecznie musiał do czegoś doprowadzić, ale dylemat pozostawał dylematem: czy powinien przekazać tę informację KRIPOS, czy Harry'emu. Bjørn Holm odkrył na linie maleńkie muszelki o godzinie, w której wciąż pracował na zlecenie KRIPOS. Tak samo było, gdy rozmawiał z biologiem zajmującym się wodami słodkimi z Instytutu Biologii Uniwersytetu w Oslo. No ale potem Beate przeniosła go do grupy Harry'ego, zanim jeszcze zdążył napisać raport, więc tak naprawdę jutro powinien usiąść przy komputerze, napisać go i wręczyć Harry'emu.

Okej. Pod względem technicznym może nie był to dylemat. Informacja należała się KRIPOS. Przekazywanie jej komuś innemu mogło zostać uznane za zaniedbanie służbowe. A co właściwie był winien Harry'emu Hole? Przecież temu facetowi zawdzięczał wyłącznie kłopoty. Harry był dziwakiem, bezwzględnym w pracy. Po pijaku wręcz niebezpiecznym. Ale na trzeźwo w porządku. Można było na niego liczyć, i to bez żadnych zbędnych gestów i żadnego *you owe me*. Paskudny jako wróg, ale lojalny jako przyjaciel. Dobry człowiek. Cholernie dobry człowiek. Trochę jak Hank.

Bjørn Holm jęknął i obrócił się do ściany.

Stine obudziła się przestraszona.

W ciemności coś mruczało i miauczało. Odwróciła się na bok. Sufit był lekko oświetlony, a światło biło z podłogi przy łóżku. Która mogła być godzina? Trzecia w nocy? Wyciągnęła się i dosięgła komórki.

– Tak? – odezwała się, udając bardziej zaspaną, niż rzeczywiście się czuła.

– Po tej delcie miałem już dość węży i komarów. Więc razem z moim motocyklem wybrałem się na północ wzdłuż wybrzeża Birmy do Arakan.

Rozpoznała jego głos od razu.

– Na wyspę Sai Chung. Słyszałem, że miał tam eksplodować aktywny wulkan błotny. I trzeciej nocy, którą tam spędzałem, rzeczywiście nastąpił wybuch. Myślałem, że wyleci tylko błoto, ale plunął też starą dobrą lawą. Gęstą. Płynęła przez miasto na tyle wolno, że spokojnie mogliśmy odejść.

– Jest środek nocy – ziewnęła.

– A mimo to nie dała się powstrzymać. Podobno kiedy jest taka gęsta, nazywają ją zimną lawą, ale spalała wszystko, na co tylko natrafiła. Drzewa ze świeżymi zielonymi liśćmi przez cztery sekundy wyglądały jak choinki, a potem zmieniały się w popiół i znikały. Birmańczycy próbowali uciekać samochodami wyładowanymi rzeczami, które zabierali z domów. Ale pakowali się za długo, bo przecież lawa płynęła tak powoli. Kiedy wynosili telewizory, lawa dochodziła już do ściany domu. Wskakiwali do samochodu, ale żar zdążył zniszczyć opony. Potem zapalała się benzyna, wyskakiwali z samochodów jak żywe pochodnie. Pamiętasz, jak mi na imię?

– Posłuchaj, Elias...

– Wiedziałem, że zapamiętasz.

– Muszę spać. Idę jutro do szkoły.

– Ja jestem takim wybuchem, Stine. Jestem zimną lawą. Płynę powoli, ale nie można mnie powstrzymać. Przyjdę tam, gdzie będziesz.

Usiłowała sobie przypomnieć, czy podała mu swoje imię, i odruchowo spojrzała w okno. Było otwarte. Na zewnątrz wiatr szumiał uspokajająco. Elias mówił cicho, prawie szeptem.

– Widziałem psa, który zaplątał się w drut kolczasty, próbując uciekać. Leżał na drodze lawy. Ale jej strumień skręcił w lewo. Tak jakby chciał go wyminąć. Bóg okazał się miłosierny. Lawa jednak musnęła psa. Połowa zwierzęcia po prostu zniknęła, wyparowała. A potem reszta stanęła w ogniu. Za chwilę i ona zmieniła się w popiół. Wszystko zmienia się w popiół.

– Rozłączam się.

– Wyjrzyj na zewnątrz. Zobacz, jestem tuż przy ścianie domu.

– Przestań!

– Uspokój się, żartuję. – Roześmiał się głośno, prosto do jej ucha.

Stine przeszedł dreszcz. On musiał być pijany. Albo szalony. Albo jedno i drugie.

– Śpij dobrze, Stine. Niedługo się zobaczymy.

Połączenie się urwało. Stine wpatrywała się w telefon. W końcu całkiem go wyłączyła i rzuciła w nogi łóżka. Zaklęła, bo już dawno to wiedziała. Wiedziała, że tej nocy już nie zaśnie.

17 WŁÓKNA

Była szósta pięćdziesiąt osiem. Harry Hole, Kaja Solness i Bjørn Holm szli przez Kanał, czterystumetrowy podziemny korytarz łączący Budynek Policji z Więzieniem Okręgowym w Oslo. Od czasu do czasu wykorzystywano go do transportu osadzonych na przesłuchanie, zimą do treningów biegowych, a w starych złych czasach do nieoficjalnego spuszczania manta wyjątkowo opornym więźniom.

Kapiące z sufitu krople wody uderzały o beton z mokrym odgłosem pocałunku, a echo roznosiło się w głąb źle oświetlonego korytarza.

– Tutaj – oznajmił Harry, gdy wreszcie dotarli do jego końca.

– T u t a j? – zdumiał się Bjørn Holm.

Musieli schylić głowy, żeby wejść pod schody prowadzące do cel. Harry obrócił klucz w zamku i otworzył żelazne drzwi. Uderzył go zapach rozgrzanej, dusznej wilgoci.

Wcisnął przełącznik. Niebieskie zimne światło jarzeniówki ukazało prostokątną betonową komórkę z szaroniebieskim linoleum na podłodze i gołymi ścianami.

Pomieszczenie nie miało okien, nie miało kaloryferów, nie miało żadnych urządzeń, jakich można się spodziewać w lokalu, który ma funkcjonować jako miejsce pracy trzech osób.

Wyjątkiem były biurka z krzesłami i komputerami. Na podłodze stał przypalony ekspres do kawy i pojemnik z wodą.

– Kotły centralnego ogrzewania dla całego więzienia są za ścianą – wyjaśnił Harry. – Dlatego tak tu gorąco.

– Nawet trochę przytulnie – stwierdziła Kaja, siadając przy jednym z biurek.

– Pewnie, trochę przypomina piekło. – Holm ściągnął zamszową kurtkę i rozpiął guzik koszuli. – Komórka ma zasięg?

– O tyle o ile – odparł Harry. – Ale jest internet. Mamy wszystko, czego potrzebujemy.

– Oprócz filiżanek – zauważył Holm.

Harry pokręcił głową. Z kieszeni płaszcza wyciągnął trzy białe filiżanki i rozstawił je na biurkach. Z wewnętrznej kieszeni wyjął torebkę kawy i podszedł do ekspresu.

– Zwinąłeś z kantyny. – Bjørn podniósł filiżankę, którą Harry postawił przed nim. – Hank Williams?

– Napisane flamastrem, więc uważaj. – Harry zębami rozerwał torbę.

– John Fante – przeczytała Kaja na swojej. – A ty co masz?

– Na razie nic – odparł Harry.

– Dlaczego?

– Bo na mojej będzie nazwisko naszego aktualnego podejrzanego.

Ani Kaja, ani Bjørn się nie odezwali. Ekspres zaczął pluć wodą.

– Zanim się zaparzy, chcę mieć na biurku trzy teorie.

89

Byli już w połowie drugiej filiżanki i szóstej teorii, kiedy Harry przerwał seans.

– No dobrze. To była rozgrzewka, żeby trochę rozluźnić zwoje mózgowe. Kaja akurat lansowała teorię o tym, że zabójstwa mają tło seksualne. Sprawca był już wcześniej karany za podobne przestępstwa, wie, że policja ma jego DNA, i dlatego nie rozlał nasienia po ziemi, tylko onanizował się do plastikowej torebki czy czegoś podobnego przed opuszczeniem miejsca zbrodni, powinni więc zacząć szukać w rejestrze karnym i porozmawiać z obyczajówką.

– Myślisz, że na coś wpadliśmy? – spytała.

– Ja nic nie myślę – odparł Harry. – Staram się mieć mózg pusty, podatny na sygnały.

– Ale coś musisz myśleć.

– No tak. Uważam, że tych trzech zabójstw dokonała ta sama osoba czy osoby. I wierzę, że da się znaleźć związek między ofiarami, który z kolei doprowadzi nas do motywu, a to z kolei – jeśli będziemy mieć cholerne szczęście – do sprawcy czy sprawców.

– Cholerne szczęście? Mówisz tak, jakbyśmy mieli marne szanse.

– No cóż. – Harry odchylił się na krześle z rękami na karku. – Literatura fachowa opisująca cechy charakterystyczne seryjnych zabójców zajmuje kilka metrów półek. W filmach policja wzywa psychologa, który po przeczytaniu paru protokołów sporządza profil, zawsze bez wyjątku zgodny z prawdą. Ludzie wierzą, że *Henry – Portret seryjnego mordercy* to opis ogólny. Ale w rzeczywistości seryjni zabójcy różnią się od siebie tak jak wszyscy inni ludzie. I tylko jedno odróżnia ich od wszystkich innych kryminalistów.

– Mianowicie?

– Nie dają się złapać.

Bjørn Holm zaśmiał się, pojął, że to nie wypada, i zamknął usta.

– To chyba nie do końca prawda – stwierdziła Kaja. – Co z...

– Myślisz o tych sprawach, w których dostrzeżono schemat i złapano osobę, która się za nim kryła. Ale pomyśl o tych wszystkich niewyjaśnionych zabójstwach, które wciąż uważa się za pojedyncze sprawy, bo nikt nigdy nie dopatrzył się między nimi żadnych powiązań. Są ich tysiące.

Kaja zerknęła na Bjørna, który znacząco kiwał głową.

– A ty wierzysz w powiązania? – spytała.

– Owszem – powiedział Harry. – I musimy je znaleźć, działając poza przesłuchaniami, które mogłyby nas ujawnić.

– Jak?

– Kiedy w POT* szkicowaliśmy możliwe sytuacje zagrożenia, nie robiliśmy nic innego, tylko wypatrywaliśmy możliwych powiązań, nie rozmawiając z nikim. Dysponowaliśmy stworzoną przez NATO wyszukiwarką długo przed tym, zanim ktokolwiek słyszał o Yahoo i Google. Dzięki niej mogliśmy się wemknąć wszędzie i obejrzeć dosłownie wszystko, co było choćby w połowie przyłączone do internetu. To samo musimy zrobić teraz. – Spojrzał na zegarek. – I właśnie dlatego za półtorej godziny wsiadam do samolotu do Bergen. Za trzy godziny będę rozmawiał z bezrobotną koleżanką. Więc na razie tutaj skończmy. Kaja i ja już sporo mówiliśmy, Bjørn. Co ty masz?

Bjørn Holm drgnął na krześle, jakby Harry go zbudził.

– Ja? Eee... Obawiam się, że niewiele.

Harry ostrożnie potarł szczękę.

– Coś musisz mieć.

– Nic. Ani my z techniki kryminalistycznej, ani tamci taktyczni śledczy nie mają nawet tyle, co mucha nasrała. Ani w sprawie Marit Olsen, ani w żadnej z tych dwóch pozostałych.

– Dwa miesiące – przypomniał Harry. – Dawaj!

– Chętnie powtórzę – odparł Bjørn Holm. – Przez dwa miesiące analizowaliśmy, prześwietlaliśmy i aż do bólu oczu gapiliśmy się w zdjęcia, próbki krwi, włosy, paznokcie, co tylko chcesz. Przerobiliśmy dwadzieścia cztery teorie na temat tego, w jaki sposób i czym on zdołał zrobić dwadzieścia cztery dziury w ustach tym dwóm pierwszym ofiarom. I to tak, że wszystkie szpikulce zdają się mieć wspólny środek. Nie ma na to odpowiedzi. Marit Olsen też miała rany w ustach, ale od noża. Nierówne, zadane gwałtownie. Krótko mówiąc, nic.

– A co z tymi kamykami z piwnicy, w której znaleziono Borgny?

– Przeanalizowane. Dużo żelaza i magnezu, trochę aluminium i krzemu. Tak zwana skała bazaltowa. Porowata i czarna. Mądrzejszy?

– I Borgny, i Charlotte miały ślady żelaza i koltanu na zębach trzonowych od wewnątrz. Co to oznacza?

---

* POT – *Politiets overvåkingstjeneste*, Policyjne Siły Bezpieczeństwa (przyp. tłum.).

– Że zabito je tym samym cholernym urządzeniem. Ale i tak nie wiadomo jakim.

Pauza.

Harry chrząknął.

– No dobrze, Bjørn, powiedz to wreszcie.

– Co?

– Przecież widzę, że od samego przyjścia o czymś myślisz.

Technik podrapał się w bak, patrząc na Harry'ego. Chrząknął. Potem drugi raz. Zerknął na Kaję, jakby u niej chciał szukać pomocy. Otworzył usta, zamknął.

– W porządku – stwierdził Harry. – Wobec tego przechodzimy do...

– Chodzi o linę.

Spojrzeli na Bjørna.

– Znalazłem na niej muszelki.

– Aha – mruknął Harry.

– Ale nie było soli.

Wciąż na niego patrzyli.

– To dość niezwykłe – ciągnął Bjørn. – Muszle w słodkiej wodzie.

– No i...

– No i skonsultowałem się z biologiem od wód słodkich. Żyjątko nazywa się małż jutlandzki i jest najmniejsze z małży. W Norwegii zaobserwowano je tylko w dwóch jeziorach.

– A nominowane są...

– Øyeren i Lyseren.

– Region Østfold – uzupełniła Kaja. – Sąsiadujące jeziora. Duże.

– W gęsto zaludnionym regionie – uzupełnił Harry.

– *Sorry* – wzruszył ramionami Holm.

– Mhm. Jakieś znaki na linie, które mogą nam podpowiedzieć, gdzie mogła zostać kupiona?

– Właśnie nie – odparł Holm. – Nie ma żadnych oznakowań i nie jest podobna do żadnej liny, jaką w życiu widziałem. Same organiczne włókna, bez nylonu czy innych sztucznych tworzyw.

– Konopie – stwierdził Harry.

– Co? – zdumiał się Holm.

– Konopie. Liny i haszysz robi się z tego samego materiału. Jak masz ochotę na skręta, to po prostu idziesz do portu i podpalasz cumę promu do Danii.

– To nie są konopie – stanowczo zaprotestował Bjørn Holm, przekrzykując śmiech Kai. – Te włókna to wiąz i lipa. Głównie wiąz.

– Norweska lina domowej roboty – pokiwała głową Kaja. – Tak się kiedyś robiło liny na wsi.

– Na wsi? – zdziwił się Harry.

– Każda wieś miała co najmniej jednego powroźnika. Wystarczy po prostu zanurzyć drewniane bale w wodzie na miesiąc, potem ściągnąć korę i zedrzeć włókna, które są pod nią. No i skręcić z nich linę.

Harry i Bjørn obrócili swoje krzesła do Kai.

– Co się stało? – spytała niepewnie.

– Czy to jest wiedza ogólna, którą każdy powinien posiadać?

– A, o to wam chodzi. Mój dziadek robił liny.

– Aha. I w powroźnictwie używa się wiązu i lipy?

– W zasadzie można użyć włókien z każdego rodzaju drewna.

– A proporcje użycia materiałów?

Kaja wzruszyła ramionami.

– Nie jestem specjalistką, ale wydaje mi się, że wykorzystanie różnych gatunków drewna do wyrobu jednej liny jest dość niezwykłe. Pamiętam, jak Even, mój starszy brat, mówił, że dziadek używał tylko lipy, bo chłonie mało wody i dzięki temu lin nie trzeba smołować.

– Mhm. A co ty o tym myślisz, Bjørn?

– Jeżeli lina z mieszanego materiału jest niezwykła, to oczywiście łatwiej nam będzie trafić do miejsca, gdzie ją zrobiono.

Harry wstał i zaczął krążyć po pokoju. Za każdym oderwaniem się gumowej podeszwy od linoleum rozlegało się ciężkie westchnienie.

– Wobec tego możemy założyć, że produkcja była ograniczona, a sprzedaż miejscowa. Uważasz, że to rozsądne, Kaju?

– Założyć możemy, owszem.

– Możemy też założyć, że miejsce produkcji i wykorzystania znajdowały się koło siebie. Takie liny domowej roboty raczej nie podróżowały.

– To wciąż brzmi rozsądnie, ale...

– Przyjmijmy więc ten punkt wyjścia za nasz własny punkt wyjścia. Zacznijcie szukać miejscowych wytwórców lin w pobliżu Lyseren i Øyeren.

– Ale takich lin nikt już nie robi – zaprotestowała Kaja.

– Do roboty. – Harry spojrzał na zegarek, zdjął płaszcz z oparcia krzesła i podszedł do drzwi. – Dowiedzcie się, gdzie zrobiono tę linę. Zakładam, że Bellman nic nie wie o tych jutlandzkich małżach. Mam rację, Bjørn?

Bjørn Holm tylko się uśmiechnął.

– A czy ja mogę pracować nad tą teorią zabójstw na tle seksualnym? – spytała Kaja. – Mam dobrego znajomego w obyczajówce.

– Odpowiedź jest odmowna – oświadczył Harry. – Ogólna zasada trzymania gęby na kłódkę obowiązuje w szczególności wobec naszych drogich kolegów z Budynku Policji. Wygląda na to, że jest przeciek między komendą a KRIPOS, więc jedyną osobą stąd, z którą rozmawiamy, jest Gunnar Hagen.

Kaja już otworzyła usta, ale jedno spojrzenie Bjørna wystarczyło, by je zamknęła.

– Za to możesz się zająć znalezieniem eksperta od wulkanów – powiedział Harry. – I przesłać mu wyniki analizy tych kamyczków.

Jasne brwi Bjørna wystrzeliły w górę.

– Porowaty czarny kamień, skała bazaltowa. Obstawiam lawę. Wracam z Bergen około czwartej.

– Pozdrów komendę w Bergen – zabuczał Bjørn i uniósł w górę filiżankę.

– Nie będę w komendzie.

– A gdzie?

– W szpitalu Sandviken.

– Sand...

Drzwi za Harrym się zatrzasnęły. Kaja popatrzyła na Bjørna, który wpatrywał się w nie ze zbaraniałą miną.

– Po co on tam jedzie? – spytała. – Do jakiegoś patologa?

Bjørn pokręcił głową.

– Sandviken to szpital dla psychicznie chorych.

– Tak? To pewnie chce się spotkać z jakimś psychologiem specjalizującym się w seryjnych zabójcach czy kimś takim?

– Wiedziałem, że nie powinienem się zgodzić – szepnął Bjørn, nie odrywając oczu od drzwi. – Ten facet to kompletny szaleniec.

– Kto jest szaleńcem?

– Pracujemy w więzieniu – zaczął wyliczać Bjørn. – Ryzykujemy robotę, jeśli szefowie dowiedzą się, co wyprawiamy. A ta koleżanka w Bergen...

– Tak?

– Ona jest naprawdę szalona.

– Chcesz powiedzieć, że...

– Przymusowo przebywa na oddziale zamkniętym.

18 PACJENTKA

Na każdy krok wysokiego policjanta Kjersti Rødsmoen musiała robić dwa, a i tak została z tyłu, kiedy szli korytarzem szpitala Sandviken. Deszcz lał za wysokimi, wąskimi oknami wychodzącymi na fiord, nad którym stały drzewa tak zielone, że można by przypuszczać, iż przed zimą przyszła wiosna.

Dzień wcześniej Kjersti Rødsmoen od razu rozpoznała głos policjanta. Trochę tak, jakby czekała, że zadzwoni. I poprosi właśnie o to, o co poprosił: o rozmowę z Pacjentką. Pacjentkę wciąż nazywano Pacjentką, by zapewnić jej jak największą anonimowość po tamtej sprawie już blisko sprzed roku. Kobieta była zaangażowana w śledztwo, a przeżycia przysłały ją z powrotem prosto tam, skąd niedawno wyszła: na oddział psychiatryczny. Wprawdzie zdumiewająco szybko odzyskała równowagę i wróciła do domu, ale prasa – histerycznie zainteresowana Bałwanem, mimo że całą sprawę dawno już wyjaśniono – nie chciała zostawić jej w spokoju. Pewnego wieczoru przed trzema miesiącami Pacjentka zadzwoniła do Rødsmoen i spytała, czy może wrócić.

– Więc ona jest w niezłej formie? – spytał policjant. – Bierze jakieś leki?

– Odpowiem twierdząco na pierwsze pytanie – odparła Kjersti Rødsmoen. – Co do drugiego obowiązuje mnie tajemnica lekarska.

Prawda była taka, że stan zdrowia Pacjentki nie wymagał ani leków, ani pobytu w szpitalu. Mimo to Kjersti Rødsmoen miała wątpliwości, czy powinna pozwolić policjantowi na odwiedziny u Pacjentki. Ten człowiek też się zajmował sprawą Bałwana i mógł doprowadzić do wydobycia na powierzchnię starych przeżyć. Kjersti Rødsmoen w trakcie swojej kariery psychiatry coraz bardziej zaczynała wierzyć w wyparcie, w zamykanie złych rzeczy w kapsułce, w zapomnienie.

To niedoceniany kierunek w tym fachu. Z drugiej strony spotkanie z osobą zaangażowaną w tę właśnie sprawę mogło być niezłym testem na obecną siłę psychiczną Pacjentki.

– Ma pan pół godziny – oznajmiła, otwierając drzwi do świetlicy. – I niech pan pamięta, że psychika to rzecz bardzo wrażliwa.

Kiedy Harry ostatnio widział Katrine Bratt, nie poznał jej. Piękna, niespełna trzydziestoletnia kobieta o ciemnych włosach, lśniącej skórze i błyszczących oczach gdzieś zginęła. Została osoba, która przywodziła mu na myśl zasuszony kwiat. Bez życia, krucha, delikatna, o wybladłych kolorach. Miał wrażenie, że skruszy jej rękę, jeśli za mocno ją uściśnie.

Dlatego odczuł ulgę, gdy teraz ją zobaczył. Wyglądała na starszą, może po prostu była zmęczona. Ale kiedy się uśmiechnęła, wstając, oczy znów jej rozbłysły.

– Harry H.! – Uściskała go. – Jak leci?

– Średnio z plusem – odparł Harry. – A u ciebie?

– Okropnie. Ale o wiele lepiej.

Roześmiała się, a Harry już wiedział, że wróciła. Że wróciła przynajmniej wystarczająca jej część.

– Co się stało z twoją szczęką? Boli?

– Tylko kiedy mówię i jem – powiedział Harry. – I kiedy nie śpię.

– Brzmi znajomo. Jesteś brzydszy, niż cię zapamiętałam, ale i tak się cieszę, że cię widzę.

– Nawzajem.

– Masz na myśli: „Nawzajem, ale skreśl »brzydszy«"?

– Oczywiście – uśmiechnął się Harry i rozejrzał po pokoju. Pozostali pacjenci wyglądali przez okna, patrzyli na swoje kolana albo prosto w ścianę. Nikt nie sprawiał wrażenia zainteresowanego nim i Katrine.

Opowiedział, co się ostatnio wydarzyło. O Rakel i Olegu, którzy wyjechali za granicę pod nieznany adres. O Hongkongu. O chorobie ojca. O sprawie, którą przyjął. Nawet się roześmiała, kiedy powiedział, że o tym nie wolno jej nikomu mówić.

– A co u ciebie? – spytał Harry.

– Właściwie chcą mnie wypisać. Uważają, że jestem zdrowa i tylko zajmuję miejsce. Ale mnie się tu podoba. *Room service* cuchnie, ale jest bezpiecznie. Mam telewizor, mogę wychodzić i wracać, kiedy chcę. Za miesiąc albo dwa może przeniosę się do domu, kto wie.

– A kto wie?

– Nikt. Szaleństwo przychodzi i mija. Czego chcesz?

– A co byś chciała, żebym chciał?

Długo na niego patrzyła.

– Oprócz tego, że chciałabym, żebyś się ze mną przespał, to chcę być ci potrzebna.

– Właśnie dlatego tu jestem.

– Żeby się ze mną przespać?

– Potrzebuję cię.

– Cholera. No ale dobrze. O co chodzi?

– Macie tu komputer z dostępem do internetu?

– Mamy wspólny komputer w sali zajęciowej, ale nie jest podłączony do sieci, nie chcą ryzykować. Wykorzystuje się go tylko do pasjansów. Ale mam własny komputer u siebie w pokoju.

– Używaj tego wspólnego. – Harry wsunął rękę do kieszeni i przez stół pchnął kartę modemową. – W sklepie nazwali to „ruchomym biurem". Wystarczy podłączyć...

– ...do któregoś z łączy USB. – Katrine schowała kartę do kieszeni. – Kto opłaca abonament?

– Ja. To znaczy Hagen.

– Hura! No to sobie posurfuję wieczorem. Są jakieś nowe strony z ostrym porno, o których powinnam wiedzieć?

– Pewnie są. – Harry przesunął po stole teczkę. – Tu masz dokumenty sprawy. Trzy zabójstwa. Trzy nazwiska. Chcę, żebyś zajęła się tym samym co w sprawie Bałwana. Wyszukaniem powiązań, które my przeoczyliśmy. Znasz sprawę?

– Tak – odparła Katrine, nie patrząc na teczkę. – To były kobiety, to je łączy.

– Czytasz gazety...

– Tylko trochę. Dlaczego uważasz, że nie są po prostu przypadkowymi ofiarami?

– Ja nic nie uważam, ja szukam.

– Nie wiesz czego?

– No właśnie.

– Ale jesteś pewien, że sprawca zabójstwa Marit Olsen jest ten sam co w wypadku tamtych dwóch? Z tego, co zrozumiałam, metoda była całkiem inna.

Harry się uśmiechnął, rozbawiła go przede wszystkim podjęta przez Katrine próba ukrycia, że starannie czytała gazety.

– Nie, Katrine, nie jestem pewien. Ale w każdym razie słyszę, że wyciągnęłaś taki sam wniosek jak ja.

– No oczywiście. Przecież byliśmy bliźniaczymi duszami, *remember*?

Roześmiała się i jak za machnięciem czarodziejskiej różdżki znów stała się Katrine, a nie tylko szkieletem tamtej bystrej, ekscentrycznej policjantki, którą ledwie zdążył poznać, a już wszystko się zawaliło. Ku swemu zdumieniu poczuł ściskanie w gardle. Przeklęty *jet lag*.

– Myślisz, że możesz mi pomóc?

– W znalezieniu czegoś, na co KRIPOS bezskutecznie poświęciła dwa miesiące? Za pomocą nadającego się na złom komputera w pokoju zajęciowym w psychiatryku? Nie wiem nawet, dlaczego mnie o to prosisz. Przecież w komendzie są ludzie, którzy znają się na komputerach dużo lepiej niż ja.

– Wiem, ale ja mam coś, czego oni nie mają. I czego nie mogę im dać. Hasło do podziemia.

Popatrzyła na niego zdziwiona, a Harry jeszcze raz upewnił się, czy nie ma nikogo w zasięgu słuchu.

– Kiedy pracowałem w siłach bezpieczeństwa w związku ze sprawą Czerwonego Gardła, miałem dostęp do wyszukiwarek, z których korzystają w POT do tropienia terrorystów. Używają sekretnych tylnych drzwi do internetu, które zrobiono w amerykańskiej sieci wojskowej MILNET przed udostępnieniem ARPANET-u do celów komercyjnych w latach osiemdziesiątych. ARPANET, jak wiesz, zmienił się w internet, ale tylne wejście pozostało. Wyszukiwarki używają koni trojańskich, które gromadzą i aktualizują hasła i kody, jak już raz się gdzieś dostaną. Bukowanie biletów lotniczych, rezerwacje hotelowe, przejazdy przez kontrolowane odcinki dróg, przelewy bankowe – te wyszukiwarki widzą wszystko.

– Słyszałam o nich, ale szczerze mówiąc, nie wierzyłam, że istnieją – powiedziała Katrine.

– Jednak są. Powstały w osiemdziesiątym czwartym. Urzeczywistnienie Orwellowskiego koszmaru. Ale najważniejsze jest to, że moje hasło dostępu ciągle działa. Sprawdzałem.

– No to czego chcesz ode mnie? Przecież sam to możesz zrobić.

– Z tego systemu mogą korzystać tylko POT, i to wyłącznie w sytuacjach kryzysowych. Tak jak w Google przez wyszukiwane słowo można dotrzeć do nadawcy. Jeśli wyjdzie na jaw, że ja lub ktoś inny z komendy korzystał z tych wyszukiwarek, to grozi nam postępowanie karne. Ale jeśli ślad poprowadzi do wspólnego komputera w szpitalu psychiatrycznym...

Katrine Bratt się roześmiała. Ale tym innym śmiechem, złym śmiechem czarownicy.

– Zaczynam rozumieć. Moje najważniejsze kwalifikacje wcale nie polegają na tym, że jestem genialnym detektywem, tylko... – machnęła ręką – Pacjentką. Osoby nieobliczalnej nie można ścigać.

– No właśnie – potwierdził Harry z uśmiechem. – A poza tym jesteś jedną z niewielu osób, którym mogę zaufać i o których wiem, że utrzymają język za zębami. No i nawet jeśli nie jesteś genialna, to przynajmniej ponadprzeciętnie bystra.

– Wsadź sobie trzy żółte od nikotyny obgryzione palce w dupę.

– Nikt nie może się dowiedzieć, co robimy. Ale przyrzekam ci, że jesteśmy jak The Blues Brothers.

– *On a mission from God?*

– Zapisałem ci hasło na odwrocie karty modemowej.

– Dlaczego uważasz, że będę umiała skorzystać z tych wyszukiwarek?

– To mniej więcej coś takiego jak Google. Nawet ja to zrozumiałem, kiedy siedziałem w POT – uśmiechnął się krzywo. – Te wyszukiwarki są mimo wszystko obliczone na policjantów.

Katrine westchnęła.

– Dziękuję – rzucił Harry.

– Ja nic nie powiedziałam.

– Jak myślisz, kiedy możesz coś dla mnie mieć?

– Niech cię cholera! – Uderzyła pięścią w stół.

Harry zobaczył, że pielęgniarz zerka w ich stronę. Sam spojrzał w dzikie oczy Katrine. Czekał.

– Nie wiem – szepnęła. – Chyba nie mogę siedzieć w pokoju zajęciowym i korzystać z nielegalnych wyszukiwarek w środku dnia.

Harry wstał.

– Okej, skontaktuję się z tobą za trzy dni.

– Nie zapomniałeś o czymś?

– O czym?

– Powiedzieć mi, co będę z tego miała.

– No cóż. – Harry zapiął płaszcz. – Już wiem, czego pragniesz.

– Czego ja... – Lekkie zdziwienie na jej twarzy ustąpiło kompletnemu osłupieniu, kiedy dotarło do niej, co miał na myśli, i zawołała do Harry'ego, który już szedł do drzwi: – Bezczelny gnojek! Co ty sobie wyobrażasz?

Harry wsiadł do taksówki, powiedział: „Na lotnisko", wyjął telefon i zobaczył, że ma trzy nieodebrane połączenia z jedynych dwóch numerów, jakie wpisał do książki. Świetnie, to znaczy, że coś mają.

Oddzwonił.

– Lyseren – powiedziała Kaja. – Tam był warsztat powroźnika, który zamknięto piętnaście lat temu. Lensman* z Ytre Enebakk może nam pokazać to miejsce dziś po południu. Miał dwóch notorycznych kryminalistów na swoim terenie, ale to drobiazgi, włamania i samochody. I jeszcze faceta, który siedział za pobicie żony. Ale przesłał mi spis mieszkańców, sprawdzam go teraz z rejestrem karnym.

– To dobrze. Przyjedź po mnie na Gardermoen, to po drodze nad Lyseren.

– Wcale nie.

– Masz rację. I tak po mnie przyjedź.

19 BIAŁA PANNA MŁODA

Mimo małej prędkości volvo amazon Bjørna Holma kołysało się i huśtało na wąskiej drodze wijącej się wśród pól Østfold.

Harry spał na tylnym siedzeniu.

– A więc wokół Lyseren nie ma żadnych przestępców na tle seksualnym? – spytał Bjørn.

---

* Lensman – szef okręgu policyjnego pierwszego szczebla, pełniący obowiązki szefa policji i wykonujący pewne zadania administracyjne (przyp. tłum.).

– Nie ma takich, których by złapano – poprawiła go Kaja. – Nie widziałeś wyników tej ankiety w „VG"? Co dwudziesta osoba przyznaje, że dopuściła się czynu, który należałoby uznać za napaść.

– Ludzie odpowiadają na takie pytania? Wydaje mi się, że gdybym posunął się za daleko z jakąś babką, to chyba później bym to sobie zracjonalizował.

– Zrobiłeś coś takiego?

– Ja? – Bjørn dodał gazu i wyprzedził traktor. – Nie, ja się mieszczę wśród tych dziewiętnastu. Ytre Enebakk. Cholera, jak się nazywa ta komiczna postać z telewizji, która niby stąd pochodzi? Wiejski głupek w rozbitych okularach, na motorowerze. Na-na-na z Ytre Enebakk. Histeryczna parodia.

Kaja wzruszyła ramionami. Bjørn zerknął w lusterko, ale zobaczył tylko otwarte usta Harry'ego.

Lensman z Ytre Enebakk zgodnie z umową czekał na nich koło oczyszczalni Vøyentangen. Zaparkowali, przedstawił się jako Skai – co szczególnie Bjørn Holm zdawał się sobie cenić – i poszli za nim na pływający pomost, przy którym cumowało z tuzin łódek kołyszących się lekko na spokojnej wodzie.

– Wcześnie na wodowanie łodzi – zdziwiła się Kaja.

– W tym roku w ogóle nie było lodu. I już nie będzie – odparł lensman. – Pierwszy raz, odkąd się urodziłem.

Wsiedli do szerokiej płaskodennej krypy, Bjørn ostrożniej niż reszta.

– Płytko tu – stwierdziła Kaja, kiedy lensman odpychał łódź od pomostu.

– Rzeczywiście. – Spojrzał w wodę i jednym zdecydowanym szarpnięciem za linkę uruchomił silnik. – Ale ten warsztat powroźniczy leży na drugim brzegu, po głębokiej stronie. Droga dochodzi prawie do samego jeziora, ale na samej działce jest tak stromo, że właściwie można tam dotrzeć jedynie łodzią.

– Nie cierpię morza – mruknął Bjørn do Harry'ego, który ledwie go usłyszał przez warkot dwutaktowego silnika. W szarym popołudniowym świetle sunęli prześwitem w dwumetrowych trzcinach. Przemknęli obok stosu gałęzi, będącego, jak Harry przypuszczał, żeremiem bobra, i zagłębili się w aleję drzew przypominających mangrowce.

– To jest jezioro – przypomniał mu Harry – Nie morze.

– Jedna cholera. – Bjørn przesunął się bliżej środka. – Wolę wieś, krowie placki i litą skałę.

Kanał się rozszerzył i przed nimi otworzyło się jezioro Lyseren. Mijali wysepki, na których stały nieduże, opuszczone na zimę domki letniskowe z czarnymi oknami, które zdawały się wpatrywać w nich czujnym spojrzeniem.

– Socjaldemokratyczne letniska – wyjaśnił lensman. – Tu można uniknąć stresu, takiego jak na „złotym wybrzeżu", gdzie trzeba konkurować z sąsiadem o to, kto ma większą łódkę i ładniejszą przybudówkę. – Splunął do wody.

– Jak się nazywa ten komiczny typ z telewizji, który pochodzi z Ytre Enebakk? – Bjørn przekrzyczał warkot silnika. – Ma stłuczone okulary i motorower.

Lensman spojrzał na niego obojętnie i wolno pokręcił głową.

– Powrozownia – wskazał.

Przed dziobem, na lądzie, ale tuż nad samą wodą, Harry zobaczył stary podłużny budynek z drewna, stojący osobno pod stromym zboczem. Z dwóch stron otaczał go gęsty las. Ze skalnej ściany schodziły metalowe szyny, mijały budynek i znikały w czarnej wodzie. Czerwona farba łuszczyła się ze ścian, które zamiast okien i drzwi miały czarne otwory. Harry zmrużył oczy. W gasnącym świetle wydało mu się, że z jednego okna patrzy na nich jakaś ubrana na biało osoba.

– O rany! Prawdziwy nawiedzony dom! – zaśmiał się Bjørn.

– Tak mówią. – Lensman Skai zgasił silnik.

W nagłej ciszy rozległo się echo śmiechu Bjørna, odbitego od drugiego brzegu, i pojedynczy brzęk owczego dzwonka, przyniesiony przez wodę gdzieś z daleka.

Kaja pierwsza wyskoczyła z łodzi z cumą i sprawnie zawiązała półsztyk wokół zgniłego, porośniętego glonami pala, który sterczał wśród wodnych lilii.

Wysiedli z krypy na głazy pełniące funkcję pomostu. Przez otwór po drzwiach weszli do podłużnego, wąskiego i pustego pomieszczenia, w którym unosił się zapach smoły i moczu. Z zewnątrz niełatwo było coś zobaczyć, bo krańce budynku znikały w gęstym lesie: w pomieszczeniu, nie szerszym niż dwa metry, jedną krótszą ścianę od drugiej dzieliło ponad sześćdziesiąt metrów.

– Ludzie stawali w dwóch końcach i skręcali liny – wyjaśniła Kaja, nim Harry zdążył zadać pytanie.

W kącie leżały trzy puste butelki po piwie, widać też było ślady po próbie rozpalenia ogniska. Na przeciwległej ścianie przy dwóch luźnych deskach wisiała sieć.

– Po Simonsenie nikt nie chciał przejąć zakładu – powiedział lensman, rozglądając się wkoło. – Od tamtej pory dom jest pusty.

– A do czego służą te szyny obok budynku? – spytał Harry.

– Do dwóch rzeczy. Do spuszczania na wodę i wyciągania na brzeg łodzi, którą przywoził drewno. I do przytrzymywania bali pod wodą, kiedy miały rozmiękać. Przywiązywał je do żelaznego wózka, który pewnie stoi w szopie na łodzie, wpuszczał wózek pod wodę i wyciągał po kilku tygodniach, kiedy drewno już dobrze nasiąkło. Praktyczny facet ten Simonsen.

Wszyscy drgnęli, gdy nagle z lasu tuż za ścianą domu dobiegło beczenie.

– Owca – stwierdził lensman. – Albo jeleń.

Poszli za nim po wąskich drewnianych schodach na piętro. Na środku stał ogromny długi stół. Oba końce przypominającego raczej korytarz pomieszczenia niknęły w ciemności. Wiało przez okna, które wzdłuż parapetów miały bordiury z tłuczonego szkła. Wiatr gwizdał cicho, poruszając zjedzonym przez mole ślubnym welonem patrzącej na jezioro kobiety, której była zaledwie połowa. Pod głową i torsem znajdował się szkielet: czarny metalowy statyw na kółkach.

– Simonsen używał jej jako stracha na wróble – wyjaśnił Skai, patrząc na sklepowy manekin.

– Okropne. – Kaja stanęła przy nim i otuliła się kurtką.

Lensman spojrzał na nią z boku i uśmiechnął się krzywo.

– Dzieciaki śmiertelnie się jej bały. Dorośli mówili, że przy pełni księżyca chodzi po okolicy i szuka tego, kto zdradził ją w dzień ślubu. I że podobno słychać zgrzytające koła, kiedy się zbliża. Dorastałem niedaleko stąd, w Haga, no wiecie.

– Naprawdę? – spytała Kaja, a Harry zdusił uśmiech.

– *Yes* – potwierdził Skai. – To zresztą jedyna kobieta w życiu Simonsena. Niezły był z niego dziwak, no wiecie. Ale liny skręcać potrafił.

Za ich plecami Bjørn Holm zdjął ze ściany zwój liny zawieszony na gwoździu.

– Powiedziałem, że wolno czegoś dotykać? – zapytał lensman, nie odwracając głowy.

Bjørn czym prędzej odwiesił linę.

– No dobrze, szefie. – Harry uśmiechnął się do Skaia, nie otwierając ust. – Możemy czegoś dotknąć?

Lensman spojrzał na niego badawczo.

– Na razie jeszcze mi nie powiedzieliście, co to za sprawa.

– To tajne – oświadczył Harry. – Przykro mi. Specjalna Jednostka do spraw Przestępczości Gospodarczej, no wiesz.

– Tak? Jeśli ty jesteś tym Harrym Hole, za którego cię mam, to zajmowałeś się zabójstwami.

– No cóż. Teraz mam na tapecie handel poufnymi informacjami, oszustwa podatkowe i malwersacje. Człowiek stale awansuje.

Lensman Skai zmrużył jedno oko. Jakiś ptak znów zaniósł się krzykiem.

– Oczywiście masz rację, Skai – westchnęła Kaja. – Ale to ja musiałabym się namęczyć z uzyskaniem nakazu przeszukania od prokuratora. Przecież wiesz, że mamy za mało ludzi i oszczędzilibyśmy mnóstwo czasu, gdybyśmy po prostu mogli... – Odsłoniła w uśmiechu drobne ząbki, a ruchem głowy wskazała na zwój liny.

Skai popatrzył na nią, zakołysał się parę razy na obcasach kaloszy i w końcu kiwnął głową.

– Zaczekam w łodzi – powiedział.

Bjørn natychmiast wziął się do roboty. Położył linę na stole, otworzył swój mały plecak, zapalił latarkę ze sznurkiem, który na końcu miał umocowany haczyk na ryby, i zaczepił go między dwiema deskami na suficie. Wyjął laptop, przenośny mikroskop kształtu i wielkości młotka, podłączył go do wyjścia USB, sprawdził, czy obrazy z mikroskopu widać na ekranie, a potem otworzył zdjęcie, które przed wyjazdem zgrał na komputer.

Harry stanął obok panny młodej i patrzył na jezioro. W krypie widać było żar papierosa. Przyglądał się szynom znikającym w wodzie. Głęboka strona jeziora. Nigdy nie lubił się kąpać w słodkiej wodzie, szczególnie od tamtego razu, kiedy razem z Øysteinem zwagarowali ze szkoły, wyprawili się nad jezioro Hauktjern w lasach Østmarka i skakali do wody z Diabelskiego Urwiska, które podobno miało dwanaście metrów wysokości. Harry tuż przed uderzeniem w taflę wody ujrzał w niej wijącą się żmiję, ale zaraz potem otoczyła go szklanozielona lodowata ciemność, w panice połknął pół jeziora i był pewien, że już nigdy nie zobaczy światła dziennego i nigdy nie odetchnie powietrzem.

Poczuł zapach, który powiedział mu, że Kaja stoi tuż za nim.

– Bingo! – usłyszał za plecami głos Bjørna Holma.

Harry odwrócił się.

– Ten sam rodzaj liny?

– Nie ma wątpliwości. – Bjørn przykładał młotkowaty mikroskop do końcówki liny i robił zdjęcia wysokiej rozdzielczości. – Lipa i wiąz. Ta sama grubość i długość włókien. Ale tym, co kwalifikuje się tu jako bingo, jest świeża powierzchnia cięcia na końcu tej liny.

– Co?

Bjørn Holm wskazał na ekran.

– To zdjęcie z lewej przywiozłem ze sobą. Pokazuje powierzchnię przecięcia tej liny z kąpieliska Frogner powiększoną dwadzieścia pięć razy. A na tym drugim zdjęciu, stąd, mam kawałek, który idealnie…

Harry zamknął oczy, by móc jeszcze bardziej napawać się słowem, które, jak wiedział, zaraz usłyszy.

– …pasuje.

Wciąż nie otwierał oczu. Linę, na której powieszono Marit Olsen, nie tylko tu wykonano, lecz wręcz odcięto ją z leżącego przed nim zwoju. A cięcie było świeże. To był wielki krok naprzód. Wciągnął powietrze przez nos.

Zapadła wszechogarniająca ciemność. Kiedy odpływali, Harry ledwie był w stanie dostrzec coś białego w otworze okiennym.

Razem z Kają siedział na dziobie krypy. Kaja musiała nachylić się bardzo blisko, by jej głos przedarł się przez warkot motoru.

– Osoba, która przyszła tu po tę linę, musi dobrze znać okolicę. A od zabójcy nie może jej dzielić wiele ogniw…

– Moim zdaniem w ogóle nie ma żadnego pośredniego ogniwa – stwierdził Harry. – Cięcie było świeże, a nie ma znów tak wielu powodów, by lina przechodziła z rąk do rąk.

– Ktoś, kto zna okolicę i albo tu mieszka, albo ma tu domek letniskowy – myślała głośno Kaja. – Albo na przykład tu dorastał.

– Ale po co jechać do nieczynnej powrozowni po kawałek liny? – spytał Harry. – Ile kosztuje długa lina w sklepie? Ze dwie stówy?

– Może przypadkiem był w pobliżu i wiedział, że znajdzie tu coś takiego.

– No dobrze, ale „w pobliżu" musi oznaczać, że mieszkał w którymś z najbliższych domków. Dla wszystkich innych przedostanie się do warsztatu powroźnika to dość długa przeprawa łodzią. Przygotujesz…

– Listę najbliższych sąsiadów? Tak. Skontaktowałam się zresztą z tym ekspertem od wulkanów, tak jak chciałeś. Taki mędrek z Instytutu Geologii, Felix Røst. Uprawia coś, co się nazywa *volcano-spotting*. Ludzie jeżdżą po całym świecie, oglądają wulkany, wybuchy.

– Rozmawiałaś z nim?

– Jedynie z siostrą, która z nim mieszka. Kazała mi wysłać maila albo SMS-a, bo on tylko w taki sposób kontaktuje się ze światem. Poza tym nie było go w domu, bo poszedł grać w szachy. Przekazałam mu te kamyki i dane.

W ślimaczym tempie płynęli przez płytki kanał do pomostu. Bjørn trzymał latarkę, która zarazem funkcjonowała jako drogowskaz w leciutkiej mgle unoszącej się nad powierzchnią wody. Lensman zgasił silnik.

– Spójrz – szepnęła Kaja i przysunęła się jeszcze bliżej do Harry'ego. Czuł jej zapach, gdy wiódł wzrokiem za palcem wskazującym. We mgle z trzcin za pomostem wyłonił się duży bielusieńki samotny łabędź i wpłynął w snop światła latarki.

– Piękny, prawda? – szepnęła z przejęciem i mocno ścisnęła go za rękę.

Skai odprowadził ich do oczyszczalni. Wsiedli do amazona i już mieli ruszać, gdy nagle Bjørn gorączkowo opuścił szybę i krzyknął za lensmanem:

– Fritjof!

Skai zatrzymał się i powoli odwrócił. Światło latarni padło na jego pozbawioną wyrazu twarz.

– Ten komik z telewizji! – krzyknął Bjørn. – Fritjof z Ytre Enebakk!

– Z Ytre Enebakk? – Skai splunął. – Nigdy o nim nie słyszałem.

Kiedy dwadzieścia pięć minut później amazon skręcił na szosę europejską koło spalarni śmieci na Grønmo, Harry podjął decyzję.

– Ta informacja musi przeciec do KRIPOS – oświadczył.

– Co? – zdumieli się chórem Bjørn i Kaja.

– Porozmawiam z Beate. Ona przekaże to dalej, tak jakby to jej ludzie z technicznego odkryli tę linię, nie my.

– Dlaczego? – spytała Kaja.

– Bo jeśli zabójca mieszka w okolicy Lyseren, to trzeba będzie sprawdzić absolutnie wszystkie domy. Nie mamy takich możliwości ani tylu ludzi.

Bjørn tylko walnął ręką w kierownicę.

– Wiem – westchnął Harry. – Ale najważniejsze jest, żeby go złapać, a nie, kto to zrobi.

Jechali dalej w milczeniu, lecz fałszywe echo tych słów i tak wisiało w powietrzu.

20 ØYSTEIN

Prąd był odcięty. Harry stanął po ciemku w korytarzu i parę razy nacisnął przełącznik w obie strony. To samo zrobił w pokoju.

W końcu usiadł w fotelu i zapatrzył się w ciemność.

Po jakimś czasie zadzwoniła komórka.

– Hole.

– Felix Røst.

– Ach, tak? – zdziwił się Harry, bo głos brzmiał raczej tak, jakby należał do drobnej delikatnej kobiety.

– Mówi Frida Larsen, jego siostra. Prosił, żebym zadzwoniła i przekazała, że te kamyki, które znaleźliście, to maficzna lawa bazaltowa. W porządku?

– Chwileczkę! Co to znaczy „maficzna"?

– Że to gorąca lawa, ma ponad tysiąc stopni, o niskiej lepkości, przez co jest rzadka i przy wybuchu daleko się rozprzestrzenia.

– Może pochodzić z Oslo?

– Nie.

– Dlaczego? Przecież Oslo stoi na lawie.

– Ale na starej. Ta lawa jest młoda.

– Jak młoda?

Zorientował się, że kobieta zakrywa słuchawkę ręką i z kimś rozmawia, a raczej coś do kogoś mówi, bo innych głosów nie słyszał. Najwyraźniej jednak musiała uzyskać odpowiedź, bo zaraz do niego wróciła.

– Mówi, że ma od pięciu do pięćdziesięciu lat. Ale jeśli chciałby się pan dowiedzieć, z którego wulkanu pochodzi, to czeka pana niezła robota.

Na świecie jest ponad tysiąc pięćset czynnych wulkanów, i to tylko tych znanych. Jeśli chcecie wiedzieć coś jeszcze, możecie kontaktować się z Feliksem mailowo. Pana asystentka ma jego adres.

– Ale…

Już odłożyła słuchawkę.

Harry zastanawiał się, czy nie oddzwonić, ale zmienił zdanie i wybrał inny numer.

– Oslo Taxi.

– Cześć, Øystein. Mówi Harry H.

– Żartujesz? Harry H. umarł.

– Nie całkiem.

– No dobrze, w takim razie to ja umarłem.

– Masz ochotę zawieźć mnie z Sofies gate do domu dzieciństwa?

– Nie mam, ale i tak to zrobię. Skończę tylko ten kurs. – Øystein roześmiał się i zakasłał. – Harry H.! Cholera! Dam ci znać, jak podjadę.

Harry odłożył telefon, poszedł do sypialni, przy świetle ulicznej latarni spakował torbę, a w pokoju, przyświecając sobie komórką, wybrał kilka płyt. Karton z papierosami, kajdanki, służbowa broń.

Usiadł w fotelu i wykorzystał ciemność do powtórzenia ćwiczeń z rewolwerem. Ustawił stoper w zegarku, wysunął bębenek swojego smith & wessona, opróżnił go i załadował. Wyjął cztery naboje, włożył cztery, nie wykorzystując szybkiej ładowarki, a jedynie zręczne palce. Wsunął bębenek na miejsce, tak aby pierwszy włożony nabój znalazł się na pierwszym miejscu w kolejce. Stop. Dziewięć sześćdziesiąt sześć. Prawie o trzy sekundy dłużej niż osobisty rekord. Otworzył bębenek. Pomylił się. Pierwsza komora, ta gotowa do wystrzału, okazała się jedną z dwóch pustych. Już nie żył. Powtórzył ćwiczenie. Dziewięć pięćdziesiąt. I znowu umarł. Kiedy po dwudziestu minutach zadzwonił Øystein, doszedł do ośmiu sekund i zdążył zginąć sześć razy.

– Schodzę – powiedział.

Poszedł jeszcze do kuchni, popatrzył na drzwiczki szafki pod zlewem, zawahał się, w końcu sięgnął po zdjęcia Rakel i Olega i schował je do wewnętrznej kieszonki.

– Hongkong? – prychnął Øystein Eikeland. Odwrócił rozpulchnioną alkoholem twarz z agresywnie długim nosem i smutno zwisającymi wąsami do Harry'ego na siedzeniu pasażera. – Czegoś ty tam, do cholery, szukał?

– Znasz mnie – odparł Harry, gdy Øystein zatrzymał się na czerwonym, przed hotelem Radisson SAS.

– Skąd! – Øystein nasypał tytoniu do bibułki. – Jak ja mógłbym cię znać?

– No cóż, dorastaliśmy razem, nie pamiętasz?

– I co z tego? Już wtedy byłeś jakąś cholerną tajemnicą, Harry.

Ktoś szarpnął za tylne drzwiczki i do taksówki wsiadł mężczyzna w garniturze i w płaszczu.

– Do pociągu na lotnisko przez Byporten. Tylko szybko.

– Zajęte – rzucił Øystein, nawet się nie oglądając.

– Przecież kogut na dachu się świeci!

– Ale Hongkong brzmi fajnie. Właściwie dlaczego wróciłeś do domu?

– Przepraszam... – odezwał się mężczyzna z tyłu.

Øystein wsunął papierosa do ust i zapalił.

– Drewniak dzwonił i zapraszał na przyjacielską imprezę na wieczór.

– Drewniak nie ma przyjaciół – stwierdził Harry.

– Prawda? No to go zapytałem: „A kim są ci twoi kumple?". „Ty", powiedział i spytał: „A twoi?", „Ty", powiedziałem. Więc jest nas dwóch. Całkiem po prostu zapomnieliśmy o tobie, Harry. Tak to bywa, kiedy się wyjeżdża do... – wysunął wargi i z naciskiem dokończył: – ... Hongkongu.

– Halo? – dobiegło z tylnego siedzenia. – Jeśli już skończyliście, to może moglibyśmy...

Światła się zmieniły i Øystein dodał gazu.

– Więc jak, przyjdziesz? To u Drewniaka w domu.

– Strasznie mu nogi śmierdzą, Øystein.

– Ma pełną lodówkę.

– *Sorry*, nie mam imprezowego nastroju.

– Imprezowego nastroju? – prychnął Øystein, uderzając dłońmi w kierownicę. – Ty w ogóle nie wiesz, co to jest imprezowy nastrój, Harry. Zawsze omijałeś imprezy szerokim łukiem, nie pamiętasz? Kupiliśmy piwo, mieliśmy iść gdzieś na Nordstrand, gdzie miało być mnóstwo dziewczyn. A ty zaproponowałeś, żebyśmy zamiast tego we trzech z Drewniakiem poszli na bunkry i tam sami wypili to piwo.

– Halo, tędy się nie jedzie na dworzec! – rozległ się krzyk z tyłu.

Øystein znów zahamował przed czerwonym światłem, odrzucił na bok długie do ramion rzadkie włosy i odwracając głowę do tyłu, dokończył:

– No i poszliśmy na te bunkry. Schlaliśmy się jak bąki. A ten tutaj zaczął wyśpiewywać *No Surrender*, aż Drewniak rzucał w niego butelkami.

– Doprawdy! – pisnął mężczyzna, stukając palcem w szkiełko zegarka marki Tag Heuer. – Ja po prostu muszę zdążyć na ostatni samolot do Sztokholmu!

– Na tych bunkrach było pięknie – westchnął Harry. – Najpiękniejszy widok w całym mieście.

– Pewnie – przyświadczył Øystein. – Gdyby alianci tylko spróbowali, Niemcy roznieśliby ich na strzępy.

– Jasne – uśmiechnął się Harry.

– Widzi pan, przysięgaliśmy sobie, ten tu, ja i Drewniak – ciągnął Øystein, gdy mężczyzna w garniturze rozpaczliwie wypatrywał w deszczu wolnej taksówki. – Gdyby ci cholerni alianci przyszli, to tak byśmy im dali w dupę, że zostałyby z nich same szkielety. O tak! – Øystein wycelował w garniturowca nieistniejącym pistoletem maszynowym i zaczął strzelać. Mężczyzna z przerażeniem patrzył na szalonego taksówkarza, który z takim przejęciem naśladował odgłos broni maszynowej, że białe drobinki śliny padały na jego ciemne, świeżo wyprasowane spodnie. W końcu z jękiem otworzył drzwiczki i wyskoczył na deszcz.

Øystein śmiał się długo i serdecznie.

– Stęskniłeś się za domem – stwierdził w końcu. – Chciałeś znów zatańczyć z Killer Queen w restauracji na Ekeberg.

Harry roześmiał się i pokręcił głową. W bocznym lusterku widział, że mężczyzna w garniturze bez sensu biegnie w stronę Teatru Narodowego.

– Chodzi o mojego ojca. Choruje. Niedużo już mu zostało.

– O cholera! – Øystein wcisnął gaz. – To dobry człowiek.

– Dzięki. Tak sobie pomyślałem, że może chciałbyś wiedzieć.

– No jasne. I powiem moim starym.

– No to jesteśmy – oznajmił Øystein, kiedy zaparkowali koło garażu przy maleńkim żółtym drewnianym domku na Oppsal.

– No tak – powiedział Harry.

Øystein zaciągnął się tak mocno, że papieros o mało nie stanął w ogniu. Przytrzymał dym w płucach i wypuścił go z przeciągłym chrapliwym sykiem.

Potem lekko przekrzywił głowę i strzepnął popiół do popielniczki. Harry poczuł w sercu słodkie ukłucie. Ile razy widział Øysteina robiącego dokładnie to samo? Przechylającego się na bok, jakby papieros był tak ciężki, że inaczej straciłby równowagę. Głowa przekrzywiona. Popiół strząsany na podłogę w służącej za palarnię szopie w szkole, do pustej butelki po piwie na imprezie, na którą przyszli bez zaproszenia, na zimną, wilgotną posadzkę bunkra.

– Życie, cholera, jest niesprawiedliwe – stwierdził Øystein. – Twój ojciec był abstynentem, chodził na niedzielne wycieczki i pracował jako nauczyciel. Mój natomiast pił, harował w fabryce Kadok, gdzie wszyscy dostawali astmy i jakiejś dziwnej wysypki, i nie ruszał się nawet na milimetr, jak już dobrnął do kanapy w domu. I facet jest zdrowy jak jakaś cholerna ryba.

Harry przypomniał sobie fabrykę Kadok. Kodak czytany wspak. Właściciel pochodzący z Sunnmøre wyczytał gdzieś, że Eastman nazwał swoją fabrykę aparatów fotograficznych Kodak, bo to nazwa łatwa do zapamiętania i wymówienia na całym świecie. Ale Kadok już dawno poszedł w zapomnienie.

– Wszystko znika – westchnął Harry.

Øystein pokiwał głową, jakby śledził tok jego myśli.

– Dzwoń, gdybyś czegoś potrzebował, Harry.

– Jasne.

Zaczekał, aż usłyszy chrzęst żwiru pod kołami, dopiero wtedy otworzył drzwi i wszedł do środka. Zapalił światło i stanął, czekając, aż drzwi za nim zamkną się i zatrzasną. Zapach, cisza, światło padające na szafę, wszystko do niego przemawiało. Jakby zanurzył się w basenie ze wspomnieniami. Otoczyły go, ogrzały, ścisnęły w gardle. Zdjął płaszcz i zrzucił buty. Potem zaczął chodzić. Z pokoju do pokoju. Z roku do roku. Od rodziców do Sio, i w końcu do siebie. Chłopięcy pokój. Plakat The Clash, ten z gitarą rozbijaną o ziemię. Położył się na łóżku i wciągnął zapach materaca. Wtedy popłynęły łzy.

21 ŚNIEŻNA BIEL

Do ósmej wieczorem brakowało dwóch minut, kiedy Mikael Bellman szedł po Karl Johans gate, jednej z najskromniejszych na świecie reprezentacyjnych ulic. Znajdował się w samym środku Królestwa Norwegii, dokładnie na skrzyżowaniu osi. Z lewej miał uniwersytet, czyli wiedzę, z prawej Teatr Narodowy, czyli kulturę. Za jego plecami w Parku Zamkowym wznosił się królewski dwór, a tuż przed nim – władza. Trzysta kroków dalej, dokładnie punkt dwudziesta, wszedł po kamiennych schodach do głównego wejścia do Stortingu. Budynek parlamentu, jak zresztą większość budynków w Oslo, nie był szczególnie duży ani imponujący. I bardzo skromnie strzeżony. Jedyną ochronę stanowiły dwa wyciosane w granicie lwy, stojące po dwóch stronach podwyższenia prowadzącego do wejścia.

Bellman podszedł do drzwi, które otworzyły się bezszelestnie, zanim zdążył je pchnąć. Znalazł się w recepcji i zaczął się rozglądać. Pojawił się strażnik i życzliwie, ale zdecydowanie, wskazał mu bramkę prześwietlającą marki Gilardoni. Urządzenie w dziesięć sekund ujawniło, że Mikael Bellman nie jest uzbrojony, ma metal przy pasku, ale to już wszystko.

Rasmus Olsen czekał na niego oparty o kontuar recepcji. Chudy mąż Marit Olsen podał mu rękę, a potem ruszył przodem, jakby się przełączył na autopilota, bo zaczął recytować głosem przewodnika:

– Storting, parlament, trzystu osiemdziesięciu pracowników, stu sześćdziesięciu dziewięciu parlamentarzystów. Zbudowany w roku 1886 według projektu Emila Victora Langleta, zresztą Szweda. To jest Klatka Schodowa, a ta kamienna mozaika nosi tytuł *Społeczeństwo* i wykonała ją Else Hagen w roku 1950. Portret króla został namalowany...

Doszli do Korytarza Wędrówek, który Mikael rozpoznał z telewizji. Minęło ich parę twarzy, żadna nie była znajoma. Rasmus wyjaśnił, że właśnie zakończyło się zebranie jednej z komisji, ale Bellman go nie słuchał. Myślał tylko o tym, że to są korytarze władzy. Poczuł rozczarowanie. Pewnie, że było tu złoto i czerwień, ale gdzie ta okazałość, ta oficjalność, która ma budzić lęk i szacunek dla rządzących? Przeklęta skromność i umiarkowanie były ułomnością, której mała i jeszcze niedawno tak uboga demokracja na północy Europy nie potrafiła się pozbyć. Mimo to wrócił do kraju. Skoro nie udało mu się osiągnąć szczytu tam, gdzie próbował najpierw, wśród wilków w Europolu, to już na pewno musi się udać tutaj, w konkurencji z karłami i nieudacznikami.

– Całe to pomieszczenie podczas wojny pełniło funkcję gabinetu Terbovena. Dziś nikt tu nie ma takich pokoi.

– Jak funkcjonowało wasze małżeństwo?

– Słucham?

– Pana i Marit. Kłóciliście się?

– Eee... nie. – Rasmus Olsen wyglądał na wstrząśniętego, przyspieszył też kroku, jakby chciał się oddalić od policjanta albo przynajmniej znaleźć się poza zasięgiem innych uszu. Dopiero gdy siedzieli za zamkniętymi drzwiami jego biura, w sekretariacie klubu partyjnego, odetchnął z drżeniem.

– Oczywiście mieliśmy swoje wzloty i upadki. Pan jest żonaty, Bellmąn?

Mikael Bellman kiwnął głową.

– Wobec tego rozumie pan, o czym mówię.

– Czy żona pana zdradzała?

– Nie. To możemy zdecydowanie wykluczyć.

Bellman miał już na końcu języka pytanie: „Bo była taka gruba?", ale powstrzymał się, ponieważ i tak dostał to, o co mu chodziło. Wahanie, drgnienie w kąciku oka, ledwie widoczne ściągnięcie źrenicy.

– A pan jej nie zdradzał, Olsen?

Taka sama reakcja. Plus zaczerwienienie pod głębokimi zakolami. Odpowiedź krótka i zgryźliwa.

– Niech pan sobie wyobrazi, że nie.

Bellman przekrzywił głowę. Nie miał żadnych podejrzeń w stosunku do Rasmusa Olsena, po co więc dręczył człowieka tego rodzaju pytaniami? Odpowiedź była równie prosta, co frustrująca: ponieważ nie miał nikogo innego do przesłuchania, żadnego innego śladu, którym mógł się kierować. Swoją frustrację zwyczajnie wyładowywał na tym nieszczęśniku.

– A co z panem?

– Ze mną? – Bellman stłumił ziewnięcie.

– Pan zdradza żonę?

– Ona jest na to za piękna – uśmiechnął się Bellman. – Poza tym mamy troje dzieci. Pan i pańska żona byliście bezdzietni, a to skłania do rozglądania się za... innymi przyjemnościami. Rozmawiałem z kimś, kto twierdzi, że jakiś czas temu mieliście problemy.

– Przypuszczam, że to sąsiadka. Marit sporo z nią plotkowała. Rzeczywiście ze dwa miesiące temu pojawił się drobny kłopot wynikający z zazdrości. Z kursu dla mężów zaufania ściągnąłem do partii młodą dziewczynę. Właśnie w taki sam sposób poznałem Marit. Dlatego ona...

Głos Rasmusa Olsena nagle się załamał i Bellman zauważył, że do oczu napłynęły mu łzy.

– To nie było nic takiego, ale Marit na parę dni wybrała się w góry, żeby sobie pomyśleć. Później znów wszystko się ułożyło.

Zadzwonił telefon Bellmana. Wyjął go, zobaczył nazwisko na wyświetlaczu, odpowiedział krótkim „tak" i poczuł, jak puls mu przyspiesza, a wściekłość narasta, gdy słuchał głosu.

– Lina? – powtórzył. – Lyseren? To będzie… Ytre Enebakk? Dziękuję. – Schował telefon do kieszeni płaszcza. – Muszę lecieć, panie Olsen. Dziękuję, że poświęcił mi pan czas.

W drodze do wyjścia zatrzymał się na chwilę i rozejrzał po gabinecie Terbovena, Komisarza Rzeszy Niemieckiej w Norwegii. Zaraz potem prędko ruszył dalej.

Dochodziła pierwsza w nocy, a Harry siedział w salonie i słuchał, jak Martha Wainwright śpiewa o *far away* i *whatever remains is yet to be found*.

Był wycieńczony. Przed nim na niskim stoliku leżała komórka, zapalniczka i sreberko z brązową grudką w środku. Nie tknął jej. Ale musiał wkrótce iść spać, znaleźć jakiś rytm, jakąś przerwę. W ręce trzymał zdjęcie Rakel. Błękitna sukienka. Zamknął oczy. Czuł jej zapach. Słyszał głos. „Spójrz!" Jej dłoń lekko ścisnęła go za rękę. Woda wokół nich była czarna i głęboka, a ona unosiła się na powierzchni, biała, bezszelestna i nieważka. Wiatr rozwiał welon, odsłaniając kredowobiałe pióra pod spodem. Długa szczupła szyja wygięła się w znak zapytania. Gdzie? Wyszła na brzeg, czarny metalowy szkielet na jękliwie zgrzytających kółkach. Weszła do domu i zniknęła. Ukazała się na piętrze. Na szyi miała pętlę, a przy niej stał mężczyzna w czarnym garniturze z białym kwiatkiem w klapie. Przed nimi, plecami do Harry'ego, pastor w białej sutannie. Modlił się długo, w końcu się odwrócił. Twarz i dłonie miał białe. Od śniegu.

Harry drgnął i się obudził.

Zamrugał w ciemności. Dźwięk. Ale to nie była Martha Wainwright. Harry obrócił się i sięgnął ręką na stół po świecący, wibrujący telefon.

– Tak? – spytał głosem gęstym jak owsianka.

– Mam.

– Co masz?

– Powiązanie. To nie są trzy zabójstwa. Tylko cztery.

22 WYSZUKIWARKA

– Spróbowałam najpierw z tymi trzema nazwiskami, które mi podałeś – wyjaśniała Katrine. – Borgny Stem-Myhre, Charlotte Lolles i Marit Olsen. Ale wyszukiwanie nie przyniosło nic rozsądnego. Dodałam wtedy wszystkie osoby zaginione w Norwegii w ciągu ostatnich dwunastu miesięcy. I wtedy znalazłam coś, nad czym można dalej pracować.

– Chwileczkę. – Harry już całkiem się obudził. – Skąd, u diabła, miałaś nazwiska tych zaginionych?

– Z intranetu Sekcji do spraw Osób Zaginionych Komendy Okręgowej Policji w Oslo. A jak myślałeś?

Harry jęknął, a Katrine ciągnęła:

– Pojawiło się nazwisko łączące te trzy pozostałe. Jesteś gotów?

– No cóż...

– Zaginiona nazywa się Adele Vetlesen, dwadzieścia osiem lat, zamieszkała w Drammen. Zaginięcie zgłosił w listopadzie jej partner. Pojawiła się zbieżność w systemie biletowym NSB, Kolei Państwowych. Na siódmego listopada Adele Vetlesen zamówiła przez internet bilet na pociąg z Drammen do Ustaoset. Na ten sam dzień Borgny Stem-Myhre zarezerwowała bilet z Kongsberg do tej samej miejscowości.

– Ustaoset nie jest pępkiem świata – zauważył Harry.

– To w ogóle nie jest miejscowość, tylko kawałek skały, na której bergeńskie rodziny ze starymi pieniędzmi stawiały sobie domki, a Towarzystwo Turystyczne wybudowało na szczytach schroniska, żeby Norwegowie mogli pielęgnować spuściznę po Amundsenie i Nansenie, chodząc od schroniska do schroniska na nartach z dwudziestopięciokilogramowym plecakiem i cieniem lęku przed śmiercią z tyłu głowy. Takie wędrówki przydają życiu smaku.

– Mówisz tak, jakbyś tam była.

– Rodzina mojego byłego męża ma taki domek w górach. Są tak szacownie bogaci, że w domku nie ma ani prądu, ani bieżącej wody. Jedynie nuworysze sprawiają sobie sauny i jacuzzi.

– A inne powiązania?

– Nie zarejestrowano żadnego biletu kolejowego na nazwisko Marit Olsen. Pojawiła się natomiast płatność kartą w restauracji w takim samym pociągu, tylko dzień wcześniej. Płatność zarejestrowano o czternastej trzynaście. Według rozkładu pociąg powinien się wtedy znajdować między Ål a Geilo, a więc przed Ustaoset.

– To już jest słabsze – stwierdził Harry. – To pociąg do Bergen, może właśnie tam jechała.

– Masz mnie... – zaczęła Katrine Bratt ostro, ale odczekała moment i ciągnęła już bardziej opanowanym tonem: – Masz mnie za głupią? Hotel w Ustaoset miał rezerwację dwuosobowego pokoju na nazwisko Rasmus Olsen, który w Biurze Ewidencji Ludności jest wpisany pod tym samym adresem co Marit Olsen. Doszłam więc do wniosku, że...

– Tak, to jej mąż. Dlaczego szepczesz?

– Nocny dyżurny akurat przechodził. Posłuchaj. Ustaliliśmy obecność dwóch osób zabitych i jednej zaginionej w Ustaoset tego samego dnia. Co o tym myślisz?

– No cóż, znaczący zbieg okoliczności. Ale nie możemy wykluczyć, że to przypadek.

– Zgadzam się. Wobec tego słuchaj dalej. Wstukałam Charlotte Lolles plus Ustaoset, ale nic mi nie wyszło. Skupiłam się więc na dacie, żeby zobaczyć, gdzie Charlotte Lolles mogła przebywać w czasie, kiedy trzy pozostałe osoby były w Ustaoset. Dwa dni wcześniej Charlotte płaciła za ropę na stacji benzynowej zaraz za Hønefoss.

– Do Ustaoset stamtąd daleko.

– Ale właściwy kierunek z Oslo. Próbowałam znaleźć samochód zarejestrowany na nią lub na jej ewentualnego partnera. Jeśli mają kartę abonamentową, a mijali kilka punktów pobierania opłat za przejazd, to można prześledzić ich ruchy.

– Mhm.

– Problem w tym, że ona nie miała ani samochodu, ani partnera, w każdym razie zarejestrowanego.

– Miała chłopaka.

– Możliwe, ale w danych spółki parkingowej Europark wyszukiwarka znalazła opłacony przez niejaką Iskę Peller postój samochodu w należącym do nich garażu w Geilo.

– Geilo to już blisko Ustaoset. Ale kim jest ta... Iska Peller?

– Według danych z kart kredytowych mieszka w dzielnicy Bristol w australijskim Sydney. Rzecz w tym, że kiedy się zaczyna szukać relacji między nią a Charlotte Lolles, to wynik jest dość wysoki.

– Relacji?

– Chodzi na przykład o to, że rejestruje się płatności kartą w tej samej restauracji i o tej samej godzinie, co świadczy o tym, że te osoby jadły razem, a potem podzieliły się rachunkiem. Albo okazuje się, że członkowie tego samego klubu sportowego, którzy zapisali się w tym samym dniu, mają obok siebie miejsca w samolocie więcej niż raz. Rozumiesz już schemat?

– Schemat rozumiem – powtórzył Harry z udawanym bergeńskim akcentem. – I jestem pewien, że sprawdziłaś, co to za samochód i czy jeździ na...

– Owszem, na ropę – odparła Katrine ostro. – Chcesz usłyszeć resztę czy nie?

– Zamieniam się w słuch.

– W schroniskach Towarzystwa Turystycznego, w których nie ma obsługi, nie można wcześniej zarezerwować noclegu. Jeśli wszystkie łóżka są zajęte, trzeba po prostu spać na podłodze, na materacu czy na własnej karimacie. Nocleg kosztuje zaledwie sto siedemdziesiąt koron i płaci się albo gotówką, którą wrzuca się do kasy w schronisku, albo zostawia się kopertę z jednorazowym upoważnieniem na obciążenie konta.

– Innymi słowy nie da się sprawdzić, kto i kiedy nocował w danym schronisku.

– Nie da się, jeśli płacił gotówką. Ale jeśli zostawił upoważnienie, to później zostanie odnotowana transakcja między kontem tej osoby a kontem Towarzystwa. Z adnotacją, którego schroniska i jakiej daty dotyczy płatność.

– Wydawało mi się, że przeszukiwanie transakcji bankowych jest bardzo skomplikowane.

– Nie jest, pod warunkiem że inteligentny ludzki mózg dobierze odpowiednie kryteria.

– I z takim mózgiem mamy do czynienia.

– To właśnie chciałam usłyszeć. Konto Iski Peller dwudziestego listopada zostało obciążone płatnością za dwa łóżka w czterech schroniskach Towarzystwa, odległych od siebie o dzień marszu.

– Czterodniowa wycieczka górska.

– Tak. I w tym ostatnim schronisku, w Håvasshytta, nocowały siódmego listopada. To zaledwie pół dnia marszu od Ustaoset.

– Interesujące.

– Naprawdę interesujące są dwa inne konta, które również zostały obciążone płatnością za nocleg siódmego listopada w Håvasshytta. Zgadnij czyje?

– No cóż. Raczej nie Marit Olsen i Borgny Stem-Myhre, bo KRIPOS zapewne odkryłaby, że dwie z ofiar niedawno spędziły noc w tym samym miejscu. Więc jedno z tych kont musi należeć do tej zaginionej dziewczyny, nie pamiętam już, jak się nazywała.

– Adele Vetlesen. I masz całkowitą rację. Zapłaciła za dwie osoby, ale oczywiście nie wiem, z kim była.

– A ta druga osoba, która skorzystała z płatności przez wystawienie upoważnienia?

– To niezbyt interesujące. Ze Stavanger.

Harry poszedł jednak po długopis i zanotował adres tej osoby, tak samo zresztą jak adres Iski Peller w Sydney.

– Wygląda na to, że spodobała ci się ta wyszukiwarka – powiedział.

– Owszem. To trochę jak latanie starym bombowcem, lekko zardzewiałym, trudnym do uruchomienia, ale jak już się wzbije w powietrze... Mój ty świecie! Co myślisz o wynikach?

Harry zastanowił się.

– Zlokalizowałaś zaginioną kobietę i jeszcze jedną osobę, która prawdopodobnie nie ma nic wspólnego ze sprawą, w tym samym miejscu i w tym samym czasie. W zasadzie nie ma się z czego cieszyć. Ale uprawdopodobniłaś, że jedna z ofiar, Charlotte Lolles, była w jej towarzystwie. Zlokalizowałaś też dwie ofiary – Borgny Stem-Myhre i Marit Olsen – w bezpośredniej bliskości Ustaoset. Więc...

– Więc?

– Więc gratuluję! Dotrzymałaś swojej części umowy. Jeśli chodzi o moją...

– Możesz sobie tego oszczędzić i zetrzeć z twarzy ten uśmiech, z którym teraz siedzisz. Ja wcale tak nie myślałam. Po prostu jestem nieobliczalna. Jeszcze to do ciebie nie dotarło?

Rozłączyła się.

23 PASAŻER

Stine siedziała sama w autobusie. Oparła się czołem o szybę, żeby nie widzieć wyłącznie własnego odbicia, i patrzyła na czarny jak noc dworzec autobusowy. Miała nadzieję, że ktoś przyjdzie. Miała nadzieję, że nie przyjdzie nikt.

On siedział przy piwie pod oknem w Krabbe i tylko na nią patrzył, ale się nie ruszył. Czapka, jasne włosy i te dzikie niebieskie oczy. Spojrzenie śmiało się, kłuło, błagało, wołało ją po imieniu. W końcu powiedziała Mathilde, że wraca do domu, ale koleżanka akurat wdała się w rozmowę z jakimś Amerykaninem od ropy i chciała jeszcze zostać. Stine wzięła więc płaszcz, wybiegła z Krabbe na dworzec i wsiadła do autobusu do Våland.

Patrzyła na czerwone cyfry elektronicznego zegara nad kierowcą z nadzieją, że zaraz drzwi się zatrzasną i autobus ruszy. Została jeszcze minuta.

Nie podniosła głowy ani wtedy, gdy usłyszała tupot kroków, ani na zdyszany głos zamawiający bilet u kierowcy, ani nawet wtedy, kiedy on usiadł koło niej.

– Posłuchaj, Stine – powiedział. – Wydaje mi się, że mnie unikasz.

– Cześć, Elias. – Nie odrywała wzroku od mokrego asfaltu. Dlaczego usiadła na końcu autobusu, tak daleko od kierowcy?

– Nie powinnaś chodzić sama nocą.

– Nie? – mruknęła z nadzieją, że zaraz ktoś przyjdzie. Ktokolwiek.

– Nie czytasz gazet? Nie czytałaś o tych dwóch dziewczynach z Oslo? I teraz, ostatnio, o tej parlamentarzystce? Jak ona się nazywała?

– Nie mam pojęcia – skłamała Stine, czując, że jej serce przechodzi w galop.

– Marit Olsen. Z Partii Pracy. A te dwie pozostałe nazywały się Borgny i Charlotte. Jesteś pewna, że nie znasz tych imion?

– Nie czytam gazet – oświadczyła Stine. Ktoś powinien wreszcie przyjść.

– Wszystkie trzy były fajne.

– No tak, bo ty akurat je znałeś. – Stine natychmiast pożałowała ironicznego tonu. Ale to przez ten strach.

– Oczywiście niezbyt dobrze – odparł Elias. – Ale spodobało mi się pierwsze wrażenie. Jestem, jak już chyba wiesz, osobą, która przykłada wielką wagę do pierwszego wrażenia.

Stine spojrzała na dłoń, która ostrożnie dotknęła jej kolana.

– Wiesz... – zaczęła. Nawet w tej jednej sylabie słychać było błaganie.

– Tak, Stine?

Popatrzyła na niego. Twarz miał otwartą jak dziecko, spojrzenie szczerze zdziwione. Ona chciała krzyczeć, poderwać się, ale nagle usłyszała kroki i jakiś głos z przodu, od strony kierowcy. Pasażer. Dorosły mężczyzna. Przeszedł na tył autobusu. Stine usiłowała pochwycić jego spojrzenie, sprawić, by zrozumiał, ale rondo kapelusza zasłaniało mu oczy, a poza tym był zajęty wkładaniem reszty i biletu do portfela. Odetchnęła lżej, gdy usiadł tuż za nimi.

– Aż trudno uwierzyć, że policja nie odkryła powiązania między nimi trzema – ciągnął Elias. – To nie powinno być takie trudne. Muszą wiedzieć, że wszystkie trzy lubiły chodzić po górach. Że tego samego dnia nocowały w Håvasshytta. Uważasz, że należałoby im o tym powiedzieć?

– Być może – szepnęła Stine. Gdyby się sprężyła, może zdążyłaby przecisnąć się obok Eliasa i wyskoczyć z autobusu. Ale ledwie o tym pomyślała, rozległo się parsknięcie hydrauliki, drzwi się zasunęły i autobus ruszył. Zamknęła oczy.

– Tylko nie mam ochoty się w to mieszać. Liczę, że mnie rozumiesz, Stine.

Wolno skinęła głową, ale nie otwierała oczu.

– To dobrze. Wobec tego opowiem ci o kimś, kto jeszcze tam był. To ktoś, kogo na pewno znasz.

Część III

24 STAVANGER

– Cuchnie... – skrzywiła się Kaja.

– Łajnem. Specjalny gatunek krów. Witaj na żyznej równinie Jæren! Poranne światło przeciekało między chmurami sunącymi nad wiosennie zazielenionymi polami. Zza kamiennych murków krowy w milczeniu obserwowały ich taksówkę. Jechali autostradą z lotniska Sola do centrum Stavanger.

Harry wychylił się między siedzeniami do przodu.

– Mógłby pan jechać trochę szybciej? – Pokazał identyfikator.

Taksówkarz uśmiechnął się szeroko i wcisnął gaz.

– Boisz się, że jesteśmy spóźnieni? – spytała Kaja, gdy Harry oparł się z powrotem.

– Nie odpowiada na telefony, nie stawia się do pracy. – Harry nie musiał kończyć.

Po nocnej rozmowie z Katrine Bratt przyglądał się swoim notatkom. Miał nazwiska, numery telefonów i adresy dwóch żyjących osób, które prawdopodobnie nocowały wraz z trzema ofiarami zabójstw w tym samym schronisku w listopadzie. Spojrzał na zegarek, wyliczył, że w Sydney jest wczesne przedpołudnie i zadzwonił pod numer Iski Peller. Odebrała. I bardzo się zdziwiła, gdy Harry poruszył temat Håvasshytta. Niewiele potrafiła mu opowiedzieć o spędzonym tam czasie, bo cały pobyt w schronisku przeleżała z wysoką gorączką w osobnej sypialni. Może rozchorowała się od zbyt długiego pozostawania w mokrym, przepoconym ubraniu, a może dlatego, że dla niedoświadczonej narciarki chodzenie od schroniska do schroniska okazało się mordęgą. A może całkiem przypadkowo złapała grypę. W każdym razie z ogromnym wysiłkiem dobrnęła do Håvasshytta, gdzie jej towarzyszka, Charlotte Lolles, od razu zapakowała ją do łóżka. Iska Peller natychmiast zapadła w pełny koszmarów sen, ciało ją bolało, na zmianę było jej zimno i gorąco. Co się działo między innymi osobami w schronisku, czy w ogóle coś się działo, kto tam był, nie wie. Ona i Charlotte dotarły do schroniska jako pierwsze, następny dzień spędziła w łóżku, pozostałe osoby ruszyły dalej, a ją i Charlotte zabrał stamtąd skuterem śnieżnym miejscowy policjant, z którym przyjaciółka się skontaktowała. Zawiózł je do siebie do domu, zaproponował nocleg, bo jak twierdził, hotel był przepełniony. Przyjęły tę propozycję, ale wieczorem zmieniły zdanie, późnym pociągiem pojechały do Geilo i tam zatrzymały się w hotelu. Charlotte nie opowiadała jej nic szczególnego o wieczorze w Håvasshytta. Pewnie nic szczególnego się nie działo.

Pięć dni po wyprawie w góry panna Peller wyjechała z Oslo do Sydney, wciąż z gorączką. Po powrocie do domu utrzymywała z Charlotte regularny kontakt mailowy, ale nie wychwyciła nic niezwykłego. Tak było aż do tamtej szokującej wiadomości o znalezieniu ciała przyjaciółki przy wraku samochodu na skraju lasu koło Dausjøen, tuż za obszarem zabudowanym w Oslo.

Harry delikatnie, ale nie owijając w bawełnę, wyjaśnił Isce Peller, że martwią się o bezpieczeństwo osób, które spędziły tamten wieczór w tym właśnie schronisku. Zapowiedział też, że zamierza zaraz skontaktować się z szefem Wydziału Zabójstw Komendy Policji Sydney South, Neilem McCormackiem, z którym kiedyś miał okazję pracować. McCormack porozmawia z nią bardziej szczegółowo i chociaż Australia jest daleko, to zadba o to, by dać jej policyjną ochronę. Przynajmniej na jakiś czas. Iska Peller przyjęła wiadomość ze spokojem.

Później Harry zadzwonił pod ten drugi numer, ten w Stavanger. Próbował cztery razy, ale nikt nie odbierał. Wiedział oczywiście, że to nie musi nic oznaczać, nie każdy sypia z włączoną komórką tuż przy łóżku. Ale Kaja Solness najwyraźniej właśnie tak robiła. Odebrała po drugim dzwonku. A kiedy Harry oznajmił, że rano lecą pierwszym samolotem do Stavanger, więc musi zdążyć na pociąg na lotnisko, który odchodzi pięć po szóstej, powiedziała tylko: „Dobrze".

Wpół do siódmej byli już w Porcie Lotniczym Oslo i Harry jeszcze raz zadzwonił pod ten numer w Stavanger. I znów nikt nie odebrał. W drodze z terminalu na postój taksówek Kaja złapała pracodawcę, który powiedział im, że poszukiwana przez nich osoba nie stawiła się w firmie o zwykłej porze. Kiedy Kaja przekazała tę informację Harry'emu, położył jej delikatnie rękę na krzyżu i zdecydowanie podprowadził do taksówki, wymijając całą kolejkę. Na oburzone protesty odpowiedział:

– Życzę państwu cholernie miłego dnia!

Było dokładnie szesnaście minut po ósmej, kiedy dotarli pod właściwy adres, do białego drewnianego domku w Våland. Harry pozostawił uregulowanie rachunku Kai, sam wysiadł, nie zamykając drzwiczek. Przyjrzał się nic niemówiącej fasadzie. Wciągnął świeże, wilgotne, lecz mimo wszystko ciepłe powietrze zachodniej części kraju. Zebrał się w sobie, bo on już wiedział. Oczywiście mógł się mylić, ale miał w sobie taką samą pewność, jak to, że Kaja powie „dziękuję", kiedy dostanie rachunek.

– Dziękuję. – Drzwiczki samochodu się zatrzasnęły.

Nazwisko znajdowało się przy środkowym z trzech dzwonków koło drzwi.

Harry wcisnął guzik i usłyszał brzęczenie gdzieś w głębi domu.

Minutę i trzy próby później wcisnął dolny dzwonek. Staruszka, która im otworzyła, patrzyła na nich z uśmiechem.

Harry zarejestrował, że Kaja odruchowo wiedziała, które z nich powinno zacząć mówić.

– Dzień dobry, nazywam się Kaja Solness, jesteśmy z policji. Na piętrze nikt nie otwiera. Nie wie pani, czy ktoś jest w domu?

– Prawdopodobnie. Chociaż dzisiaj od rana panuje cisza – odparła staruszka, a widząc uniesione brwi Harry'ego, dodała szybko: – Dom jest bardzo akustyczny i słyszałam, że dziś w nocy ktoś przychodził. Ponieważ to właśnie ja wynajmuję tamto mieszkanie, uważam, że powinnam mieć jakąś kontrolę.

– I ma ją pani? – spytał Harry.

– Tak, ale nie mieszam się w... – Kobieta lekko się zaczerwieniła. – Chyba nie stało się nic złego. Nigdy nie miałam najmniejszych problemów...

– Nie wiemy – przerwał Harry.

– Najlepiej będzie, jak sprawdzimy – wtrąciła Kaja. – Więc jeśli ma pani klucz...

Harry wiedział, że po mózgu Kai przelatują teraz rozmaite wersje sformułowań, i w napięciu czekał na dalszy ciąg.

– ...chętnie pomożemy w sprawdzeniu, czy wszystko jest w porządku.

Kaja Solness była sprytną dziewczyną. Jeśli gospodyni zgodzi się na tę propozycję, a oni coś znajdą, w raporcie będzie można napisać, że zostali zaproszeni do środka i że absolutnie nie było mowy o wymuszaniu dostępu czy przeszukaniu bez nakazu.

Staruszka się wahała.

– Oczywiście może pani zajrzeć tam sama, kiedy my już sobie pójdziemy – uśmiechnęła się Kaja. – I dopiero wtedy wezwać policję. Albo karetkę. Albo...

– Chyba najlepiej będzie, jak wejdę razem z wami. – Na czole starszej pani pojawiła się głęboka zmarszczka zaniepokojenia. – Zaczekajcie, przyniosę klucze.

Mieszkanie, do którego weszli minutę później, było czyste, porządne, prawie całkiem pozbawione mebli. Harry natychmiast rozpoznał tę ciszę, tak silnie obecną, wręcz fizycznie wyczuwalną w pustych mieszkaniach przed południem, kiedy pośpiech dnia powszedniego dociera jedynie w postaci ledwie słyszalnego szumu z zewnątrz. Ale tutaj był też zapach, który rozpoznawał. Klej. Zobaczył parę butów, ale nie dostrzegł żadnej wierzchniej odzieży.

W maleńkiej kuchni na blacie stała duża filiżanka do herbaty, a wyżej na półce metalowe puszki z napisami informującymi, że zawierają herbaty nieznanego Harry'emu pochodzenia. Oolong Tea, Anji Bai Cha Tea. Przeszli dalej przez mieszkanie. Na ścianie w dużym pokoju wisiało zdjęcie, na którym Harry rozpoznał najprawdopodobniej K2, popularną maszynę do zabijania himalaistów.

– Sprawdzisz? – Harry skinął głową na drzwi z serduszkiem, a sam podszedł do, jak przypuszczał, drzwi sypialni. Wziął głęboki oddech, nacisnął klamkę i pchnął.

Łóżko było zaścielone, w pokoju panował porządek. Uchylone okno, zapach kleju niewyczuwalny, powietrze świeże jak oddech dziecka. Harry usłyszał, że gospodyni staje za nim.

– Dziwne – odezwała się. – Przecież w nocy ich słyszałam. I tylko jedna osoba wyszła.

– Ich? – spytał Harry. – Jest pani pewna, że było ich więcej?

– Tak, słyszałam głosy.

– Ile było osób?

– Przypuszczam, że trzy.

Harry zajrzał do szaf.

– Mężczyźni? Kobiety?

– Aż tak akustycznie nie jest. Na szczęście.

Ubrania. Śpiwór i plecak. Jeszcze więcej ubrań.

– Dlaczego pani przypuszcza, że trzy?

– Bo kiedy ta jedna osoba wyszła, to słyszałam odgłosy z góry.

– Jakiego rodzaju odgłosy?

Staruszka się zaczerwieniła.

– Takie głuche walenie, jakby... No wie pan.

– Ale głosów pani nie słyszała?

Gospodyni się zastanowiła.

– Nie, głosów nie.

Harry wyszedł z sypialni i ku swemu zdumieniu zobaczył, że Kaja wciąż tkwi w korytarzu pod drzwiami do łazienki. Stała w dziwnej pozycji, jakby pod wiatr.

– Coś nie tak?

– Nie, nie – rzuciła Kaja szybko i lekko. Zbyt lekko.

Harry stanął obok.

– Co się dzieje? – spytał cicho.

– Ja... ja mam tylko pewien problem z zamkniętymi drzwiami.

– Okej – powiedział Harry.

– Tak po prostu jest.

Harry kiwnął głową. I właśnie w tej chwili usłyszał dźwięk. Dźwięk odmierzonego czasu. Linii, która się kończy, znikających sekund. Szybkie gorączkowe bębnienie wody, takiej, która ani nie płynie, ani nie kapie. Kran za tymi drzwiami. I już wiedział, że się nie pomylił.

– Zaczekaj tutaj! – polecił i otworzył drzwi.

Po pierwsze, poczuł jeszcze intensywniejszy zapach kleju.

Po drugie, zobaczył, że na podłodze leży kurtka, dżinsy, majtki, T-shirt, dwie czarne skarpetki, czapka i cienki wełniany sweter.

Po trzecie, krople skapywały prawie nieprzerwaną linią z kranu do wanny napełnionej tak, że woda wyciekała przez odpływ umieszczony na górze.

Po czwarte, zauważył, że woda w wannie jest czerwona, według wszelkich znaków na niebie, od krwi.

Po piąte, że zamglone spojrzenie oczu nad zaklejonymi taśmą ustami nagiego trupiobiałego ciała na dnie wanny skierowane jest w bok, jakby próbowało uchwycić coś w momencie śmierci, coś, czego wcześniej nie widziało.

Po szóste, nie zauważył żadnych oznak przemocy, żadnych zewnętrznych obrażeń, które tłumaczyłyby taką ilość krwi.

Harry chrząknął, zastanawiając się, jak najdelikatniej zaprosić tu gospodynię, aby zidentyfikowała osobę, która wynajmowała u niej pokój.

Ale to wcale nie było konieczne. Kobieta już stała w drzwiach.

– Panie Jezu! – jęknęła. A potem jeszcze raz, rozdzielając sylaby: – Pa-nie Je-zu! – I na koniec przeciągłym tonem wezwała jeszcze potężniejsze moce: – Panie Boże mój, Jezusie Chrystusie...

– Czy to... – zaczął Harry.

– Tak – odszepnęła zduszonym głosem. – To on. To jest Elias. Elias Skog.

25 TERYTORIUM

Starsza pani podniosła obie ręce do ust, mamrocząc między palcami:

– Co ty zrobiłeś, Eliasie? Na miłość boską, co ty zrobiłeś?

– Nie jest pewne, czy on cokolwiek zrobił, proszę pani – odparł Harry, wyprowadzając ją z łazienki na korytarz. – Czy mogę prosić, żeby zatelefonowała pani na posterunek w Stavanger i poprosiła o przysłanie techników? Bo mamy tu miejsce zdarzenia.

– Zdarzenia? – Oczy miała wielkie i pociemniałe z przerażenia.

– Tak, proszę tak powiedzieć. Może pani zadzwonić pod numer alarmowy sto dwanaście. Dobrze się pani czuje?

– Tak... tak.

Usłyszeli, że kobieta z wysiłkiem schodzi na dół, do siebie.

– Mamy pewnie kwadrans, zanim się tu zjawią – stwierdził Harry.

Zdjęli buty, zostawili je w korytarzu, a do łazienki weszli w skarpetkach. Harry się rozejrzał. W umywalce pełno było długich jasnych włosów, a na blacie leżała opróżniona, spłaszczona tuba.

– To mi nie wygląda na pastę do zębów. – Harry nachylił się nad tubą, ale jej nie dotykał.

Kaja podeszła bliżej.

– Superklej – powiedziała. – *Strongest there is.*

– To taki, którym nie wolno pobrudzić palców, prawda?

– Działa raz-dwa. Jak przytrzymasz palce złączone o moment za długo, pozostaną sklejone. Trzeba je wtedy albo rozcinać, albo rozrywać na siłę, ze skórą.

Harry najpierw spojrzał na Kaję, a potem na ciało w wannie.

– Jasna cholera! – zaklął powoli. – To nie może być prawda!

Nadkomisarz Gunnar Hagen miał wątpliwości. Możliwe, że to najbardziej idiotyczna rzecz, jaką zrobił, odkąd przyszedł do komendy. Powołanie grupy, która miała prowadzić śledztwo w sprzeczności z nakazem ministerstwa, mogło oznaczać prawdziwe kłopoty. Oddelegowanie Harry'ego Hole do tego, by nią dowodził, było wprost dopominaniem się o nie. A kłopot właśnie zapukał do drzwi i wszedł. Objawił się teraz przed Hagenem pod postacią Mikaela Bellmana. Hagen, słuchając, rejestrował, że dziwne plamki na twarzy nadkomisarza z KRIPOS są bielsze niż zwykle, jak gdyby rozjaśniał je od środka żar rozszczepionego jądra atomowego, grożącego wybuchem, choć na razie pozostającego pod kontrolą.

– Wiem, że Harry Hole i dwoje jego kolegów było nad Lyseren i badało sprawę Marit Olsen. Beate Lønn z Wydziału Techniki Kryminalistycznej zasugerowała nam przeszukanie wszystkich letnich domków w okolicy starej wytwórni lin. Podobno jeden z jej techników stwierdził, że lina, na której powieszono Marit Olsen, pochodzi właśnie stamtąd. Jak na razie w porządku...

Mikael Bellman zakołysał się na piętach. Nie zdjął nawet sięgającego prawie do ziemi prochowca. Gunnar Hagen szykował się jednak na dalszy ciąg, który został wypowiedziany z dręczącą powolnością, a zarazem lekkim zdziwieniem:

– Ale kiedy rozmawialiśmy z lensmanem z Ytre Enebakk, powiedział, że owiany herostratesową sławą Harry Hole był jednym z tej trójki, która prowadziła badania. A więc twój człowiek, Hagen.

Gunnar Hagen nie odpowiedział.

– Zakładam, że znasz konsekwencje sprzeciwienia się poleceniom ministerstwa.

Hagen wciąż nie odpowiadał, ale wytrzymał spojrzenie Bellmana.

– Posłuchaj. – Bellman rozpiął guzik płaszcza i mimo wszystko usiadł. – Lubię cię, Hagen. Uważam, że jesteś dobrym policjantem, a mnie będą potrzebni dobrzy ludzie.

– Kiedy KRIPOS zyska pełnię władzy?

– Właśnie. Przydałby mi się ktoś taki jak ty na świeczniku. Pracowałeś w Akademii Wojskowej, wiesz, jak ważne jest myślenie strategiczne, unikanie bitew, których nie można wygrać, świadomość, kiedy najlepszą strategią jest odwrót.

Hagen wolno pokiwał głową.

– To dobrze. – Bellman wstał. – Powiedzmy, że Harry Hole znalazł się nad Lyseren w wyniku nieuwagi, zapomnienia, zbiegu okoliczności, które nie miały nic wspólnego z Marit Olsen. I że taki zbieg okoliczności już się nie powtórzy. Możemy się tak umówić... Gunnarze?

Hagen mimowolnie drgnął, słysząc swoje imię w ustach tamtego. Niczym echo imienia, które sam kiedyś wypowiedział, imienia swego poprzednika, gdy próbował stworzyć zażyłość, do której nie było podstaw. Ale pozwolił, by tak się stało. Wiedział przecież, że to właśnie taka bitwa, o jakiej mówił Bellman. Wiedział też, że przegrywa wojnę. A warunki kapitulacji zaproponowane przez Bellmana mogły być gorsze. Znacznie gorsze.

– Porozmawiam z Harrym. – Ujął wyciągniętą dłoń Bellmana. Była twarda, zimna i pozbawiona życia. Miał wrażenie, że ściska marmur.

Harry wypił łyk i z trudem wysunął staw palca wskazującego z uszka cieniutkiej filiżanki.

– A więc ty jesteś komisarz Harry Hole z Komendy Okręgowej Policji w Oslo – odezwał się mężczyzna, który siedział po drugiej stronie stołu w salonie gospodyni. Przedstawił się jako komisarz Colbjørnsen, przez C, a teraz powtarzał stopień, nazwisko i przynależność Harry'ego z akcentem na Oslo. – I cóż to sprowadza policję z Oslo do Stavanger, panie Hole?

– To, co zwykle – odparł Harry. – Świeże powietrze, piękne góry.

– Ach tak?

– I fiord. *Base jumping* z Prekestolen, jeśli wystarczy nam czasu.

– Widzę, że Oslo przysłało komika. W każdym razie uprawiacie ryzykowny sport. Jakiś powód, dla którego nie zostaliśmy poinformowani o tej wizycie?

Uśmiech komisarza Colbjørnsena był równie wąski jak jego wąsy. Na głowie miał zabawny kapelusik, jaki noszą albo bardzo wiekowi staruszkowie, albo wyjątkowo świadomi siebie hipsterzy. Harry pamiętał, że Gene Hackman nosił podobny kapelusz, kiedy grał policjanta „Popeye" Doyle'a we *Francuskim łączniku*. Domyślał się, że Colbjørnsen nie unikał też lizaków ani zatrzymywania się w drzwiach ze słowami: „Aha, jeszcze tylko jedno pytanie".

– Przypuszczam, że gdzieś na samym dole stosu papierów znajdzie się faks – powiedział Harry, podnosząc wzrok na biało ubraną postać, która w tej samej chwili weszła do pokoju. Kombinezon zaszeleścił, gdy technik ściągał z głowy biały kaptur i siadał w fotelu. Popatrzył na Colbjørnsena i zaklął lokalnym przekleństwem.

– I co? – spytał Colbjørnsen.

– On ma rację. Ten facet został przyklejony do wanny superklejem.

– Został przyklejony? – Colbjørnsen patrzył na podwładnego z jedną brwią uniesioną, a drugą wygiętą w V. – Strona bierna. Nie za szybko wykluczasz, że Elias Skog mógł to zrobić sam?

– A potem leciutko odkręcić kran, żeby utonąć w najpowolniejszy i najokrutniejszy z możliwych sposób? – zauważył Harry. – A wcześniej zakleić sobie gębę, żeby nie móc krzyczeć?

Colbjørnsen posłał Harry'emu kolejny wąziutki uśmiech.

– Dam znać, kiedy Oslo będzie mogło przerwać.

– Przyklejony od głowy do pięt – ciągnął technik. – Tył czaszki wygolony i nasmarowany klejem. Barki i plecy też. Pośladki, ręce, obie nogi. To znaczy…

– To znaczy – odezwał się Harry – że kiedy zabójca skończył klejenie, odczekał chwilę, żeby klej stwardniał, po czym ledwie ledwie odkręcił kran i zostawił Eliasa Skoga na powolną śmierć przez utonięcie. A Elias rozpoczął wtedy swoją walkę z czasem i ze śmiercią. Woda podnosiła się powoli, ale jemu ubywało sił. Dopiero gdy śmierć naprawdę zajrzała mu w oczy, zdobył się na ostatnią desperacką próbę. I próba się powiodła. Oderwał od dna wanny najsilniejszą kończynę. Prawą nogę. Po prostu zerwał z niej skórę. Możecie się przekonać, została na wannie. Krew lała się do wody, a Elias walił nogą w dno, żeby zaalarmować gospodynię piętro niżej. I ona to walenie usłyszała.

Harry skinął głową w stronę kuchni, gdzie Kaja usiłowała pocieszyć i uspokoić staruszkę. Ale wciąż słychać było szloch.

– Starsza pani jednak tego nie zrozumiała. Myślała, że lokator sprowadził sobie do domu dziewczynę. – Spojrzał na Colbjørnsena, który pobladł i najwyraźniej nie zamierzał już mu przerywać. – Elias w tym czasie tracił krew, dużo krwi. Cała łydka jest pozbawiona skóry. Robił się coraz słabszy, bardziej zmęczony, w końcu zabrakło woli walki. Poddał się. Może kiedy woda sięgnęła dziurek w nosie, był już nieprzytomny z upływu krwi. – Harry przeniósł wzrok na Colbjørnsena – A może nie.

Grdyka komisarza ze Stavanger poruszała się wahadłowo.

Harry zajrzał do pustej filiżanki.

– A teraz myślę, że sierżant Solness i ja podziękujemy za gościnność i wrócimy do... do Oslo. Jeśli będą jakieś pytania, tu jest mój numer. – Harry zapisał go na marginesie gazety, oderwał i przesunął po stole. Zaraz potem wstał.

– Ale... – Colbjørnsen się podniósł. Harry był od niego o dwadzieścia centymetrów wyższy. – Czego chcieliście od Eliasa Skoga?

– Chcieliśmy go uratować. – Harry zapiął płaszcz.

– Uratować? On był w coś zamieszany? Zaczekaj, Hole, musimy to dokładnie omówić – powiedział Colbjørnsen, ale w użyciu trybu rozkazującego nie było już autorytatywnego tonu.

– Jestem pewien, że wy tu, w Stavanger, sami zdołacie w pełni to wyjaśnić. – Harry podszedł do drzwi kuchni i skinieniem głowy dał Kai znak, że wychodzą. – A jeśli nie, to polecam KRIPOS. Pozdrów ode mnie Mikaela Bellmana, jeśli już będziesz musiał.

– Przed czym chcieliście go uratować?

– Przed tym, przed czym nie zdołaliśmy.

W taksówce na lotnisko Harry patrzył przez boczną szybę na deszcz lejący na nienaturalnie zielone pola. Kaja nie odzywała się ani słowem. Był jej za to wdzięczny.

26 WENFLON

Gunnar Hagen zajmował krzesło Harry'ego i czekał na nich, kiedy Harry z Kają weszli w ciepłą wilgoć biura.

Bjørn Holm, który siedział za Hagenem, wzruszył ramionami i skrzywił się, pokazując, że nie wie, po co przyszedł szef.

– Stavanger, jak słyszę – zaczął Hagen, wstając.

– Tak – odparł Harry. – Siedź sobie, szefie.

– To twoje krzesło, a ja już idę.

– Naprawdę?

Harry przeczuwał złe wiadomości. Złe wiadomości o sporym znaczeniu. Szefowie nie pokonują korytarza prowadzącego do więzienia po to, by powiedzieć, że źle wypełnili delegację. Hagen dalej stał, więc Bjørn Holm jako jedyny w pomieszczeniu siedział.

– Muszę was niestety o czymś poinformować. KRIPOS już odkryła, że pracujecie nad tymi zabójstwami. I nie mam innego wyjścia, niż zakończyć to śledztwo.

W ciszy, która zapadła, Harry słyszał burczenie kotłów centralnego ogrzewania za ścianą. Hagen powiódł dokoła wzrokiem, kolejno popatrzył im w oczy i w końcu zatrzymał się na Harrym.

– Nie mogę też powiedzieć, że to pożegnanie z honorami. Wyraźnie poleciłem, że wszystko ma się odbywać z pełną dyskrecją.

– No cóż – mruknął Harry. – Poprosiłem Beate Lønn, żeby przekazała KRIPOS informację o konkretnym warsztacie powroźniczym. Ale obiecała, że zrobi to tak, jakby to wyszło z Wydziału Techniki Kryminalistycznej.

– I z całą pewnością tak zrobiła – pokiwał głową Hagen. – To lensman z Ytre Enebakk powiedział o tobie, Harry.

Harry zaklął cicho.

Hagen klasnął w dłonie, aż rozległo się suche echo.

– Dlatego muszę wam z przykrością przekazać, że wszelkie czynności związane z wyjaśnianiem tych zabójstw ustają ze skutkiem natychmiastowym. A biuro ma być zlikwidowane w ciągu czterdziestu ośmiu godzin. *Gomen nasai.*

Harry, Kaja i Bjørn patrzyli na siebie, gdy metalowe drzwi wolno się zamykały, a szybkie kroki Hagena oddalały się w korytarzu.

– Czterdzieści osiem godzin – odezwał się w końcu Bjørn. – Ktoś ma ochotę na świeżo zaparzoną kawę?

Harry kopnął kosz na śmieci stojący przy biurku. Kosz z hukiem uderzył w ścianę, rozsypując skromną zawartość pogniecionych papierów, i potoczył mu się z powrotem pod nogi.

– Jestem w szpitalu – rzucił Harry, idąc do drzwi.

***

Harry postawił twarde drewniane krzesło pod oknem i słuchając równego oddechu ojca, przerzucał gazetę. Obok siebie było wesele i pogrzeb. Po lewej zdjęcia z ceremonii ostatniego pożegnania Marit Olsen, pokazujące skupioną, współczującą twarz premiera, czarne garnitury kolegów z partii i Rasmusa Olsena w wielkich nietwarzowych ciemnych okularach. Po prawej stronie informowano, że córka armatora Lene poślubi swojego Tony'ego na wiosnę. Artykuł zdobiły fotografie najbardziej znanych spośród przyszłych gości weselnych, którzy mieli zostać przetransportowani samolotem do Saint-Tropez. Na ostatniej stronie znalazła się informacja o tym, że słońce tego dnia w Oslo zajdzie dokładnie o godzinie szesnastej pięćdziesiąt osiem. Harry spojrzał na zegarek i stwierdził, że właśnie to dzieje się teraz za niskimi chmurami, które nie chciały wyrzucić z siebie ani deszczu, ani śniegu. Patrzył na światła zapalające się w domach na zboczach wokół tego, co kiedyś, dawno temu było wulkanem. W pewnym sensie przynosiła ukojenie myśl, że któregoś dnia wulkan pod nimi się otworzy, pochłonie ich, usunie wszelkie ślady tego, co niegdyś było zadowolonym, dobrze zorganizowanym i trochę smutnym miastem.

Czterdzieści osiem godzin. Dlaczego? Przecież posprzątanie ich tak zwanego biura nie zajęłoby więcej niż dwie.

Harry przymknął oczy i zaczął się zastanawiać. Pisał w głowie ostatni raport do swojego osobistego archiwum.

Dwie kobiety zgładzone w taki sam sposób, utopione we własnej krwi płynącej z ust, z ketanominą w organizmie. Jedna powieszona na wieży do skoków do wody na linie zabranej ze starego warsztatu powroźniczego. Mężczyzna utopiony we własnej wannie. Wszystkie ofiary najprawdopodobniej znajdowały się w tym samym schronisku w tym samym czasie. Na razie nie wiadomo, kto jeszcze tam był, jaki mógł być motyw tych zabójstw ani co się wydarzyło w Håvasshytta tamtej doby. Znali jedynie skutki, nie znali przyczyn. *Case closed.*

– Harry...

Nie usłyszał, że ojciec się obudził.

Olav Hole wyglądał na zdrowszego, ale może z powodu rumieńców na policzkach i błyszczących od gorączki oczu. Harry wstał i przysunął krzesło do łóżka.

– Od dawna tu jesteś?

– Od dziesięciu minut – skłamał.

– Dobrze spałem i miałem taki cudowny sen.

– Widzę. Wyglądasz, jakbyś zaraz mógł wstać i stąd wyjść.

Harry poprawił mu poduszkę, a ojciec na to pozwolił, chociaż obaj wiedzieli, że to całkiem zbędne.

– Jak w domu?

– Prima. Będzie stał przez całą wieczność.

– To dobrze. Jest jedna rzecz, o której chciałem z tobą porozmawiać, Harry.

– Mhm.

– Jesteś już dorosły, tracisz mnie w naturalny sposób. Jest tak, jak być powinno. Nie tak, jak straciłeś matkę. Mało wtedy nie oszalałeś.

– Naprawdę? – Harry pogładził poduszkę.

– Zniszczyłeś swój pokój. Chciałeś zabić lekarzy, tych, którzy ją zarazili, nawet mnie, ponieważ... No cóż, ponieważ nie zorientowałem się dość wcześnie, tak przypuszczam. Miałeś w sobie tyle miłości.

– Chyba nienawiści?

– Nie. Miłości. To ta sama waluta. Wszystko zaczyna się od miłości. Nienawiść to jakby reszka monety. Zawsze myślałem, że to przez śmierć swojej matki zacząłeś pić, a raczej z miłości do matki.

– Miłość to maszyna do zabijania – mruknął Harry.

– Słucham?

– Ktoś mi tak kiedyś powiedział.

– Robiłem wszystko, o co poprosiła mnie twoja matka. Z wyjątkiem jednego. Poprosiła, żebym jej pomógł, kiedy nadejdzie jej czas.

Harry miał wrażenie, że ktoś wstrzyknął mu w pierś wodę z lodem.

– Ale ja nie potrafiłem tego zrobić, Harry. I wiesz, to mnie nawiedzało w koszmarach. Nie mijał dzień, bym nie pomyślał o tym, że nie potrafiłem spełnić jej życzenia. Prośby kobiety, którą kochałem ponad wszystko na świecie.

Drewno zatrzeszczało, kiedy Harry poderwał się z krzesła. Podszedł do okna, słyszał, jak ojciec parę razy wciąga powietrze, głęboko i drżąco. W końcu padły słowa:

– Wiem, że składam na twoje barki wielki ciężar, synu, ale wiem też, że jesteś taki jak ja. I że jeśli tego nie zrobisz, będzie cię to prześladować. Pozwól mi więc wyjaśnić, jak masz to zrobić.

– Ojcze…

– Widzisz ten wenflon?

– Przestań!

Za jego plecami zapadła cisza. Słychać było jedynie świszczący oddech. Harry patrzył na czarno-biały film, na którym chmury przyciskały stalowoszare, rozmyte twarze do dachów domów.

– Chcę być pogrzebany w Åndalsnes – powiedział ojciec.

Pogrzebany.

Słowo zabrzmiało jak echo ferii wielkanocnych spędzanych z rodzicami w Lesja, kiedy Olav Hole tłumaczył Harry'emu i Sio, co mają robić, gdyby porwała ich lawina, gdyby przysypani śniegiem doświadczyli zjawiska, które nazwał pancernym sercem, chociaż otaczały ich płaskie pola i łagodne zbocza. To było mniej więcej tak, jakby stewardesy na krajowych lotach przez Mongolię tłumaczyły, jak należy użyć kamizelek ratunkowych. Absurdalne, ale mimo wszystko przydawało im to poczucia bezpieczeństwa, przekonania, że przeżyją wszyscy, jeśli tylko zrobią to, co należy. A teraz jego ojciec mówił, że to jednak nieprawda.

Harry chrząknął dwa razy.

– Dlaczego w Åndalsnes? Dlaczego nie tu, w mieście, gdzie…

Harry nie dokończył, ale ojciec i tak zrozumiał. Gdzie leży matka.

– Chcę spocząć razem z krajanami.

– Przecież ich nie znasz.

– A kogo się zna? Przynajmniej pochodzimy z tego samego miejsca. Może właśnie, koniec końców, o to chodzi. O plemię. Człowiek chce być wśród tych ze swojego plemienia.

– Naprawdę?

– Owszem. Bez względu na to, czy ma tego świadomość, czy nie, i tak tego chce.

Wszedł pielęgniarz z nazwiskiem Altman na tabliczce, uśmiechnął się do Harry'ego i postukał w zegarek.

Schodząc po schodach, Harry natknął się na dwóch umundurowanych policjantów wbiegających na górę. Odruchowo porozumiewawczo skinął im głową. Popatrzyli na niego w milczeniu jak na obcego.

Zazwyczaj Harry tęsknił za samotnością i za wszystkimi innymi dobrami, które jej towarzyszyły. Za spokojem, ciszą, swobodą. Ale kiedy stanął na przystanku tramwajowym, nagle nie wiedział, dokąd ma jechać, co robić.

Wiedział jedynie, że samotność w domu na Oppsal akurat w tej chwili byłaby nie do zniesienia.

Wstukał numer Øysteina.

Kolega miał długi kurs aż do Fagernes, ale proponował piwo w Lompa około północy, by uczcić zakończenie jeszcze jednego dnia pracy w życiu Øysteina Eikelanda. Harry przypomniał mu o swoim alkoholizmie, a w odpowiedzi usłyszał, że chyba nawet alkoholik musi od czasu do czasu się upić.

Harry życzył Øysteinowi szczęśliwej podróży w góry i się rozłączył. Spojrzał na zegarek. Znów powróciło pytanie. Dlaczego czterdzieści osiem godzin?

Podjechał tramwaj, drzwi się otworzyły. Harry zajrzał do zapraszająco ciepłego, oświetlonego wagonu. Potem się odwrócił i ruszył piechotą w stronę miasta.

27 MIŁA, CHCIWA I ZE ZŁODZIEJSKIMI SKŁONNOŚCIAMI

– Byłem w sąsiedztwie – powiedział Harry. – Ale ty, zdaje się, wychodzisz?

– Nie – uśmiechnęła się Kaja, która otworzyła mu drzwi w puchówce. – Siedzę na werandzie. Wejdź. Włóż te kapcie.

Harry zdjął buty i poszedł za nią przez salon. Usiedli na zadaszonej werandzie w ogromnych drewnianych fotelach. Na Lyder Sagens vei było cicho i pusto, stał tylko jeden samochód, ale na piętrze domu po przeciwnej stronie ulicy Harry w oświetlonym oknie dostrzegł sylwetkę mężczyzny.

– To Greger – wyjaśniła Kaja. – Ma już osiemdziesiąt lat. Siedzi tak i obserwuje wszystko, co się dzieje na ulicy, chyba od wojny. Lubię myśleć, że mnie pilnuje.

– No tak, człowiek potrzebuje takich rzeczy. – Harry wyjął papierosy. – Potrzebuje wiary, że ktoś się nim opiekuje.

– Ty też masz takiego Gregera?

– Nie – odparł Harry.

– Poczęstujesz mnie?

– Papierosem?

Roześmiała się.

– Czasami palę. To mnie... chyba uspokaja.

– Mhm. Myślałaś o tym, co będziesz robić potem? Po tych ostatnich czterdziestu godzinach?

Pokręciła głową.

– Wrócę do wydziału. Nogi na stół. I będę czekać na jakieś zabójstwo na tyle nieważne, że KRIPOS nam go nie wyrwie.

Harry wystukał z paczki dwa papierosy, włożył je do ust, przypalił i jednego podał Kai.

– *Now, Voyager* – roześmiała się. – Hen... Hen... jak się nazywał ten facet, który tak robił?

– Henreid – odparł Harry. – Paul Henreid.

– A ta, której zapalał papierosa?

– Bette Davis.

– Zabójczy film. Chcesz jakąś cieplejszą kurtkę?

– Nie, dziękuję. Właściwie dlaczego siedzisz na werandzie? Trudno powiedzieć, żeby był tropikalny upał.

Kaja wzięła do ręki książkę.

– Mój mózg pracuje najlepiej na chłodnym powietrzu.

Harry przeczytał stronę tytułową.

– *Monizm materialistyczny.* Hm. Szczątki egzaminu z filozofii wynurzają się na powierzchnię.

– To prawda. Dla materializmu wszystko jest materią i siłami przyrody. Wszystko, co się dzieje, to jeden wielki rachunek, reakcja łańcuchowa, konsekwencje czegoś, co już się stało.

– A wolna wola to wymysł.

– Właśnie. O naszych czynach decyduje chemiczny skład naszego mózgu, określony przez to, kto z kim postanowił mieć dziecko, o czym z kolei zadecydowała chemia ich mózgów i tak dalej. Wszystko można wywieść od Wielkiego Wybuchu. Nawet fakt, że napisano tę książkę, i to, co w tej chwili myślisz.

– Pamiętam. – Harry wydmuchał dym w ciemność. – Kojarzy mi się z tym meteorologiem, który powiedział, że gdyby tylko podać mu wszystkie istotne zmienne, to przepowiedziałby pogodę na całą przyszłość.

– A my powstrzymalibyśmy wszystkie zabójstwa, zanim by do nich doszło.

– I obliczylibyśmy, że policjantka, która pali cudze papierosy, będzie siedzieć na zimnej werandzie i czytać drogie wydania dzieł filozoficznych.

Kaja znów się roześmiała.

– Nie kupiłam tej książki. Znalazłam ją na półce. – Paląc papierosa, wysuwała wargi. Dym wpadł jej do oczu. – Ja nigdy nie kupuję książek, tylko pożyczam. Albo kradnę.

– Nie widzę cię w roli złodziejki.

– Nikt mnie nie podejrzewa, dlatego nigdy mnie nie złapano – powiedziała, odkładając papierosa na popielniczkę.

Harry chrząknął.

– A dlaczego kradniesz?

– Kradnę wyłącznie od ludzi, których znam, i wiem, że ich na to stać. Nie jestem skąpa, tylko chciwa. W czasie studiów kradłam papier toaletowy z toalety na uniwersytecie. Przypomniałeś sobie tytuł tej książki Fantego, podobno takiej świetnej?

– Nie.

– To przyślij mi SMS-a, jak sobie przypomnisz.

Harry zaśmiał się krótko.

– Sorry, ja nie wysyłam SMS-ów.

– Dlaczego?

Wzruszył ramionami.

– Nie wiem. Nie podoba mi się sam koncept. Jestem jak tubylcy, którzy nie chcą, by ktoś im robił zdjęcia, bo się boją, że stracą cząstkę duszy.

– Już wiem – powiedziała z ożywieniem. – Nie chcesz zostawiać źródeł, śladów, niewątpliwych dowodów tego, kim byłeś. Chcesz mieć pewność, że zniknąłeś całkowicie i totalnie.

– Trafiłaś w sedno – odparł cierpko Harry i zaciągnął się dymem. – Chciałabyś wejść do środka? – Wskazał na jej dłonie, które wsunęła między uda.

– Nie, tylko ręce mi zmarzły – uśmiechnęła się. – Serce mam gorące. A ty?

Harry spojrzał ponad płot na drogę. Na samochód, który tam stał.

– Co ja?

– Jesteś taki jak ja? Miły, chciwy i ze złodziejskimi skłonnościami?

– Nie, jestem zły, chciwy i uczciwy. A twój mąż?

Zabrzmiało to ostrzej, niż zamierzał. Jakby chciał przywołać ją do porządku, ponieważ... Ponieważ co? Ponieważ siedziała tu taka śliczna, lubiła takie same rzeczy jak on i pożyczyła mu kapcie męża, chociaż udawała, że nie istnieje.

– Co z nim? – spytała, uśmiechając się lekko.

– W każdym razie ma wielkie stopy. – Harry usłyszał własny głos i miał ochotę walić głową w stół.

Kaja zaśmiała się głośno. Jej śmiech potoczył się w czarną ciszę Fagerborg spowijającą domy, ogrody i garaże. Garaże. Wszyscy tu mieli garaże. Na ulicy stał tylko jeden samochód. Oczywiście mogło być tego tysiąc powodów.

– Ja nie mam męża.

– A...

– A to są kapcie po moim starszym bracie.

– A tamte buty na schodach?

– Też jego. Trzymam je tam, bo sobie wmawiam, że męskie buty w rozmiarze czterdzieści sześć i pół działają odstraszająco na złych facetów, którzy mają złe zamiary.

Posłała Harry'emu znaczące spojrzenie. Postanowił wierzyć, że podwójne dno tych słów nie było zamierzone.

– Więc twój brat tutaj mieszka?

Kaja pokręciła głową.

– On nie żyje. Od dziesięciu lat. To dom taty. W ostatnich latach, kiedy Even studiował na Blindern, mieszkał tu razem z tatą.

– A tata?

– Umarł niedługo po Evenie. Ja już wtedy się tu sprowadziłam, więc odziedziczyłam dom.

Podciągnęła nogi na fotel, głowę oparła na kolanach. Harry patrzył na szczupłą szyję, na zagłębienie karku, gdzie naprężały się upięte włosy, na kilka luźnych kosmyków na skórze.

– Często o nich myślisz? – spytał.

Uniosła głowę z kolan.

– Głównie o Evenie. Ojciec się wyprowadził, kiedy byliśmy mali, a mama żyła we własnym świecie, więc Even stał się dla mnie i mamą, i tatą. Pomagał mi, pocieszał, wychowywał. Był dla mnie wzorem. W moich oczach nigdy nie popełnił błędu. Kiedy jesteś z kimś związany tak blisko jak ja z Evenem, to taki związek nigdy nie mija. Nigdy.

Harry pokiwał głową.

– A jak się miewa twój ojciec?

Harry obserwował żar papierosa.

– Nie uważasz, że to dziwne? – rzucił nagle. – Że Hagen dał nam czterdzieści osiem godzin? Przecież to biuro zlikwidowalibyśmy w dwie.

– Kiedy tak mówisz, to rzeczywiście coś w tym jest.

– Może pomyślał, że wykorzystamy te dwa ostatnie dni pracy na coś pożytecznego.

Kaja spojrzała na niego niepewnie.

– Oczywiście nie na śledztwo w sprawie tych zabójstw. To przecież pozostawimy KRIPOS. Ale słyszałem, że Sekcja do spraw Osób Zaginionych potrzebuje pomocy.

– Co masz na myśli?

– Adele Vetlesen to młoda kobieta, niezwiązana, o ile dobrze wiem, z żadnym zabójstwem.

– Myślisz, że mamy...

– Myślę, że spotykamy się jutro w pracy o siódmej. I zobaczymy, czy uda nam się zdziałać coś pożytecznego.

Kaja wciągnęła dym. Wydmuchnęła i znów się zaciągnęła.

– Robisz się spokojniejsza? – spytał Harry.

Pokręciła głową i wysunęła rękę z papierosem przed siebie.

– Nie chciałabym, żeby mnie wywalili z pracy, Harry.

– Stawiennictwo jest dobrowolne. Bjørn też poprosił o czas do namysłu.

Znów włożyła papierosa do ust. Harry swojego zgasił.

– Pora iść – stwierdził. – Dzwonisz zębami.

Wychodząc, usiłował dojrzeć, czy w zaparkowanym samochodzie ktoś siedzi, ale nie mógł podejść bliżej. Postanowił nie podchodzić.

Na Oppsal dom czekał na niego. Duży, pusty, pełen echa.

Położył się na łóżku w swoim dawnym pokoju i zamknął oczy.

Przyśnił mu się sen, który nawiedzał go tak często. Ten o basenie portowym w Sydney, o wyciąganym łańcuchu, o wypływającej na powierzchnię meduzie, która wcale nie jest meduzą, tylko rudymi włosami unoszącymi się w wodzie wokół białej twarzy. Potem pojawił się ten drugi sen. Ten nowy. Pierwszy raz przyśnił mu się w Hongkongu tuż przed Bożym Narodzeniem.

Leżał i wpatrywał się w wystający ze ściany gwóźdź, którym przybita była twarz delikatnej osoby z wypielęgnowanymi wąsami. We śnie Harry miał w ustach coś, co zaraz miało rozsadzić mu głowę. Co to miało znaczyć? Obietnica. Drgnął. Trzy razy. W końcu zasnął.

28 DRAMMEN

– Więc to ty zgłosiłeś zaginięcie Adele Vetlesen? – spytała Kaja.

– Tak – odparł chłopak, który siedział przed nimi w People & Coffee. – Mieszkaliśmy razem. Nie wróciła do domu, a ja uznałem, że nie powinienem tak tego zostawić.

– Oczywiście – zgodziła się Kaja i zerknęła na Harry'ego. Było wpół do dziewiątej rano. Przejazd z Oslo do Drammen zajął im pół godziny, zaraz po porannej odprawie tria, która skończyła się tym, że Harry zwolnił Bjørna Holma. Bjørn nic na to nie powiedział, tylko ciężko westchnął, umył swoją filiżankę i pojechał z powrotem do Wydziału Techniki Kryminalistycznej na Bryn.

– Mieliście jakiś sygnał od Adele? – spytał chłopak, przenosząc wzrok z Kai na Harry'ego.

– Nie – odparł Harry. – A ty?

Chłopak pokręcił głową i obejrzał się przez ramię w stronę lady, upewniając się, czy nie czekają tam na niego klienci. Siedzieli w trójkę na wysokich barowych stołkach przy oknie wychodzącym na jeden z rozlicznych placów, z których większość w tym mieście funkcjonowała jako parkingi. W People & Coffee sprzedawano kawę i wyroby cukiernicze w takich cenach jak na lotnisku, a kawiarnia usiłowała wyglądać tak, jakby należała do jakieś amerykańskiej sieci, i być może właśnie tak było. Chłopak, z którym mieszkała Adele Vetlesen, Geir Bruun, wyglądał mniej więcej na trzydziestkę, miał niezwykle jasną karnację, gładką, lekko spoconą czaszkę i błękitne niespokojne oczy. Pracował tu jako tak zwany barista, tytuł, który budził porażający respekt w latach dziewięćdziesiątych, kiedy barki kawowe podbijały Oslo. Tymczasem chodziło o przygotowywanie kawy, a więc o sztukę, która w opinii Harry'ego polegała przede wszystkim na unikaniu oczywistych błędów. Będąc policjantem, Harry wykorzystywał akcent, z jakim ktoś mówił, dykcję, dobór słów i odstępstwa gramatyczne do rozszyfrowywania ludzi. Geir Bruun ani się nie ubierał, ani nie czesał, ani nie zachowywał w sposób kojarzący się z gejami, ale gdy tylko otworzył usta, nie dało się uniknąć takich skojarzeń. Było coś w zaokrągleniu samogłosek, w zbędnych ozdobnych słówkach, w sepleniu, które wydawało się niemal sztuczne. Harry wiedział, że facet może być na wskroś heteroseksualny, ale już zdążył skonkludować, że Katrine wyciągnęła zbyt pochopny wniosek, nazywając Adele Vetlesen i Geira Bruuna partnerami. Byli po prostu dwojgiem ludzi, którzy ze względów finansowych mieszkali w tym samym, położonym w centrum Drammen mieszkaniu.

– Owszem – odpowiedział Geir Bruun na pytanie Kai. – Pamiętam, że jesienią wybrała się do jakiegoś schroniska w górach. – Mówił to takim tonem, jakby podobna koncepcja była mu najzupełniej obca. – Ale przecież nie tam zniknęła.

– Wiemy – stwierdziła Kaja. – Pojechała tam sama czy z kimś? A jeśli tak, to z kim?

– Nie mam pojęcia. Nie rozmawialiśmy o takich rzeczach. Już i tak wystarczyło, że mieliśmy wspólną łazienkę. Chyba rozumiecie, o co chodzi. Ona miała swoje życie prywatne, ja swoje. Ale wątpię, żeby zapuściła się w taką dzicz sama, że się tak wyrażę.

– Bo?

– Adele starała się jak najmniej rzeczy robić sama. Nie potrafię jej sobie wyobrazić w schronisku bez faceta. Ale kto to mógł być, nie mam pojęcia. Ona była... że tak powiem wprost, nieco rozwiązła. Nie miała żadnych przyjaciółek, za to mnóstwo przyjaciół, facetów, których ukrywała jednego przed drugim. Ona nie prowadziła podwójnego życia, tylko poczwórne, albo coś koło tego.

– To znaczy, że była nieuczciwa?

– Niekoniecznie. Kiedyś podpowiedziała mi uczciwy sposób na zerwanie. Wyznała, że raz, gdy jeden gość pieprzył ją od tyłu, zrobiła im komórką zdjęcie przez ramię od góry, od razu wysłała je facetowi, z którym była związana, i wykasowała jego numer. Wszystko w jednej operacji. – Geir Bruun patrzył na nich z obojętną miną.

– Imponujące – przyznał Harry. – Wiemy, że w tym schronisku w górach zapłaciła za dwie osoby. Możesz nam podać nazwisko jakiegoś jej przyjaciela, żebyśmy mogli od kogoś zacząć?

– Nie mogę – odparł Geir Bruun. – Ale kiedy zgłosiłem jej zaginięcie, to przecież sprawdzaliście, z kim rozmawiała przez telefon w ostatnich tygodniach.

– Kto sprawdzał?

– Nie pamiętam żadnych nazwisk. Jacyś tutejsi policjanci.

– W porządku. Jesteśmy teraz umówieni w miejscowej komendzie. – Harry spojrzał na zegarek i wstał.

– Dlaczego? – Kaja nie ruszała się z miejsca. – Dlaczego policja zarzuciła tę sprawę? Nie przypominam sobie nawet, żebym czytała o tym w gazetach.

– Nie wiecie? – zdziwił się chłopak i dał znak dwóm kobietom stojącym przy barze z wózkami dziecięcymi, że zaraz je obsłuży. – Przecież przysłała tę pocztówkę.

– Pocztówkę? – powtórzył Harry.

– Tak. Z Rwandy. W Afryce.

– Co napisała?

– W każdym razie krótko. Poznała faceta ze snów, więc aż do marca mam sam opłacać czynsz, bo dopiero wtedy wróci. Suka.

Komenda policji znajdowała się w pobliżu. Jakiś komisarz z głową okrągłą jak dynia i nazwiskiem, które uleciało Harry'emu z pamięci, kiedy tylko je usłyszał, przyjął ich w cuchnącym papierosami pokoju, zaserwował kawę w plastikowym kubku parzącym palce i nachalnie przyglądał się Kai za każdym razem, gdy wydawało mu się, że nikt na niego nie patrzy.

Zaczął od wykładu, że zawsze o każdej porze policja poszukuje od pięciuset do tysiąca Norwegów, prawie wszyscy prędzej czy później się odnajdują, więc gdyby policja miała wszczynać śledztwo we wszystkich sprawach osób zaginionych, w których nie podejrzewano ewentualnego przestępstwa czy wypadku, to nie miałaby czasu na kompletnie nic innego. Harry stłumił ziewnięcie.

Poza tym Adele Vetlesen dała znak życia. Gdzieś zresztą powinien go mieć. Wstał, wsunął dyniowatą głowę do szuflady i w końcu położył przed nimi widokówkę. Na zdjęciu była stożkowata góra ze szczytem spowitym chmurą, ale bez tekstu wyjaśniającego, jak szczyt się nazywa i w jakiej części świata się znajduje. Charakter pisma był brzydki i kanciasty. Harry ledwie odcyfrował podpis. Adele. Na kartce widniał rwandyjski znaczek i stempel pocztowy z Kigali, czyli, jak Harry sobie przypominał, stolicy Rwandy.

   – Matka potwierdziła, że to charakter pisma córki – oznajmił komisarz i wyjaśnił, że właśnie na namolne żądanie matki odnaleziono nazwisko Adele Vetlesen na liście pasażerów lotu Brussels Airlines do Kigali *via* lotnisko Entebbe w Ugandzie, dwudziestego piątego listopada. Poza tym przez Interpol przeszukali hotele i jeden z nich, w Kigali – komisarz odnalazł w notatkach: „Hotel Gorilla!" – rzeczywiście gościł Adele Vetlesen tego samego dnia. Adele wciąż figurowała na liście osób zaginionych jedynie dlatego, że nie wiedzieli dokładnie, gdzie przebywa akurat w tej chwili, a widokówka z zagranicy w zasadzie nie zmieniła jej statusu.

   – Poza tym nie mówimy o cywilizowanej części świata – zauważył policjant, rozkładając ręce. – Huti, Tutsu czy jak tam się oni nazywają. Maczety. Dwa miliony zabitych. Rozumiecie?

   Harry zobaczył, że Kaja zamyka oczy, gdy policjant tonem dyrektora szkoły i używając wielu wtrąconych zdań podrzędnych, tłumaczył, jak niewiele jest warte życie ludzkie w Afryce, gdzie handel ludźmi nie jest wcale zjawiskiem nieznanym, więc teoretycznie Adele mogła zostać uprowadzona i zmuszona do napisania tej kartki, bo przecież czarnuchy gotowe są oddać roczne zarobki, byle tylko móc wbić zęby w jasnowłosą Norweżkę, prawda?

   Harry patrzył na widokówkę, próbując się odciąć od perory dyniowca. Stożkowata góra ze szczytem spowitym chmurą. Podniósł głowę, kiedy komisarz o niezapamiętywalnym nazwisku chrząknął.

   – Od czasu do czasu można ich zrozumieć, prawda? – Porozumiewawczo uśmiechnął się do Harry'ego.

   Harry wstał i oświadczył, że w Oslo czeka robota, ale może komenda w Drammen zechciałaby im pomóc i zeskanować, a potem przesłać mailem widokówkę.

   – Do eksperta grafologa? – spytał wyraźnie niezadowolony komisarz, patrząc na adres zapisany przez Kaję.

   – Do eksperta od wulkanów – odparł Harry. – Chciałbym, żebyś przesłał to zdjęcie i spytał, czy potrafi zidentyfikować górę.

   – Zidentyfikować górę!

   – To człowiek, którego wulkany interesują ponad przeciętną. Jeździ po świecie, żeby je oglądać.

Komisarz wzruszył ramionami i kiwnął głową, po czym odprowadził ich do wyjścia. Harry spytał jeszcze, czy sprawdzali połączenia w komórce Adele, które miały miejsce po jej wyjeździe.

– Znamy się na naszej robocie, Hole – odparł urażony komisarz. – Żadnych rozmów wychodzących. Ale potrafisz sobie przecież wyobrazić sieć komórkową w takim kraju jak Rwanda...

– Właściwie to nie – odparł Harry. – Ale ja tam nigdy nie byłem.

– Pocztówka! – jęknęła Kaja, gdy stanęli na placu przed cywilnym radiowozem zarekwirowanym w Budynku Policji. – Bilet lotniczy i nocleg w hotelu w Rwandzie! Dlaczego ta twoja specjalistka od komputerów w Bergen nie mogła tego znaleźć? Nie tracilibyśmy wtedy pół dnia w pieprzonym Drammen!

– Myślałem, że taki wyjazd wprawi cię w świetny humor. – Harry otworzył kluczykiem samochód. – Zyskałaś nowego przyjaciela, a Adele może wcale nie umarła.

– A ciebie wprawił? – odcięła się Kaja.

Harry spojrzał na kluczyki.

– Masz ochotę prowadzić?

– Tak!

O dziwo, żaden z fotoradarów nie błysnął, a powrót do Oslo zajął im trochę ponad dwadzieścia minut.

Uzgodnili, że najpierw przeniosą do Budynku Policji lżejsze przedmioty, materiały biurowe i szuflady z biurek, a z cięższymi rzeczami wstrzymają się do następnego dnia. Do przeprowadzki wykorzystali ten sam wózek, którym Harry posłużył się przy urządzaniu biura.

– Masz jeszcze swój pokój? – spytała Kaja w połowie drogi przez Kanał. Jej głos odbił się echem od ścian.

Harry pokręcił głową.

– Zostawimy rzeczy u ciebie.

– A prosiłeś o jakiś pokój? – Kaja przystanęła.

Harry szedł dalej.

– Harry!

Zatrzymał się.

– Pytałaś mnie o ojca – powiedział.

– Nie chciałam...

– Nie, nie. Ale jemu już niewiele zostało, rozumiesz? Potem znów wyjadę. Chciałem tylko…

– Chciałeś tylko?

– Słyszałaś o Dead Policemen's Society?

– Co to jest?

– To ludzie, którzy pracowali w Wydziale Zabójstw. Ludzie, którymi się przejmowałem. Nie wiem, czy chodzi o to, że jestem im coś winien, ale to jest moje plemię.

– Co?

– To niewiele, ale to wszystko, co mam, Kaju. To jedyne, wobec czego mam powody czuć się lojalny.

– Wydział?

Harry znów ruszył przed siebie.

– Wiem, to na pewno minie. Świat idzie naprzód. To przecież tylko reorganizacja, prawda? Historia tkwi w ścianach, a ściany trzeba zburzyć. Ty i twoi ludzie będziecie tworzyć nowe historie, Kaju.

– Czy ty jesteś pijany?

Harry się roześmiał.

– Jestem po prostu pokonany. Skończony. I to jest w porządku. Najzupełniej w porządku.

Zadzwonił jego telefon. To był Bjørn.

– Zostawiłem na swoim biurku biografię Hanka.

– Mam ją tutaj – powiedział Harry.

– Co to za echo? Jesteś w kościele?

– W Kanale.

– O rany, tam jest zasięg?

– Najwyraźniej mamy lepszą sieć komórkową niż Rwanda. Zostawię ci książkę w recepcji.

– Już drugi raz słyszę dzisiaj o Rwandzie i telefonach komórkowych. Powiedz, że odbiorę ją jutro.

– Co słyszałeś o Rwandzie?

– Nic. Beate coś tam mówiła. O koltanie, wiesz, tych metalowych drobinach, które znaleźliśmy na zębach ofiar z nakłuciami w ustach.

– Terminator.

– Co?

– Nic. Jaki to ma związek z Rwandą?

– Koltan jest używany przy produkcji telefonów komórkowych. To rzadki minerał. I prawie cały koltan istniejący na świecie znajduje się w Kongu. Tyle że złoża są w strefie wojennej, nad którą nikt nie ma kontroli, więc sprytni przedsiębiorcy kradną go w panującym chaosie i przewożą do Rwandy.

– Mhm.

– No to cześć.

Harry już miał schować telefon, gdy zauważył, że ma nieprzeczytany SMS. Otworzył.

Nyiragongo. Ostatni większy wybuch w 2002. Jeden z niewielu wulkanów z otwartym jeziorem lawowym w kraterze. Znajduje się w Kongu w pobliżu miasta Goma. Felix.

Harry stał i patrzył na krople kapiące z rury na suficie. Goma. To stamtąd pochodziły afrykańskie narzędzia tortur Kluita.

– Co się stało? – spytała Kaja.

– Ustaoset – odparł. – I Kongo.

– I co to ma znaczyć?

– Nie wiem. Ale w kwestii zbiegów okoliczności jestem niewierzący.

– Złapał za wózek i go obrócił.

– Co ty wyprawiasz?

– Zawracam. Ciągle jeszcze mamy ponad dobę.

29 KLUIT

W Hongkongu był niezwykle ciepły wieczór. Drapacze chmur rzucały długie cienie na The Peak, niektóre sięgały aż do willi, w której Herman Kluit siedział na tarasie z krwistoczerwonym Singapore Sling w jednej ręce i telefonem w drugiej. Słuchał, wpatrzony w światła przypominających ogniste węże samochodów, stojących w korku daleko w dole.

Lubił Harry'ego Hole. Polubił go od pierwszej chwili, gdy tylko zobaczył, jak ten wysoki, atletycznie zbudowany, ale mający wyraźne problemy z alkoholem Norweg znalazł się w Happy Valley, żeby postawić ostatnie pieniądze na niewłaściwego konia. Było coś w jego wojowniczym spojrzeniu, w aroganckiej postawie i świadczących o czujności gestach, co przypominało mu jego samego z czasów, kiedy jako młody najemnik walczył w Afryce. Herman Kluit walczył wszędzie, po wszystkich stronach. Służył tym panom, którzy płacili więcej. W Angoli, Zambii, Zimbabwe, Sierra Leone, Liberii. We wszystkich krajach o mrocznej przeszłości i jeszcze mroczniejszej przyszłości. Ale żaden kraj nie był mroczniejszy, niż ten, o który pytał Harry. Kongo. To tam wreszcie odkryli żyłę złota. W postaci diamentów. Kobaltu. I koltanu. Wioskowy przywódca należał do milicyjnych oddziałów Mai-Mai, wierzył, że woda czyni go nietykalnym, ale poza tym okazał się rozsądnym człowiekiem. W Afryce nie było takiej rzeczy, której nie dałoby się załatwić z pomocą pliku banknotów bądź – gdy ich brakowało – załadowanego kałasznikowa. W ciągu roku Herman Kluit stał się bogatym człowiekiem. W ciągu trzech lat – przebogatym. Raz w miesiącu jeździli do najbliższego miasta, Gomy, spali w łóżkach zamiast na ziemi w dżungli, gdzie co noc z jam wyłaniał się dywan tajemniczych krwiożerczych much i człowiek budził się jak na wpół pożarty trup. Goma. Czarna lawa, czarne pieniądze, czarne piękności, czarne grzechy. W dżungli połowa mężczyzn nabawiła się malarii, a reszta – chorób, o jakich nigdy nie słyszał żaden biały doktor, określanych wspólną nazwą gorączki tropików. Na taką właśnie chorobę cierpiał Herman Kluit. Chociaż zostawiała go w spokoju przez długie okresy, nigdy całkiem się jej nie pozbył. Jedyny środek zaradczy, jaki znał, to Singapore Sling. Zaprezentowano mu tego drinka w Gomie u pewnego Belga, właściciela fantastycznej willi, zbudowanej podobno przez belgijskiego króla Leopolda wtedy, gdy kraj nazywał się Wolne Państwo Kongo i pełnił funkcję prywatnego placu zabaw i szkatuły monarchy. Willa stała na samym brzegu jeziora Kiwu, a kobiety i zachody słońca były tam tak piękne, że przynajmniej na jakiś czas można było zapomnieć o dżungli, Mai-Mai i ziemnych muchach.

To ów Belg pokazał Hermanowi Kluitowi nieduży królewski skarbiec urządzony w piwnicy. Monarcha zgromadził tam wszystko, od najbardziej zaawansowanych zegarów na świecie po rzadką broń, wymyślne narzędzia tortur, bryłki złota, nieoszlifowane diamenty i preparowane ludzkie głowy. Właśnie tam Kluit pierwszy raz natknął się na wynalazek nazywany jabłkiem Leopolda. Urządzenie to podobno skonstruowali belgijscy inżynierowie w celu zastosowania na opornych wodzach, którzy nie chcieli wyjawić, gdzie znajdują diamenty. Wcześniej wykorzystywano bawoły. Wodza smarowano miodem i przywiązywano do drzewa, a potem podprowadzano do niego schwytanego leśnego bawołu, który zaczynał zlizywać miód. Rzecz w tym, że bawoli język był tak szorstki, że za jednym zamachem zdzierał też skórę i zrywał kawałki ciała. Ale chwytanie bawołów zajmowało dużo czasu, a poza tym zwierzęta z trudem dawały się odciągnąć, gdy już raz poczuły miód. Dlatego właśnie wymyślono jabłko Leopolda. Nie było ono co prawda bardzo skuteczne, jeśli chodziło o tortury, bo przecież uniemożliwiało jeńcowi mówienie, za to skutkowi, jaki na obecnych przy tym tubylcach wywierało drugie pociągnięcie za sznurek przez przesłuchującego, nie dawało się nic zarzucić. Kolejny, któremu kazano otworzyć usta, by umieścić w nich jabłko, zaczynał gadać jak nakręcony.

Herman Kluit dał znak swojej filipińskiej pomocy domowej, by zabrała pustą szklankę.

– Dobrze pamiętasz, Harry. Ciągle leży u mnie na półce nad kominkiem. Czy kiedykolwiek było używane, na szczęście nie wiem. To taka pamiątka. Przypomina mi, co tkwi w jądrze ciemności. To się zawsze przydaje, Harry. Nie, nigdy nie widziałem ani nie słyszałem, żeby było wykorzystywane w jakimś innym miejscu. To naprawdę skomplikowana technologia, wszystkie te sprężynki i szpikulce. Wymagają specjalnego stopu. Koltan się zgadza. Oczywiście. Bardzo rzadkie. Człowiek, od którego kupiłem moje jabłko, Eddie van Boorst, twierdził, że wykonano zaledwie dwadzieścia cztery sztuki, z czego on miał dwadzieścia dwie, w tym jedną z dwudziestoczterokaratowego złota. Zgadza się, dwadzieścia cztery igły, skąd wiedziałeś? Liczba dwadzieścia cztery ma, zdaje się, jakiś związek z siostrą konstruktora, nie pamiętam już jaki. Ale van Boorst mógł tak tylko powiedzieć, żeby podbić cenę, przecież to Belg, prawda?

Śmiech Kluita przeszedł w kaszel. Przeklęta gorączka.

– Tak czy owak, powinien się orientować, gdzie te jabłka się teraz znajdują. Mieszkał w cudownej willi w Gomie, w prowincji Kiwu Północne, tuż przy granicy z Rwandą. Adres? – Kluit znów kaszlał. – W Gomie codziennie pojawia się nowa ulica, a od czasu do czasu pół miasta zalewa lawa, więc adresy tam nie istnieją, Harry. Ale urząd pocztowy orientuje się, gdzie mieszkają biali. Nie, nie mam pojęcia, czy on wciąż jest w Gomie ani czy w ogóle żyje. Przeciętna długość życia w Kongu to trzydzieści kilka lat, Harry. To dotyczy również białych. Poza tym miasto jest w zasadzie oblężone. Właśnie. No nie, oczywiście, że nie słyszałeś o tej wojnie. Nikt nie słyszał.

Gunnar Hagen z niedowierzaniem patrzył na Harry'ego i aż wychylił się ponad biurkiem.

– Chcesz jechać do Rwandy? – spytał.

– Tylko taki błyskawiczny wypad. Dwie doby łącznie z podróżą.

– Po co?

– Już mówiłem. W sprawie zaginionej Adele Vetlesen. Kaja wybierze się do Ustaoset sprawdzić, czy nie uda jej się dowiedzieć, z kim Adele wyjechała tuż przed zaginięciem.

– Dlaczego nie możecie tam po prostu zadzwonić i poprosić, żeby sprawdzili w książce gości?

– Dlatego, że Håvasshytta nie ma obsługi – odparła Kaja, która usiadła na krześle obok Harry'ego. – Ale wszyscy, którzy nocują w schroniskach Towarzystwa Turystycznego, muszą się wpisać do książki i podać informację, dokąd idą. Taki jest nakaz na wypadek, gdyby ktoś zgubił się w górach. Wtedy przynajmniej ratownicy wiedzą, od czego zacząć. Mamy nadzieję, że Adele i jej towarzysz podróży podali pełne nazwiska i adresy.

Gunnar Hagen obiema rękami drapał się w wianuszek włosów.

– I to naprawdę nie ma żadnego związku z tymi innymi zabójstwami?

Harry wysunął dolną wargę.

– Ja nic takiego nie widzę, szefie. A ty?

– Hm. A dlaczego miałbym rozbijać budżet wydziału na taką ekstrawagancką wycieczkę?

– Ponieważ handel ludźmi to obszar priorytetowy – przypomniała Kaja. – Przeczytaj komunikat ministra sprawiedliwości dla prasy z tego tygodnia.

– Poza tym... – Harry przeciągnął się i położył ręce na karku. – Poza tym nie można przewidzieć, czy przy okazji nie zostaną ujawnione inne rzeczy, takie, które mogą doprowadzić do wyjaśnienia innych spraw.

Gunnar Hagen w zamyśleniu popatrzył na swojego komisarza, a Harry dodał:

– Szefie.

30 KSIĄŻKA GOŚCI

Tablica na skromnym żółtym budynku dworca informowała, że są w Ustaoset. Kaja na zegarku sprawdziła, że przyjechali zgodnie z rozkładem. Dziesiąta czterdzieści cztery. Wyjrzała przez okno. Słońce oświetlało pokryte śniegiem płaskowyże i porcelanowobiałe góry. Oprócz niewielkiego skupiska domów i trzypiętrowego hotelu Ustaoset było nagą skałą. Tu i ówdzie wyrastały z niej wprawdzie maleńkie domki letniskowe i rachityczne na tej wysokości nad poziomem morza krzaki, ale tak czy inaczej, było to pustkowie. Obok budynku stacji, prawie na samym peronie, stał samotny SUV z włączonym silnikiem. Kiedy wyglądała z przedziału, wydawało się, że nie ma nawet jednego podmuchu wiatru, ale gdy zeszła na peron, wicher przewiał ją na wskroś, przeniknął przez termoaktywną bieliznę, anorak, narciarskie buty.

Z samochodu też ktoś wyskoczył i ruszył w jej stronę. Niskie zimowe słońce świeciło mu w plecy. Kaja zmrużyła oczy. Miękki, pewny krok, biały uśmiech i wyciągnięta ręka. Zdrętwiała. To był Even.

– Aslak Krongli – przedstawił się mężczyzna i mocno uścisnął jej rękę. – Lensman.

– Kaja Solness.

– Zimno, prawda? Nie tak jak na nizinach.

– Rzeczywiście. – Kaja odwzajemniła uśmiech.

– Nie mogę wybrać się z tobą do Håvasshytta. Zeszła lawina, tunel jest zamknięty, więc musimy przygotować objazdy. – Bez pytania wziął jej narty, położył je sobie na ramieniu i ruszył w stronę samochodu. – Ale umówiłem się z Oddem Utmo, który dozoruje schronisko, że cię tam zawiezie. Czy tak będzie w porządku?

– Oczywiście – odparła Kaja, którą właściwie to ucieszyło. Może dzięki temu uniknie pytań o to, dlaczego policja z Oslo nagle angażuje się w sprawę zaginięcia prowadzoną przez Drammen.

Krongli podrzucił ją niespełna pięćset metrów do hotelu. Na zaśnieżonym placyku przed wejściem siedział mężczyzna na żółtym skuterze śnieżnym. Miał na sobie czerwony kombinezon, skórzaną czapkę z nausznikami, szalik zakrywający usta i wielkie gogle. Kiedy podsunął je do góry i wymamrotał nazwisko, Kaja zobaczyła, że jego jedno oko pokrywa biała przezroczysta błona, jakby ktoś polał je mlekiem. Drugie bez cienia żenady mierzyło ją od stóp do głów. Proste plecy mogły wskazywać na młodego mężczyznę, ale twarz była twarzą starca.

– Jestem Kaja. Dziękuję, że mogłeś stawić się z tak krótkim wyprzedzeniem.

– Płacą mi – odpowiedział Utmo, spojrzał na zegarek, odsunął szalik z ust i splunął. Kaja zobaczyła błysk aparatu na brunatnych od snusu zębach. Tytoniowa maź ułożyła się na lodzie w czarną gwiazdę. – Mam nadzieję, że się najadłaś i wysikałaś.

Kaja się roześmiała, ale Utmo już zadarł nogę i wsiadł na skuter, odwracając się do niej plecami. Lensman wzruszył ramionami i jeszcze raz uśmiechnął się białym chłopięcym uśmiechem.

Zdążył już w tym czasie przypiąć do skutera jej narty i kijki razem z nartami Utmy, wiązką czegoś, co przypominało czerwone laski dynamitu, i karabinem z celownikiem.

– Powodzenia! Mam nadzieję, że znaj...

Dalszy ciąg zagłuszył ryk skutera. Kaja czym prędzej wsiadła. Ku swej uldze odkryła, że są uchwyty, których będzie mogła się trzymać, dzięki czemu uniknie obejmowania w pasie białookiego starucha. Otoczyła ich chmura spalin i zaraz z szarpnięciem ruszyli.

Utmo stał na ugiętych kolanach i balansował ciężarem ciała. Minął hotel, przejechał po zmrożonej muldzie na miękki śnieg i zaczął się piąć ukosem pod górę po pierwszym łagodnym zboczu. Kiedy dotarli na szczyt, roztoczył się widok na północ i Kaja ujrzała bezkres bieli. Utmo odwrócił się i pytająco poruszył głową. Kaja też skinieniem odpowiedziała, że wszystko w porządku. Dodał gazu. Kaja odwróciła się i przez chmurę śniegu wzbijającą się za gąsienicami zobaczyła, że zabudowa znika.

Często słyszała ludzi mówiących, że pokryte śniegiem płaskowyże przywodzą im na myśl pustynię. Jej przypomniało to dni i noce spędzone z Evenem na jego jachcie morskim.

Skuter śnieżny sunął przez rozległą pustą okolicę, śnieg i wiatr w zgodnej współpracy zatarły kontury, wygładziły i wyrównały wszystko, zmieniając przestrzeń w jedną ogromną taflę morza, z której wielka góra Hallingskarvet wyrastała niczym groźna monstrualna fala. Kaja nie czuła żadnych gwałtownych drgań, miękkość śniegu i ciężar skutera sprawiały, że wszelki ruch stał się łagodny, przytłumiony. Ostrożnie roztarła nos i policzki, by się upewnić, czy dociera do nich odpowiednia ilość krwi. Wiedziała, co nawet stosunkowo niewielkie odmrożenia mogą zrobić z twarzą. Monotonny warkot silnika i uspokajająca jednostajność krajobrazu wprawiły ją w senność. Nagle się ocknęła, gdy silnik zgasł i stanęli w miejscu. Spojrzała na zegarek. Najpierw pomyślała, że skuter się popsuł, a oni byli co najmniej o trzy kwadranse jazdy od cywilizacji. Jak to daleko na nartach? Trzy godziny? Pięć? Nie miała pojęcia. Utmo już zeskoczył ze skutera i odpinał narty.

– Coś się stało z... – zaczęła, ale urwała, kiedy Utmo się wyprostował i wskazał w głąb niewielkiej doliny, przed którą się zatrzymali.

– Håvasshytta – oznajmił.

Kaja zmrużyła oczy zakryte goglami. I rzeczywiście, u stóp góry dostrzegła niedużą czarną chatę.

– Dlaczego nie podjedziemy...

– Ponieważ ludzie to idioci, więc do tego schroniska musimy się skradać.

– Skradać? – zdziwiła się, ale czym prędzej zaczęła przypinać narty. Utmo już miał swoje na nogach. Kijkiem wskazał na zbocze.

– Jak się wjedzie skuterem w taką wąską dolinę, to dźwięk odbija się echem. Luźny świeży śnieg...

– Lawina – dokończyła Kaja. Pamiętała, co ojciec jej opowiadał po jednej ze swoich wypraw w Alpy. Podczas drugiej wojny światowej ponad sześćdziesiąt tysięcy żołnierzy zginęło tam pod lawinami, w większości wywołanymi falami dźwiękowymi ognia artyleryjskiego.

Utmo przez chwilę stał i na nią patrzył.

– Tym miłośnikom przyrody z miasta wydaje się, że są tacy mądrzy, kiedy postawią schronisko osłonięte przed wiatrem. Ale to tylko kwestia czasu, kiedy i tę chatę porwie śnieg.

– Jak to? – zdziwiła się Kaja.

– Håvasshytta stoi tu dopiero od trzech lat. W tym roku mamy pierwszą zimę z prawdziwym śniegiem. A niedługo będzie go jeszcze więcej.

Wskazał na zachód. Kaja zasłoniła oczy przed słońcem i na horyzoncie dostrzegła to, o czym mówił. Ciężkie szarobiałe cumulusy zdawały się wyrastać z ziemi jak olbrzymie grzyby na niebieskim tle.

– Śnieg będzie padał przez cały tydzień. – Utmo odpiął broń od skutera i przewiesił ją przez ramię. – Na twoim miejscu bym się pospieszył. I starał się nie krzyczeć.

Zjechali w dolinę w milczeniu. Kiedy dotarli w cień, Kaja czuła, jak spada temperatura. Od zagłębień w terenie ciągnęło jeszcze większym chłodem.

Przed zabejcowaną na czarno drewnianą chatą odpięli narty i postawili je pod ścianą. Utmo wyjął z kieszeni klucz i włożył go w zamek.

– A jak się dostają tu ci, którzy chcą przenocować? – spytała Kaja.

– Kupują klucz uniwersalny, pasuje do wszystkich czterystu pięćdziesięciu schronisk w całym kraju. – Obrócił klucz, nacisnął klamkę i pchnął drzwi. Nic się nie stało. Zaklął cicho, przyłożył bark do drzwi i naparł na nie. Oderwały się od futryny z cichym, ale gniewnym krzykiem.

– Drewno na mrozie się kurczy – mruknął.

W środku panował półmrok, pachniało parafiną i palonym drewnem. Kaja oglądała schronisko. Wiedziała, że funkcjonuje ono w bardzo prosty sposób. Człowiek wchodził, wpisywał się do książki gości, zajmował łóżko albo materac, jeśli było pełno, rozpalał w kominku, przyrządzał przyniesione ze sobą jedzenie w kuchni, gdzie stała kuchenka i garnki, a jeśli korzystał z zapasów, które znajdowały się w szafkach, płacił, wrzucając pieniądze do puszki. Do tej samej puszki wkładał upoważnienie do potrącenia z konta opłaty za nocleg. Wszelkie płatności opierały się na zaufaniu i uczciwości.

W schronisku były cztery sypialnie, wszystkie wychodzące na północ, w każdej po dwa piętrowe łóżka, czyli cztery miejsca do spania. Wspólny pokój, zwrócony na południe, był umeblowany tradycyjnie, ciężkimi meblami z sosny. Znajdował się tam zarówno duży otwarty kominek służący głównie wizualnej przytulności, jak i piec stanowiący skuteczniejsze źródło ciepła. Kaja oszacowała, że przy stole zmieściłoby się dwanaście-piętnaście osób. Dwa razy więcej turystów mogłoby tu nocować przy odpowiednim ścieśnieniu się i wykorzystaniu materaców czy podłogi. Wyobraziła sobie światło świec i ognia na kominku, migoczące na znajomych i obcych twarzach, rozmowy przy piwie czy kieliszku czerwonego wina o dzisiejszej i jutrzejszej wędrówce. Zarumienioną twarz Evena, który śmiał się do niej i wznosił kieliszek w pogrążonym niemal całkowicie w ciemności kącie.

– Książka gości jest w kuchni. – Utmo wskazał na drzwi. Sprawiał wrażenie zniecierpliwionego, kiedy tak stał przy wejściu, wciąż w czapce i rękawiczkach. Kaja położyła rękę na klamce i już miała ją nacisnąć, kiedy znów ją to dopadło. Lensman. Krongli. Taki był podobny. Wiedziała, że ta myśl musi się pojawić, tylko nie wiedziała kiedy.

– Możesz mi otworzyć te drzwi? – spytała.

– Co?

– Zacięły się – wyjaśniła Kaja. – Od mrozu.

Zamknęła oczy, słysząc, że Utmo podchodzi. Słyszała, jak drzwi otwierają się bezszelestnie, czuła na sobie jego zdumiony wzrok. W końcu otworzyła oczy i weszła do środka.

W kuchni pachniało lekko zjełczałym tłuszczem. Gdy Kaja omiatała wzrokiem ławy i szafki, puls wyraźnie jej przyspieszył. W końcu na blacie pod oknem zobaczyła czarną, oprawioną w skórę książkę, przymocowaną do ściany niebieskim nylonowym sznurkiem.

Odetchnęła głębiej i otworzyła książkę.

Strona po stronie przeglądała nazwiska wpisywane ręcznie przez gości. Większość zgodnie z zasadami odnotowywała też cel następnego etapu wędrówki.

– Po weekendzie i tak się tu wybierałem, mogłem więc sam zajrzeć do tej książki – usłyszała za sobą głos Utmy. – Ale wy, zdaje się, nie mogliście czekać.

– To prawda. – Kaja przerzucała strony, patrząc na daty. Listopad. Szósty listopada. Ósmy listopada. Cofnęła się, a potem znów przeszła do przodu. Nie było. Siódmy listopada zniknął. Rozgięła książkę. Z grzbietu sterczały resztki wyrwanej kartki. Ktoś ją usunął.

31 KIGALI

Lotnisko w Kigali w Rwandzie było niewielkie, nowoczesne i zaskakująco dobrze zorganizowane. Z drugiej strony doświadczenie podpowiadało Harry'emu, że międzynarodowe lotniska mówią mało albo wręcz nic o kraju, w którym się znajdują. W indyjskim Bombaju panował spokój i skuteczność, na JFK w Nowym Jorku – paranoja i chaos. Kolejka do kontroli paszportowej odrobinę się przesunęła, Harry razem z nią. Mimo przyjemnej temperatury czuł pot spływający między łopatkami pod cienką bawełnianą koszulą. Znów myślał o postaciach, które widział na

Schiphol w Amsterdamie, gdzie samolot z Oslo wylądował z opóźnieniem. Harry zgrzał się w biegu przez korytarze, przez alfabet i rosnącą numerację gate'ów, żeby zdążyć na samolot, który miał go zabrać do Kampali w Ugandzie. Na jednym ze skrzyżowań korytarzy kątem oka dostrzegł sylwetkę, w której było coś znajomego. Stała akurat pod słońce i za daleko, by mógł rozpoznać twarz. Gdy jako ostatni dotarł na pokład samolotu, stwierdził to, co było oczywiste: to nie ona. No bo jaka była na to szansa? A ten chłopiec obok to nie mógł być Oleg. Nie mógł aż tyle urosnąć.

– *Next.*

Harry podszedł do okienka, położył paszport, kartę imigracyjną, kopię wniosku o wizę, którą wydrukował z internetu, i sześćdziesiąt świeżutkich dolarów, bo tyle właśnie kosztowała wiza.

– *Business?* – spytał kontroler.

Harry spojrzał mu w oczy. Mężczyzna był wysoki, chudy, a skórę miał tak czarną, że odbijało się w niej światło. Pewnie Tutsi, pomyślał Harry. To oni mają teraz kontrolę nad granicami kraju.

– *Yes.*

– *Where?*

– *Congo* – odpowiedział Harry i zaraz uściślił, dodając nazwę, której tu używano do odróżnienia obu krajów o nazwie Kongo. – *Congo-Kinshasa.*

Kontroler wskazał na kartę imigracyjną, którą Harry wypełnił w samolocie.

– *Says here you're staying at Gorilla Hotel in Kigali.*

– *Just tonight* – wyjaśnił Harry. – *Then drive to Congo tomorrow, one night in Goma and then back here and home. It's a shorter drive than from Kinshasa.*

– *Have a pleasant stay in Congo, busy man* – powiedział człowiek w mundurze, śmiejąc się serdecznie. Wbił mu stempel i zwrócił paszport.

Pół godziny później Harry wypełnił kartę meldunkową w hotelu Gorilla, podpisał ją i dostał klucz z przymocowanym gorylem wyrzeźbionym w drewnie. Kiedy kładł się do łóżka, minęło osiemnaście godzin, odkąd wstał z własnego łóżka na Oppsal. Zapatrzył się na warczący wiatrak na suficie. Powietrze i tak się nie ruszało, chociaż skrzydła obracały się z histeryczną prędkością. Wiedział, że nie zaśnie.

***

Kierowca kazał zwracać się do siebie Joe. Był Kongijczykiem, mówił płynnie po francusku i nieco mniej płynnie po angielsku. Został wynajęty za pośrednictwem norweskiej organizacji charytatywnej, która miała siedzibę w Gomie.

– *Eight hundred thousand* – opowiadał Joe, prowadząc land-rovera po dziurawej, lecz mimo to w pełni nadającej się do jazdy asfaltowej drodze, wijącej się wśród zielonych wzgórz i górskich zboczy pokrytych w całości polami uprawnymi. Od czasu do czasu łaskawie hamował, żeby nie potrącić ludzi, którzy szli skrajem drogi, jechali na rowerach, toczyli coś albo nieśli. Z reguły jakoś się ratowali, uskakując w ostatniej chwili.

– Zabili osiemset tysięcy w ciągu zaledwie kilku tygodni w roku 1994. Hutu przychodzili do swoich starych dobrych sąsiadów i zarąbywali ich maczetami, dlatego że oni byli Tutsi. W radio była taka propaganda, mówili, że jeśli twój mąż jest Tutsi, to jako Hutu masz obowiązek go zabić. *Cut down the tall trees.* Wielu ludzi uciekało tą drogą. – Joe pokazał przez okno. – Trupy leżały w stosach jeden na drugim. W niektórych miejscach w ogóle nie dało się przejechać. Dobry czas dla sępów.

Dalej jechali w milczeniu.

Minęli dwóch mężczyzn, którzy nieśli między sobą wielkie kotowate zwierzę ze związanymi łapami zawieszone na drewnianym kiju. Wokół nich skakały dzieci, kłując martwego zwierzaka patykami. Futro kota było srebrne z plamkami cienia.

– Myśliwi? – spytał Harry.

Joe pokręcił głową, spojrzał w lusterko i odpowiedział mieszaniną francuskich i angielskich słów:

– Pewnie przejechany przez samochód, bo właściwie nie da się na niego polować. Jest bardzo rzadki, ma duży rewir, poluje tylko w nocy. W ciągu dnia ukrywa się i zlewa z otoczeniem. Wydaje mi się, że to bardzo samotne zwierzę.

Harry patrzył na mężczyzn i kobiety pracujących w polu. W wielu miejscach maszyny i ludzie naprawiali drogę. Gdzieś w dolinie dostrzegł budowaną autostradę. Na jednym polu rozradowane dzieci w niebieskich szkolnych mundurkach grały w piłkę.

– *Rwanda is good* – stwierdził Joe.

Dwie i pół godziny później wskazał przez przednią szybę.

– *Lake Kivu. Very nice, very deep.*

Bardzo piękne, bardzo głębokie. W powierzchni ogromnego jeziora odbijało się tysiąc słońc. Kraj na jego drugim brzegu to już Kongo. Ze wszystkich stron wznosiły się góry. Szczyt jednej z nich spowijała samotna biała chmura.

– *No cloud* – powiedział Joe, jakby rozumiał myśli Harry'ego. – *The killer mountain. Nyiragongo.*

Harry kiwnął głową.

Po godzinie minęli granicę i pojechali w stronę Gomy. Na skraju drogi siedział wychudzony mężczyzna w podartej kurtce i patrzył przed siebie zrozpaczonym, oszalałym wzrokiem. Joe ostrożnie prowadził samochód przez kratery na błotnistej drodze. Przed nimi jechał wojskowy jeep. Kołyszący się żołnierz, który stanowił obsługę cekaemu, patrzył na nich zimnym zmęczonym wzrokiem. W górze nad ich głowami warczały silniki samolotu.

– *UN* – oznajmił Joe. – *More guns and grenades. Nkunda is coming closer to the city. Very strong. Many people escape now. Refugees. Maybe Mister van Boorst too, eh? I not seen him long time.*

– *You know him?*

– *Everybody knows Mister Van. But he has Ba-Maguje in him.*

– *Ba-what?*

– *Un mauvais ésprit. A demon. He makes you thirsty for alcohol. And take away your emotions.*

Z klimatyzatora powiało zimnym powietrzem. Między łopatkami Harry'ego dalej płynął pot.

Zatrzymali się pośrodku dwóch szeregów bud, stanowiących, jak Harry zrozumiał, centrum miasta Goma. Ludzie spieszyli w jedną i drugą stronę po wydającej się wręcz nie do przebycia ścieżce między sklepami. Czarne kamienne bloki pełniły funkcję fundamentów. Ziemia wyglądała jak zakrzepła czarna glazura, a w powietrzu cuchnącym zgniłą rybą unosił się szary pył.

– Tam. – Joe wskazał na drzwi jedynego murowanego domu w szeregu. – Ja zaczekam w samochodzie.

Harry zorientował się, że dwóch mężczyzn na ulicy przystanęło, kiedy wysiadł z samochodu. Posłali mu neutralnie groźne spojrzenie, niezawierające żadnego ostrzeżenia. Ci mężczyźni wiedzieli, że agresywne działania bez ostrzeżenia są najbardziej skuteczne. Harry, nie oglądając się, skierował się prosto do drzwi. Pokazał, że wie, co robi i dokąd idzie. Zapukał. Raz. Dwa razy. Trzy. Niech to szlag! Taka cholernie długa podróż po to, żeby tylko...

Drzwi się uchyliły.

Patrzyła na niego biała pomarszczona twarz.

– Eddie van Boorst? – spytał Harry.

– *Il est mort* – odparł mężczyzna głosem ochrypłym jak śmiertelne rzężenie.

Harry pamiętał jeszcze francuski ze szkoły na tyle, by zrozumieć, że ten człowiek twierdzi, iż van Boorst nie żyje. Postanowił spróbować po angielsku.

– Nazywam się Harry Hole. Nazwisko van Boorsta podał mi Herman Kluit w Hongkongu. Przyjechałem z daleka. Interesuje mnie jabłko Leopolda.

Mężczyzna dwa razy mrugnął, w końcu wysunął głowę zza drzwi, rozejrzał się w prawo i lewo, wreszcie otworzył szerzej.

– *Entrez* – zaprosił do środka.

Harry schylił głowę w niskich drzwiach i w ostatniej chwili zdołał utrzymać równowagę: podłoga za progiem znajdowała się o dwadzieścia centymetrów niżej. W środku unosił się zapach kadzidła. I jeszcze inny – znajomy, słodki, wstrętny smród starego człowieka, który pił od wielu dni.

Wzrok Harry'ego przyzwyczaił się do ciemności. Zobaczył wtedy, że niewysoki, drobny staruszek jest ubrany w elegancki jedwabny szlafrok w kolorze burgunda.

– *Scandinavian accent* – orzekł van Boorst angielszczyzną Herkulesa Poirot i podniósł do wąskich ust papierosa w pożółkłej fifce. – *Let me guess. Definitely not Danish. Could be Swedish. But I think Norwegian. Yes?*

Ze szczeliny w ścianie za jego plecami wysunął czułki karaluch.

– Mhm. *An expert on accents?*

– Tylko takie hobby – odparł wyraźnie podbechtany van Boorst. – Małe narody, takie jak Belgowie, muszą się otwierać na zewnątrz, a nie zamykać. Jak się miewa Herman?

– W porządku.

Harry odwrócił głowę w prawo i zobaczył dwie pary oczu przyglądające mu się bez zainteresowania. Jedna z obrazu nad łóżkiem w rogu, oprawionego w ramy portretu osoby z długą siwą brodą, dużym nosem, krótkimi włosami, epoletami, łańcuchem i szablą. Król Leopold, jeśli Harry się nie mylił. Druga para oczu należała do wyciągniętej na boku kobiety, której koc okrywał jedynie biodra. Światło z okna znajdującego się nad nią padało na drobne, po dziewczęcemu jędrne piersi. Na skinienie głowy Harry'ego odpowiedziała przelotnym uśmiechem, który wśród białych zębów odsłonił jeden duży, złoty. Nie mogła mieć więcej niż dwadzieścia lat. Na ścianie za jej szczupłą talią Harry dostrzegł hak wbity w popękany tynk. Z haka zwisała para różowych kajdanek.

– Moja żona – przedstawił ją mały Belg. – A raczej jedna z nich.

– *Miss* van Boorst?

– Coś w tym rodzaju. Chcesz kupić? Masz pieniądze?

– Najpierw chcę zobaczyć, co masz.

Eddie van Boorst podszedł do drzwi, uchylił je i wyjrzał na zewnątrz. Potem nimi trzasnął i zamknął na klucz.

– Jest z tobą tylko kierowca?

– Tak.

Van Boorst zaciągnął się dymem, przyglądając się Harry'emu spomiędzy fałd skóry, jakie ułożyły mu się wokół oczu, gdy je zmrużył.

Potem przeszedł w kąt pokoju, nogą odsunął dywan, nachylił się i pociągnął za żelazny pierścień. Ukazał się właz. Belg dał znać Harry'emu, że ma zejść pierwszy. Harry przypuszczał, że to zasada bezpieczeństwa oparta na doświadczeniu, i usłuchał polecenia. W grobową czerń prowadziła drabina. Dopiero po siódmym stopniu Harry poczuł stały grunt pod stopami. Chwilę później na suficie zapaliła się lampa.

Harry rozejrzał się po pomieszczeniu, w którym dawało się swobodnie stanąć. Miało cementową podłogę. Trzy ściany zakrywały regały i szafki. Na półkach leżały towary codziennego użytku: wysłużone pistolety Glock, identyczny jak jego smith & wesson, kaliber 38, skrzynki z amunicją, kałasznikow. Harry nigdy nie trzymał w ręku tego słynnego rosyjskiego automatycznego karabinu noszącego oficjalną nazwę AK-47. Pogładził dłonią drewnianą kolbę.

– To oryginał z pierwszego roku produkcji. Z czterdziestego siódmego – wyjaśnił van Boorst.

– Tutaj chyba każdy ma takiego – stwierdził Harry. – Słyszałem, że tu, w Afryce, to najczęstsza przyczyna zgonów.

Van Boorst pokiwał głową.

– Z dwóch prostych powodów. Po pierwsze, kiedy kraje komunistyczne zaczęły tu eksportować kałasznikowy po zimnej wojnie, jeden karabin kosztował tyle, co tłusta kura w czasie pokoju. I nie więcej niż sto dolarów w czasie wojny. Po drugie, ten karabin działa bez względu na to, co z nim robisz, a to w Afryce jest ważne. W Mozambiku tak pokochali kałasznikowy, że jeden umieścili na fladze narodowej.

Spojrzenie Harry'ego zatrzymało się na literach dyskretnie wybitych na czarnej walizce.

– Czy to jest to, o czym myślę? – spytał Harry.

– Märklin – odparł van Boorst. – Rzadki karabin. Wyprodukowano bardzo niewiele egzemplarzy, ponieważ okazał się fiaskiem. Za ciężki i za duży kaliber. Używany do polowania na słonie.

– I na ludzi – dodał Harry cicho.

– Znasz tę broń?

– Celownik z najlepszą optyką na świecie. To nie jest coś, czego potrzebujesz, żeby trafić słonia z odległości stu metrów. To po prostu broń zamachowców. – Harry pogładził palcami futerał, czując jak napływają wspomnienia. – Tak, znam go.

– Możesz go tanio dostać. Trzydzieści tysięcy euro.

– Tym razem nie chodzi mi o karabin.

Harry odwrócił się do otwartego regału na środku pomieszczenia. Z półek wykrzywiały się do niego pomalowane na biało przerażające drewniane maski.

– Maski duchów Mai-Mai – wyjaśnił van Boorst. – Wierzą, że jeśli skropią się świętą wodą, to kule wroga ich nie zranią, bo one też zmienią się w H_2O. Partyzantka Mai-Mai ruszyła na wojnę z armią rządową uzbrojona w łuki i strzały, w kąpielowych czepkach na głowach i korkach do wanny w charakterze amuletów. *I'm not kidding you, monsieur.* Oczywiście ich wyrżnięto. Ale wodę lubią. I malowane na biało maski. Lubią też serca i nerki swoich wrogów. Lekko przypieczone. Z tłuczoną kukurydzą.

– Mhm – mruknął Harry. – Nie spodziewałem się, że taki skromny dom będzie miał piwnicę.

Van Boorst zaśmiał się krótko.

– Piwnicę? To jest parter. A raczej był. Do wybuchu trzy lata temu.

Harry'emu rozjaśniło się w głowie. Czarne kamienne bloki, czarna glazura. Podłoga poniżej poziomu ziemi.

– Lawa – powiedział.

Van Boorst pokiwał głową.

– Popłynęła przez centrum. Zabrała moją willę nad jeziorem Kiwu. Wszystkie domy z drewna w tej okolicy spłonęły. Został tylko ten, betonowy. Ale do połowy zagrzebany w lawie. – Wskazał na drzwi. – Trzy lata temu prowadziły prosto na ulicę. Kupiłem go i wstawiłem nowe drzwi, tamte, którymi wszedłeś.

– Szczęście, że lawa nie przepaliła drzwi i nie zalała tego poziomu.

– Jak widzisz, okna i drzwi są w ścianie odwróconej od Nyiragongo. To już nie pierwszy raz. Ta przeklęta góra rzyga lawą na miasto co dziesięć albo co dwadzieścia lat.

Harry uniósł brew.

– Mimo to ludzie tu wracają?

Van Boorst wzruszył ramionami.

– Witaj w Afryce. A ten wulkan jest *bloody useful*. Jeśli chcesz się pozbyć jakiegoś dokuczliwego trupa, co jest dość powszechnym problemem w Gomie, możesz go oczywiście utopić w Kiwu. Ale on wciąż tam będzie. Jeśli natomiast wykorzystać Nyiragongo... Ludzie uważają, że większość wulkanów ma bulgoczące jeziora wrzącej lawy na dnie. Ale tak wcale nie jest. Żaden tego nie ma. Tylko Nyiragongo. Tysiąc stopni Celsjusza. Wystarczy, że coś tam wrzucisz – i puf! Wychodzi stamtąd, ale już w postaci gazu. To jedyna szansa mieszkańców Gomy na dostanie się do nieba. – Roześmiał się, ale śmiech przeszedł w kaszel. – Byłem świadkiem, jak kiedyś jeden ogarnięty nadmiernym zapałem poszukiwacz koltanu użył łańcucha do opuszczenia córki wodza do krateru. Wódz nie chciał podpisać papierów przyznających poszukiwaczom koltanu prawo do wydobycia na jego terenie. Włosy dziewczyny stanęły w ogniu dwadzieścia metrów nad lawą. Dziesięć metrów niżej sama dziewczyna zaczęła się palić jak łojowa świeczka. A pięć metrów niżej zaczęło z niej kapać. Nie przesadzam. Skóra, ciało, po prostu spływały ze szkieletu... Czy interesuje cię to? – Van Boorst otworzył szafkę i wyjął z niej metalową kulę. Błyszczącą, nieco mniejszą od piłki tenisowej, z drobnymi otworkami. Z jednej, trochę większej dziurki zwisał cienki sznureczek zakończony kółeczkiem. Było to takie samo urządzenie, jakie Harry widział w domu Hermana Kluita.

– Działa? – spytał.

Van Boorst westchnął. Wsunął mały palec w metalowe kółeczko i pociągnął. Rozległ się głośny trzask i kula na dłoni Belga podskoczyła. Harry wpatrywał się jak zaczarowany. Z otworków w kuli sterczało teraz coś, co przypominało antenki.

– Mogę? – Wyciągnął rękę.

Van Boorst podał mu kulę i uważnie się przyglądał, jak Harry liczy kolce.

– Dwadzieścia cztery – stwierdził.

– Tyle samo, ile wyprodukowanych jabłek – odparł van Boorst. – Ta liczba miała symboliczne znaczenie dla inżyniera, który je wymyślił i skonstruował. Tyle lat miała jego siostra, kiedy odebrała sobie życie.

– A ile masz ich u siebie w szafie?

– Tylko osiem, wliczając ten wyjątkowy egzemplarz ze złota. – Wyjął kulę, która lekko błysnęła w słabym świetle żarówki, i zaraz schował ją z powrotem. – Ale ona nie jest na sprzedaż. Musiałbyś mnie zabić, żeby wpadła ci w szpony.

– To znaczy, że odkąd Kluit kupił swoją, sprzedałeś czternaście?

– Za stale rosnącą cenę. To pewna inwestycja, panie Hole. Stare narzędzia tortur mają wierną i chętną do płacenia rzeszę wielbicieli, możesz mi wierzyć.

– Wierzę. – Harry próbował wcisnąć jedną z antenek.

– Działają na sprężynie. Po jednym pociągnięciu za sznurek przesłuchiwany nie jest w stanie wyjąć jabłka z ust. Nikt inny też nie może tego zrobić. Żeby schować te bolce, trzeba przejść przez etap drugi. Proszę, nie ciągnij za sznurek.

– Etap drugi?

– Daj mi ją.

Harry oddał kulę van Boorstowi. Belg delikatnie wsunął w kółeczko na końcu sznurka długopis, ułożył go w powietrzu poziomo na wysokości kuli, a potem ją puścił. W chwili, gdy sznurek się napiął, rozległ się kolejny trzask. Jabłko Leopolda zawisło piętnaście centymetrów pod długopisem, a z każdej antenki sterczały teraz ostre jak szydła igły.

– O kurwa! – wyrwało się Harry'emu.

Belg się uśmiechnął.

– Mai-Mai nazwali ten instrument „Słońcem krwi". Kochane dziecko ma wiele imion. – Położył jabłko na stole, wsunął czubek długopisu do dziurki, z której zwisał sznurek, mocno pociągnął i przy wtórze kolejnego trzasku zniknęły i igły, i bolce, a królewskie jabłko odzyskało swój okrągły gładki kształt.

– Imponujące – przyznał Harry. – Ile?

– Sześć tysięcy dolarów – odparł van Boorst. – Zwykle trochę dokładam za każdym razem, ale dostaniesz je za taką samą cenę, za jaką sprzedałem poprzednie.

– Dlaczego? – Harry pogładził palcem gładki metal.

– Bo przyjechałeś z daleka. – Van Boorst wydmuchał niebieski dym. – Poza tym podoba mi się twój akcent.

– Mhm. A kim był ostatni kupiec, ten za sześć tysięcy?

Van Boorst się roześmiał.

– Tak jak nikt się nie dowie, że ty tu byłeś, tak samo tobie nie opowiem o innych klientach. Czy to nie brzmi bezpiecznie, panie... Widzisz, twoje nazwisko już wyleciało mi z głowy.

– Sześćset – rzucił Harry.

– Słucham?

– Sześćset dolarów.

Van Boorst zaśmiał się tym samym suchym krótkim śmiechem.

– Nie bądź śmieszny. Ale ta cena, o której wspominasz... Przypadkiem tyle samo trzeba zapłacić za wycieczkę z przewodnikiem do rezerwatu, w którym przez trzy godziny można oglądać górskie goryle. Wolisz to?

– Możesz zachować to królewskie jabłko. – Harry z tylnej kieszeni wyciągnął cienki plik dwudziestodolarowych banknotów. – Oferuję sześćset dolarów za informację o tym, kto kupił od ciebie jabłka. – Położył banknoty na stole obok van Boorsta, a na nich identyfikator. – Policja norweska – oznajmił. – Co najmniej dwie Norweżki zostały zabite tym produktem, na który masz monopol.

Van Boorst nachylił się nad banknotami i uważnie obejrzał identyfikator, niczego nie dotykając.

– Jeśli rzeczywiście tak się stało, to bardzo mi przykro – powiedział takim głosem, jakby do maszynerii, która go produkowała, dostał się jeszcze grubszy żwir. – Uwierz mi, moje osobiste bezpieczeństwo jest warte więcej niż sześćset dolarów. Gdybym zaczął mówić o wszystkich, którzy robili u mnie zakupy, to spodziewana długość mojego życia...

– Martw się raczej o spodziewaną długość życia w kongijskim więzieniu – ostrzegł Harry.

Van Boorst znów się roześmiał.

– *Nice try*, Hole. Ale szef policji w Gomie przypadkiem jest moim bliskim znajomym, a ponadto... – Rozłożył ręce. – Co ja takiego, na miłość boską, zrobiłem?

– To, co zrobiłeś, jest mniej interesujące. – Harry z kieszonki na piersi wyjął zdjęcie. – Państwo norweskie jest jednym z najważniejszych źródeł pomocy dla Konga. Kiedy norweskie władze zadzwonią do Kinszasy i wymienią twoje nazwisko jako nieokazujące woli współpracy źródło pochodzenia narzędzia, którym w Norwegii popełniono dwa zabójstwa, to jak myślisz, co wtedy będzie?

Van Boorst już się nie uśmiechał.

– Nie zostaniesz niewinnie skazany, o to możesz się nie bać – zapewnił Harry. – Jedynie tymczasowo aresztowany. Aresztu nie należy mylić z karą. To po prostu uzasadnione zatrzymanie osoby, na przykład na czas śledztwa w obawie przed zatarciem dowodów. Ale więzienie się przez to nie zmieni. A to śledztwo może potrwać długo. Widziałeś kongijskie więzienia od środka, van Boorst? Chyba niewielu białych miało taką okazję.

Van Boorst ciaśniej owinął się szlafrokiem. Patrzył na Harry'ego, gryząc fifkę.

– Okej – odezwał się w końcu. – Tysiąc dolarów.

– Pięćset.

– Pięćset? Ale przecież...

– Czterysta – powiedział Harry.

– *Done!* – Van Boorst wyciągnął ręce do góry. – Co chcesz wiedzieć?

– Wszystko.

Harry oparł się o ścianę i wyjął papierosy.

Kiedy pół godziny później wychodził z domu van Boorsta i wsiadał do land-rovera Joego, zapadła już ciemność.

– Do hotelu – rzucił.

Okazało się, że hotel stoi tuż nad jeziorem. Joe jednak ostrzegł Harry'ego przed kąpielą. Nie z powodu robaka gwinejskiego, którego nawet nie zauważy, dopóki pewnego dnia cienki pasożyt nie zacznie mu się wić pod skórą, tylko z powodu metanu unoszącego się z dna w postaci wielkich baniek, które mogą w niego uderzyć, a konsekwencją będzie utonięcie.

Harry usiadł więc na balkonie i obserwował dwa długonogie stworzenia poruszające się niezgrabnie po oświetlonym chodniku. Wyglądały jak flamingi przebrane za pawie. Na zalanym światłem korcie dwaj czarni chłopcy grali w tenisa, mając do dyspozycji jedynie dwie piłki. Obydwie były już tak zużyte, że gdy przelatywały nad porwaną siatką, wyglądały jak zwinięta para skarpet. Od czasu do czasu tuż nad dachem hotelu huczały kolejne samoloty.

Podzwanianie butelek dochodziło z baru, położonego w odległości dokładnie sześćdziesięciu ośmiu kroków od miejsca, w którym siedział Harry. Policzył to, gdy tylko tu przyszedł. Wyjął telefon i wybrał numer Kai.

Chyba się ucieszyła, że słyszy jego głos. W każdym razie się ucieszyła.

– Pogoda zabetonowała mnie w Ustaoset – powiedziała. – Śnieg wali nieprzerwanie. Ale dostałam przynajmniej zaproszenie na kolację. A książka gości była interesująca.

– Tak?

– Kartka z tą datą, o którą nam chodzi, zniknęła.

– Ho, ho. Sprawdziłaś, czy...

– Owszem. Sprawdziłam, czy nie ma odcisków palców albo czy pismo nie odcisnęło się na następnej kartce. – Zachichotała.

Harry domyślił się, że jest już po paru kieliszkach wina.

– Mhm. Myślałem raczej o...

– Tak, tak, sprawdziłam, kto się wpisał dzień wcześniej i dzień później. Tyle że prawie nigdy nikt nie zostaje na dłużej niż jedną noc w takim spartańskim lokum jak Håvasshytta. Chyba że pogoda kogoś zatrzyma. A siódmego listopada było ładnie. Ale tutejszy lensman obiecał mi, że sprawdzi wpisy do książek gości w okolicznych schroniskach, żeby zobaczyć, czy ktoś, kto tam nocował dzień wcześniej albo dzień później, nie mógł się wybrać do Håvasshytta.

– Dobrze. Mam wrażenie, że zbliżamy się do celu.

– Być może. A co u ciebie?

– Obawiam się, że trochę gorzej. Znalazłem van Boorsta. Ale żaden z czternastu poprzednich kupców nie był Skandynawem. Był tego pewien.

Mam sześć nazwisk z adresami, ale to wszystko znani kolekcjonerzy. Oprócz tego kilka niepewnych nazwisk, kilka opisów, kilka narodowości. To wszystko. Istnieją jeszcze dwa jabłka, ale van Boorst przypadkowo wiedział, że wciąż znajdują się u kolekcjonera w Caracas. Sprawdziłaś wizę Adele?

– Zadzwoniłam do konsulatu Rwandy w Szwecji. Muszę przyznać, że spodziewałam się kompletnego bałaganu, ale mieli niesamowity porządek.

– Mały porządny starszy brat Konga.

– Znaleźli kopię wniosku o wizę wypełnionego przez Adele, daty się zgadzały. Oczywiście wiza już dawno straciła ważność, a oni nie mieli pojęcia, gdzie ona może przebywać. Kazali nam skontaktować się z władzami imigracyjnymi w Kigali, dostałam jakiś numer i kolejne urzędy zaczęły mnie odbijać jak piłeczkę pingpongową. Aż wreszcie trafiłam na jakiegoś mówiącego po angielsku ważniaka, który zwrócił mi uwagę, że nie mamy z Rwandą podpisanej umowy o współpracy w tej dziedzinie. Uprzejmie przeprosił za odmowę, a potem życzył mnie i mojej rodzinie długiego dobrego życia. Ty też nic nie wywęszyłeś?

– Nie. Pokazałem van Boorstowi zdjęcie Adele. Powiedział, że jedyna kobieta, jaka robiła u niego zakupy, miała burzę rudych włosów i mówiła ze wschodnioniemieckim akcentem.

– Wschodnioniemieckim? W ogóle jest taki?

– Nie wiem, Kaju. Ten człowiek chodzi w szlafroku, pali papierosy w fifce, jest alkoholikiem i specjalistą od akcentów. Starałem się nie zbaczać z tematu i jakoś się stamtąd wydostać.

Roześmiała się. Białe wino, doszedł do wniosku Harry. Ci, którzy piją czerwone, śmieją się mniej.

– Ale mam pewien pomysł – dodał. – Karty imigracyjne.

– Tak?

– Trzeba wpisać, gdzie zamierza się spędzić pierwszą noc. Jeśli w Kigali zatrzymują te karty, to może uda mi się dowiedzieć, dokąd pojechała Adele. To byłby już jakiś ślad. Z tego, co wiem, może być jedyną pozostającą przy życiu osobą, która wie, kto był tamtej nocy w Håvasshytta.

– Powodzenia, Harry!

– I tobie tego życzę.

Rozłączył się. Oczywiście mógł spytać, z kim będzie jadła tę kolację, lecz gdyby to było istotne dla śledztwa, sama by mu o tym powiedziała.

Siedział na balkonie, dopóki nie zamknęli baru i nie ucichło podzwanianie butelek. Dla odmiany z otwartego okna nad nim zaczęły dobiegać miłosne jęki, ochrypłe monotonne krzyki. Przypominały mu mewy w Åndalsnes, gdy razem z dziadkiem wstawali o świcie, wyprawiając się na ryby. Ojciec nigdy się do nich nie przyłączał. Dlaczego? I dlaczego Harry nigdy się nad tym nie zastanawiał? Dlaczego instynktownie wiedział, że łódź nie jest miejscem dla ojca? Czy już jako pięciolatek zrozumiał, że ojciec zdobył wykształcenie i wyrwał się z zagrody właśnie po to, by w tej łodzi nie siedzieć? A jednak ojciec zażyczył sobie tam wrócić i właśnie tam spędzić wieczność. Życie jest dziwne. A przynajmniej śmierć.

Zapalił jeszcze jednego papierosa. Niebo było bezgwiezdne i czarne, tylko nad kraterem Nyiragongo przybrało czerwonawą poświatę. Zaswędziało go ukąszenie jakiegoś owada. Malaria. Magma. Metan. Jezioro Kiwu lśniło w dali. *Very nice, very deep.*

Od strony gór dobiegł huk. Dźwięk przetoczył się po wodzie. Wybuch wulkanu czy tylko grzmot? Harry podniósł głowę. Kolejny huk, echo odbiło się od gór. I jeszcze jedno echo z oddali dotarło jednocześnie do Harry'ego.

Very deep. Bardzo głębokie.

Szeroko otwartymi oczami wpatrywał się w ciemność i ledwie zauważał, że niebo się otworzyło, a bębniący o ziemię deszcz zagłuszył krzyki mew.

32 POLICJA

– Cieszę się, że zdołaliście się wydostać z Håvasshytta, zanim zaczęło tak mocno padać – powiedział lensman Krongli. – Moglibyście tkwić tam zasypani przez kilka dni. – Kiwnął głową, wskazując na duże panoramiczne okna w hotelowej restauracji. – Ale wygląda pięknie, prawda?

Kaja patrzyła na gęsto padający śnieg. Even też był taki. Zachwycała go potęga przyrody. Bez względu na to, czy mu sprzyjała, czy wprost przeciwnie.

– Mam nadzieję, że mój pociąg dojedzie – westchnęła.

– Na pewno. – Krongli bawił się kieliszkiem. Kai przyszło do głowy, że chyba nie pił wina zbyt często. – Już my się o to zatroszczymy. I o te książki gości z innych schronisk.

– Dziękuję.

Krongli przeciągnął ręką przez niesforne loki, uśmiechając się krzywo. Z głośników płynęła słodka jak syrop *Lady in Red* Chrisa de Burgha.

W restauracji byli jeszcze dwaj inni goście, mniej więcej trzydziestoletni mężczyźni. Przy osobnych, nakrytych białymi serwetami stołach, nad półlitrowymi szklankami piwa wpatrywali się w śnieżycę, czekając na coś, co się nie stanie.

– Czy tu czasami nie można się poczuć trochę samotnym? – spytała Kaja.

– To zależy. – Lensman spojrzał za jej wzrokiem. – Jeśli się nie ma żony i rodziny, ludzie gromadzą się w takich miejscach jak to.

– Żeby być samotnym razem z innymi.

– No właśnie. – Krongli uśmiechnął się i dolał jej wina. – Ale w Oslo chyba też tak jest?

– Oczywiście. Masz rodzinę?

Lensman wzruszył ramionami.

– Miałem dziewczynę. Ale tu się zrobiło zbyt smutno, więc wyniosła się tam, gdzie ty mieszkasz. Dobrze ją rozumiem. W takim miejscu jak to trzeba mieć interesującą pracę.

– I ty ją masz?

– Tak uważam. Znam tu wszystkich, a oni znają mnie. Pomagamy sobie nawzajem. Są mi potrzebni, a ja... No cóż... – Znów zaczął bawić się kieliszkiem.

– Ty jesteś potrzebny im.

– Tak myślę.

– To jest ważne.

– Owszem – przyznał Krongli mocnym głosem i podniósł na nią wzrok. Wzrok Evena. Ten, w którym zawsze pozostawały resztki śmiechu, jakby przed chwilą wydarzyło się coś wesołego albo coś, z czego trzeba się cieszyć. Nawet jeśli tak nie było. Szczególnie, kiedy tak nie było.

– A ten Odd Utmo? – spytała Kaja.

– Co z nim?

– Odjechał zaraz, jak tylko mnie wysadził. Co on robi w takie wieczory jak dzisiejszy?

– Skąd wiesz, że nie siedzi w domu z żoną i dziećmi?

– Jeśli kiedykolwiek w życiu spotkałam odludka, lensmanie...

– Mów mi Aslak. – Roześmiał się i uniósł kieliszek. – Rozumiem, że jesteś prawdziwą policjantką. Ale Utmo nie zawsze był taki.

– Nie?

– Dopóki jego syn nie zniknął, dało się z nim rozmawiać. Czasami nawet miło. Ale w gniewie podobno zawsze bywał nieobliczalny.

– Nie myślałam, że ktoś taki jak Utmo może być żonaty.

– Żonę miał piękną. A już kiedy się pomyśli, jaki on sam jest brzydki... Widziałaś jego zęby?

– Zauważyłam, że nosi aparat.

– Twierdzi, że po to, by zęby się nie krzywiły. – Aslak Krongli pokręcił głową ze śmiechem w oczach, ale nie w głosie. – Ale to tylko ten aparat utrzymuje je na miejscu, inaczej wszystkie by wypadły.

– Powiedz mi, czy on naprawdę miał dynamit przy skuterze?

– Ty to widziałaś – zaśmiał się Krongli. – Nie ja.

– O co ci chodzi?

– Wielu tutejszych stałych mieszkańców nie bardzo potrafi dostrzec romantyzm w moczeniu wędki godzinami w górskich jeziorach. Ale chętnie widzą na talerzu ryby, które uważają za swoje.

– Wrzucają dynamit do jezior?

– Jak tylko lód puści.

– Czy to nie jest bardzo zabronione, lensmanie?

Krongli podniósł ręce.

– Ja przecież nic nie widziałem.

– No tak, to prawda. Ty tu mieszkasz. Może sam masz dynamit?

– Tylko do wysadzenia skały pod garaż, który planuję wybudować.

– No właśnie. A karabin Utmy? Wyglądał na nowoczesny, z celownikiem optycznym i w ogóle.

– Utmo podobno był kiedyś znakomitym myśliwym, polował na niedźwiedzie. Dopóki w połowie nie oślepł.

– Zauważyłam to jego oko. Co się stało?

– Podobno syn przewrócił szklankę z kwasem.

– Podobno?

Krongli wzruszył ramionami.

– Z tych, co wiedzieli, jak to się stało, został już tylko Utmo. Syn przepadł, kiedy miał piętnaście lat, a niedługo potem zaginęła też żona. Ale to wszystko wydarzyło się osiemnaście lat temu, zanim ja się tu sprowadziłem. Od tamtej pory Utmo mieszka w górach sam, nie ma radia ani telewizji. Nie czyta nawet gazet.

– Jak oni zaginęli?

– Kto to wie? Wokół zagrody Utmy jest dużo przepaści. I dużo śniegu. Znaleziono jeden but syna tuż koło miejsca, gdzie zeszła lawina, ale po chłopaku nie było ani śladu, kiedy śnieg stopniał. Trochę dziwne, że zgubił jeden but na śniegu. Niektórzy uważali, że porwał go niedźwiedź, ale z tego, co wiem, osiemnaście lat temu nie było tu niedźwiedzi. A jeszcze inni podejrzewali samego Utmę.

– Tak? Dlaczego?

– No... – Aslak się wahał. – Chłopak miał na piersi paskudną bliznę. Ludzie uważali, że to sprawka ojca. Że to miało związek z matką, z Karen.

– W jakim sensie?

– Że o nią konkurowali.

Krongli pokręcił głową, widząc pytanie w spojrzeniu Kai.

– To nie było za moich czasów. Roy Stille, który od zarania dziejów pracuje jako asystent lensmana, wybrał się do zagrody Utmy, ale zastał tylko Odda i Karen. Oboje twierdzili to samo. Że chłopak wyprawił się na polowanie i już nie wrócił. Ale to było w kwietniu.

– Nie w okresie polowań?

Aslak pokiwał głową.

– I od tamtej pory nikt już go nie widział. Rok później przepadła Karen. Ludzie uważają, że zniszczył ją żal. Że świadomie rzuciła się w przepaść.

Kaja usłyszała lekkie drżenie w głosie lensmana, ale uznała, że to najpewniej z powodu wina.

– A ty co o tym myślisz?

– Ja uważam, że chłopca zabrała lawina. Udusił się pod śniegiem. Woda z topniejącego śniegu zaniosła go do jakiegoś górskiego jeziora i tam leży. Może razem z matką. Uznajmy, że właśnie tak.

– To chyba przyjemniejsza śmierć niż zginąć w łapach niedźwiedzia.

– O nie!

Kaja spojrzała na Aslaka. W jego oczach przestał już czaić się śmiech.

– Zagrzebanie żywcem pod lawiną. – Krongli patrzył gdzieś daleko za okno na śnieżycę. – Ciemność. Samotność. Nie możesz się poruszyć. Śnieg trzyma cię żelaznymi szponami. Naśmiewa się z twoich wysiłków. Świadomość, że umierasz. Panika. Strach, kiedy nie możesz oddychać. Chyba nie ma gorszej śmierci.

Kaja wypiła łyk wina. Odstawiła kieliszek.

– Długo tak leżałeś?

– Wydawało mi się, że trzy albo cztery godziny – odparł Aslak. – Kiedy mnie odkopali, powiedzieli, że minęło piętnaście minut. Jeszcze pięć i bym umarł.

Podszedł kelner i spytał, czy życzą sobie czegoś jeszcze, bo za dziesięć minut bar kończy podawanie alkoholu. Kaja podziękowała, a kelner położył rachunek przed Aslakiem.

– Dlaczego Utmo nosi ze sobą broń? – spytała. – Z tego, co wiem, teraz też nie można polować.

– On twierdzi, że to z powodu drapieżników. Do samoobrony.

– Tutaj są drapieżniki? Wilki?

– Nigdy mi nie zdradził, o jakich zwierzętach myśli. Chodzą zresztą plotki, że nocą duch chłopca wciąż krąży po płaskowyżu, a ten, kto go zobaczy, musi uważać, bo to oznacza, że w pobliżu jest przepaść albo miejsce, gdzie może zejść lawina.

Kaja dopiła wino.

– Mogę przedłużyć zezwolenie na podawanie alkoholu o godzinę, jeśli sobie tego życzysz.

– Dziękuję, Aslak, ale jutro muszę wcześnie wstać.

– Uff! – westchnął, zaśmiał się oczami i podrapał w głowę. – Zabrzmiało to tak, jakbym... – urwał.

– Co takiego? – spytała Kaja.

– Nic. Masz pewnie w Oslo męża albo chłopaka.

Uśmiechnęła się i nie odpowiedziała.

Aslak wpatrzony w stół mruknął cicho:

– To dopiero, wiejski policjant już po dwóch kieliszkach wina zaczyna bredzić.

– Nic się nie stało. Nie mam chłopaka. A ciebie bardzo lubię. Przypominasz mi mojego brata.

– Ale?

– Ale co?

– Pamiętaj, że ja też jestem prawdziwym policjantem i widzę, że ty nie jesteś odludkiem. Masz kogoś, prawda?

Kaja się roześmiała. Normalnie nie odpowiedziałaby na takie pytanie, ale może podziałało na nią wino. Może polubiła Krongliego. Może od śmierci Evena nie miała z kim o tym porozmawiać, a Aslak był obcy, daleko od Oslo i nie znał ludzi z jej otoczenia.

– Jestem zakochana – usłyszała swój głos. – W policjancie. – Zdziwiona podniosła szklankę z wodą do ust, jakby chciała je zasłonić. Jakby wypowiedziane na głos słowa dopiero teraz stały się prawdą.

Aslak trącił jej kieliszek.

– No to wypijmy za tego szczęściarza. I za szczęściarę. Mam nadzieję.

Kaja pokręciła głową.

– Nie ma za co pić. Na razie jeszcze nie. Może kiedyś. Boże, co ja wygaduję?

– A co innego mamy do roboty? Opowiadaj!

– To skomplikowane. On jest skomplikowany. A ja nie wiem, czy mnie zechce. To akurat jest dość proste.

– Pozwól, że zgadnę. Ma jakąś kobietę i nie potrafi się z nią rozstać.

Kaja westchnęła.

– Być może. Szczerze mówiąc, nie wiem. Dzięki za pomoc, Aslak, ale...

– ...muszę już iść się położyć. – Lensman wstał. – Mam nadzieję, że ci się nie ułoży z tym twoim facetem, że postanowisz uciec od zawodu miłosnego z miasta i wtedy zastanowisz się nad tym. – Podał jej kartkę formatu A4 z nagłówkiem urzędu lensmana okręgu Hol.

Kaja przeczytała i roześmiała się głośno.

– Asystent lensmana?

– Roy Stille jesienią przechodzi na emeryturę. A dobrych policjantów ze świecą szukać. To jest nasze ogłoszenie, zamieściliśmy je w zeszłym tygodniu. Siedziba urzędu jest w centrum Geilo. Wolne w co drugi weekend i bezpłatny dentysta.

172

Kiedy Kaja się kładła, w oddali usłyszała grzmot. Burza i śnieg rzadko pojawiały się razem.

Zadzwoniła do Harry'ego, ale włączyła się sekretarka. Nagrała mu straszną opowieść o miejscowym przewodniku Oddzie Utmo z aparatem na spróchniałych zębach i o jego synu, który z pewnością był jeszcze brzydszy, skoro od osiemnastu lat krążył po okolicy w postaci upiora. Roześmiała się. Przyznała, że sobie popiła. Powiedziała „dobranoc".

Śniła jej się lawina.

Była jedenasta przed południem. Harry i Joe wyjechali z Gomy o siódmej, bez problemów przekroczyli granicę z Rwandą. Harry stał teraz w biurze na piętrze budynku terminalu na lotnisku w Kigali. Dwaj umundurowani oficerowie mierzyli go wzrokiem. Bez wrogości, a jedynie po to, by ocenić, czy rzeczywiście jest tym, za kogo się podawał. Norweskim policjantem. Schował identyfikator z powrotem do kieszeni kurtki i wyczuł gładki papier brązowej jak kawa z mlekiem koperty. Problem polegał na tym, że ich było dwóch. Jak przekupić dwóch funkcjonariuszy na służbie naraz? Kazać im się podzielić zawartością koperty? I uprzejmie poprosić, żeby jeden nie doniósł na drugiego?

Ten sam oficer, który kontrolował paszport Harry'ego dwa dni wcześniej, ściągnął beret z czoła.

– Więc chciałby pan uzyskać kopię karty imigracyjnej... Mógłby pan powtórzyć datę i nazwisko?

– Adele Vetlesen. Wiemy, że przyleciała na to lotnisko dwudziestego piątego listopada. Zapłacę znaleźne.

Oficerowie wymienili spojrzenia, po czym jeden zniknął w drzwiach na sygnał drugiego. Ten, który został, podszedł do okna i wyjrzał na lotnisko, na mały samolot DH8, który właśnie wylądował i za pięćdziesiąt pięć minut miał zabrać Harry'ego w pierwszy etap jego podróży do domu.

– Znaleźne – powtórzył cicho oficer. – Zakładam, że pan to wie: próba przekupstwa funkcjonariusza na służbie jest karalna, panie Hole. Ale pewnie pomyślał pan: *Shit, this is Africa.*

Harry zobaczył, że skóra mężczyzny jest tak czarna, jakby była polakierowana.

Poczuł, że koszula lepi mu się do pleców. Ta sama koszula. Może na lotnisku w Nairobi jest jakiś sklep z koszulami. Jeśli w ogóle tam dotrze.

– *That's right* – przyznał Harry.

Oficer roześmiał się i odwrócił.

– Twardziel, co? Jesteś twardy, Hole? Od razu, jak przyjechałeś, poznałem, że jesteś policjantem.

– Tak?

– Przyglądałeś mi się tak samo uważnie, jak ja przyglądałem się tobie.

Harry wzruszył ramionami.

Drzwi się otworzyły. Drugi z oficerów przyprowadził stukającą obcasami urzędniczkę w okularach na czubku nosa.

– Przykro mi – powiedziała nieskazitelnym angielskim, wpatrując się w Harry'ego. – Sprawdziłam datę. Nie odnotowaliśmy żadnej Adele Vetlesen, która przyleciałaby tym samolotem.

– Mhm. Czy możliwe jest jakieś niedopatrzenie?

– Wykluczone. Karty imigracyjne są uporządkowane według dat. Ten lot, o którym pan mówi, to był DH8 z Entebbe, z trzydziestoma siedmioma miejscami. To się daje szybko sprawdzić.

– Mhm. Ale skoro system jest taki przejrzysty, to czy mogę prosić o sprawdzenie czegoś jeszcze?

– Prosić oczywiście można. A o co chodzi?

– O nazwiska innych cudzoziemek, które przyleciały tym samolotem.

– Dlaczego mielibyśmy to panu udostępniać?

– Ponieważ Adele Vetlesen miała zabukowany bilet na ten lot. Więc albo okazała do kontroli fałszywy paszport...

– W to wątpię – stwierdził oficer. – Uważnie sprawdzamy wszystkie zdjęcia w paszportach, zanim przyłożymy paszport do skanera podłączonego do komputera, który weryfikuje numer paszportu w międzynarodowym rejestrze ICAO.

– ...albo ktoś podróżował jako Adele Vetlesen, ale granicę przekroczył już z własnym prawdziwym paszportem. Co jest absolutnie możliwe, ponieważ numerów paszportów nie sprawdza się ani przy odprawie, ani przy wejściu na pokład.

– To rzeczywiście prawda – przyznał szef kontrolerów i znów przesunął beret. – Pracownicy linii lotniczych sprawdzają jedynie, czy nazwisko i zdjęcie w paszporcie mniej więcej się zgadza. Do tego wystarczy fałszywy paszport za pięćdziesiąt dolarów, zrobiony gdziekolwiek na świecie. Dopiero przy opuszczaniu lotniska w ostatecznym miejscu przeznaczenia trzeba przejść przez kontrolę, podczas której sprawdzany jest numer paszportu, wtedy wszystkie te dokumenty domowej roboty są ujawniane. Ale moje pytanie wciąż pozostaje bez odpowiedzi, panie Hole. Dlaczego mielibyśmy panu pomagać? Jest pan tu oficjalnie na służbie? Ma pan na to jakieś papiery?

– Oficjalne zadanie do wykonania miałem w Kongu – skłamał Harry. – Ale tam niczego nie znalazłem. Adele Vetlesen jest uznana za zaginioną, ale boimy się, że została zamordowana przez seryjnego zabójcę, który uśmiercił już trzy inne kobiety. Wśród nich norweską parlamentarzystkę, Marit Olsen, możecie sprawdzić w internecie. Dobrze wiem, procedura wymaga, żebym wrócił teraz do kraju i wystąpił do was drogą oficjalną, ale stracimy na to wiele dni i zabójca jeszcze zwiększy przewagę. Będzie miał czas na to, by znów zabijać.

Harry zorientował się, że jego słowa wywarły wrażenie. Kobieta i szef kontroli paszportowej zaczęli o czymś rozmawiać, w końcu urzędniczka wymaszerowała.

Czekali w milczeniu. Harry spojrzał na zegarek. Jeszcze się nie zgłosił na samolot.

Minęło sześć minut, zanim usłyszeli zbliżający się stuk obcasów.

– Eva Rosenberg, Juliana Verni, Veronica Raul Gueno i Claire Hobbes. – Wyrzuciła z siebie te nazwiska, poprawiła okulary i położyła cztery karty imigracyjne na stole przed Harrym, jeszcze zanim drzwi zdążyły się zamknąć. – Niewiele kobiet z Europy do nas przyjeżdża – dodała.

Harry szybko obejrzał karty. We wszystkich jako adres w Kigali podano hotele, ale w żadnym wypadku nie był to hotel Gorilla. Spojrzał na ich adresy domowe. Eva Rosenberg podała adres w Sztokholmie.

– Dziękuję. – Harry zanotował nazwiska, adresy i numery paszportów na odwrocie rachunku za taksówkę, który znalazł w kieszeni.

– Przykro mi, że inaczej nie możemy pomóc. – Kobieta znów poprawiła okulary.

– Przeciwnie. To była dla mnie ogromna pomoc. Naprawdę.

– *And now, policeman* – odezwał się wysoki chudy oficer z czarną twarzą rozjaśnioną uśmiechem.

– *Yes?*

Harry już czekał, gotów, by wyjąć brązową kopertę.

– Najwyższy czas, żebyśmy cię załadowali do tego samolotu do Nairobi.

– Mhm. – Harry spojrzał na zegarek. – Możliwe, że polecę następnym.

– Następnym?

– Muszę wrócić do hotelu Gorilla.

Kaja siedziała w pociągu w tak zwanym wagonie komfortowym, co oznaczało – oprócz bezpłatnych gazet, dwóch kubków kawy i prądu do laptopa – że tkwiło się ściśniętym jak śledzie w beczce w przeciwieństwie do prawie pustego wagonu klasy ekonomicznej. Kiedy więc telefon zadzwonił i zobaczyła, że to Harry, czym prędzej się tam przeniosła.

– Gdzie jesteś? – spytał Harry.

– W pociągu, akurat minęliśmy Kongsberg. A ty?

– W hotelu Gorilla w Kigali. Pokazano mi kartę meldunkową Adele Vetlesen. Wylecę stąd dopiero popołudniowym samolotem, ale w domu będę jutro rano. Zadzwoń do swojego przyjaciela z głową jak dynia w komendzie w Drammen i poproś o wypożyczenie tej widokówki, którą przysłała Adele. Najlepiej niech ci ją przyniosą na dworzec, przecież pociąg zatrzymuje się w Drammen.

– Pewnie uznają to za przesadę, ale spróbuję. Po co nam to?

– Do porównania podpisów. Jest taki ekspert grafolog, który nazywa się Jean Hue. Pracował w KRIPOS, zanim przeszedł na rentę. Wezwij go do biura na jutro na siódmą rano.

– Tak wcześnie? Myślisz, że on...

– Masz rację. Zeskanuję i prześlę ci kartę hotelową Adele. Weźmiesz obie do Jeana dziś wieczorem.

– Dziś wieczorem?

– Na pewno ucieszy się z wizyty. Jeśli masz inne plany, to niniejszym zostają odwołane.

– Dobrze. A tak w ogóle to przepraszam za ten wczorajszy telefon tak późno.

– Nie ma za co. Zabawna historia.

– Trochę się wstawiłam.

– Zorientowałem się.

Harry się rozłączył.

– Dziękuję za pomoc – powiedział.

Recepcjonista uśmiechnął się w odpowiedzi.

Brązowa koperta wreszcie zmieniła właściciela.

Kjersti Rødsmoen wmaszerowała do świetlicy i podeszła do kobiety, która wyglądała przez okno na deszcz padający na drewniane domy w Sandviken. Przed sobą miała nietknięty kawałek tortu z małą świeczką.

– Ten telefon znaleziono u ciebie w pokoju, Katrine – powiedziała cicho.

– Siostra oddziałowa mi go przyniosła. Wiesz, że to niedozwolone?

Katrine kiwnęła głową.

– Tak czy owak – Rødsmoen podała jej telefon – właśnie dzwoni.

Katrine wzięła wibrującą komórkę i odebrała połączenie.

– To ja – odezwał się głos na drugim końcu. – Mam tu cztery nazwiska kobiet. Chcę wiedzieć, która z nich nie bukowała biletu na lot RA101 do Kigali dwudziestego piątego listopada. I potwierdź, że tej osoby nie ma też w systemie rezerwacji żadnego hotelu w Rwandzie na tę samą noc.

– U mnie wszystko w porządku, ciociu.

Sekunda namysłu.

– Rozumiem. Zadzwoń, kiedy będziesz mogła.

– To ciotka z życzeniami urodzinowymi. – Katrine podała telefon lekarce.

Kjersti Rødsmoen pokręciła głową.

– Regulamin zabrania korzystania z telefonów komórkowych. Nie widzę więc powodu, dla którego nie miałabyś zatrzymać tej komórki, dopóki nie będziesz jej używać. Tylko przechowuj ją tak, żeby siostra oddziałowa nie widziała, dobrze?

Po wyjściu lekarki Katrine jeszcze przez chwilę patrzyła przez okno, w końcu wstała i ruszyła do pokoju zajęciowego. W progu zatrzymał ją głos oddziałowej:

– Co będziesz robić, Katrine?

Odpowiedziała, nie odwracając się:

– Grać w samotnika.

33 LIPSK

Gunnar Hagen zjechał windą do piwnicy.

Klęska. Koniec. Kapitulacja.

Wysiadł i ruszył przez Kanał.

Ale Bellman dotrzymał obietnicy. Nie doniósł. I rzucił mu boję ratunkową, czołowe stanowisko w nowej rozszerzonej KRIPOS. Raport Harry'ego był krótki i treściwy. Brak rezultatów. Każdy idiota by zrozumiał, że najwyższa pora zacząć płynąć w kierunku boi.

Bez pukania otworzył drzwi na końcu Kanału.

Kaja Solness uśmiechnęła się pogodnie, natomiast Harry Hole, który siedział przed komputerem z telefonem przyłożonym do ucha, nawet się nie odwrócił, tylko rzucił wesoło: „Siadaj, siadaj, szefie, chcesz trochę paskudnej kawy?", jakby duch-zwiastun szefa wydziału zapowiedział jego przybycie.

Hagen zatrzymał się w drzwiach.

– Otrzymałem informację, że nie odnaleźliście Adele Vetlesen. Pora się pakować. Czas się skończył. Jesteście potrzebni gdzie indziej. Przynajmniej ty, Solness.

– *Danke schön, Günther* – powiedział Harry do telefonu, odłożył go i obrócił się na krześle.

– *Danke schön?* – powtórzył Hagen.

– Policja w Lipsku – wyjaśnił Harry. – A tak w ogóle to mam dla ciebie pozdrowienia od Katrine Bratt, szefie. Pamiętasz ją?

Hagen spojrzał podejrzliwie na swojego komisarza.

– Sądziłem, że Bratt jest w zakładzie psychiatrycznym.

– Ze wszech miar. – Harry podszedł do ekspresu. – Ale znakomicie potrafi przeszukiwać internet. À propos poszukiwań, szefie...

– Poszukiwań?

– Mógłbyś nam zagwarantować nieograniczone środki na przeprowadzenie akcji poszukiwawczej?

Hagen patrzył na niego z niedowierzaniem. W końcu głośno się roześmiał.

– Jesteś naprawdę niesamowity, Harry. Przed chwilą zmarnowaliście połowę wydziałowego budżetu na nieudaną wyprawę do Konga, a teraz domagasz się akcji poszukiwawczej? Ta operacja zostaje zakończona ze skutkiem natychmiastowym, rozumiesz?

– Rozumiem... – Harry nalał kawy do dwóch filiżanek i jedną podał Hagenowi – ...o wiele więcej. A zaraz i ty zrozumiesz, szefie. Weź moje krzesło i przez chwilę posłuchaj.

Hagen przeniósł wzrok z Harry'ego na Kaję. Podejrzliwie spojrzał na zawartość filiżanki. W końcu usiadł.

– Macie dwie minuty.

– To całkiem proste – zaczął Harry. – Według listy pasażerów Brussels Airlines Adele Vetlesen wyleciała do Kigali dwudziestego piątego listopada. Ale według rejestrów tamtejszej kontroli paszportowej osoba o takim nazwisku nie wysiadła tam z samolotu. Musiało być tak, że jakaś kobieta z paszportem wystawionym na nazwisko Adele wyjechała z Oslo. Fałszywy paszport działa całkiem dobrze aż do momentu dotarcia do ostatecznego miejsca przeznaczenia, bo dopiero tam paszporty są skanowane i sprawdza się numery, prawda? W Kigali tajemnicza kobieta musiała więc posłużyć się własnym prawdziwym paszportem. Kontrola paszportowa nie prosi o pokazanie biletu z nazwiskiem, więc ewentualna niezgodność paszportu i biletu nie zostanie zauważona. Jeśli oczywiście się jej nie szuka.

– Ale ty poszukałeś.

– Właśnie.

– A czy to nie może być wynik urzędowej pomyłki? Może po prostu przyjazd Adele zapomniano zarejestrować?

– Owszem, może. Ale jest jeszcze ta pocztówka... – Harry dał znak Kai, która wyjęła widokówkę.

Hagen zauważył zdjęcie czegoś, co przypominało dymiący wulkan.

– Tę pocztówkę wysłano z Kigali tego samego dnia, kiedy Adele miała przylecieć – ciągnął Harry. – Ale po pierwsze, to jest zdjęcie Nyiragongo, wulkanu położonego w Kongu, a nie w Rwandzie. Po drugie, Jean Hue porównał podpis na tej widokówce z tym na karcie meldunkowej, którą rzekoma Adele Vetlesen wypełniła w hotelu Gorilla.

– Stwierdził to, co ja widzę gołym okiem – wtrąciła Kaja. – Tego nie napisała ta sama osoba.

– Dobrze, dobrze – bronił się Hagen. – Ale do czego wy zmierzacie?

– Ktoś podjął duży wysiłek, by wyglądało na to, że Adele Vetlesen pojechała do Afryki – tłumaczył Harry. – Przypuszczam, że Adele znajdowała się w Norwegii i została zmuszona do napisania tej widokówki. Kartkę zabrała później do Afryki inna osoba, która ją stamtąd wysłała. A wszystko po to, by sprawić wrażenie, że Adele tam wyjechała i napisała do domu o mężczyźnie ze snów i o tym, że wraca dopiero w marcu.

– Macie jakiś pomysł, kim może być osoba, która się pod nią podszywa?

– Tak.

– Tak?

– W biurze władz imigracyjnych na lotnisku w Kigali znaleziono kartę wypełnioną przez niejaką Julianę Verni. Ale według naszej szalonej przyjaciółki z Bergen takiego nazwiska nie ma na żadnej z list pasażerów linii lotniczych latających do Rwandy ani w elektronicznym systemie rezerwacji żadnego hotelu w dniu, o który nam chodzi. Juliana Verni jest natomiast na liście pasażerów samolotu Rwandair wylatującego z Kigali trzy dni później.

– Czy mam ochotę wiedzieć, w jaki sposób zdobyliście te informacje?

– Nie, szefie. Ale powinieneś mieć ochotę się dowiedzieć, kim jest i gdzie mieszka Juliana Verni.

– Mianowicie?

Harry spojrzał na zegarek.

– Według informacji na karcie imigracyjnej mieszka w Lipsku, w Niemczech. Byłeś kiedyś w Lipsku, szefie?

– Nie.

– Ja też nie. Ale wiem, że Lipsk zasłynął jako miasto Goethego i Bacha, a także jednego z tych królów walca. Jak on się nazywał?

– Jaki to ma związek…

– Lipsk jest też słynny z obszernych archiwów Stasi. Miasto leżało kiedyś w dawnej NRD. A wiedziałeś, że sposób mówienia Niemców ze wschodniej części w ciągu czterdziestu lat istnienia NRD zdołał rozwinąć się do tego stopnia inaczej niż w pozostałej części kraju, że wyrobione ucho jest w stanie odróżnić go od języka Niemców z zachodu?

– Harry…

– Przepraszam, szefie. Rzecz w tym, że pewna kobieta mówiąca akcentem wschodnioniemieckim była w tym samym okresie w mieście Goma w Kongu, położonym zaledwie o trzy godzin jazdy od Kigali. Tam kupiła narzędzie, które – jestem przekonany – posłużyło do odebrania życia Borgny Stem-Myhre i Charlotte Lolles.

– Przesłano nam wydruk kopii paszportu, którą policja zachowuje przy wydawaniu dokumentu. – Kaja podała Hagenowi jakąś kartkę.

– To się zgadza z podanym przez van Boorsta opisem osoby dokonującej zakupu – powiedział Harry. – Juliana Verni miała gęste rudoczerwone włosy.

– Ceglastoczerwone – poprawiła go Kaja.

– Słucham? – zdziwił się Hagen.

Kaja wskazała kartkę, a Harry wyjaśnił:

– Ona ma paszport starego typu, w którym jeszcze wpisany jest kolor włosów. Określili go jako *brickred*. Ceglastoczerwony. Niemiecka pedanteria, wiesz, szefie. Poprosiłem też policję w Lipsku o zatrzymanie jej paszportu i sprawdzenie, czy jest w nim stempel z Kigali z interesującą nas datą.

Gunnar Hagen pustym wzrokiem wpatrywał się w kartkę, próbując przetrawić to wszystko, co Harry i Kaja mu przekazali. W końcu wyprostował głowę z uniesioną jedną krzaczastą brwią.

– Twierdzisz... twierdzisz, że możesz mieć osobę, która... – Nadkomisarz przełknął ślinę, próbując znaleźć jakiś pośredni sposób na wyartykułowanie tych słów, w obawie, że ten cud, ta fatamorgana zniknie, jeśli powie o niej głośno. W końcu jednak się poddał. – ...jest naszym seryjnym zabójcą?

– Nie powiem nic więcej, niż to, co usłyszałeś – oświadczył Harry. – Na razie. Kolega w Lipsku sprawdza personalia i rejestr karny, więc myślę, że wkrótce dowiemy się czegoś więcej o *fräulein* Verni.

– Ależ to fantastyczna wiadomość! – Hagen cały rozjaśnił się w uśmiechu. Przeniósł wzrok z Harry'ego na Kaję, która radośnie kiwała głową.

– No cóż... – Harry wypił łyk kawy. – Rodzina Adele Vetlesen raczej się nie ucieszy.

Uśmiech Hagena zgasł.

– To prawda. Myślisz, że jest jakaś nadzieja...

Harry pokręcił głową.

– Ona nie żyje, szefie.

– Ale...

W tej samej chwili zadzwonił telefon.

– Tak, Günther? – Harry z wymuszonym uśmiechem powtórzył: – Tak, Harry Klein. *Genau.*

Gunnar Hagen i Kaja obserwowali, jak Harry słucha w milczeniu. W końcu zakończył rozmowę, mówiąc: *danke.* Chrząknął.

– Ona nie żyje.

– Tak jak mówiłeś.

– Nie. Juliana Verni nie żyje. Drugiego grudnia znaleziono ją w Elsterze.

Hagen zaklął cicho.

– Przyczyna śmierci?

Harry patrzył przed siebie.

– Utonięcie.

– To mógł być wypadek.

Harry wolno pokręcił głową.

– Ona nie utonęła w wodzie.

W ciszy, która zapadła, słychać było burczenie kotłów w sąsiednim pomieszczeniu.

– Kłute rany w ustach? – spytała Kaja.

Harry skinął głową.

– Dokładnie dwadzieścia cztery. Wysłano ją do Afryki, żeby przywiozła to, od czego sama miała zginąć.

34 MEDIUM

– A więc Julianę Verni znaleziono martwą w Lipsku trzy dni po jej powrocie z Kigali, dokąd pojechała jako Adele Vetlesen, pod tym nazwiskiem zameldowała się w hotelu Gorilla i wysłała pocztówkę napisaną najprawdopodobniej pod dyktando przez prawdziwą Adele Vetlesen – podsumowała Kaja.

– Właśnie. – Harry przygotowywał kolejną porcję kawy z ekspresu.

– I wy uważacie, że ta Verni musiała to zrobić we współpracy z kimś – stwierdził Hagen. – A potem ta druga osoba zabiła ją, żeby ukryć ślady.

– Tak – zgodził się Harry.

– No to teraz pozostaje odnalezienie związku między nią a tą drugą osobą. To nie powinno być takie trudne. Musieli utrzymywać bliski kontakt, skoro razem popełniali przestępstwa.

– Przypuszczam, że w tym wypadku to będzie bardzo trudne.

– Dlaczego?

– Ponieważ... – Harry trzasnął pokrywką ekspresu i włączył przycisk – Juliana Verni była notowana w rejestrze karnym. Narkotyki. Prostytucja. Włóczęgostwo. Krótko mówiąc, to osoba, którą łatwo wynająć do tego rodzaju zlecenia, byle tylko obiecać jej należytą zapłatę. Wszystko w tej sprawie wskazuje, że główny sprawca nie zostawił nam śladów. Prawie wszystko przewidział. Katrine wykryła, że Verni z Lipska przyjechała do Oslo i stąd wyruszyła do Kigali już pod nazwiskiem Adele. A mimo to na komórce Verni nie ma ani jednego połączenia z Norwegią. Ten człowiek jest niezwykle ostrożny.

Hagen z niechęcią pokręcił głową.

– Tak blisko...

Harry usiadł na biurku.

– Jest jeszcze jeden dylemat, do którego musimy się ustosunkować. Goście nocujący w Håvasshytta tej nocy.

– A co z nimi?

– Nie możemy wykluczyć, że ta zaginiona kartka z książki gości to tak naprawdę lista ofiar. Trzeba tych ludzi ostrzec.

– W jaki sposób? Przecież nie wiemy, kim są.

– Za pośrednictwem mediów. Chociaż w ten sposób ujawnimy zabójcy, że wpadliśmy na jego trop.

– Lista ofiar – zamyślił się Hagen. – I taką konkluzję wysnuwasz dopiero teraz?

– Wiem, szefie. – Harry popatrzył Hagenowi w oczy. – Gdybym zwrócił się do mediów z ostrzeżeniem, kiedy tylko odkryliśmy Håvasshytta, może ocalilibyśmy Eliasa Skoga.

W pokoju zapadła cisza.

– M y nie możemy iść z tym do mediów – stwierdził Hagen.

– Dlaczego? Przecież jeśli ktoś się zgłosi, to może uda nam się dowiedzieć, kto jeszcze nocował w tym schronisku i co się tam właściwie wydarzyło – zaoponowała Kaja.

– My nie możemy z tym wyjść do mediów – powtórzył Hagen i wstał.

– My prowadziliśmy śledztwo w sprawie zaginięcia i odkryliśmy związek ze sprawą zabójstwa, którą prowadzi KRIPOS. Musimy przekazać im nasze informacje i pozwolić, by dalej się tym zajmowali. Dzwonię do Bellmana.

– Zaczekaj! – powstrzymał szefa Harry. – Jemu ma przypaść cała chwała za robotę wykonaną przez nas?

– Nie jest pewne, czy będzie jakaś chwała do podziału, prawda? – Hagen już szedł do drzwi. – A wy zacznijcie się stąd przenosić.

– Czy to nie zbyt pospieszna decyzja? – spytała Kaja.

Popatrzyli na nią.

– Przecież wciąż mamy zaginioną osobę. Czy nie powinniśmy spróbować mimo wszystko ją odnaleźć, zanim zaczniemy tu sprzątać?

– A jak masz zamiar to zrobić? – burknął Hagen.

– Tak jak proponował Harry. Organizując akcję poszukiwawczą.

– Przecież, do diabła, nie wiecie nawet, od czego zacząć!

– Harry wie.

Popatrzyli na mężczyznę, który akurat jedną ręką wyciągał dzbanek, a drugą podstawiał filiżankę pod brudnobrązowy strumień cieczy płynącej prosto z ekspresu.

– Wiesz? – spytał wreszcie Hagen.

– Pewnie – odparł Harry.

– Gdzie?

– Będziesz miał kłopoty, szefie.

– Zamknij gębę i gadaj. – Hagen nawet nie zauważył, że sam sobie przeczy, bo myślał o tym, że to się znów dzieje. Co takiego miał w sobie ten wysoki jasnowłosy policjant, że zawsze, kiedy upadał, udawało mu się pociągnąć za sobą innych?

Olav Hole spojrzał na Harry'ego i towarzyszącą mu kobietę.

Dygnęła, przedstawiając się, a Harry zauważył, że ojcu się to spodobało. Często się skarżył, że kobiety przestały już dygać.

– A więc pani jest koleżanką Harry'ego. Czy on się zachowuje, jak należy?

– Właśnie idziemy organizować poszukiwania – wszedł mu w słowo Harry. – Chciałem tylko zajrzeć po drodze i zobaczyć, co u ciebie słychać.

Ojciec uśmiechnął się blado, wzruszył ramionami i przywołał go gestem.

Harry nachylił się, słuchał, a potem gwałtownie się cofnął.

– Wszystko będzie dobrze – rzucił nagle dziwnie zachrypniętym głosem i wstał. – Wrócę wieczorem, okej?

Na korytarzu Harry zatrzymał Altmana, a Kai dał sygnał, żeby poszła przodem.

– Posłuchaj, czy mogę cię prosić o wielką przysługę? – spytał, gdy Kaja nie mogła ich już usłyszeć. – Ojciec przed chwilą mi zdradził, że go boli. Przed wami nigdy się do tego nie przyzna, bo się obawia, że zwiększycie dawkę środków przeciwbólowych, a on wręcz panicznie boi się uzależnienia od... narkotyków. Jest pewna rodzinna historia z tym związana.

– Jaszne. – Pielęgniarz wyseplenił to tak, że Harry z trudem go zrozumiał. – Problem w tym, że ja cały czas krążę między oddziałami.

– Proszę cię o osobistą przysługę.

Altman zmrużył oczy skryte za okularami i w zamyśleniu zapatrzył się w jakiś punkt między nim a Harrym.

– Zobaczę, co da się zrobić.

– Dziękuję.

Kaja prowadziła, a Harry rozmawiał przez telefon z dyżurnym jednostki straży pożarnej na Briskeby.

– Twój ojciec wydaje się dobrym człowiekiem – stwierdziła, kiedy Harry się rozłączył.

Harry się zastanowił.

– To mama zrobiła z niego dobrego człowieka. Kiedy żyła, był dobry. Wydobyła z niego to, co najlepsze.

– Mówisz tak, jakbyś sam to przeżył.

– Co?

– To, że ktoś zrobił z ciebie dobrego człowieka.

Harry wyjrzał przez okno, w końcu kiwnął głową.

– Rakel?

– Rakel i Oleg.

– Przepraszam, nie chciałam...

– W porządku.

– Po prostu kiedy przyszłam do Wydziału Zabójstw, wszyscy mówili o sprawie Bałwana. O tym, że o mało ich nie zabił. I ciebie też. Ale zerwaliście ze sobą, jeszcze zanim ta sprawa się zaczęła, prawda?

– W pewnym sensie – mruknął Harry.

– Masz z nimi jakiś kontakt?

Pokręcił głową.

– Musieliśmy spróbować zostawić to za sobą. Pomóc Olegowi zapomnieć. Takim dzieciakom jeszcze się to udaje.

– Nie zawsze. – Kaja uśmiechnęła się krzywo.

Harry zerknął na nią.

– A kto z ciebie zrobił dobrego człowieka?

– Even – odparła bez namysłu.

– Żadna wielka miłość?

– Żadna w rozmiarze XL. Jedynie kilka *small*. I jedna *medium*.

– Masz kogoś na oku?

Roześmiała się cicho.

– Na oku?

– Akurat w tej dziedzinie moje słownictwo jest dość staroświeckie – uśmiechnął się Harry.

– Rzeczywiście, interesuje mnie pewien facet – przyznała.

– Jakie widoki?

– Marne.

– Pozwól, że zgadnę. – Harry lekko opuścił szybę i zapalił papierosa. – On jest żonaty i twierdzi, że zostawi dla ciebie żonę i dzieci, ale nigdy tego nie zrobi?

Kaja się roześmiała.

– Teraz pozwól, że ja będę zgadywać. Zaliczasz się do tych, którzy uważają, że znakomicie potrafią odczytać innych ludzi, bo zapamiętują tylko te sytuacje, kiedy ich domysły się sprawdzają.

– Nie mówił, że musisz mu tylko dać trochę czasu?

– Kolejny błąd. On nic nie mówi.

Harry pokiwał głową. Chciał zadać jeszcze jedno pytanie, lecz nagle poczuł, że woli tego nie wiedzieć.

35 NURKOWANIE

Nad czarną, gładką taflą jeziora Lyseren unosiła się mgła. Wzdłuż brzegu stały drzewa niczym ponurzy milczący świadkowie ze zwieszonymi ramionami. Ciszę przerywały komendy, komunikaty radiowe i plusk, gdy nurkowie tyłem wskakiwali do wody z gumowych pontonów. Zaczęli wzdłuż brzegu przy warsztacie powroźnika. Dowodzący kazali im uformować wachlarz, a teraz zakreślali na mapie kratki obszarów uznanych za przeszukane i szarpaniem linek sygnalizowali, kiedy nurkowie mają się zatrzymać albo wracać. Profesjonalni nurkowie ratownicy, tacy jak Jarle Andreassen, byli ponadto wyposażeni w kable prowadzące do masek i umożliwiające ustną komunikację.

Minęło zaledwie sześć miesięcy, odkąd Jarle zrobił kurs kategorii R, i podczas nurkowania puls jeszcze mu przyspieszał. A podwyższony puls oznaczał wyższe zużycie powietrza. Bardziej doświadczeni koledzy ze straży pożarnej na Briskeby nazywali go Spławik, bo tak często musiał się wynurzać, żeby zmienić butle.

Jarle wiedział, że na brzegu wciąż jest dość widno, ale tu, w głębi, panowała czarna noc. Starał się płynąć na przepisowej głębokości półtora metra nad dnem, ale mimo to podrywał muł, od którego odbijało się światło latarki, częściowo go oślepiając. Chociaż wiedział, że po obu jego stronach są inni nurkowie, czuł się osamotniony. Samotny i przemarznięty do szpiku kości. A przecież wciąż jeszcze mogły być przed nimi całe godziny nurkowania. Wiedział, że znów będzie miał mniej powietrza niż pozostali, i zaklął w duchu. Jeśli jako pierwszy z ratowników jednostki strażaków będzie musiał się wynurzyć i zmienić butle, to w porządku, ale bał się, że wyprzedzi też ochotników z miejscowych klubów. Spojrzał przed siebie, zatrzymał się i przestał oddychać. Nie zrobił tego celowo, by zmniejszyć zużycie powietrza. Dech mu zaparło, bo w rozkołysanym lesie wodorostów wyrastających z mułu bliżej brzegu snop światła latarki wydobył jakiś swobodnie unoszący się kształt. Niepasujący do tego miejsca, taki, który nie mógł tu żyć. Obcy element. Właśnie przez to ogarnęła go ekscytacja, a jednocześnie przerażenie. A może to przez światło latarki, które odbiło się w ciemnych oczach, sprawiając, że wyglądały jak żywe?

– Wszystko w porządku, Jarle?

To był głos dowodzącego. Do jego zadań należało słuchanie oddechu nurków. Nie tylko, czy w ogóle oddychali, ale czy oddech nie świadczył o niepokoju lub o przesadnym spokoju. Już na głębokości dwudziestu metrów mózg zaczynał magazynować tyle azotu, że mogło się pojawić oszołomienie głębią. W narkozie azotowej człowiek zaczynał zapominać, proste zadania stawały się trudniejsze, a na jeszcze większych głębokościach mogło pojawić się osłabienie, widzenie tunelowe i zupełnie nieracjonalne zachowanie. Jarle nie wiedział, czy to tylko takie opowieści, ale słyszał historie o nurkach, którzy na głębokości pięćdziesięciu metrów ze śmiechem ściągali maski. On sam do tej pory znał to odurzenie jedynie w postaci przyjemnego spokoju, jaki dawało też czerwone wino, które czasami popijał z dziewczyną w późne sobotnie wieczory.

– Wszystko w porządku – odparł i znów zaczął oddychać. Chłonął mieszankę powietrza składającą się z azotu i tlenu, słyszał bulgotanie, kiedy wypuszczał wiązki baniek rozpaczliwie sunących ku powierzchni.

To był wielki rogacz. Wisiał łbem w dół i wyglądał, jakby runął w przepaść z wielką koroną rogów przed sobą. Pewnie pasł się na brzegu i wpadł do wody. A może ktoś go do niej wpędził, bo jak inaczej mógł się tu znaleźć? Może zaplątał się w trzciny i kilkumetrowej długości łodygi lilii wodnych, próbował się uwolnić, ale z tym tylko rezultatem, że zaplątywał się coraz bardziej w zielone oślizgłe macki. W końcu dostał się pod wodę i walczył dalej, aż utonął. Opadł na dno i leżał tam, aż procesy gnilne zachodzące w jego ciele wypełniły je gazem i znów zaczął wznosić się na powierzchnię. Zaczepił jednak rogami o zieloną plątaninę wodorostów. Za kilka dni gaz wydobędzie się z zewłoku i rogacz znów opadnie na dno. Tak jak ciało topielca. Bardzo możliwe, że to samo spotkało osobę, której szukali, i ciała do tej pory nie odnaleziono, ponieważ po prostu nie wypłynęło na powierzchnię. W takim wypadku najpewniej leży gdzieś na dole, przykryte warstwą mułu. Mułu, który, co nieuniknione, poderwie się, kiedy się zbliżą, a przez to nawet tak ściśle wyznaczone obszary poszukiwań będą mogły skrywać swoje tajemnice w nieskończoność.

Jarle Andreassen wyciągnął swój mocny nóż nurkowy, podpłynął do jelenia i przeciął łodygi pętające rogi. Miał świadomość, że jego szefom się to nie spodoba, ale nie mógł znieść myśli o tym, że piękne zwierzę miałoby pozostać pod wodą. Ścierwo uniosło się o pół metra, ale przytrzymywały je kolejne łodygi. Jarle uważnie, tak aby jego lina się nie zaplątała, czym prędzej je przeciął. Nagle poczuł szarpnięcie liny. Na tyle silne, by się zirytował. Na tyle silne, by na moment stracił koncentrację. Nóż wyślizgnął mu się z ręki. Poświecił latarką na dno i zdążył zobaczyć ostrze błyskające w świetle, zanim zniknęło w miękkiej masie. Ostrożnie popłynął za nim. Wetknął rękę w muł, który wzbił się jak słup popiołu.

Zaczął obmacywać dno. Wyczuł kamienie i gałęzie, oślizgłe od wilgoci i glonów. I coś twardego. Łańcuch. Pewnie od łodzi. Jeszcze więcej łańcucha. Coś innego. Twardego. Kontur czegoś. Jakaś dziura, otwór. Usłyszał nagle bulgot banieczek powietrza, jeszcze zanim mózg zdążył sformułować myśl. Bał się.

– Wszystko w porządku, Jarle? Jarle?

Nie wszystko było w porządku. Bo nawet przez grube rękawice, nawet z mózgiem, któremu zaczęło brakować tlenu, nie miał wątpliwości, w co włożył rękę. W otwarte usta człowieka.

Część IV

36 HELIKOPTER

Mikael Bellman przyleciał nad jezioro Lyseren helikopterem. Łopaty śmigła ubijały mgłę na watę cukrową, gdy wyskakiwał z siedzenia pasażera i zgięty wpół pędził przez pole ponad warsztatem powroźniczym. Za nim biegli Kolkka i Beavis. Ratownicy z noszami przystanęli, odwracając twarze, a Bellman nachylił się i bacznie przyjrzał nagim, białym, napuchniętymi zwłokom.

– Dziękuję – powiedział i pozwolił im iść dalej w stronę helikoptera.

Zatrzymał się na szczycie zbocza i z góry patrzył na ludzi stojących między budynkiem a wodą. Wśród nurków zdejmujących sprzęt i kombinezony wypatrzył Beate Lønn i Kaję Solness. Nieco dalej Harry Hole rozmawiał, jak Bellman się domyślał, ze Skaiem, miejscowym lensmanem.

Nadkomisarz dał znać Beavisowi i Kolkce, by zaczekali, a sam zwinnie i szybko zaczął schodzić w dół po stromiźnie.

– Dzień dobry, lensmanie – przywitał się, otrzepując drobne gałązki z długiego płaszcza. – Mikael Bellman, KRIPOS. Rozmawialiśmy przez telefon.

– Zgadza się – odparł Skai. – To było tego samego wieczoru, kiedy jego ludzie – wskazał na Harry'ego kciukiem – znaleźli tu jakąś ciekawą linę.

– No, tak, a teraz on znów tu jest – zauważył cierpko Bellman. – Oczywiście trzeba sobie zadać pytanie, co robi w miejscu mojego zabójstwa.

– No cóż. – Harry chrząknął. – Po pierwsze, to nie jest żadne miejsce zabójstwa. Po drugie, szukam zaginionej osoby i wygląda na to, że znaleźliśmy to, o co nam chodziło. A co tam słychać w sprawie tego potrójnego zabójstwa? Macie coś? Dostałeś naszą informację o Håvasshytta?

Lensman uchwycił spojrzenie Bellmana i dyskretnie, ale pospiesznie się oddalił.

Bellman ze wzrokiem wbitym w wodę przeciągnął palcem po dolnej wardze, jakby rozsmarowywał maść.

– Słuchaj, Hole. Masz świadomość, że właśnie w tej chwili doprowadziłeś do tego, byście i ty, i twój szef Gunnar Hagen nie tylko stracili robotę, ale zostali również oskarżeni o zaniedbanie służbowe?

– Mhm. Dlatego, że robimy to, co nam wyznaczono?

– Wydaje mi się, że kancelaria ministra sprawiedliwości zażąda dość dokładnych wyjaśnień, dlaczego rozpoczęliście akcję poszukiwawczą tuż przy zakładzie powroźniczym, gdzie znajdowała się lina, na której powieszono Marit Olsen. Dałem wam już jedną szansę. Nowej nie dostaniecie. *Game over*, Hole.

– No to trzeba będzie przedstawić ministrowi sprawiedliwości dokładne wyjaśnienia, Bellman. Oczywiście będą one musiały zawierać informacje o tym, że to my odkryliśmy, skąd pochodzi lina, a także wpadliśmy na trop Eliasa Skoga i Håvasshytta. Stwierdziliśmy, że była jeszcze czwarta ofiara o nazwisku Adele Vetlesen, i dziś odnaleźliśmy ją tutaj. Wykonaliśmy robotę, której KRIPOS ze wszystkimi swoimi ludźmi i środkami nie dała rady przez dwa miesiące. Co na to powiesz, Bellman?

Nadkomisarz nie odpowiedział.

– Boisz się, że to może nieco zachwiać opinią ministra o tym, która jednostka w kraju nadaje się najlepiej do wykrywania sprawców zabójstw?

– Nie licytuj za wysoko, Hole. Zgniotę cię, o tak. – Bellman pstryknął palcami.

– Okej – westchnął Harry. – Żaden z nas nie ma asa w rękawie, więc co powiesz na przełożenie puli do następnego rozdania?

– O co ci, do cholery, chodzi?

– Dostaniesz wszystko. Wszystko, co mamy. Zrezygnujemy z całego uznania.

Bellman patrzył na Harry'ego podejrzliwie.

– Dlaczego miałbyś nam pomagać?

– To proste. – Harry wyjął z paczki ostatniego papierosa. – Płacą mi za pomoc w ujęciu zabójcy. Na tym polega moja praca.

Bellman skrzywił się, poruszył barkami i głową tak, jakby się śmiał, ale z ust nie wydobył mu się żaden dźwięk.

– Dalej, Hole, czego chcesz?

Harry zapalił papierosa.

– Chcę, żeby Gunnara Hagena, Kaję Solness i Bjørna Holma ominęły wszelkie ciosy. Ich widoki na przyszłość w firmie mają pozostać niezmienione.

Bellman ścisnął dolną wargę w dwóch palcach.

– Zobaczę, co się da zrobić.

– A ja chcę uczestniczyć. Chcę mieć dostęp do wszystkich materiałów, jakie macie, i do zasobów, jakimi dysponujecie w śledztwie.

– Stop, stop! – Bellman uniósł rękę. – Czy ty źle słyszysz, Hole? Przecież wyraźnie ci powiedziałem, że masz się trzymać z dala od tej sprawy.

– Możemy ująć tego zabójcę razem, Bellman. Chyba to jest teraz najważniejsze, a nie to, kto będzie później rządził.

– Nie...! – krzyknął Bellman, ale opanował się, gdy kilka głów odwróciło się w ich stronę. Zbliżył się o krok do Harry'ego i zniżył głos. – Nie mów do mnie tak, jakbym był idiotą, Hole.

Wiatr dmuchnął mu dymem z papierosa Harry'ego prosto w twarz, ale on nawet się nie skrzywił. Harry wzruszył ramionami.

– Wiesz co, Bellman? Mam wrażenie, że tu nawet nie chodzi o władzę i politykę. Ty po prostu jesteś gówniarzem, który ma ochotę zostać bohaterem. Zwyczajnie. A teraz boisz się, że popsuję ci bohaterski epos. Ale jest prosty sposób na rozstrzygnięcie sprawy. Możemy tu i teraz rozpiąć rozporki i zobaczyć, który z nas dosika do pontonu.

Mikael Bellman się roześmiał, tym razem naprawdę, głośno i szczerze.

– Powinieneś czytać ostrzeżenia, Harry.

Prawa ręka wystrzeliła tak prędko, że Harry nie zdążył zareagować. Wytrąciła mu z ust papierosa, który wpadł do wody i zgasł z lekkim sykiem.

– To cię może zabić. Miłego dnia.

Harry wsłuchiwał się w odgłos odlatującego helikoptera i patrzył na ostatniego papierosa unoszącego się na powierzchni wody. Na szarą przemoczoną bibułkę. Na czarny martwy koniec.

Zaczęło zmierzchać, kiedy łódź nurków wysadziła Harry'ego, Kaję i Beate Lønn przy parkingu. Pod drzewami zaraz coś zaczęło się poruszać i chwilę później strzeliły flesze. Harry odruchowo zasłonił się ręką, ale z ciemności dobiegł go głos Rogera Gjendema:

– Harry Hole! Chodzą plotki, że znaleźliście młodą kobietę. Jak ona się nazywa? Na ile jesteście pewni, że ma związek z pozostałymi zabójstwami?

– Bez komentarza. – Harry szedł do przodu prawie na oślep. – Na razie sprawa dotyczy osoby zaginionej i możemy powiedzieć jedynie, że... znaleziono kobietę, która być może jest tą zaginioną. A jeśli chodzi o zabójstwa, o których, jak sądzę, mówisz, to lepiej pogadaj z KRIPOS.

– Jak ona się nazywa?

– Najpierw trzeba ją zidentyfikować i powiadomić bliskich.

– Ale nie wykluczacie, że...

– Jak zwykle ja nic nie wykluczam, Gjendem. Będzie oświadczenie dla prasy.

Harry wsiadł do samochodu, w którym Kaja już zdążyła uruchomić silnik, a Beate – usiąść z tyłu. Wyjechali na szosę, flesze wciąż nie przestawały błyskać.

– No dobrze – odezwała się Beate, wychylając się między siedzeniami.

– Nie usłyszałam jeszcze wyjaśnienia, w jaki sposób wpadliście na to, żeby szukać Adele Vetlesen właśnie tutaj.

– Dedukcja w czystej postaci – odparł Harry.

– Jasne – westchnęła Beate.

– Właściwie aż mi głupio, że wcześniej na to nie wpadłem. Zastanawiałem się, dlaczego zabójca fatygował się z przyjazdem aż tutaj, do nieczynnego warsztatu powroźnika, tylko po to, by zdobyć kawałek sznura. Szczególnie, że taki sznur, w przeciwieństwie do kupionego w sklepie, wskazywał na miejsce jego pochodzenia. Odpowiedź była oczywista. A jednak dopiero gdy siedziałem wpatrzony w głębokie jezioro w Afryce, przyszło mi do głowy, że on nie przyjechał tu z powodu liny. Prawdopodobnie właśnie tutaj używał jej do czegoś i zabrał ze sobą, a później, ponieważ przypadkiem wpadła mu w ręce, wykorzystał ją do zabicia Marit Olsen. A prawdziwym powodem jego przyjazdu nad to jezioro były zwłoki, których musiał się pozbyć. Adele Vetlesen. Lensman Skai powiedział nam o tym wyraźnie, kiedy byliśmy tu za pierwszym razem. To głęboka strona jeziora. Zabójca wypełnił spodnie Adele kamieniami, okręcił ją liną w pasie i w nogawkach i dopiero wyrzucił za burtę.

– Skąd wiesz, że nie żyła, zanim ją tu przywiózł? Przecież mógł ją utopić.

– Miała dużą ranę na szyi. Założę się, że sekcja wykaże brak wody w płucach.

– I obecność ketanominy we krwi, tak jak u Charlotte i Borgny – dodała Beate.

– Z tego, co zrozumiałem, ketanomina to szybko działający środek znieczulający. Dziwne, że wcześniej o nim nie słyszałem.

– Wcale nie dziwne – powiedziała Beate. – To stara tania wersja ketalaru, którego używa się do narkozy. Ma tę zaletę, że pacjent dalej sam oddycha. W Unii Europejskiej i w Norwegii w latach dziewięćdziesiątych zakazano stosowania ketanominy ze względu na skutki uboczne, więc teraz można się z nią zetknąć głównie w krajach Trzeciego Świata. Dla KRIPOS przez pewien czas stanowiła główny ślad. Ale do niczego nie doprowadziła.

Kiedy czterdzieści minut później dowieźli Beate do Wydziału Techniki Kryminalistycznej na Bryn, Harry poprosił Kaję, żeby chwilę zaczekała, a sam wysiadł z samochodu.

– Chcę cię spytać o jedną rzecz – zaczął Harry.

– Tak? – Beate chyba zmarzła, bo zaczęła rozcierać ręce.

– Skąd ty się wzięłaś na przypuszczalnym miejscu zbrodni? Dlaczego nie było Bjørna?

– Ponieważ Bellman wyznaczył Bjørna do zadań specjalnych.

– A co to ma być? Szorowanie latryn?

– Nie. Koordynowanie technicznych i taktycznych elementów śledztwa.

– Co? – Harry zdziwiony uniósł brwi. – To przecież awans.

Beate wzruszyła ramionami.

– Bjørn jest zdolny. Był już na to czas. Coś jeszcze?

– Nie, już nic.

– No to cześć.

– Cześć. A zresztą jeszcze jedno. Dzwoniłem do ciebie z prośbą, żebyś podrzuciła Bellmanowi informację o znalezieniu tej liny w powrozowni. Kiedy mu przekazałaś tę wiadomość?

– Zadzwoniłeś do mnie w nocy, więc wstrzymałam się do rana. A co?

– Nic – odparł Harry. – Nic.

Kiedy z powrotem wsiadał do samochodu, Kaja akurat chowała komórkę.

– Wiadomość o znalezieniu zwłok jest już na stronach internetowych „Aftenposten" – oznajmiła. – Podobno zamieścili twoje duże zdjęcie z pełnym nazwiskiem i nazywają cię kierującym śledztwem. I oczywiście są linki do pozostałych zabójstw.

– Można się było spodziewać. Mhm. Powiedz mi, ty też jesteś głodna?

– Okropnie.

– A masz jakieś plany? Bo jeśli nie, to stawiam obiad.

– Świetnie. Gdzie?

– W restauracji Ekeberg.

– Ojej, ekskluzywnie. A dlaczego akurat tam?

– Nooo… Wpadła mi do głowy, bo kumpel przypomniał mi pewną starą historię.

– Opowiadaj!

– Nie warto. Zwyczajna historia z okresu dojrzewania.

– Dojrzewania? Mów.

Harry zaśmiał się cicho. Ale po drodze do centrum i podczas mozolnego podjeżdżania na szczyt wzgórza Ekeberg opowiedział Kai o Killer Queen, królowej restauracji Ekeberg, swego czasu najpiękniejszego funkcjonalistycznego budynku w Oslo, który ostatnio, po renowacji, na powrót nim się stał.

– Ale w latach osiemdziesiątych budowla była tak zniszczona, że ludzie właściwie zrezygnowali z tego miejsca. Restauracja zmieniła się w zatęchłą tancbudę, w której panowie prosili do tańca, starając się utrzymać na nogach i nie wywracać przy tym kieliszków, a tancerze musieli się nawzajem podpierać.

– Rozumiem.

– We trzech z Øysteinem i Drewniakiem zwykle przesiadywaliśmy na niemieckich bunkrach na Nordstrand, piliśmy piwo i czekaliśmy, aż okres wczesnej młodości wreszcie minie. Kiedy mieliśmy po siedemnaście lat, odważyliśmy się pójść do restauracji Ekeberg, skłamaliśmy, w jakim jesteśmy wieku, i udało nam się wejść. Zresztą nie trzeba było wiele kłamać, knajpa potrzebowała obrotów. Zespół przygrywający do tańca cuchnął, ale przynajmniej grali *Nights in White Satin*. No i była tam atrakcja pojawiająca się każdego wieczoru. Nazywaliśmy ją po prostu Killer Queen. Kobieta brygantyna.

– Brygantyna? – roześmiała się Kaja. – I mieliście ją na oku?

– No właśnie. Podchodziła do człowieka na pełnych żaglach, wspaniała i przerażająca. Wystrojona jak choinka, z krągłościami, po których mogłaby jeździć kolejka górska.

Kaja śmiała się jeszcze głośniej.

– Po prostu lokalny lunapark?

– W pewnym sensie – powiedział Harry. – Ale ona przychodziła do tej restauracji przede wszystkim po to, by się pokazać i pozwolić się uwielbiać. Tak sądzę. No i na te drinki, które stawiały jej wyleniałe lwy salonowe. Nikt nigdy nie widział, by Killer Queen poszła z którymkolwiek. Może właśnie to nas fascynowało. Kobieta, która spadła do trzeciej ligi wielbicieli, ale mimo wszystko trzymała styl.

– No i?

– Øystein i Drewniak oświadczyli, że każdy z osobna postawi mi whisky, jeśli będę miał odwagę zaprosić ją do tańca.

Przejechali przez szyny tramwajowe i zaczęli się wspinać na ostatnie strome zbocze do restauracji.

– I? – dopytywała się Kaja.

– Odwagi mi starczyło.

– I co dalej?

– Tańczyliśmy. Aż w końcu oświadczyła, że ma dosyć deptania po palcach i zaproponowała, żebyśmy się przeszli. Szła pierwsza. Był sierpień, ciepło. Jak widzisz, tu wszędzie dokoła jest tylko las. Gęste liście, mnóstwo ścieżek prowadzących w ustronne miejsca. Byłem pijany, ale mimo wszystko bardzo przejęty – wiedziałem, że będzie słychać, jak drży mi głos, jeśli coś powiem. Trzymałem więc gębę na kłódkę. I było w porządku, to ona zajęła się mówieniem. Resztą też. A później spytała, czy nie poszedłbym do niej do domu.

– O rany! – zachichotała Kaja. – I co się tam wydarzyło?

– Dalszy ciąg opowiem ci przy obiedzie. Jesteśmy na miejscu.

Zatrzymali się na parkingu, wysiedli i po schodach weszli do restauracji. Przywitał ich kierownik sali i spytał, na jakie nazwisko zarezerwowany jest stolik. Harry odparł, że nie mają rezerwacji.

Widać było, że szef sali z trudem powstrzymuje się od przewrócenia oczami.

— Wszystko zajęte przez następne dwa miesiące – prychnął Harry, już z powrotem na zewnątrz. – Chyba wolałem to miejsce, kiedy woda kapała na głowę, a za kiblem piszczały szczury. Dobrze, że w ogóle pozwolili nam wejść i kupić w barze papierosy.

– Zapalmy – zaproponowała Kaja.

Podeszli do niskiego murku, za którym porastający zbocze las schodził ku miastu. Chmury na zachodzie zabarwiły się na czerwono i pomarańczowo, a samochody stojące w korku na autostradzie świeciły w czerni miasta jak robaczki świętojańskie. Wydawało się, że Oslo zastygło w wyczekiwaniu, czujne jak zakamuflowany drapieżnik. Harry wyjął z paczki dwa papierosy, zapalił, jednego podał Kai.

– Opowiedz dalszy ciąg – poprosiła, zaciągając się dymem.

– A gdzie byliśmy?

– Killer Queen zabrała cię do domu.

– Nie, nie, tylko zaprosiła. A ja uprzejmie odmówiłem.

– Naprawdę? Oszukujesz. Dlaczego?

– Øystein i Drewniak też o to pytali, kiedy wróciłem. Powiedziałem, że nie mogłem ot, tak się zmyć, skoro czekali na mnie dwaj kumple i podwójna whisky.

Kaja śmiała się głośno.

– Ale oczywiście to było kłamstwo – dodał Harry. – To nie miało żadnego związku z lojalnością. Przyjaźń nie ma żadnego znaczenia dla mężczyzny, jeśli przedstawisz mu dostatecznie kuszącą propozycję. Żadnego. Prawda była taka, że się bałem. Killer Queen okazała się dla mnie zbyt przerażająca.

Przez chwilę siedzieli w milczeniu, słuchali szumu miasta i patrzyli na unoszący się w górę dym.

– Myślisz o czymś – stwierdziła Kaja.

– Mhm. O Bellmanie. O tym, jak świetnie był poinformowany. Nie tylko wiedział, że przyleciałem do Norwegii, ale nawet którym samolotem.

– Może ma jakieś kontakty w Budynku Policji.

– Mhm. A dzisiaj nad Lyseren lensman Skai powiedział, że Bellman dzwonił do niego w sprawie liny wieczorem tego samego dnia, kiedy byliśmy w warsztacie powroźnika.

– I co?

– Ale Beate twierdzi, że zawiadomiła Bellmana o linie dopiero nazajutrz. – Harry śledził wzrokiem czerwony ślad rozżarzonej drobinki tytoniu opadającej w dół zbocza. – A Bjørn awansował na koordynatora technicznych i taktycznych elementów śledztwa.

Kaja popatrzyła na niego z przerażeniem.

– To niemożliwe, Harry!

Nie odpowiedział.

– Bjørn Holm! On miałby informować Bellmana o naszych ruchach? Przecież ty i Bjørn pracujecie razem od tak dawna i jesteście... przyjaciółmi!

Harry wzruszył ramionami.

– Tak jak mówiłem. – Rzucił papierosa na ziemię i przydeptał go obcasem. – Przyjaźń kompletnie nic nie znaczy, jeśli propozycja jest odpowiednio kusząca. Masz odwagę iść ze mną na danie dnia do Schrødera?

Przez cały czas teraz śnię. Było lato, a ja ją kochałem. Byłem taki młody i sądziłem, że wystarczy tylko bardzo czegoś chcieć, by to dostać.

Adele. Ty miałaś jej uśmiech, jej włosy i jej zdradzieckie serce. A teraz na internetowych stronach „Aftenposten" piszą, że cię znaleźli. Mam nadzieję, że z zewnątrz wyglądałaś równie brzydko, jak brzydka byłaś w środku.

Napisali też, że to komisarz Harry Hole prowadzi sprawę. To on ujął Bałwana. Może w tym jest jakaś nadzieja. Może policja zdoła uratować czyjeś życie. Mimo wszystko.

Wydrukowałem zdjęcie Adele ze strony „VG" w sieci. Przypiąłem je do ściany. Obok kartki wyrwanej z książki gości w Håvasshytta. Włącznie z moim zostały na niej jeszcze trzy nazwiska.

37 PROFIL

Daniem dnia U Schrødera były pokrojone w kostkę i odsmażane ziemniaki z mięsem, podawane z jajkiem sadzonym i surową cebulą.

– Pyszne – stwierdziła Kaja.

– Widocznie kucharz jest dzisiaj trzeźwy – przyznał Harry i dodał: – Spójrz!

Kaja odwróciła głowę do telewizora.

– Ho, ho – powiedziała.

Ekran wypełniała twarz Mikaela Bellmana. Harry dał znać Ninie, żeby zrobiła głośniej. Patrzył na poruszające się usta nadkomisarza, na miękkie, niemal kobiece rysy. Przez moment błysnęły piwne, czujnie spoglądające oczy spod ładnie ukształtowanych brwi. Białe plamki niczym marznąca mżawka na skórze wcale go nie szpeciły, raczej przydawały atrakcyjności, zmieniały w egzotyczne zwierzę. Jeśli w przeciwieństwie do większości śledczych nie miał zastrzeżonego numeru komórki, to skrzynka odbiorcza zaraz mu się zapełni SMS-owymi miłosnymi wyznaniami i propozycjami erotycznymi. Nina włączyła dźwięk.

– ...Håvasshytta w nocy z siódmego na ósmy listopada. Prosimy osoby, które tam wtedy przebywały, by jak najszybciej zgłosiły się na policję.

Na ekran wrócił prezenter z nową wiadomością.

Harry odsunął talerz i poprosił o kawę.

– Powiedz, co myślisz o tym zabójcy teraz, po odnalezieniu Adele. Przedstaw mi jego profil.

– Po co? – Kaja napiła się wody. – Przecież od jutra będziemy pracować przy innych sprawach.

– Tak dla zabawy.

– Profilowanie seryjnych zabójców mieści się w twojej definicji zabawy?

Harry ssał wykałaczkę.

– Wiem, że jest na to właściwa odpowiedź, ale nie mogę na nią wpaść.

– Jesteś chory.

– No więc kim on jest?

– Po pierwsze, to wciąż on. I wciąż seryjny zabójca. Nie wydaje mi się, żeby Adele była jego pierwszą ofiarą.

– Dlaczego?

– Bo to było takie bezbłędne, że musiał zachować zimną krew. A przy pierwszym zabójstwie człowiek nie jest taki zimny. Poza tym ukrył ją bardzo dobrze, więc zdecydowanie nie chodziło o to, żebyśmy ją znaleźli. To oznacza, że może być odpowiedzialny za inne zabójstwa, których ofiary wciąż figurują w rejestrze osób zaginionych.

– Okej. Mów dalej.

– Nooo...

– Mów, mów. Powiedziałaś, że dobrze ukrył Adele Vetlesen. Pierwszą z jego ofiar, o których wiemy. Jak się rozwijają te zabójstwa?

– Nabiera pewności siebie. Przestaje je ukrywać. Charlotte znaleziono za wrakiem samochodu w lesie, a Borgny w piwnicy biurowca w środku miasta.

– A Marit Olsen?

Kaja długo się zastanawiała.

– To już skrajność. Stracił panowanie nad sobą. Kontrola zaczyna szwankować.

– Albo... – zastanawiał się Harry – przeniósł się na wyższy poziom. Chce wszystkim pokazać, jaki jest świetny, więc wystawia swoje dzieło na widok publiczny. Zabójstwo Marit Olsen na kąpielisku Frogner to głośny krzyk domagający się uwagi. Ale mało jest oznak utraty kontroli w wykonaniu. Użycie akurat tej liny można w najgorszym razie nazwać nieostrożnością, ale oprócz tego nie pozostawił żadnych śladów. Zgadzasz się?

Kaja po namyśle w końcu pokiwała głową.

– Dalej był Elias Skog – wyliczał Harry. – Czymś się to różni?

– Torturuje ofiarę powolną śmiercią. Ujawnia się w nim sadysta.

– Jabłko Leopolda to również narzędzie tortur, ale zgadzam się, pierwszy raz widzimy sadyzm. A jednocześnie to świadomy wybór. On ujawnia, a nie zostaje odkryty. To wciąż on odpowiada za reżyserię i ma pełną kontrolę.

Na stoliku stanął dzbanek z kawą i filiżanki.

– Ale... – zaczęła Kaja.

– Tak?

– Czy to nie trochę dziwne, że sadystyczny zabójca opuszcza miejsce zbrodni, zanim może się stać świadkiem prawdziwych cierpień i ostatecznej śmierci ofiary? Gospodyni mówiła o tym dudnieniu w wannę po wyjściu gościa. Uciekł od całej... frajdy.

– Słuszna uwaga. Więc co mamy? Fałszywego sadystę? Dlaczego miałby go udawać?

– Ponieważ wie, że będziemy próbowali sporządzić profil, właśnie tak, jak teraz robimy – stwierdziła Kaja z ożywieniem. – I będziemy go szukać w niewłaściwych miejscach.

– Mhm. Być może. A jeśli tak, to rzeczywiście wyrafinowany zabójca.

– A co ty o tym myślisz, mędrcze?

Harry nalał im kawy.

– Jeśli to naprawdę seryjny morderca, to uważam, że zabójstwa za bardzo od siebie odstają.

Kaja pochyliła się nad stolikiem. Ostre ząbki błysnęły, gdy szeptała:

– Ty nie wierzysz, że to seria?

– No cóż. Brakuje mi podpisu. Na ogół to pewne konkretne szczegóły wiążące się z morderstwem uruchamiają seryjnego zabójcę, dlatego przynajmniej niektóre elementy wykonania zazwyczaj się powtarzają. W tej sprawie nie mamy żadnych śladów, wskazujących na jakiekolwiek zachowania seksualne związane z zabijaniem. I żadnego podobieństwa w metodzie, oprócz tego, że Borgny i Charlotte zostały najprawdopodobniej zabite za pomocą jabłka Leopolda. Miejsca zbrodni się różnią, podobnie ofiary. Są różnej płci, w różnym wieku, z różnych środowisk i różnią się wyglądem.

– Ale nie zostały przypadkowo wybrane, wszystkie spędziły noc w tym samym schronisku.

– No właśnie. I dlatego odnoszę wrażenie, że nie mamy do czynienia z klasycznym seryjnym zabójcą czy może raczej z klasycznym motywem seryjnego zabójstwa. Dla seryjnego mordercy zwykle sam akt uśmiercania stanowi wystarczający motyw. To, że ktoś zabija na przykład prostytutki, zazwyczaj nie oznacza, że uważa je za grzesznice, po prostu są łatwymi ofiarami. Znam tylko jednego seryjnego zabójcę, który miał jakieś kryterium doboru samych ofiar.

– Bałwan.

– Nie wierzę, by seryjny zabójca wybierał ofiary według przypadkowej strony wyrwanej z książki gości w schronisku turystycznym. A jeśli w Håvasshytta wydarzyło się coś, co dało mu motyw, to nie mówimy już o klasycznej serii zabójstw. Poza tym rozwój sytuacji jest zbyt szybki jak na typowego seryjnego zabójcę.

– Co masz na myśli?

– Sprawca wysyła kobietę do Rwandy i do Konga, by zatuszować jedno zabójstwo, a jednocześnie kupić narzędzie do dokonania następnego. Później ją zabija. Innymi słowy, podejmuje ekstremalne wysiłki, by to pierwsze zabójstwo ukryć. Przy następnym, kilka tygodni później, nie robi kompletnie nic. A jeszcze przy następnym jest jak matador, który dźga nas szpadą, wywijając peleryną. Zmiana osobowości w tempie *fast forward*. To się nie trzyma kupy.

– Myślisz, że zabójców może być więcej? Każdy stosuje własną metodę?

Harry pokręcił głową.

– Jest jedno podobieństwo. Morderca nie zostawia śladów. I jeśli seryjni zabójcy należą do rzadkości, to taki, który nie pozostawia śladów, to prawdziwy biały wieloryb. W tej sprawie jest tylko jeden.

– No dobrze, to o kim mówimy? – Kaja rozłożyła ręce. – O seryjnym zabójcy z osobowością wieloraką?

– To już byłby biały wieloryb ze skrzydłami. Nie wiem. Zresztą wszystko jedno, przecież robimy to tylko dla zabawy. Teraz to już sprawa KRIPOS.

– Wypił kawę. – Wezmę taksówkę do szpitala.

– Mogę cię podwieźć.

– Nie, dziękuję. Wracaj do domu i szykuj się do nowych interesujących zadań.

Kaja westchnęła.

– To z Bjørnem...

– Nikomu o tym nie wspominaj. Śpij dobrze.

Kiedy Harry przyszedł do Szpitala Centralnego, Altman właśnie wychodził z sali ojca.

– Śpi – oznajmił. – Dałem mu dziesięć miligramów morfiny. Oczywiście możesz tu posiedzieć, ale on raczej się nie obudzi jeszcze przez kilka godzin.

– Dziękuję – powiedział Harry.

– Nie ma za co. Sam miałem matkę, która... musiała znieść więcej bólu, niż powinna.

– Mhm. Palisz, Altman?

Po pełnej poczucia winy reakcji Harry zorientował się, że tak, i zaprosił go przed szpital. Kiedy palili, Altman, który miał na imię Sigurd, wyznał, że właśnie z powodu matki zrobił specjalizację z anestezjologii.

– Więc kiedy robiłeś ten zastrzyk mojemu ojcu...

– To była przysługa jednego syna dla drugiego – uśmiechnął się Altman. – Ale oczywiście wcześniej uzgodniłem to z lekarzem. Wolałbym nie stracić pracy.

– Mądrze – przyznał Harry. – Ja też chciałbym być taki mądry.

Skończyli palić i Altman już miał odejść, kiedy Harry spytał:

– Jesteś pielęgniarzem anestezjologicznym, więc może mógłbyś mi powiedzieć, jak można załatwić ketanominę?

– Ojej, na to raczej nie powinienem odpowiadać.

– Nie bój się – uśmiechnął się Harry. – To w związku z zabójstwem, nad którym pracuję.

– Aha. Jeśli się nie pracuje na anestezjologii, to ketanominę w Norwegii trudno zdobyć. Ona działa jak pocisk, dosłownie. Pacjent w jednej chwili leci na ziemię. Ale skutki uboczne w postaci wrzodu żołądka są dosyć przykre. Poza tym przy przedawkowaniu istnieje duże ryzyko zatrzymania akcji serca. Ten środek często wykorzystywano przy popełnianiu samobójstw. Ale teraz już nie, bo w Unii Europejskiej i w Norwegii od ładnych kilku lat stosowanie ketanominy jest zakazane.

– Wiem. Ale dokąd byś pojechał, żeby ją zdobyć?

– Hm. Do krajów byłego Związku Radzieckiego. Albo do Afryki.

– Na przykład do Konga?

– Z całą pewnością. Po wprowadzeniu zakazu w Europie producenci sprzedają ten środek w cenach dumpingowych, dlatego trafia do biednych krajów. Tak jest zawsze.

Harry siedział przy łóżku ojca, patrząc, jak jego słaba klatka piersiowa unosi się i opada pod piżamą. Po godzinie wyszedł.

Wstrzymał się z włączeniem komórki, dopóki nie wrócił do domu, nie nastawił *Don't Get Around Much Anymore*, jednej z należących do ojca płyt Duke'a Ellingtona, i nie wyjął brązowej bryłki. Zobaczył, że Gunnar Hagen zostawił mu wiadomość głosową, ale nie miał zamiaru jej odsłuchiwać, bo mniej więcej wiedział, w czym rzecz: że Bellman znów był u niego i że od tej pory nie wolno im się zbliżać do tej sprawy, bez względu na to, jak dobre będą mieli wymówki. I że Harry musi się zgłosić do zwykłej służby, jeśli wciąż chce pracować w policji. No, może bez tego ostatniego. Pora wyjeżdżać. A podróż rozpocznie się tu, teraz, dziś wieczorem. Jedną ręką sięgnął po zapalniczkę, drugą otwierał dwa pozostałe SMS-y. Pierwszy był od Øysteina. Proponował „męski wieczór" w nieodległej przyszłości. I zaproszenie Drewniaka, który najprawdopodobniej miał najwięcej forsy z nich trzech. Drugą wiadomość przysłano z numeru, którego Harry nie znał.

W „Aftenposten" widziałem, że zająłeś się sprawą. Mogę Ci trochę pomóc. Elias Skog mówił, zanim przyklejono go do wanny. C.

Zapalniczka wypadła mu z ręki i z hałasem uderzyła o szklany blat stołu. Harry poczuł, że serce mu przyspiesza. W sprawach zabójstw zawsze mieli mnóstwo zgłoszeń z podpowiedziami, radami, domysłami. Dzwonili ludzie, którzy gotowi byli dać głowę, że coś widzieli, słyszeli albo o czymś im mówiono, więc może policja zechce poświęcić im chwilę? Często zgłaszali się ci sami, ale nieodmiennie pojawiały się nowe gaduły, którym pomieszało się w głowach. Harry już wiedział, że to nie jest nikt taki. Prasa dużo pisała o tej sprawie i opinia publiczna miała sporo informacji, ale nikt poza policją nie wiedział, że Eliasa Skoga przyklejono do wanny. Nikt też nie znał zastrzeżonego numeru Harry'ego.

38 TRWAŁE USZKODZENIE CIAŁA

Harry z komórką w ręku przyciszył Duke'a Ellingtona. Ten człowiek wiedział o superkleju. I znał jego numer. Może powinien sprawdzić nazwisko i adres przypisane do tego telefonu, może nawet doprowadzić do zatrzymania, bo przecież ryzykował, że go wystraszy. Z drugiej jednak strony ten ktoś czekał na odpowiedź.

Harry wcisnął „oddzwoń do nadawcy".

Po dwóch dzwonkach usłyszał głęboki głos.

– Tak?

– Mówi Harry Hole.

– Dziękuję za ostatnie spotkanie.

– Mhm. A kiedy to było?

– Nie wiesz? W mieszkaniu Eliasa Skoga. Superklej.

Harry czuł krew pulsującą w szyi. Ścisnęło go od tego w gardle.

– Byłem tam. Z kim rozmawiam i co tam robiłeś?

Na drugim końcu na sekundę zapadła cisza. Harry myślał już, że tamten się rozłączył. Ale głos zaraz znów się pojawił, zaczynając od przeciągłego O.

– O, *sorry*. Pewnie podpisałem wiadomość tylko „C.".

– Tak.

– Zazwyczaj tak robię. Mówi Colbjørnsen. Komisarz policji ze Stavanger. Dałeś mi swój numer, *remember*?

Harry zaklął w duchu, zorientował się, że wciąż wstrzymuje oddech, i z przeciągłym sykiem wypuścił powietrze z płuc.

– Jesteś tam?

– Jestem. – Harry sięgnął po leżącą na stole łyżeczkę i odłupał kawałeczek z bryłki opium. – Napisałeś, że coś dla mnie masz.

– Bo mam. Ale pod jednym warunkiem.

– Mianowicie?

– Że to zostanie między nami.

– Dlaczego?

– Bo nie mogę ścierpieć tego durnia Bellmana, który zjawia się tutaj i wydaje mu się, że jest darem bożym dla policji. Tego, że on i pierdolona KRIPOS próbuje zdobyć monopol w całym kraju. Niech idzie do diabła! *Fuck!* Problemem są moi szefowie. Nie wolno mi ruszyć palcem w sprawie Skoga.

– Dlatego zgłaszasz się z tym do mnie?

– Jestem prostym chłopakiem z prowincjonalnego miasta, Hole. Ale kiedy w „Aftenposten" czytam, że to ty prowadzisz sprawę, to rozumiem, co się dzieje. Rozumiem, że jesteś taki jak ja. Nie chcesz tak po prostu położyć się i umrzeć. Mam rację?

– No… – Harry spojrzał na leżącą przed nim bryłkę.

– Więc jeśli możesz to wykorzystać do ukręcenia łba temu szczurowi, co z kolei doprowadzi do zniszczenia planów Bellmana, który marzy o stworzeniu *evil empire*, to bardzo proszę. Wstrzymam się przez dwa dni z przesłaniem mojego raportu Bellmanowi. Będziesz miał dla siebie cały jutrzejszy dzień.

– Co masz?

– Rozmawiałem z ludźmi z kręgów Skoga. Nie było ich wielu, bo to dziwak. Nieprzeciętny. Objechał świat całkiem sam, więc, ściśle mówiąc, rozmawiałem z dwiema osobami. Z gospodynią. I z dziewczyną, którą odszukaliśmy na podstawie numerów telefonów, pod które dzwonił w ostatnich dniach przed śmiercią. Nazywa się Stine Ølberg. Mówiła, że rozmawiała z Eliasem tego samego wieczoru, kiedy został zabity. Jechali razem autobusem z miasta. Opowiadał jej, że był w Håvasshytta jednocześnie z tymi zabitymi dziewczynami, o których pisały gazety. Dziwił się, że jeszcze nikt nie odkrył tego powiązania, i zastanawiał się, czy nie zgłosić tego policji. Ale nie miał na to zbyt wielkiej ochoty. Nie chciał być w nic zamieszany. A ja to rozumiem. Bo Skog już wcześniej miał kłopoty z policją, dwukrotnie zarzucono mu stalking. Wprawdzie nie zrobił nic niedozwolonego, to po prostu taki bardzo ekspresyjny typ. Stine mówiła, że wcześniej się go bała, ale tamtego wieczoru było odwrotnie. To on sprawiał wrażenie przestraszonego.

– Interesujące.

– Stine udała, że nie wie, kim były te zabite. A wtedy Elias powiedział jej, że tam nocował jeszcze jeden człowiek, a przynajmniej wydawało mu się, że to on. I teraz usłyszysz to, co jest naprawdę interesujące. Facet jest znany, przynajmniej jako gwiazda kategorii B.

– Tak?

– Według Eliasa Skoga to był Tony Leike.

– Tony Leike? Powinienem wiedzieć, kto to jest?

– To narzeczony córki Andersa Galtunga, tego armatora.

Harry'emu przed oczami stanęły dwa artykuły z gazet.

– Tony Leike to tak zwany inwestor, co oznacza tyle, że wzbogacił się w nie wiadomo jaki sposób, ale na pewno nie ciężką pracą. Poza tym to prawdziwy przystojniak, chociaż wcale nie *Mister Nice Guy*. Bo teraz usłyszysz naprawdę interesującą rzecz. Facet ma *sheet*.

– *Sheet?* – powtórzył Harry, udając, że nie rozumie, by chociaż w ten sposób pokazać, co myśli o anglicyzmach Colbjørnsena.

– Kartotekę. Tony Leike był skazany za użycie przemocy o charakterze ciężkim.

– Mhm. Sprawdzałeś ten wyrok?

– Tony Leike bił i okaleczał niejakiego Olego S. Hansena w dniu szóstym sierpnia od godziny dwudziestej trzeciej dwadzieścia do dwudziestej trzeciej czterdzieści pięć. Miało to miejsce pod lokalem tanecznym w miejscowości, w której Tony mieszkał u dziadka. Tony miał osiemnaście lat, Ole siedemnaście, a poszło, rzecz jasna, o dziewczynę.

– Mhm. Bójka zazdrosnych młodzieńców po pijaku nie jest raczej czymś niezwykłym? Wspomniałeś chyba o ciężkiej przemocy?

– Owszem, bo to nie koniec. Kiedy Leike już pobił tamtego, usiadł na nim i użył noża na twarzy tego nieszczęśnika. Chłopak został trwale okaleczony. Ale z tego wyroku wynikało, że mogło się skończyć jeszcze gorzej, gdyby nie pojawili się jacyś ludzie i nie odciągnęli Leikego.

– Nie ma nic więcej oprócz tego wyroku?

– Tony Leike był znany ze swojej wściekłości i regularnie uczestniczył w bójkach. Podczas procesu jeden ze świadków zeznał, że w gimnazjum Leike dusił go paskiem za obelżywe słowa o jego ojcu.

– Wygląda na to, że ktoś powinien odbyć długą rozmowę z Tonym Leike. Wiesz, gdzie on mieszka?

– W twoim mieście. Holmenveien... zaczekaj... sto siedemdziesiąt dwa.

– No tak, w zachodniej części miasta. Cóż, dziękuję, Colbjørnsen.

– Nie ma za co. A zresztą jeszcze jedno. Za Eliasem wsiadł do autobusu jakiś mężczyzna. Wysiadł na tym samym przystanku co Elias. Stine widziała, jak za nim szedł, nie potrafiła go jednak opisać, bo twarz zasłaniał mu kapelusz. Ale to oczywiście nie musi nic znaczyć.

– No nie.

– Pamiętaj, Hole, że ci ufam.

– Ufasz?

– Że zrobisz to, co należy.

– Mhm.

– Dobranoc.

Harry siedział i słuchał Duke'a. W końcu sięgnął po telefon i odszukał w spisie kontaktów numer Kai. Już miał wcisnąć wybieranie, ale się zawahał. Znów to robił. Znów, upadając, pociągał za sobą innych ludzi. Odłożył komórkę. Miał dwie możliwości do wyboru. Inteligentną, którą było poinformowanie Bellmana, i głupią – działanie solo.

Westchnął. Co on sobie wyobraża? Nie miał żadnego wyboru. Wsunął zapalniczkę do kieszeni, bryłkę owinął w sreberko i schował do barku, rozebrał się, nastawił budzik na szóstą i położył się spać. Nie miał wyboru. Był więźniem własnego wzorca zachowań, w którym każde działanie w rzeczywistości było czynnością przymusową. Pod tym względem nie był ani o włos lepszy, ani gorszy od tych, których ścigał.

Z tą myślą zasnął, uśmiechnięty.

Noc jest tak cudownie cicha. Leczy wzrok, rozjaśnia myśli. Ten nowy stary policjant. Hole. Muszę mu to powiedzieć. Nie pokazywać mu wszystkiego, tylko tyle, żeby zrozumiał. Żeby mógł to zatrzymać. Żebym nie musiał robić tego, co robię. Spluwam i spluwam, ale krew cały czas napływa mi do ust.

39 SZUKANIE RELACJI

Harry zjawił się w Budynku Policji za pięć siódma rano. Oprócz strażnika Securitas w recepcji w wielkim atrium za ciężkimi drzwiami wejściowymi nie było żywego ducha.

Skinął głową strażnikowi, przeciągnął kartę wstępu przez czytnik w śluzie i zjechał windą do piwnicy. Stamtąd przebiegł przez Kanał i otworzył kluczem drzwi do biura. Zapalił pierwszego tego dnia papierosa i włączając komputer, zadzwonił na komórkę Katrine. Odebrała zaspana.

– Chcę, żebyś włączyła to swoje wyszukiwanie relacji – powiedział. – Między Tonym Leike i każdą z ofiar. Włącznie z Julianą Verni z Lipska.

– W pokoju zajęciowym będzie pusto przynajmniej do wpół do dziewiątej. Zaraz się do tego zabiorę. Coś jeszcze?

Harry się wahał.

– Możesz mi sprawdzić Jussiego Kolkkę? Policjanta.

– A co z nim jest?

– Chodzi właśnie o to, że nie wiem.

Odłożył telefon i sam zabrał się do pracy na komputerze.

Tony Leike rzeczywiście dostał jeden wyrok. A według rejestru miał kontakt z policją jeszcze przy dwóch innych okazjach. Tak jak wspominał Colbjørnsen, dotyczyło to uszkodzenia ciała. W jednym wypadku zawiadomienie o przestępstwie wycofano, w drugim sprawa została umorzona.

Harry wrzucił Tony'ego w Google i znalazł kilka mniejszych artykułów w gazetach, większość związanych z narzeczoną, Lene Galtung. Ale też i coś z prasy finansowej, w której nazywano go zamiennie inwestorem, spekulantem giełdowym, ignorantem i baranem. To ostatnie określenie znajdowało się w „Kapitale” i zaliczało Leikego do stada naśladującego owcę przewodniczkę we wszystkim, co tylko robiła, od zakupu akcji, domku letniskowego i samochodu po wybór odpowiednich lokali, drinków, kobiet, podróży, a także adresu biura i mieszkania.

Harry przeglądał linki, aż w końcu zatrzymał się przy sprawie opisywanej w „Finansavisen”.

– Bingo! – mruknął.

Tony Leike najwyraźniej umiał nie tylko naśladować. W każdym razie „Finansavisen” pisała o projekcie związanym z eksploatacją złóż, którego Leike był inicjatorem i siłą napędową. Prezentowano go na zdjęciu razem z partnerami, obaj czesali się z przedziałkiem na boku. Nie byli ubrani w zwykłe markowe garnitury, tylko w kombinezony robocze. Siedzieli na stosie desek przed helikopterem. Tony uśmiechał się najszerzej z nich.

Miał szerokie bary, długie kończyny, ciemną skórę i włosy, a imponujący orli nos w połączeniu z karnacją kazał Harry'emu przypuszczać, że Leike musi mieć w żyłach co najmniej kroplę arabskiej krwi. Ale bezpośrednią przyczyną stłumionego okrzyku Harry'ego był tytuł:

KRÓL KONGA

Harry dalej sprawdzał linki.

Kolorową prasę bardziej interesował zbliżający się ślub z Lene Galtung i lista gości.

Spojrzał na zegarek. Pięć po siódmej.

Zadzwonił na dyżur kryminalny.

– Potrzebna mi pomoc przy zatrzymaniu na Holmenveien.

– Aresztowanie?

Harry dobrze wiedział, że ma za mało, by prosić policyjnego prokuratora o nakaz aresztowania.

– Doprowadzenie na przesłuchanie – odparł.

– Wydawało mi się, że mówiłeś o zatrzymaniu. I na co ci pomoc, skoro to tylko...

– Mogę liczyć na dwóch ludzi i samochód przed garażem za pięć minut?

W odpowiedzi usłyszał prychnięcie, które odczytał jako potwierdzenie. Dwa razy zaciągnął się papierosem, zgasił go, wstał, zamknął drzwi na klucz i wyszedł. Zdążył odejść dziesięć metrów w głąb korytarza, kiedy usłyszał słaby dźwięk oznaczający, że dzwoni telefon stacjonarny.

Wysiadł z windy i już kierował się do wyjścia, gdy usłyszał, że ktoś woła go po imieniu. Odwrócił głowę i zobaczył, że strażnik z Securitas przywołuje go gestem. Przy kontuarze Harry dostrzegł plecy okryte musztardowożółtym wełnianym płaszczem.

– Ten pan o ciebie pyta – powiedział strażnik.

Wełniany płaszcz się odwrócił. Wełna była z rodzaju tych, które mają wyglądać na kaszmir i czasami naprawdę się nim okazują. W tym wypadku Harry uznał, że jest tak na pewno, bo osoba, która wypełniała płaszcz, miała szerokie bary, długie kończyny, ciemne oczy i włosy, a możliwe, że również kropelkę arabskiej krwi w żyłach.

– Jest pan wyższy niż na zdjęciu. – Tony Leike w uśmiechu odsłonił rząd porcelanowych wieżowców i wyciągnął rękę.

***

– Smaczna kawa – orzekł Tony Leike z taką miną, jakby naprawdę tak myślał.

Harry przyglądał się jego długim pokrzywionym palcom obejmującym filiżankę. Leike wyjaśnił ze śmiechem już wtedy, gdy podawał Harry'emu rękę, że to nie żadna choroba zakaźna, tylko stary dobry reumatyzm. Dziedziczna historia, która oprócz wszystkiego innego zrobiła z niego całkiem godnego zaufania meteorologa.

– Ale prawdę mówiąc, sądziłem, że komisarz będzie miał lepsze biuro. Trochę tu gorąco.

– To przez kotły ogrzewające więzienie – wyjaśnił Harry, popijając kawę ze swojej filiżanki. – Więc przeczytał pan o sprawie w dzisiejszej „Aftenposten"?

– Tak. Akurat jadłem śniadanie. Szczerze mówiąc, stanęło mi w gardle.

– Dlaczego?

Leike zakołysał się na krześle, trochę jak kierowca Formuły 1 w kubełkowym siedzeniu przed startem.

– Mam nadzieję, że to, co powiem, zostanie między nami.

– Kogo pan ma na myśli?

– Policję i mnie. A najchętniej pana i mnie.

Harry liczył, że jego głos brzmi obojętnie, nie zdradzając podniecenia.

– A jaki jest tego powód?

Leike głęboko odetchnął.

– Nie chcę, by do publicznej wiadomości przedostała się informacja, że byłem w Håvasshytta tej samej nocy co Marit Olsen, ta parlamentarzystka. Z uwagi na mój zbliżający się ślub często występuję w mediach. Źle by się stało, gdyby powiązano mnie teraz z zabójstwem. Prasa od razu by się rzuciła na taką historię. A to mogłoby... spowodować dogrzebanie się do pewnej sprawy z mojej przeszłości, o której najchętniej bym zapomniał.

– Ach, tak? – rzucił Harry niewinnie. – Oczywiście będę musiał rozważyć sporo elementów i dlatego nie mogę nic obiecać. Ale to nie jest przesłuchanie, tylko rozmowa. A takich rzeczy zazwyczaj nie przekazuję prasie.

– Ani moim... hm... najbliższym?

– Jeśli nie ma ku temu powodów, to nie. Ale skoro obawia się pan, że pańska wizyta tutaj wyjdzie na jaw, to dlaczego pan mimo wszystko przyszedł?

– Prosiliście, by zgłaszali się ci, którzy tam nocowali. Więc moim obywatelskim obowiązkiem było się stawić, prawda? – Spojrzał pytająco na Harry'ego i zaraz się skrzywił. – Psiakrew, ale się wystraszyłem! Zrozumiałem, że ci, którzy byli w Håvasshytta tamtego wieczoru, mogą być następni w kolejce. Wsiadłem do samochodu i od razu tu przyjechałem.

– Czy ostatnio wydarzyło się coś, co wzbudziło pana niepokój?

– Nie. – Tony Leike zamyślony popatrzył przed siebie. – Oprócz tego, że kilka dni temu ktoś się włamał do mojej piwnicy. Psiakrew, powinienem założyć alarm, prawda?

– Zgłosił pan to na policji?

– Nie, ukradli tylko rower.

– Myśli pan, że seryjni zabójcy zajmują się na boku kradzieżą rowerów?

Leike zaśmiał się krótko i pokiwał głową. Ale to nie był barani uśmiech człowieka, który się wstydzi, że powiedział coś głupiego, pomyślał Harry, tylko rozbrajający, zdobywający sympatię uśmiech, który mówi: „No, to mnie złapałeś, kolego". Gratulacje człowieka, który przywykł do zwycięstw.

– Dlaczego pytał pan o mnie?

– W gazecie napisali, że to pan się zajmuje tą sprawą, więc uznałem to za naturalne. Poza tym, jak już mówiłem, miałem nadzieję, że uda się to utrzymać w tajemnicy między zaledwie kilkoma osobami, dlatego postanowiłem od razu iść na sam szczyt.

– Ja nie jestem szczytem, Leike.

– Nie? A w „Aftenposten" tak to wyglądało.

Harry potarł wystającą szczękę. Nie potrafił się zdecydować, co myśleć o Tonym Leike. To był człowiek wypielęgnowany na zewnątrz, ale obdarzony wdziękiem niegrzecznego chłopca, kojarzącym się Harry'emu z pewnym hokeistą, którego widział w reklamie bielizny. Wydawało się, że Leike chce sprawiać wrażenie beztroskiego gładkiego światowca, chociaż tak naprawdę jest człowiekiem, którym rządzą uczucia. A może było odwrotnie, może to ta gładkość była prawdziwa, a uczucia udawane?

– Co pan robił w Håvasshytta, Leike?

– Oczywiście wybrałem się na narty.

– Sam?

– Tak. Miałem za sobą ciężkie dni w pracy, potrzebowałem odprężenia. Często bywam w Ustaoset i na Hallingskarvet. Nocuję w schroniskach. Można powiedzieć, że to moja okolica, mój krajobraz.

– Dlaczego nie ma pan tam własnego domku?

– Tam, gdzie ja chcę mieć domek, nie wolno już budować. Przepisy parku narodowego zabraniają.

– Dlaczego nie było z panem narzeczonej? Ona nie jeździ na nartach?

– Lene? Ona... – Leike wypił łyk kawy. Ten rodzaj łyku, jaki ludzie wypijają w połowie zdania, kiedy potrzebują maleńkiej przerwy na zastanowienie. – Ona była w domu. Ja... My... – Spojrzał na Harry'ego z lekko zrozpaczoną miną, jakby prosił o pomoc. Ale Harry nie pospieszył na ratunek. – Psiakrew. Tylko bez prasy, okej?

Harry nie odpowiedział.

– To dobrze – ucieszył się Leike, jakby Harry mimo wszystko dał twierdzącą odpowiedź. – Potrzebowałem trochę oddechu, oderwania się. Spokojnego skupienia. Zaręczyny, ślub... To dorosłe sprawy, do których trzeba się ustosunkować. A najlepiej mi się myśli, kiedy jestem sam. Szczególnie w górach.

– Myślenie najwyraźniej pomogło?

Leike znów odsłonił ścianę emalii.

– Tak.

– Pamięta pan inne osoby, które były w schronisku?

– Jak już mówiłem, zapamiętałem Marit Olsen. Wypiliśmy razem po kieliszku czerwonego wina. Nie wiedziałem, że to parlamentarzystka, dopóki sama mi o tym nie powiedziała.

– Ktoś jeszcze?

– Były tam trzy albo cztery inne osoby, ale ledwie się z nimi przywitałem. Dotarłem do schroniska dość późno, więc niektórzy pewnie już poszli spać.

– Tak?

– Na zewnątrz stało sześć par nart. Pamiętam to dokładnie, bo postawiłem swoje w korytarzu w obawie przed lawiną. Pomyślałem, że może ci ludzie nie mają górskiego doświadczenia, a gdyby schronisko do połowy przysypał trzymetrowy śnieg, to marna sprawa, jeśli nikt nie ma nart. Rano wstałem pierwszy, zazwyczaj tak robię. I wyruszyłem, zanim inni się obudzili.

– Mówił pan, że dotarł późnym wieczorem. Szedł pan sam po płaskowyżu w ciemności?

– Miałem czołówkę, mapę i kompas. To była dość spontaniczna wyprawa. Przyjechałem pociągiem do Ustaoset dopiero wieczorem. Ale, jak już mówiłem, znam te okolice i potrafię się orientować na pustkowiu po ciemku. Pogoda była dobra, świecił księżyc, więc nie potrzebowałem ani mapy, ani latarki.

– Może pan opowiedzieć, co się działo w schronisku, kiedy pan tam był?

– Nic. Z Marit Olsen rozmawialiśmy o czerwonym winie, a potem o trudnościach z utrzymaniem nowoczesnego związku. To znaczy wydaje mi się, że jej związek był jeszcze bardziej nowoczesny niż mój.

– I nie wspomniała, że w schronisku coś się wydarzyło?

– Ani słowem.

– A te inne osoby, które tam były?

– Siedziały przy kominku, rozmawiały o wędrówkach narciarskich i piły. Chyba piwo. A może jakiś inny sportowy napój. Dwie dziewczyny i chłopak, mogli mieć od dwudziestu do trzydziestu pięciu lat.

– Zapamiętał pan jakieś imiona?

– Tylko kiwnęliśmy sobie głowami i powiedzieliśmy „cześć". Mówiłem już, że pojechałem tam pobyć sam, a nie szukać nowych przyjaciół.

– Jak wyglądali?

– W takich schroniskach wieczorami bywa dość ciemno, więc jeśli powiem, że jedna z nich miała jasne włosy, a druga ciemne, to nie wiem, czy powiem prawdę. Nie pamiętam nawet, czy było ich troje, czy czworo.

– A dialekty?

– Wydaje mi się, że jedna z dziewczyn mówiła dialektem z zachodu kraju.

– Stavanger? Bergen? Sunnmøre?

– Przykro mi, nie jestem w tym dobry. Może to nie było Vestlandet, tylko Sørlandet.

– No dobrze. Chciał pan być sam, ale z Marit Olsen rozmawiał pan o związkach.

– Tak się po prostu złożyło. Podeszła do mnie i usiadła. To nie była nieśmiała osoba. Gadatliwa. Gruba i miła. – Powiedział to takim tonem, jakby te dwie cechy nieodłącznie się ze sobą wiązały, a Hole uświadomił sobie, że zdjęcia Lene Galtung, jakie oglądał, pokazywały – wziąwszy pod uwagę nową norweską wagę średnią – kobietę chudą jak szczapa.

– To znaczy, że oprócz Marit Olsen nie może pan nam nic powiedzieć o nikim innym? Nawet jeśli pokażę panu zdjęcia osób, o których wiemy, że były tam z całą pewnością?

– Mogę – uśmiechnął się znów Leike. – Chyba kogoś rozpoznam.

– Jak to?

– Kiedy już miałem iść spać do jednej z sypialni, musiałem zapalić światło, żeby sprawdzić, które łóżko jest wolne, i widziałem, że spały tam dwie osoby. Mężczyzna i kobieta.

– I te osoby mógłby pan opisać?

– Może nie opisać, ale myślę, że bym je rozpoznał.

– Tak?

– Człowiekowi przypominają się twarze, kiedy widzi je po raz drugi.

Harry wiedział, że Leike ma rację. Podawane przez świadków rysopisy z reguły nie trzymały się kupy, ale gdy dochodziło do okazania, rzadko się mylili.

Podszedł do szafki-archiwum, którą przyciągnęli tu z powrotem, otworzył teczki ofiar i wyjął zdjęcia. Podał pięć fotografii Leikemu, który zaczął je przeglądać.

– To jest Marit Olsen – stwierdził, podając Harry'emu jedno zdjęcie. – A to chyba te dwie dziewczyny, które siedziały przy kominku, ale pewien nie jestem. – Dał Harry'emu zdjęcia Borgny i Charlotte. – Możliwe, że to ten chłopak. – Zdjęcie Eliasa Skoga. – Ale to nie oni byli w sypialni, tego jestem pewien.

– Więc nie ma pan pewności, z kim pan siedział w tym samym pokoju przez dłuższy czas, za to ma pan pewność co do kogoś, kogo widział pan zaledwie przez parę sekund?

Leike kiwnął głową.

– Śpiących ludzi łatwiej poznać?

– Nie, ale oni nie patrzą na człowieka, więc można im się spokojnie przyjrzeć.

– Mhm. Przez parę sekund?

– Może ciut dłużej.

Harry schował zdjęcia z powrotem do teczek.

– Ma pan jakieś nazwiska? – spytał Leike.

– Nazwiska?

– Tak. Mówiłem już, że wstałem pierwszy i zjadłem parę kanapek w kuchni. Książka gości tam leżała, a ja wcześniej się nie wpisałem. Jedząc, otworzyłem ją i przejrzałem nazwiska tych, którzy się wpisali poprzedniego wieczoru.

– Po co?

– Po co? – Tony wzruszył ramionami. – W schroniskach często spotyka się tych samych ludzi, chyba chciałem zobaczyć, czy nie ma kogoś znajomego.

– I był?

– Nie. Ale jeśli wymieni pan jakieś nazwiska tych, o których wiecie, albo podejrzewacie, że tam byli, to może sobie przypomnę, czy je widziałem w książce gości.

– Brzmi rozsądnie, ale niestety, nie mamy żadnych nazwisk. Ani adresów.

– No tak. – Leike zaczął zapinać płaszcz. – Wobec tego obawiam się, że nie mogę wiele pomóc. Tyle tylko, że możecie mnie odhaczyć.

– Mhm – mruknął Harry. – Ale skoro już pan tu jest, to chciałbym panu zadać kilka pytań, jeśli ma pan jeszcze chwilę.

– Jestem panem swojego czasu – oświadczył Leike. – Przynajmniej na razie.

– To dobrze. Mówi pan, że ma pan jakieś męty w życiorysie. Może pan w krótkich słowach powiedzieć, o co chodzi?

– Usiłowałem zabić faceta – oznajmił Leike wprost.

– Aha. – Harry odchylił się na krześle. – Dlaczego?

– Ponieważ mnie zaatakował. Twierdził, że zabrałem mu dziewczynę. A ona nie była jego dziewczyną ani nawet nie chciała nią być. A poza tym ja nie kradnę dziewczyn, nie mam takiej potrzeby.

– Mhm. Przyłapał was na gorącym uczynku i zaczął ją bić?

– O czym pan mówi?

– Próbuję sobie tylko wyobrazić, jaka sytuacja mogła pana skłonić aż do tego, że chciał pan go zabić. Jeśli mówi pan dosłownie.

– Uderzył mnie. Dlatego starałem się, jak mogłem, go zabić. Nożem. I już byłem na dobrej drodze, ale kumple mnie odciągnęli. Dostałem wyrok za trwałe uszkodzenie ciała. Dość tanio się wywinąłem jak na próbę zabójstwa.

– Zdaje pan sobie sprawę, że to, co pan teraz mówi, może nadać panu status podejrzanego?

– W tej sprawie? – Leike popatrzył na Harry'ego z niedowierzaniem. – Żartuje pan sobie. Macie chyba lepsze rozeznanie, prawda?

– Skoro już raz chciał pan zabić...

– Wcale nie raz, i przypuszczalnie nawet to zrobiłem.

– Przypuszczalnie?

– Nocą w dżungli niełatwo jest dostrzec czarnych jak węgiel Murzynów. Strzela się wtedy właściwie na oślep.

– I pan tak strzelał?

– W grzesznej młodości, owszem. Po odsiedzeniu tamtego wyroku zrobiłem w wojsku kurs podoficerski, a stamtąd pojechałem prosto do RPA i zostałem najemnikiem.

– Mhm. Więc był pan najemnikiem w Republice Południowej Afryki?

– Przez trzy lata. A w RPA tylko się zwerbowałem. Walki toczyły się w sąsiednich krajach. Zawsze trwała jakaś wojna. Stale był rynek dla zawodowców, zwłaszcza białych. Czarnuchy wciąż wierzą, że jesteśmy bystrzejsi, i bardziej ufają białym oficerom niż własnym.

– Może był pan wtedy i w Kongu?

Tony Leike lekko uniósł prawą brew.

– Dlaczego pan o to pyta?

– Tak się tylko zastanawiam, bo jakiś czas temu odwiedziłem ten kraj.

– Wtedy nazywał się Zair. Ale przez większość czasu nie mieliśmy nawet, psiakrew, pewności, w granicach jakiego państwa się znajdujemy. Wszędzie było tylko zielono, bardzo zielono i czarno, bardzo czarno, dopóki słońce znów nie wzeszło. Pracowałem w tak zwanej agencji ochrony jakiejś kopalni diamentów. Właśnie tam nauczyłem się czytać mapę i korzystać z kompasu w świetle czołówki. O kompasie można tam zresztą zapomnieć, w tych górach jest za dużo metalu.

Tony Leike wyprostował się na krześle, rozluźniony i bez strachu.

– À propos metali – zaczął Harry. – Gdzieś chyba czytałem, że prowadzi pan tam działalność wydobywczą.

– Zgadza się.

– O jaki metal chodzi?

– Słyszał pan o koltanie?

Harry z namysłem kiwnął głową.

– Stosowany do produkcji telefonów komórkowych.

– No właśnie. I w konsolach do gier. Kiedy w latach dziewięćdziesiątych rozpoczęła się na świecie produkcja komórek, byłem razem z moim oddziałem oddelegowany do północno-wschodniego Konga. Jacyś Francuzi z tubylcami mieli tam kopalnię. Wykorzystywali dzieciaki z motykami i szpadlami do wydobywania koltanu. Koltan wygląda jak zwykły kamień, ale uzyskuje się z niego tantal, pierwiastek, którego ostatecznie używa się w produkcji. Zrozumiałem wtedy, że jeśli tylko znajdę kogoś, kto mnie sfinansuje, to mogę tam rozpocząć prawdziwą nowoczesną działalność wydobywczą i razem z partnerami nieźle się wzbogacić.

– I właśnie tak się stało?

Tony Leike się zaśmiał.

– Nie całkiem. Udało mi się pożyczyć pieniądze, ale nielojalni partnerzy mnie wykantowali i wszystko straciłem. Znów pożyczyłem, znów mnie oszukali, pożyczyłem jeszcze trochę i troszeczkę zarobiłem.

– Troszeczkę?

– Kilka milionów, żeby spłacić długi. Ale miałem już siatkę kontaktów i kilka razy napisała o mnie prasa. Oczywiście dzieliłem skórę na niedźwiedziu, na długo zanim został ustrzelony, ale to wystarczyło, by zostać przyjętym do kręgu bandy, w której przesypują się te naprawdę duże pieniądze. Aby zostać członkiem tej grupy, ważna jest tylko liczba cyfr określająca majątek, i nie ma znaczenia, czy przed nimi stoi plus, czy minus.

Leike znów się roześmiał serdecznym, dźwięcznym śmiechem, a Harry też nie mógł się powstrzymać od uśmiechu.

– A teraz?

– Teraz stoję w obliczu interesu życia. Bo właśnie teraz nastąpią koltanowe żniwa. Tak, tak, wiem, że powtarzam to od dawna, ale tym razem jest tak naprawdę. Musiałem zamienić akcje na opcje, żeby spłacić długi. Teraz sprawa jest już załatwiona. Pozostaje tylko zdobycie pieniędzy na wykupienie tych opcji, żebym znów mógł się stać pełnowartościowym udziałowcem.

– Mhm. A te pieniądze?

– Ktoś na pewno uzna za rozsądne pożyczenie mi tej sumy w zamian za niewielki udział. Zysk jest ogromny, a ryzyko minimalne. Wszystkie duże inwestycje mamy już z głowy, z lokalnymi łapówkami włącznie. Przygotowaliśmy nawet pas startowy w dżungli, możemy więc ładować urobek bezpośrednio na pokład samolotów transportowych i przewozić go przez Ugandę. Ma pan jakiś majątek, Harry? Mogę sprawdzić, czy istnieje możliwość, żeby i pan w to wszedł.

Harry pokręcił głową.

– Był pan ostatnio w Stavanger, Leike?

– Hm. Latem.

– A później?

Leike zastanowił się i zaprzeczył.

– Jest pan tego najzupełniej pewien?

– Przedstawiam swój projekt potencjalnym inwestorom, a to się wiąże z ciągłym podróżowaniem. Byłem w Stavanger ze trzy albo cztery razy w tym roku, ale wydaje mi się, że ostatni raz latem.

– A w Lipsku?

– To w tym momencie powinienem spytać, czy nie potrzebuję adwokata, Harry?

– Chciałbym pana jak najszybciej wykreślić z tej sprawy, żebyśmy mogli skupić się na bardziej istotnych rzeczach. – Harry pogładził się palcem po nosie. – Jeśli nie chce pan, by media coś zwąchały, to chyba nie będzie pan angażował adwokata, żeby towarzyszył panu podczas formalnych przesłuchań.

Leike z namysłem kiwnął głową.

– Oczywiście, ma pan rację, dziękuję za radę.

– Więc co z tym Lipskiem?

– *Sorry* – powiedział Leike ze szczerym zmartwieniem w głosie. – Nigdy tam nie byłem. A powinienem?

– Mhm. Ale muszę też spytać, gdzie pan był i co robił w kilku konkretnych dniach.

– Słucham.

Harry podał mu cztery daty zabójstw, Leike zapisał je w oprawionym w skórę notesie marki Moleskine.

– Sprawdzę, jak tylko dotrę do biura – obiecał. – Tu jest zresztą mój numer telefonu. – Podał Harry'emu wizytówkę z napisem „Tony C. Leike, przedsiębiorca".

– Co oznacza to C?

– No właśnie. – Leike już wstawał. – Tony to właściwie skrót od Anthony, więc uznałem, że potrzebny jest mi jeszcze jeden inicjał. Przydaje trochę ciężaru, nie uważa pan? Wydaje mi się, że cudzoziemcy to lubią.

Zamiast przejść przez Kanał, Harry zaprowadził Leikego po schodach na górę do więzienia, zastukał w szklane okienko i zaraz zjawił się strażnik, który ich wpuścił.

– Mam wrażenie, jakbym znalazł się w odcinku *Gangu Olsena* – zauważył Leike, kiedy już stali na wysypanej żwirem ścieżce pod stosunkowo szacownymi murami starego więzienia.

– Tak jest bardziej dyskretnie – wyjaśnił Harry. – Zaczyna pan mieć znaną twarz, a w Budynku Policji ludzie już zaczęli przychodzić do pracy.

– À propos twarzy, widzę, że ktoś złamał panu szczękę.

– Mogłem upaść i się uderzyć.

Leike z uśmiechem pokręcił głową.

– Sporo wiem o połamanych szczękach. To uszkodzenie od ciosu. Widzę, że po prostu zostawił pan to, żeby samo się zrosło. Powinien pan to sobie naprawić, to nie jest wielka robota.

– Dzięki za radę.

– Dużo był im pan winien?

– O tym też pan sporo wie?

– Tak – westchnął Leike, szeroko otwierając oczy. – Niestety.

– Mhm. Ostatnia rzecz, Leike.

– Tony. Albo Tony C. – Leike odsłonił w uśmiechu błyszczące narzędzie do żucia. Tak jakby nie miał kompletnie żadnych zmartwień, pomyślał Harry.

– No dobrze, Tony. Byłeś kiedyś nad Lyseren? To takie jezioro w Øst...

– Zwariowałeś? Oczywiście – roześmiał się Tony. – Zagroda Leike znajduje się przecież w Rustad. Spędzałem u dziadka każde wakacje i ze dwa lata także tam mieszkałem. Wspaniałe miejsce, prawda? Dlaczego o to pytasz?

Uśmiech nagle zgasł.

– Psiakrew. To tam znaleźliście tę dziewczynę. Niezły zbieg okoliczności.

– Aż takie nadzwyczajne to nie jest. Lyseren to duże jezioro.

– Rzeczywiście. Jeszcze raz ci dziękuję, Harry. – Leike wyciągnął rękę.
– Jeśli pojawi się jakieś nazwisko z Håvasshytta albo ktoś się zgłosi, to dzwoń, może sobie coś przypomnę. Możesz liczyć na pełną współpracę.

Moment później Harry uświadomił sobie, że ściska rękę człowiekowi, wobec którego właśnie nabrał przekonania, że zabił pięcioro ludzi w ciągu ostatnich trzech miesięcy.

Od wyjścia Leikego minęło piętnaście minut, kiedy zadzwoniła Katrine.

– No i?

– Negatywny wynik dla czworga.

– A piąta osoba?

– Jedno trafienie. Głęboko, w najgłębszych trzewiach informacji cyfrowej.

– Poetycko.

– Spodoba ci się to. Szesnastego lutego do Eliasa Skoga ktoś zadzwonił z numeru, który nie jest na nikogo zarejestrowany, czyli z zastrzeżonego. I to może być powód, dla którego wy...

– Policja ze Stavanger.

– ...nie odkryliście wcześniej tego związku. Ale w najgłębszych trzewiach...

– Czyli w wewnętrznym i najmocniej chronionym rejestrze numerów Telenoru?

– Mniej więcej. Pojawia się nazwisko Tony'ego Leike z Holmenveien jako odbiorcy rachunku tego zastrzeżonego numeru.

– *Yes!* – uradował się Harry. – Jesteś prawdziwym aniołem.

– Chyba raczej źle dobrana metafora. Zwłaszcza że po tonie twojego głosu poznaję, że właśnie skazałam kogoś na dożywotnie więzienie.

– Zdzwonimy się.

– Chwileczkę. Chciałeś się czegoś dowiedzieć o Jussim Kolkce.

– Prawie już o nim zapomniałem. Strzelaj.

Strzeliła.

40 PROPOZYCJA

Harry znalazł Kaję w Wydziale Zabójstw w zielonej strefie na szóstym piętrze. Rozjaśniła się na jego widok.

– Drzwi zawsze otwarte? – spytał.

– Zawsze. A u ciebie?

– Zawsze zamknięte. Ale widzę, że podobnie jak ja wyrzuciłaś krzesło dla gości. Inteligentne posunięcie. Ludzie lubią gadać.

Roześmiała się.

– Masz coś ciekawego do roboty?

– W pewnym sensie. – Wszedł do pokoju i oparł się o ścianę.

Położyła obie ręce na brzegu biurka i odepchnęła się mocno razem z krzesłem, podjeżdżając pod szafkę. Otworzyła szufladę, wyjęła z niej jakieś pismo i położyła przed Harrym.

– Pomyślałam, że chciałbyś o tym wiedzieć.

– A co to jest?

– Bałwan. Jego adwokat złożył wniosek o przeniesienie go z więzienia Ullersmo do zwykłego szpitala z przyczyn zdrowotnych.

Harry przysiadł na brzeżku biurka i przeczytał.

– Mhm. Sklerodermia. Szybko się rozwija. Mam nadzieję, że nie za szybko, bo on na to nie zasługuje.

Podniósł głowę i zobaczył wstrząśniętą minę Kai.

– Moja cioteczna babka umarła na sklerodermię – powiedziała. – To straszna choroba.

– I straszny człowiek. Poza tym zgadzam się z tymi, którzy twierdzą, że zdolność wybaczania świadczy o jakości człowieka. Zaliczam się do najgorszego sortu.

– Nie chciałam cię krytykować.

– Obiecuję, że w następnym życiu się poprawię. – Harry spuścił głowę i potarł kark. – Jeśli Hindusi mają rację, to odrodzę się jako kornik. Ale będę dobrym kornikiem.

Podniósł głowę i zobaczył, że to, co Rakel nazywała jego „przeklętym chłopięcym wdziękiem", jako tako zadziałało.

– Posłuchaj, Kaju. Przyszedłem, bo mam dla ciebie propozycję.

– Tak?

– Owszem. – Harry usłyszał swój własny namaszczony ton. Głos mężczyzny pozbawionego zdolności wybaczania, bezwzględnego, niemyślącego o niczym innym oprócz własnych celów. I ciągnął z odwrotną techniką przekonywania, która tak często mu się udawała. – Ale doradzam ci, żebyś odmówiła. Mam tendencję do niszczenia życia ludziom, w których się zaangażuję.

Ku swemu zdumieniu zobaczył, że Kaja zaczerwieniła się jak burak.

– Ale uważam, że jednak nie powinienem tego robić bez ciebie. Szczególnie teraz, kiedy jesteśmy tak blisko.

– Blisko... czego? – Rumieniec zniknął.

– Zatrzymania winnego. Idę do prokuratora, prosić o nakaz aresztowania.

– Aha... No tak, oczywiście.

– Oczywiście?

– Kogo chcesz aresztować? – Znów przysunęła krzesło do biurka. – I za co?

– Naszego zabójcę, Kaju.

– Naprawdę?

Zobaczył, że źrenice jej się rozszerzają, powoli, pulsująco. I wiedział, co się w niej dzieje. Odurzenie przed dopadnięciem i powaleniem zwierzyny. Aresztowanie. Będzie wpisane w jej CV. Jak mogła się temu oprzeć?

Harry pokiwał głową.

– On się nazywa Tony Leike.

Kolory znów wróciły na jej policzki.

– Nazwisko brzmi znajomo.

– Ma się ożenić z córką...

– A tak, to narzeczony córki Galtunga. – Zmarszczyła czoło. – Chcesz powiedzieć, że masz dowody?

– Poszlaki. I zbiegi okoliczności.

Źrenice lekko się zwęziły.

– Jestem pewien, że to on, Kaju.

– To mnie przekonaj.

Harry wychwycił w jej głosie głód. Chęć połknięcia wszystkiego na surowo, aby mieć wytłumaczenie dla najbardziej szalonej w dotychczasowym życiu decyzji. A on nie miał zamiaru chronić jej przed samą sobą. Potrzebował jej. Idealnie nadawała się do mediów: młoda, inteligentna, ambitna, kobieta. Z sympatyczną twarzą i czystym życiorysem. Krótko mówiąc, z wszystkim tym, czego on nie miał. Joanna d'Arc, której Ministerstwo Sprawiedliwości nie ośmieli się spalić na stosie.

Harry odetchnął głęboko. A potem powtórzył swoją rozmowę z Tonym Leike. Ze wszystkimi szczegółami. Nawet nie dziwiąc się, że cytuje dosłownie każde zdanie, które padło. Jego kolegów zawsze nieco zdumiewała ta zdolność.

– Håvasshytta, Kongo i Lyseren – podsumowała Kaja, kiedy skończył.

– Był we wszystkich tych miejscach.

– Tak. I miał wcześniejszy wyrok za przemoc. Przyznał też, że zamierzał zabić.

– To mocne... Ale...

– Mocną rzecz usłyszysz dopiero teraz. Dzwonił do Eliasa Skoga. Dwa dni przed znalezieniem Skoga martwego.

Źrenice Kai wyglądały jak czarne słońca.

– No to go mamy – powiedziała cicho.

– Czy to „my" oznacza to, co zakładam?

– Tak.

Harry westchnął.

– Dostrzegasz ryzyko, jakie się z tym wiąże? Nawet jeśli mam rację, że to Leike, nie jest wcale pewne, czy samo zatrzymanie i rozwiązanie sprawy wystarczy, by przechylić szalę na korzyść Hagena. A wówczas ty znajdziesz się w psiej budzie.

– A co z tobą? – Wychyliła się nad biurkiem. Błysnęły małe ząbki piranii. – Dlaczego ty uważasz, że warto ryzykować?

– Jestem zużytym policjantem, który ma mało do stracenia, Kaju. Dla mnie to wóz albo przewóz. Nie mogę pracować w narkotykach ani w obyczajówce, a nigdy nie dostanę propozycji z KRIPOS. Ale jeśli chodzi o ciebie, to prawdopodobnie zła decyzja.

– Jak większość dokonywanych przeze mnie wyborów – stwierdziła z powagą.

– No to dobrze. Idę poszukać prawnika. A ty się szykuj.

– Czekam tutaj.

Harry wstał. Kiedy się odwrócił, spojrzał wprost w twarz mężczyzny, który już od jakiejś chwili musiał stać w drzwiach.

– Przepraszam – powiedział mężczyzna, uśmiechając się szeroko. – Chciałbym tylko zająć chwilę tej pani. – Skinął głową w stronę Kai z uśmiechem tańczącym w oczach.

– Bardzo proszę. – Harry obdarzył go skróconą wersją uśmiechu i wyszedł na korytarz.

– Aslak Krongli – odezwała się Kaja. – Co sprowadza wiejskiego chłopaka do wielkiego paskudnego miasta?

– Przypuszczam, że to, co zwykle – odparł lensman z Ustaoset.

– Ekscytacja, światła neonów i mamrotanie tłumu?

Aslak się uśmiechnął.

– Praca. I kobieta. Mogę cię zaprosić na filiżankę kawy?

– Nie w tej chwili. Tu się dużo dzieje. Muszę czuwać na posterunku. Ale chętnie postawię ci kawę w kantynie, to na samej górze. Więc jeśli pójdziesz tam pierwszy, to zdążę jeszcze załatwić jeden telefon.

Uniósł do góry kciuk i wyszedł.

Kaja zamknęła oczy i głęboko odetchnęła.

Gabinet prokuratora policji znajdował się w czerwonej strefie na szóstym piętrze, Harry miał więc niedaleko. Prawniczka, młoda kobieta zatrudniona najwyraźniej już po jego wyjeździe, spojrzała na niego znad okularów.

– Potrzebny mi niebieski świstek. Nakaz zatrzymania – oznajmił Harry.

– A ty jesteś…

– Harry Hole, komisarz.

Podał jej identyfikator i po nieco nerwowej reakcji zrozumiał, że musiała o nim słyszeć. Potrafił sobie wyobrazić co, więc tego nie skomentował. Ona ze swojej strony zapisała jego nazwisko na formularzu nakazu zatrzymania i przeszukania, przesadnie mrużąc oczy nad identyfikatorem, jakby pisownia nazwiska była wyjątkowo skomplikowana.

– Dwa krzyżyki? – spytała.

– Chętnie – odparł Harry.

Zakreśliła i zatrzymanie, i przeszukanie, po czym odchyliła się na krześle, przyjmując pozycję będącą, jak Harry przypuszczał, naśladowaniem bardziej doświadczonych prokuratorów i oznaczającą: „masz trzydzieści sekund na to, żeby mnie przekonać".

Z doświadczenia wiedział, że pierwszy argument jest najważniejszy, bo to wtedy policyjny prawnik podejmuje decyzję. Dlatego zaczął od telefonu Leikego do Eliasa Skoga na dwa dni przed zabójstwem, mimo że w rozmowie z Harrym Leike twierdził, że go nie zna ani nawet z nim nie rozmawiał w Håvasshytta. Drugim argumentem był wyrok za trwałe uszkodzenie ciała będące właściwie, jak przyznał sam Leike, usiłowaniem zabójstwa. Harry już w tym momencie wiedział, że ma ten nakaz jak w banku. Dlatego jeszcze dosłodził całość zbiegami okoliczności, jakimi były Kongo i Lyseren, nie wdając się za bardzo w szczegóły.

Prokurator zdjęła okulary.

– W punkcie wyjścia się zgadzam – oświadczyła. – Ale muszę się nad tym trochę zastanowić.

Harry zaklął w duchu. Bardziej doświadczony prawnik wydałby mu nakaz zatrzymania natychmiast. Ale ona była jeszcze tak świeża, że bała się to zrobić bez konsultacji z innymi. Pod tabliczką na drzwiach do jej pokoju powinien znajdować się dopisek „uczeń", mógłby wtedy iść do kogoś innego. A teraz było już za późno.

– Trzeba się spieszyć – powiedział Harry.

– Dlaczego?

Przyłapała go. Harry zrobił w powietrzu gest dłonią z rodzaju tych, które mają znaczyć wszystko, a nie znaczą nic.

– Podejmę decyzję zaraz po lunchu... – spojrzała na formularz – ...Hole. A ewentualny nakaz zostawię w twojej przegródce na pocztę.

Harry zacisnął zęby, by mieć pewność, że nie powie nic nieprzemyślanego. Wiedział, że prokurator postępuje słusznie. Oczywiście kompensowała sobie fakt, że jest młodą, niedoświadczoną kobietą w zdominowanym przez mężczyzn środowisku. Ale okazała wolę wymuszenia szacunku, przy pierwszej okazji pokazała, że technika walca drogowego na nią nie działa. Świetnie. Miał ochotę zdjąć jej okulary i je zgnieść.

– Możesz do mnie zadzwonić na wewnętrzny numer, kiedy podejmiesz decyzję. Mój pokój jest teraz dość daleko od skrzynek pocztowych.

– Dobrze – zgodziła się łaskawie.

Harry był w Kanale, mniej więcej pięćdziesiąt metrów od swojego biura, kiedy usłyszał odgłos otwieranych drzwi. Ktoś z nich wyszedł, potem starannie je za sobą zamknął na klucz i szybkim krokiem ruszył w jego stronę. I zdrętwiał na jego widok.

– Przestraszyłeś się, Bjørn? – spytał Harry cicho.

Wciąż dzieliła ich odległość mniej więcej dwudziestu metrów, ale ściany poniosły głos Harry'ego do Bjørna Holma.

– Trochę – powiedział chłopak z Toten i poprawił kolorową rastafariańską czapkę, zakrywającą rude włosy. – Tak się skradasz do ludzi.

– Mhm. A ty?

– Co ja?

– Co tu robisz? Myślałem, że dość masz zajęć w KRIPOS. Podobno dostałeś nową świetną robotę.

Harry zatrzymał się dwa metry przed Bjørnem, wyraźnie zdezorientowanym.

– Świetną? Nie mogę pracować przy tym, co najbardziej lubię.

– To znaczy?

– Technika kryminalistyczna. Przecież mnie znasz.

– Na pewno?

– Co? – Bjørn zmarszczył czoło. – Koordynowanie technicznych i taktycznych elementów śledztwa, co to niby takiego jest? Wydawanie poleceń, wzywanie na odprawy, przekazywanie raportów.

– To awans – wycedził Harry. – Dobry początek, nie uważasz?

Holm prychnął.

– Wiesz, co mi się wydaje? Że Bellman mnie tam umieścił, żeby mnie odciąć od tego, co się dzieje. Żebym nie miał żadnych informacji z pierwszej ręki. Podejrzewa, że gdybym miał takie informacje, to nie jest pewien, czy trafiłyby od razu do niego.

– Ale w tym się myli. – Harry podszedł jeszcze bliżej.

Bjørn Holm zamrugał.

– Do cholery, Harry, co jest?

– No właśnie, do cholery, co? – Harry słyszał, że wściekłość nadaje jego głosowi metaliczną barwę. – Co, do cholery, robiłeś w tym biurze, Bjørn? Cały twój sprzęt już stamtąd zniknął.

– Co tam robiłem? Przyszedłem po to! – Bjørn podniósł do góry prawą rękę. Ściskał w niej książkę. – Miałeś ją zanieść do recepcji, nie pamiętasz?

Hank Williams, The Biography.

Harry poczuł, że czerwieni się ze wstydu.

– Mhm.

– Mhm – wykrzywił się Bjørn.

– Już ją przenosiłem z całą resztą – wyjaśnił Harry. – Ale w połowie Kanału zawróciliśmy i później całkiem o tym zapomniałem.

– Okej. Mogę już iść?

Harry odsunął się na bok i słuchał, jak Bjørn odchodzi, tupiąc i przeklinając.

Otworzył kluczem drzwi do pokoju.

Ciężko usiadł na krześle.

Rozejrzał się.

Notatnik. Przejrzał go. Nie zanotował nic z tej rozmowy, nic, co mogłoby ujawnić, że Tony Leike jest podejrzany. Otworzył szuflady w biurku, żeby sprawdzić, czy nikt w nich nie grzebał. Wszystko wyglądało na nietknięte. Czyżby mimo wszystko mógł się pomylić? Mógł wierzyć, że Holm nie jest źródłem przecieku do Bellmana?

Spojrzał na zegarek. Miał nadzieję, że nowa prokurator policji szybko je. Stuknął w przypadkowy klawisz komputera i ekran obudził się do życia. Wciąż pokazywał stronę Google z ostatnim wyszukiwanym hasłem. Z pola wyszukiwania biło w oczy nazwisko. Tony Leike.

41 NIEBIESKI ŚWISTEK

– No więc... – zaczął Aslak Krongli, obracając filiżankę. W jego wielkiej dłoni wyglądała jak kieliszek do jajka.

Kaja usiadła naprzeciwko niego przy stoliku pod oknem. Kantyna w Budynku Policji znajdowała się na ostatnim piętrze i była standardową norweską stołówką, to znaczy dużą, jasną i czystą, lecz nie na tyle przytulną, by komuś chciało się tu siedzieć dłużej niż to konieczne. Największym plusem pomieszczenia był rozciągający się stąd widok na miasto, ale Krongliego najwyraźniej zupełnie nie interesował.

– Sprawdziłem książki gości w innych samoobsługowych schroniskach w okolicy. Jedynymi osobami, które w miejscu na notatki wpisały, że zamierzają spędzić następną noc w Håvasshytta, były Charlotte Lolles i Iska Peller, które poprzedniego dnia nocowały w Tunvegghytta.

– A o nich już wiemy – pokiwała głową Kaja.

– No właśnie. Mam więc właściwie tylko dwie rzeczy, które mogą cię zainteresować.

– Mianowicie?

– Rozmawiałem przez telefon z pewnym starszym małżeństwem, które było w Tunvegghytta tej samej nocy, co Lolles i Peller. Powiedzieli, że wieczorem pojawił się facet, który tylko coś zjadł, zmienił koszulę i ruszył dalej na południowy wschód. Chociaż było ciemno. A jedynym schroniskiem w tym kierunku jest Håvasshytta.

– Ten człowiek...

– Prawie go nie widzieli. Sprawiał też wrażenie, jakby nie chciał być widziany. Nie zdjął kominiarki ani staroświeckich gogli, chociaż zmieniał koszulę. Kobiecie przyszło do głowy, że musiał kiedyś być poważnie ranny.

– Dlaczego?

– Pamiętała jedynie, że tak pomyślała. Powodu sobie nie przypominała. Tak czy owak, mógł zmienić kierunek, kiedy zniknął im z oczu, i wybrać się do innego schroniska.

– Oczywiście. – Kaja spojrzała na zegarek.

– Macie jakąś odpowiedź na te prośby o zgłaszanie się na policję?

– Nie.

– Wyglądasz, jakbyś mówiła „tak".

Kaja prędko podniosła na niego wzrok, a on zareagował podniesieniem rąk do góry.

– Głupi wieśniak w mieście. Przepraszam, to nie moja sprawa.

– Wszystko w porządku.

Popatrzyli każde w swoją filiżankę.

– Powiedziałeś, że masz dwie rzeczy, które mogą mnie zainteresować. Jaka jest ta druga?

– Wiem, będę żałował, że to powiem – odparł Krongli i w jego oczach znów pojawił się ten milczący śmiech.

Kaja natychmiast zrozumiała, jaki kierunek obierze dalszy ciąg tej rozmowy, i wiedziała, że Aslak ma rację. Będzie żałował.

– Nocuję dzisiaj w hotelu Plaza. Chciałem cię spytać, czy nie miałabyś ochoty zjeść tam ze mną kolacji.

Po wyrazie jego twarzy poznała, że jej minę nietrudno było odczytać.

– Nie znam nikogo innego w tym mieście – dodał, wykrzywiając usta w grymasie, który może w zamierzeniu miał być rozbrajającym uśmiechem. – Oprócz mojej byłej dziewczyny, ale do niej nie mam odwagi dzwonić.

– Byłoby miło… – zaczęła Kaja i zawiesiła głos. Tryb przypuszczający. Zobaczyła, że Aslak Krongli już żałuje. – …ale niestety, wieczorem będę zajęta.

– Okej, przecież to tak znienacka – uśmiechnął się Krongli i wsunął palce w swoje dzikie loki. – A może jutro?

– Ja… ostatnio jestem bardzo zajęta, Aslak.

Lensman pokiwał głową jakby do siebie.

– Oczywiście, oczywiście, że jesteś zajęta. Może to ten, który był u ciebie, kiedy przyszedłem, jest powodem?

– Nie, teraz to inni mi szefują.

– Nie myślałem o szefach.

– O?

– Mówiłaś, że zakochałaś się w policjancie, a wydało mi się, że jemu z łatwością dałaś się namówić. O wiele szybciej niż mnie.

– Ależ skąd, oszalałeś? To nie on. Ja... chyba wypiłam wtedy za dużo wina. – W ustach Kai zadźwięczał idiotyczny śmiech, poczuła krew uderzającą do głowy.

– No tak. – Krongli dopił kawę. – Wobec tego idę do tego wielkiego zimnego miasta. Pewnie są tu muzea, które należałoby zwiedzić, i bary, do których trzeba wstąpić.

– Rzeczywiście, skorzystaj z okazji.

Uniósł brew, a jego oczy zdawały się jednocześnie płakać i głośno śmiać. Tak jak oczy Evena pod koniec.

Kaja odprowadziła go na dół. Kiedy podał jej rękę, wyrwało jej się:

– Zadzwoń do mnie, jeśli poczujesz się za bardzo samotny. Zobaczę, może uda mi się wyrwać chwilę.

Odczytała jego uśmiech jako wyraz wdzięczności za to, że dała mu okazję do odrzucenia propozycji lub przynajmniej nieskorzystania z niej.

Kiedy stała w windzie wiozącej ją na szóste piętro, przypomniały jej się słowa Aslaka. „Z łatwością dałaś się namówić". Właściwie jak długo słuchał pod tymi drzwiami?

O pierwszej stojący przed Kają telefon zadzwonił. To był Harry.

– Mam wreszcie ten nakaz. Gotowa?

Poczuła, że serce zaczyna jej bić szybciej.

– Tak.

– Kamizelka?

– Kamizelka i broń.

– O broń zatroszczy się Delta. Czekają już w samochodzie koło garażu, wystarczy zejść na dół. A po drodze zabierz ten nakaz z mojej półki.

– Dobrze.

Dziesięć minut później jechali jednym z niebieskich dwunastoosobowych samochodów oddziału specjalnego Delta przez centrum Oslo na zachód.

Harry poprosił, by operacją kierował Milano, ciemnowłosy krępy mężczyzna z krzaczastymi brwiami, który mimo nazwiska nie miał w sobie ani kropli włoskiej krwi. Kaja słuchała wyjaśnień Harry'ego, jak to pół godziny wcześniej zadzwonił do Leikego, do biurowca, w którym wynajmował lokal, i tam powiedzieli mu, że Leike dzisiaj pracuje w domu. Zatelefonował więc na Holmenveien, a kiedy Leike odebrał, odłożył słuchawkę.

Jechali przez tunel Ibsena, prostokąty światła na suficie odbijały się w kaskach i przyłbicach ośmiu policjantów, którzy wyglądali tak, jakby byli pogrążeni w głębokiej medytacji.

Kaja i Harry siedzieli na samym końcu. Harry był w czarnej kurtce z dużym żółtym napisem „POLICJA" z przodu i z tyłu. Wyjął też służbowy rewolwer, żeby sprawdzić, czy we wszystkich komorach są naboje.

– Ośmiu ludzi z Delty i sokowirówka. – Kaja nawiązała do niebieskiego koguta obracającego się na dachu samochodu. – Jesteś pewien, że nie ma w tym przesady?

– To musi być przesadne – stwierdził Harry. – Musimy podkreślić, kto dokonał tego aresztowania, dlatego potrzebna nam wyższa ranga imprezy.

– To wyciekło do prasy?

Harry spojrzał na nią zdziwiony.

– Skoro tak ci zależy na ściągnięciu uwagi – wyjaśniła Kaja. – Pomyśl tylko, celebryta Leike aresztowany za zabójstwo Marit Olsen. Dla czegoś takiego porzuciliby narodziny księżniczki.

– A jeśli tam jest jego narzeczona? – spytał Harry. – Albo matka? One też mają trafić do gazet i bezpośredniej relacji telewizyjnej? – Poruszył rewolwerem w taki sposób, że bębenek wpadł na swoje miejsce.

– No to na co nam wysoka ranga imprezy?

– Prasa przyjdzie później – odparł Harry. – Będą wypytywać sąsiadów, przechodniów, nas. Dowiedzą się, jaki to był wspaniały show. To wystarczy. Żadna postronna osoba nie musi być w to zamieszana, a i tak pierwsze strony będą nasze.

Kaja zerknęła na niego ukradkiem, gdy nasunął się na nich cień kolejnego tunelu. Jechali przez Majorstua i dalej wzdłuż Slemdalsveien. Kiedy mijali Vinderen, Kaja zobaczyła, że Harry patrzy przez boczne okno na przystanek tramwajowy z wyrazem udręki na obnażonej twarzy. Miała ochotę dotknąć jego dłoni, powiedzieć coś, cokolwiek, co starłoby tę minę. Patrzyła na jego rękę zaciśniętą na rewolwerze, jakby broń była wszystkim, co miał. To nie mogło dalej tak trwać. Coś musiało pęknąć. Już pękło.

Wjeżdżali coraz wyżej, miasto zostawili w dole. Przejechali przez tory tramwajowe i w tej samej chwili zamrugały za nimi światła i opadł szlaban.

Dotarli na Holmenveien.

– Kto podejdzie ze mną do drzwi, Milano? – rzucił Harry pytanie w przód.

– Delta numer trzy i cztery – odkrzyknął Milano, odwrócił się i wskazał na mężczyznę z wielką trójką wypisaną kredą na piersi i plecach kombinezonu.

– Okej – powiedział Harry. – A reszta?

– Dwóch ludzi z każdej strony domu. Procedura Dyke jeden-cztery--pięć.

Kaja wiedziała, że to kod posuwania się naprzód. Metodę zapożyczono z futbolu amerykańskiego, a jej celem było komunikowanie się w sposób szybki i niezrozumiały dla przeciwnika na wypadek, gdyby zdołał się dostać na częstotliwość radiową używaną przez Deltę. Zatrzymali się w odległości paru domów od Leikego. Sześciu ludzi sprawdziło swoje MP-5 i wyskoczyło z samochodu. Kaja patrzyła, jak gnają przez wielkie ogrody sąsiadów wśród zbrązowiałej zwiędłej trawy, nagich jabłoni i wysokich żywopłotów, tak lubianych przez mieszkańców zachodnich dzielnic. Spojrzała na zegarek. Minęło czterdzieści sekund, gdy radio Milana zatrzeszczało:

– Wszyscy na miejscu.

Kierowca puścił sprzęgło, wolno podjechali pod dom.

Stosunkowo niedawno kupiona przez Tony'ego Leike willa była żółta, parterowa i wielka. Ale, zdaniem Kai, sam adres imponował bardziej niż architektura, stanowiąca skrzyżowanie funkcjonalizmu z drewnianą skrzynką.

Stanęli, blokując dwie garażowe bramy na końcu wysypanej żwirem ścieżki prowadzącej do wejścia. Kilka lat wcześniej podczas akcji uwalniania zakładników w Vestfold, w której Delta otoczyła budynek, porywacze wydostali się, przechodząc bezpośrednio do garażu połączonego z domem, przekręcając kluczyk w samochodzie właściciela i całkiem zwyczajnie

232

odjeżdżając na oczach ciężko uzbrojonych policjantów z równie ciężko rozdziawionymi gębami.

– Trzymaj się z tyłu i wszystko obserwuj! – rzucił Harry do Kai. – Następnym razem twoja kolej.

Wysiedli. Harry zaraz ruszył w stronę domu, wraz z dwoma policjantami z Delty, idącymi o krok za nim i odsuniętymi od siebie – w ten sposób tworzyli trójkąt. Kaja po głosie Harry'ego poznała, że puls mu przyspieszył. Teraz widziała to także w ruchach, w napięciu karku i w przesadnej miękkości, z jaką się poruszał.

Weszli na schody. Harry zadzwonił, dwaj pozostali stanęli po obu stronach drzwi, plecami przyklejeni do ściany.

Kaja liczyła. Harry jeszcze w samochodzie mówił jej, że FBI musi zadzwonić albo zapukać, krzyknąć: „Policja!" i „Proszę otworzyć!", powtórzyć to, odczekać dziesięć sekund – i dopiero może wchodzić. Policja norweska nie miała tak szczegółowych instrukcji, ale to wcale nie znaczyło, że nie ma żadnych reguł.

Jednak tego popołudnia na Holmenveien żadna z nich nie znalazła zastosowania.

Drzwi się otworzyły. Kaja automatycznie cofnęła się o krok, widząc w drzwiach rastafariańską czapkę, dostrzegła ruch ramienia Harry'ego i usłyszała odgłos zaciśniętej pięści uderzającej w ludzkie ciało.

42 BEAVIS

Ruch był automatyczny. Harry całkiem po prostu nie był w stanie go powstrzymać.

Kiedy księżycowa twarz technika kryminalistycznego Bjørna Holma ukazała się w drzwiach domu Tony'ego Leike, Harry za jego plecami dostrzegł pozostałych techników dokonujących przeszukania. W jednej sekundzie zrozumiał, co się stało, i pociemniało mu w oczach.

Czuł tylko, jak uderzenie roznosi się wzdłuż ramienia i barku, jak bolą kostki. Kiedy znów otworzył oczy, Bjørn Holm klęczał na kolanach w korytarzu, a krew lejąca się z nosa i ust ściekała mu po brodzie.

Dwaj policjanci z Delty podskoczyli i skierowali broń w Holma, ale najwyraźniej nie wiedzieli, co robić. Prawdopodobnie już wcześniej widzieli jego słynną czapkę i zrozumieli, że reszta ubranych na biało postaci to część grupy dokonującej przeszukania.

– Dajcie znać, że sytuacja jest pod kontrolą – powiedział Harry mężczyźnie z trójką na piersi. – I że podejrzany już został aresztowany. Przez Mikaela Bellmana.

Harry zapadł się na krześle z nogami wyciągniętymi tak, że sięgały aż do biurka Gunnara Hagena.

– To całkiem proste, szefie. Bellman dowiedział się, że zamierzamy aresztować Leikego. Cholera, mają prokuraturę krajową po drugiej stronie ulicy, w tym samym budynku co Wydział Techniki Kryminalistycznej. Wystarczyło, że poszedł po nakaz do któregoś z prokuratorów okręgowych. Pewnie załatwił to w dwie minuty. A ja czekałem przez pieprzone dwie godziny!

– Nie musisz krzyczeć – powiedział Hagen.

– To ty nie musisz, szefie, a ja muszę! – wrzasnął Harry i uderzył pięścią w podłokietnik. – Niech to szlag trafi!

– Ciesz się, że Holm nie składa skargi. Dlaczego go uderzyłeś? To on był źródłem przecieku?

– Coś jeszcze, szefie?

Hagen spojrzał na swojego komisarza i pokręcił głową.

– Weź sobie parę dni wolnego, Harry.

Trulsa Berntsena w okresie dorastania przezywano różnie. Większość tych przezwisk odeszła w zapomnienie. Ale po skończeniu szkoły średniej na początku lat dziewięćdziesiątych jedno z takich przezwisk przylepiło się do niego na dobre: Beavis. Ten idiota z kreskówki puszczanej w MTV. Jasne włosy, wysunięta żuchwa i chrumkający śmiech. No dobrze, może i tak się śmiał. Śmiał się tak od podstawówki, szczególnie gdy ktoś dostawał lanie. Szczególnie gdy on dostawał lanie. W jakimś komiksie wyczytał, że facet, który stworzył Beavisa i Butt-heada, nazywa się Judge, imienia nie pamiętał. Ale w każdym razie ten facet, ten Judge, powiedział, że ojca Beavisa wyobraża sobie jako pijaka, który bije syna. Truls Berntsen pamiętał, że rzucił komiks na podłogę w sklepie i wyszedł, zaśmiewając się tym swoim chrumkliwym śmiechem.

Miał dwóch wujów, którzy byli policjantami, ale o mały włos nie dostałby się do Wyższej Szkoły Policji, mimo dwóch listów polecających. Egzamin końcowy zdał, krzycząc o ratunek, a z pomocą pospieszyła mu przynajmniej jedna osoba z sąsiedniej ławki. Inaczej zresztą być nie mogło, przecież kumplowali się od dziecka. Ale czy na pewno? Szczerze mówiąc, Mikael Bellman był jego szefem, odkąd mieli po dwanaście lat i spotkali się na wielkiej parceli na Manglerud, którą chcieli wysadzić w powietrze. Bellman przyłapał Beavisa na gorącym uczynku, kiedy ten próbował podpalić zdechłego szczura, i pokazał mu, że o wiele więcej zabawy będzie, kiedy w pysk zwierzaka wsadzi się laskę dynamitu. Pozwolił nawet Trulsowi odpalić. Od tamtej pory Beavis chodził za nim wszędzie. Kiedy tylko było mu wolno. Mikael radził sobie ze wszystkim tym, z czym nie radził sobie Truls. Ze szkołą, z lekcjami, z gimnastyką, z mówieniem takim, żeby nikt się nie naśmiewał. Miał nawet dziewczyny, jedną o rok starszą, z cyckami, których mógł dotykać tyle, ile chciał. Truls tylko w jednym był lepszy. W przyjmowaniu lania. Mikael zawsze się wycofywał, gdy więksi chłopcy nie mogli znieść tego, że pięknoś wykiwał ich na całej długości, i rzucali się na nich z zaciśniętymi pięściami. Wtedy Mikael zawsze wypychał Trulsa. Bo Truls potrafił przyjmować razy. Trenował w domu. Mogli go tłuc, aż krew się lała, a on dalej stał, śmiejąc się tym swoim śmiechem, który jeszcze bardziej złościł ludzi. Ale nie umiał się powstrzymać, po prostu musiał się śmiać. Wiedział, że później Mikael poklepie go z uznaniem po ramieniu, a jeśli to była niedziela, to Mikael potrafił powiedzieć, że Julle i Telewizor znów się będą ścigać. Wtedy stawali na kładce poniżej Ryenkrysset, czuli zapach spieczonego w słońcu asfaltu i słuchali ryku silników kawasaki 1000, przy wtórze aplauzu kibiców. Później motocykle Jullego i Telewizora z rykiem mknęły po opustoszałej w niedzielę szosie, przejeżdżały pod nimi, kierując się w stronę tunelu i dalej, na Bryn, a jeśli Mikael był w dobrym humorze, a matka Trulsa miała dyżur w szpitalu Aker, to szli na niedzielny obiad do pani Bellman.

Raz, kiedy Mikael zadzwonił do drzwi, ojciec krzyknął do Trulsa, że przyszedł Jezus po swojego apostoła.

Nigdy się nie pokłócili. To znaczy Truls nigdy się nie odcinał, kiedy Mikael miał zły humor i mieszał go z błotem. Nawet na tej imprezie, na której Mikael nazwał go Beavisem i wszyscy się śmiali, a Truls instynktownie wyczuł, że to przezwisko przyklei się do niego na stałe.

Tylko raz Truls się odegrał. Wówczas gdy Mikael nazwał jego ojca pijaczyną z fabryki Kadok. Wtedy Truls się podniósł i ruszył na przyjaciela z podniesioną pięścią. Mikael się skulił, zasłaniając głowę ręką, i ze śmiechem poprosił go, żeby się uspokoił, przepraszając i tłumacząc, że to żart. Ale później to Trulsowi było przykro i to on prosił o wybaczenie.

Pewnego dnia Mikael z Trulsem poszli na stację benzynową, na której, jak wiedzieli, Julle i Telewizor kradli benzynę. Napełniali baki motocykli z samoobsługowych dystrybutorów, a ich dziewczyny siedziały z tyłu, z kurtkami od deszczu przewiązanymi w pasie w taki sposób, że przypadkiem zasłaniały tablice rejestracyjne. Chłopcy wskakiwali na motocykle i odjeżdżali.

Mikael podał na stacji pełne imiona i nazwiska oraz adresy Jullego i Telewizora, ale tylko jednej dziewczyny, tej, która chodziła z Jullem. Właściciel stacji nie dowierzał, zastanawiał się, czy na jednej z kamer nie dostrzegł przypadkiem Trulsa, w każdym razie uważał, że chłopak jest podobny do tego, który ukradł kanister z benzyną tuż przed podpaleniem baraku na parceli na Manglerud. Mikael oświadczył, że nie chce żadnej nagrody za te informacje, a jedynie pociągnięcia winnych do odpowiedzialności. Dodał, że liczy, iż właściciel również wie, co to odpowiedzialność społeczna. Dorosły mężczyzna zaskoczony kiwał głową. Mikael właśnie tak działał na ludzi. Kiedy stamtąd odchodzili, Mikael zapowiedział, że po skończeniu szkoły średniej będzie się starał o przyjęcie do Wyższej Szkoły Policji, a Beavis też powinien o tym pomyśleć, bo przecież ma policjantów w rodzinie.

Niedługo potem Mikael zaczął chodzić z Ullą i mniej się widywali z Trulsem. Ale po ukończeniu szkoły policyjnej znaleźli pracę na tym samym posterunku na Stovner, w prawdziwej wschodniej dzielnicy, gdzie grasowały gangi, często wybuchały awantury domowe, a od czasu do czasu zdarzały się też zabójstwa. Po roku Mikael ożenił się z Ullą i został szefem Trulsa, a raczej Beavisa, bo tak go tu nazywano już od trzeciego dnia. Przyszłość zapowiadała się nieźle dla Trulsa, a wspaniale dla Mikaela. Tak było aż do czasu, gdy jakiś dureń, cywilny pracownik na zastępstwie w dziale płac, oskarżył Bellmana o złamanie mu szczęki po świątecznym przyjęciu. Ale nie miał żadnych dowodów, a Truls wiedział najlepiej, że Mikael tego nie zrobił. Wokół sprawy zrobiło się jednak tyle hałasu, że Mikael zaczął się starać o przeniesienie. Dostał pracę w Europolu i przeniósł się do kwatery głównej w Hadze, gdzie również dość szybko został gwiazdą.

Kiedy wrócił do Norwegii, do KRIPOS, drugą rzeczą, jaką zrobił, był telefon do Trulsa i pytanie: „Beavis, jesteś gotów znów wysadzać szczury w powietrze?".

Ale pierwszą rzeczą było zatrudnienie Jussiego.

Jussi Kolkka był specjalistą od pół tuzina technik walki, których nazw zapomina się, zanim wybrzmią do końca. Cztery lata pracował dla Europolu, a wcześniej jako policjant w Helsinkach. Z Europolu musiał odejść, bo podczas śledztwa w związku z serią gwałtów na nastoletnich dziewczętach w Europie Południowej posunął się za daleko. Podobno tak potraktował sprawcę, że nawet adwokat miał kłopoty z rozpoznaniem swojego klienta. Nie miał za to kłopotów z pozwaniem Europolu. Truls usiłował namówić Jussiego na opowieść o wszystkich tych cudownych szczegółach, ale tamten tylko w milczeniu mu się przyglądał. No i dobrze, Truls nie był gadułą. Zorientował się też, że im rzadziej otwiera się usta, tym większa jest szansa na to, by ludzie cię nie doceniali. A to wcale nie zawsze było takie głupie. Wszystko jedno. Dzisiaj mieli powód do świętowania. Mikael, on, Jussi i KRIPOS wygrali. A ponieważ Mikaela tu już nie było, sami musieli się wszystkim zająć.

– Zamknijcie się! – krzyknął Truls, wskazując na telewizor zawieszony na ścianie nad barem w Justisen. Usłyszał własne nerwowe chrumkanie, kiedy koledzy rzeczywiście usłuchali. Wokół stolików i przy barze zrobiło się cicho. Wszyscy wpatrywali się w spoglądającego prosto w kamerę prezentera, który ogłosił to, na co właśnie czekali.

– KRIPOS aresztowała dziś mężczyznę podejrzanego o dokonanie łącznie pięciu zabójstw, między innymi o zamordowanie Marit Olsen.

Rozległy się wiwaty, wznoszono do góry kufle z piwem, zagłuszając dalszy ciąg, dopóki mroczny głos z fińsko-szwedzkim akcentem nie ryknął:

– Zamknijcie gęby!

Policjanci z KRIPOS umilkli i skierowali uwagę na Mikaela Bellmana, który stał przed ich firmą na Bryn, a pod nos miał podsunięty włochaty mikrofon.

– Zatrzymaliśmy podejrzanego. Zostanie przesłuchany przez KRIPOS, a następnie złożymy wniosek o jego aresztowanie – mówił Mikael Bellman.

– Czy to oznacza, że policja rozwiązała tę sprawę?

– Znalezienie winnego i doprowadzenie do jego skazania to dwie najzupełniej różne kwestie – stwierdził Bellman z leciutkim uśmieszkiem czającym się w kącikach ust. – Ale w wyniku śledztwa prowadzonego przez KRIPOS ujawniono tyle poszlak i zbiegów okoliczności, że uznaliśmy za słuszne dokonanie zatrzymania od razu, z uwagi na istniejące niebezpieczeństwo popełnienia kolejnego przestępstwa i zatarcia dowodów.

– Aresztowany ma około trzydziestu lat. Możecie powiedzieć o nim coś więcej?

– Mogę jedynie powiedzieć, że był już wcześniej skazany za stosowanie przemocy.

– W sieci krążą plotki na temat tożsamości tej osoby. Podobno to znany inwestor, zaręczony z córką słynnego armatora. Może pan to potwierdzić, Bellman?

– Nie będę niczego potwierdzał ani niczemu zaprzeczał. Powiem tylko, że KRIPOS ma nadzieję, iż ta sprawa wkrótce zostanie zakończona.

Reporter odwrócił się do kamery, by dokonać podsumowania, ale w Justisen zagłuszyła go burza oklasków.

Truls zamówił jeszcze jedno piwo, a jakiś śledczy wszedł na krzesło i zaczął głośno wrzeszczeć, że ci z Wydziału Zabójstw mogą mu zrobić laskę, a przynajmniej wylizać sam koniec fiuta, i to jeśli będą bardzo ładnie prosić. W dusznym, cuchnącym potem lokalu gruchnął śmiech.

W tej samej chwili drzwi się otworzyły, a Truls zobaczył w lustrze postać, która całe je wypełniła.

Na jej widok poczuł dziwne podniecenie, mrowiącą pewność, że coś się stanie, że poleje się krew.

To był Harry Hole.

Wysoki, z szerokimi barami, z chudą pociągłą twarzą i przekrwionymi, zapadniętymi głęboko oczami. Tylko stał, a mimo wszystko – chociaż nikt nie wołał, żeby się zamknąć – cisza rozniosła się od przodu na cały bar Justisen. W końcu słychać już było jedynie szepty uciszających się nawzajem techników. Kiedy wreszcie zrobiło się totalnie cicho, Hole się odezwał:

– Oblewacie to, że udało wam się ukraść robotę, którą my już wcześniej wykonaliśmy?

Powiedział to niegłośno, prawie szeptem, a mimo to każda sylaba wyraźnie wybrzmiała w lokalu.

– Świętujecie, bo macie szefa gotowego iść po trupach – i tych, których się nazbierało w sprawie, i tych, które niedługo będą wynosić z szóstego piętra Budynku Policji – tylko po to, żeby mógł być Królem Słońce na pierdolonym Bryn? No dobra. Macie tu stówę.

Truls widział, że Hole wyciągnął banknot.

– Przynajmniej tego nie musicie kraść. Kupcie za to piwo, wybaczenie albo dildo dla trójcy Bellmana...

Zmiął setkę i rzucił ją na podłogę. Truls kątem oka zobaczył, że Jussi już się ruszył.

– ...albo jeszcze jednego donosiciela.

Hole zrobił krok w bok, żeby złapać równowagę, a Truls dopiero teraz się zorientował, że facet, chociaż mówił wyraźnie i dobitnie jak pastor, jest w sztok pijany.

W następnym momencie Hole zrobił pół piruetu, kiedy prawy sierpowy Jussiego Kolkki trafił go z lewej strony w brodę, a potem głęboki, niemal elegancki ukłon, gdy lewa pięść Fina wbiła mu się w splot słoneczny. Truls domyślał się, że za kilka sekund Hole, gdy tylko na powrót będzie miał dość powietrza w płucach, zacznie rzygać. Tu, wewnątrz lokalu. A Jussi najwyraźniej pomyślał tak samo: że na zewnątrz będzie lepiej. Dziwnie było patrzeć, jak niewysoki, wręcz klockowaty Fin unosi nogę wysoko i miękko jak balerina, dotyka nią barku Harry'ego i lekko go popycha, a zgięty wpół olbrzym odchyla się do tyłu i wypada przez te same drzwi, przez które wszedł.

Najbardziej pijani i najmłodsi wyli ze śmiechu, natomiast Truls chrumkał. Paru starszych podniosło krzyk, a któryś zawołał do Kolkki, żeby zachowywał się jak człowiek, ale nikt nie próbował nic robić. Truls wiedział dlaczego. Wszyscy tutaj pamiętali tamtą historię. Harry przeciągnął mundur przez błoto, skalał własne gniazdo, uśmiercił jednego z ich najlepszych ludzi.

Jussi pomaszerował do baru, z twarzą bez wyrazu, jakby przed chwilą wychodził wyrzucić śmieci. Truls rżał i chrumkał. Nigdy się nie wyznawał na Finach, Lapończykach i Eskimosach czy kim tam, do cholery, byli.

Nieco bardziej w głębi lokalu jakiś facet podniósł się i ruszył do wyjścia. Truls nigdy wcześniej nie widział go w KRIPOS. Ale pod ciemnymi kręconymi włosami miał twarz policjanta.

– Daj znać, jak będziesz potrzebował pomocy, lensmanie! – zawołał ktoś od jego stolika.

Dopiero trzy minuty później, kiedy Celine Dion znów zaczęła śpiewać głośniej i potoczyły się rozmowy, Truls ośmielił się wyjść na środek sali, nadepnąć na zmięty banknot i nogą zaciągnąć go do baru.

Harry'emu wróciło do płuc powietrze. I zaczął rzygać. Raz. Potem drugi. I znów osunął się na ziemię. Asfalt był zimny, piekł go w bok przez koszulę, a jednocześnie taki ciężki, jakby to on go dźwigał, a nie odwrotnie. Pod powiekami tańczyły krwistoczerwone plamy i wiły się czarne węże.

– Hole?

Harry usłyszał głos, ale wiedział, że musi udawać nieprzytomnego, bo inaczej znów może liczyć na kopniaka. Nie otwierał więc oczu.

– Hole? – Głos się zbliżył i Harry poczuł czyjąś rękę na ramieniu.

Harry wiedział też, że alkohol zredukuje szybkość, celność i ocenę odległości, lecz mimo wszystko to zrobił. Otworzył oczy, obrócił się i wycelował w krtań. Potem znów zwalił się na asfalt.

Spudłował prawie o pół metra.

– Sprowadzę ci taksówkę – usłyszał głos.

– Za cholerę – jęknął Harry. – Spieprzaj stąd, cholerny szczurze!

– Ja nie jestem z KRIPOS. Nazywam się Krongli, jestem lensmanem z Ustaoset.

Harry odwrócił się i popatrzył na niego.

– Trochę się upiłem – powiedział ochryple, starając się oddychać jak najspokojniej, żeby bóle brzucha nie wywołały kolejnych wymiotów. – To nie takie groźne.

– Ja też jestem trochę wstawiony – uśmiechnął się Krongli i zarzucił sobie na ramię rękę Harry'ego. – I szczerze mówiąc, to nie mam pojęcia, gdzie znaleźć taksówkę. Dasz radę stanąć na nogi?

Harry stanął najpierw na jednej, potem na dwóch nogach, parę razy mrugnął, w końcu stwierdził, że przynajmniej znów znajduje się w pozycji pionowej. I w objęciach lensmana z Ustaoset.

– Gdzie dziś nocujesz? – spytał Krongli.

Harry zerknął na lensmana.

– W domu. I najchętniej sam, jeśli to dla ciebie w porządku.

W tej samej chwili podjechał do nich radiowóz i siedzący w środku policjant opuścił szybę. Do Harry'ego dotarł wybrzmiewający śmiech, a potem spokojny głos.

– Harry Hole, Wydział Zabójstw?

– To ja – westchnął Harry.

– Przed chwilą zadzwonił do nas jeden ze śledczych z KRIPOS z prośbą, żeby cię cało i zdrowo odtransportować do domu.

– No to otwierajcie te drzwi.

Harry usiadł z tyłu, oparł głowę o zagłówek, poczuł, że wszystko od razu zaczyna wirować, zamknął oczy, ale wolał to, niż patrzeć, jak ci dwaj z przodu się na niego gapią. Krongli poprosił, żeby zadzwonili do niego pod jakiś numer, kiedy „Harry już dotrze do domu". Co ten facet, do cholery, sobie myśli? Że jest jego kumplem? Harry usłyszał, że boczne okno się zamyka, a miły głos z przedniego siedzenia spytał:

– Gdzie mieszkasz, Hole?

– Jedźcie prosto. Wybierzemy się w odwiedziny.

Kiedy samochód ruszył, Harry otworzył oczy, odwrócił się i zobaczył, że Aslak Krongli wciąż stoi na chodniku na Møllergata.

43 ODWIEDZINY

Kaja leżała na boku wpatrzona w ciemność sypialni. Słyszała odgłos otwieranej furtki i chrzęst żwiru na ścieżce. Wstrzymała oddech i czekała. W końcu rozległ się dzwonek. Wysunęła się z łóżka, włożyła szlafrok i podeszła do okna. Dzwonek zadzwonił jeszcze raz. Uchyliła zasłony. I westchnęła.

– Pijany policjant – powiedziała głośno.

Wsunęła stopy w kapcie i poczłapała do drzwi. Otworzyła i stanęła w nich z rękami założonymi na piersi.

– Cześć, ślicznotko – wybełkotał policjant.

Kaja zastanawiała się, czy to ma być parodia jakiegoś skeczu o pijaku, czy też ma do czynienia z żałosnym oryginałem.

– Co cię tu sprowadza o tej porze? – spytała.

– Ty. Wpuścisz mnie?

– Nie.

– Ale mówiłaś, że mogę się z tobą skontaktować, jeśli poczuję się zbyt samotny. No i właśnie tak jest.

– Aslaku Krongli, już się położyłam. Wracaj teraz do hotelu. Jutro możemy się razem napić kawy.

– Kawa przydałaby mi się teraz. Dziesięć minut i dzwonimy po taksówkę, dobrze? A przez ten czas możemy porozmawiać o zabójstwach i seryjnych mordercach. Co ty na to?

– Przykro mi, nie jestem sama.

Krongli gwałtownie się wyprostował, takim ruchem, że Kaja zaczęła podejrzewać, iż nie jest wcale tak pijany, jak się w pierwszej chwili wydawało.

– Ach tak? On tu jest, ten policjant, który cię tak interesuje?

– Być może.

– To jego? – Lensman kopnął wielkie buty stojące przy wycieraczce.

Kaja nie odpowiedziała. Było coś w głosie Krongliego, a raczej coś głęboko pod nim, czego wcześniej nie słyszała. Przypominało nieco ledwie słyszalny warkot.

– A może wystawiłaś te buty tylko po to, żeby kogoś wystraszyć? – Płacz i śmiech w oczach. – Nikogo u ciebie nie ma, prawda, Kaju?

– Posłuchaj, Aslak…

– Ten policjant, o którym mówiłaś, ten Harry Hole, dostał dziś wieczorem za swoje. Pojawił się w Justisen, pijany jak bela, prosił się o lanie i je dostał. Patrol odwiózł go do domu. A to oznacza, że jednak jesteś dzisiaj wolna.

Serce zabiło jej szybciej. Przestało jej już być zimno w szlafroku.

– Może przywieźli go tutaj? – usłyszała, że teraz i jej głos brzmi inaczej.

– Nie. Zadzwonili do mnie i powiedzieli, że zawieźli go gdzieś wysoko na wzgórze, bo chciał kogoś odwiedzić. Kiedy się zorientowali, że to Szpital Centralny, i z całych sił odradzali mu wizytę, po prostu wyskoczył na czerwonym świetle. Lubię mocną kawę, dobrze?

Oczy rozbłysły mu, tak jak Evenowi, kiedy był chory.

– Aslak, idź już sobie. Na Kirkeveien są taksówki.

Jego ręka gwałtownie wystrzeliła i zanim Kaja zdążyła zareagować, złapał ją za ramię i wepchnął na korytarz. Zaczęła się wyrywać, ale wtedy ją objął i przytrzymał.

– Będziesz taka jak ona? – syknął jej do ucha. – Będziesz się wymawiać i uciekać? Taka jak wy wszystkie, cholerne...

Jęknęła, próbując się wyrwać, ale on był silny.

– Kaja! – Głos dobiegł z otwartych drzwi sypialni. Zdecydowany ostry męski głos, który Krongli w innych okolicznościach może by rozpoznał. Słyszał go przecież w Justisen zaledwie przed godziną.

– Co się dzieje, Kaju?

Ale Krongli już ją puścił i patrzył szeroko otwartymi oczami, z rozdziawionymi ustami.

– Nic. Tylko pijany wieśniak z Ustaoset już wraca do domu.

Krongli cicho wycofał się do drzwi, otworzył, wymknął się i zatrzasnął je za sobą. Kaja przekręciła klucz, potem dotknęła czołem zimnego drewna. Była bliska płaczu. Nie ze strachu ani z szoku. Z rozpaczy. Przez to, że wszystko wokół niej się waliło. Przez to, że wszystko, co uważała za czyste i słuszne, w końcu zaczęło się ukazywać w prawdziwym świetle. Że było tak od dawna, lecz ona nie chciała tego dostrzec. Prawdą bowiem było to, co mówił Even: nikt nie jest taki, jak się wydaje, a większość rzeczy oprócz szczerej zdrady to kłamstwo i oszustwo. A tego dnia, kiedy odkryjemy, że sami nie jesteśmy inni, tracimy ochotę, by dalej żyć.

– Przyjdziesz, Kaju?

– Tak.

Odepchnęła się od drzwi, przez które tak bardzo chciała wybiec. Wróciła do sypialni. Światło księżyca padało przez szparę w zasłonach na łóżko. Na butelkę szampana, którą przyniósł, żeby świętować, na jego nagie wytrenowane ciało, na twarz, którą kiedyś uważała za najpiękniejszą na tej ziemi. Białe plamki na twarzy świeciły jak drobiny fosforyzującej farby. Jakby miał w sobie ogień.

44 KOTWICA

Kaja stała w drzwiach sypialni i patrzyła na niego. Na Mikaela Bellmana. Dla świata – zdolnego, ambitnego nadkomisarza, szczęśliwego ojca trójki dzieci, a wkrótce szefa nowej KRIPOS Gigantus, która przejmie wszystkie śledztwa w sprawach zabójstw w Norwegii. Dla niej, dla Kai Solness, był mężczyzną, w którym się zakochała, gdy tylko zobaczyła go pierwszy raz, który uwiódł ją zgodnie z wszelkimi regulaminowymi i paroma nieregulaminowymi zasadami sztuki. Sytuację miał ułatwioną, ale to nie z jego winy, tylko jej. Głównie. Co takiego powiedział Harry? „On jest żonaty i twierdzi, że dla ciebie zostawi żonę i dzieci, ale nigdy tego nie zrobi"? Trafił w sedno. Oczywiście. Aż tacy jesteśmy banalni. Wierzymy, bo chcemy wierzyć. W bogów, bo taka wiara zagłusza strach przed śmiercią. W miłość, bo upiększa wyobrażenie życia. W to, co mówią żonaci mężczyźni, ponieważ to właśnie mówią.

Wiedziała, co teraz powie Mikael. I rzeczywiście zaraz usłyszała:

– Muszę wracać do domu. Ona będzie się dziwić.

– Wiem – westchnęła Kaja i jak zawsze nie zadała pytania, które ożywało w niej za każdym razem, gdy słyszała te słowa. Dlaczego nie pozwolisz, żeby przestała się dziwić? Dlaczego nie zrobisz tego, o czym mówisz już od tak dawna? W tym momencie od jakiegoś czasu zaczęło się pojawiać jeszcze jedno nowe pytanie: dlaczego nie jestem pewna, czy naprawdę chcę, żeby on to zrobił?

Harry, opierając się o poręcz schodów, dotarł wreszcie na oddział hematologii Szpitala Centralnego. Był mokry od potu, przemarznięty, a zęby dzwoniły mu jak dwutaktowy silnik. I był pijany. Znów pijany. Pijany Jimem Beamem, pełen diabelstwa, pełen samego siebie, pełen gówna. Zataczając się, szedł korytarzem, na jego końcu już widział drzwi do sali ojca. Z dyżurki wystawiła głowę pielęgniarka, popatrzyła na niego i zaraz zniknęła. Harry miał do pokonania jeszcze pięćdziesiąt metrów, gdy siostra razem z łysym pielęgniarzem zastąpili mu drogę.

– Nie trzymamy leków na oddziale – oświadczył łysy.

– To, co mówisz, jest nie tylko wierutnym kłamstwem – Harry próbował kontrolować równowagę, a jednocześnie zapanować nad dzwoniącymi zębami – ale także ciężką obrazą. Nie jestem ćpunem, tylko krewnym pacjenta. Przyszedłem odwiedzić ojca. Więc bardzo proszę, odsuńcie się.

– Przepraszam. – Pielęgniarkę trochę uspokoiła wyraźna dykcja Harry'ego. – Ale cuchniesz jak browar, a my nie możemy pozwolić...

– Browar to piwo – oświadczył Harry. – A Jim Beam to burbon, co by oznaczało, że cuchnę jak destylarnia. To...

– Wszystko jedno. – Pielęgniarz złapał Harry'ego za łokieć i zaraz go puścił, bo jego własna ręka wygięła się pod dziwnym kątem. Jęknął i skrzywił się z bólu. Harry puścił go, wyprostował się i spojrzał na niego z góry.

– Dzwoń na policję, Gerd – powiedział cicho pielęgniarz, nie spuszczając intruza z oczu.

– Pozwólcie, że dalej ja się tym zajmę – odezwał się nagle ktoś, lekko sepleniąc. Sigurd Altman. Nadszedł z segregatorem pod pachą i życzliwym uśmiechem na ustach.

– Możesz pójść ze mną tam, gdzie przechowujemy narkotyki, Harry?

Harry zakołysał się w przód i w tył, w końcu udało mu się skupić wzrok na drobnym mężczyźnie w okrągłych okularach. Kiwnął głową.

– Tędy – wskazał Altman i ruszył przodem.

Pokój Altmana był w zasadzie komórką, nie miał okna ani wyczuwalnej wentylacji, stało w nim biurko z komputerem, łóżko polowe, na którym mógł spędzać spokojniejsze nocne dyżury i być budzony w razie potrzeby. I zamykana na klucz szafa, kryjąca w sobie, jak przypuszczał Harry, możliwości chemicznego włączania się i wyłączania z życia.

– Altman. – Harry przysiadł na brzegu łóżka i głośno cmokał, jakby miał klej na wargach. – Niezwykłe nazwisko. Słyszałem tylko o jednym człowieku, który tak się nazywa.

– O Robercie – powiedział Sigurd Altman, który usiadł na jedynym znajdującym się w pokoju krześle. – Nie podobałem się sobie w małej wiosce, w której dorastałem, więc gdy tylko udało mi się stamtąd wyrwać, złożyłem wniosek o zmianę zwyczajnego nazwiska kończącego się na „-sen". W uzasadnieniu zgodnie z prawdą napisałem, że Robert Altman to mój ulubiony reżyser, a człowiek załatwiający sprawę musiał być tamtego dnia na kacu, bo przeszło. Każdemu z nas od czasu do czasu mogą się przydać takie powtórne narodziny.

– *Gracz* – rzucił Harry.

– *Gosford Park* – odbił Altman.

– *Na skróty.*

– Arcydzieło!

– Dobre, ale przecenione. Za dużo tematów. Niepotrzebnie komplikują akcję.

– Życie jest skomplikowane. Ludzie są skomplikowani. Obejrzyj to jeszcze raz, Harry.

– Mhm.

– Co tam słychać? Coś nowego w sprawie Marit Olsen?

– Postęp. Facet, który to zrobił, został dzisiaj zatrzymany.

– O rany! Wobec tego już rozumiem, że musiałeś to uczcić. – Altman wcisnął brodę w pierś i spojrzał ponad okularami. – Mam nadzieję, że będę mógł opowiadać ewentualnym wnukom o tym, że to moje informacje o ketanominie pomogły ci rozwiązać sprawę.

– Opowiadać możesz, ale to telefon do jednej z ofiar go zdradził.

– Biedactwo.

– Kto?

– Chyba wszyscy. Dlaczego tak ci się spieszy z odwiedzinami u ojca akurat dziś w nocy?

Harry zasłonił usta ręką i beknął bezgłośnie.

– Jest jakiś powód – stwierdził Altman. – Bez względu na to, jak jesteś pijany, to powód zawsze jest. Z drugiej jednak strony powody to nie moja sprawa. Więc powinienem być może zamknąć...

– Czy kiedykolwiek proszono cię o to, żebyś pomógł komuś umrzeć?

Altman wzruszył ramionami.

– Owszem, kilka razy. Jestem pielęgniarzem anestezjologicznym, czyli osobą, której poproszenie o taką przysługę jest naturalne. A dlaczego pytasz?

– Bo ojciec mnie o to prosił.

Altman z namysłem kiwnął głową.

– To wielki ciężar dla drugiego człowieka. Dlatego tu teraz przyszedłeś? Żeby to załatwić?

Spojrzenie Harry'ego, które już wcześniej błądziło po pokoju w poszukiwaniu czegoś z zawartością alkoholu, teraz zrobiło kolejną rundę.

– Przyszedłem przeprosić. Że nie mogę tego zrobić.

– Za to nie musisz przepraszać. Nikt nie może od nikogo wymagać odbierania życia, a już najmniej od syna.

Harry oparł głowę na rękach, miał wrażenie, że jest twarda i ciężka jak kula do kręgli.

– Już raz to zrobiłem – wymamrotał.

– Pomogłeś komuś umrzeć? – W głosie Altmana było więcej zdziwienia niż szoku.

– Nie. Odmówiłem takiej pomocy. Swojemu najgorszemu wrogowi. Cierpi na nieuleczalną śmiertelną i bardzo bolesną chorobę. Dusi go powoli kurcząca się skóra.

– Sklerodermia – stwierdził Altman.

– Kiedy go zatrzymałem, próbował mnie namówić, żebym go zastrzelił. Byliśmy sami na wieży, tylko we dwóch. On wcześniej zabił mnóstwo ludzi, zranił mnie i osoby, które kocham. Trwałe uszkodzenia. Trzymałem rewolwer wycelowany w niego i byliśmy tylko we dwóch. Samoobrona. Strzelając do niego, nic bym nie ryzykował.

– Ale wolałeś, żeby cierpiał – pokiwał głową Altman. – Śmierć to za proste wyjście.

– Tak.

– A teraz czujesz, że to samo robisz z ojcem. Pozwalasz mu cierpieć, zamiast dać mu umrzeć?

Harry potarł kark.

– Nie dlatego, żebym wyznawał zasadę nietykalności życia czy inne podobne bzdury. To po prostu czysta słabość. Tchórzostwo. Cholera, nie masz tu nic do picia, Altman?

Sigurd Altman pokręcił głową. Harry nie wiedział, czy to była odpowiedź na ostatnie pytanie, czy na wszystko inne, co powiedział wcześniej. Może jedno i drugie.

– Nie możesz w ten sposób dyskwalifikować własnych uczuć, Harry. Nie dopuszczasz do siebie, że tak jak wszyscy inni pozwalasz sobą kierować wyobrażeniom o tym, co dobre, a co złe. Być może rozum nie potrafi podsunąć ci argumentów za takimi wyobrażeniami, lecz mimo wszystko one w tobie tkwią, głęboko zakotwiczone. Podział na dobro i zło. Może to coś, co rodzice opowiadali ci w dzieciństwie, bajki z morałem czytane przez babcię, jakieś zdarzenie w szkole, które przeżyłeś jako niesprawiedliwe i starannie je sobie przemyślałeś. Suma wszystkich tych w połowie zapomnianych rzeczy. – Altman pochylił się do przodu. – „Głęboko zakotwiczone” to naprawdę dobre określenie. Mówi, że może nie dostrzegasz kotwicy w głębi, ale i tak nie możesz ruszyć się z miejsca. Że cały czas się koło tego kręcisz, tam czujesz się u siebie. Postaraj się to zaakceptować, Harry. Zaakceptuj tę kotwicę.

Harry patrzył na własne złożone dłonie.

– Te bóle, jakie on musi znosić...

– Ból fizyczny nie jest najstraszniejszą rzeczą, z jaką musi żyć człowiek. Uwierz mi, widzę to na co dzień. Śmierć też nie jest najgorsza ani nawet lęk przed śmiercią.

– Co jest wobec tego najgorsze?

– Upokorzenie. Odarcie z honoru i godności. Obnażenie. Wyrzucenie poza stado. To najgorsza kara. To jak zakopanie człowieka żywcem. A jedyną pociechą może być to, że taki człowiek stosunkowo szybko idzie na dno.

– Mhm – mruknął Harry i długo na niego patrzył. – Masz może w tej szafce coś, co trochę poprawiłoby nam nastrój?

45 PRZESŁUCHANIE

Mikaelowi Bellmanowi znów śniło się, że spada. Samotna wspinaczka w El Chorro, zły chwyt, skalna ściana w zawrotnym tempie przesuwająca się przed oczami, ziemia, która zbliża się coraz szybciej. Budzik zadzwonił w ostatniej chwili.

Wytarł żółtko jajka z kącika ust, spojrzał na Ullę, która stała tuż za nim i nalewała mu kawy z dzbanka. Nauczyła się, że kiedy kończył jeść, właśnie wtedy i ani o sekundę wcześniej, chce kawy, parującej, w niebieskiej filiżance. To tylko jeden z powodów, dla których ją cenił. Innym powodem było to, że wciąż zachowywała na tyle dobrą formę, by ściągać na siebie spojrzenia na przyjęciach, na jakie coraz częściej ich zapraszano. Była wszak niezaprzeczalną królową piękności na Manglerud, kiedy zaczęli ze sobą chodzić. On osiemnastolatek, ona dziewiętnastolatka. A trzeci powód był taki, że Ulla, nie robiąc wielkiego hałasu, zrezygnowała ze swoich marzeń o studiach, tak by on mógł w pełni skupić się na pracy. Ale tak naprawdę trzy najistotniejsze powody siedziały przy stole, kłócąc się o to, komu przypadnie plastikowa figurka z pudełka po płatkach i kto dziś będzie siedział z przodu w drodze do szkoły. Dwie dziewczynki, jeden chłopiec. Trzy doskonałe powody, by cenić kobietę i kompatybilność genów ich obojga.

– Dziś też wrócisz tak późno? – spytała, głaszcząc go po włosach. Wiedział, że kocha jego włosy.

– To może być długie przesłuchanie – odparł. – Bierzemy się za podejrzanego.

Wiedział, że w ciągu dnia media upublicznią to, co już wiedziały: że aresztowany to Tony Leike. Ale on miał zasadę niezdradzania tajemnic służbowych nawet w domu. To zresztą dawało mu wymówkę. Regularnie tłumaczył się z nadgodzin stwierdzeniem: „O tym nie mogę mówić, moja kochana".

– Dlaczego nie przesłuchaliście go wczoraj? – spytała, układając w pojemnikach kanapki dla dzieci.

– Musieliśmy zgromadzić więcej faktów. I dokończyć przeszukanie jego domu.

– Znaleźliście coś?

– Nie mogę ci podać szczegółów. – Posłał jej spojrzenie przypominające o obowiązku dochowania tajemnicy. Tylko po to, by nie ujawniać faktu, że tak naprawdę Ulla trafiła w czuły punkt. Podczas przeszukania Bjørn Holm i pozostali technicy nie znaleźli nic, co dałoby się bezpośrednio powiązać z którymś z zabójstw. To jednak na szczęście miało na razie drugorzędne znaczenie.

– Spędzenie nocy w celi mu nie zaszkodzi. Skruszeje – stwierdził Bellman. – Będzie bardziej otwarty, kiedy zaczniemy. Początek przesłuchania zawsze jest najważniejszy.

– Naprawdę?

Usłyszał, że próbowała udawać zainteresowanie.

– Muszę lecieć.

Wstał i pocałował ją w policzek. Myśl o tym, że miałby zrezygnować z niej i z dzieci, z tego, co było zarówno fundamentem, jak i infrastrukturą umożliwiającą mu karierę i awans społeczny, była oczywiście absurdalna. Pójście za głosem serca, rzucenie wszystkiego dla miłości czy jak to nazwać, było utopią, snem, o którym mógł rozmawiać i głośno myśleć z Kają w roli słuchaczki. Ale gdy przychodziło do marzeń, to Mikael Bellman miewał większe marzenia.

W lustrze w korytarzu obejrzał zęby i sprawdził, czy jedwabny krawat leży jak trzeba. Przed wejściem do Budynku Policji na pewno zgromadzi się prasa.

Jak długo będzie mógł zatrzymać Kaję? Miał wrażenie, że wczoraj zauważył w niej cień zwątpienia. I brak entuzjazmu w miłości. Wiedział jednak też, że dopóki będzie piął się na szczyt tak jak teraz, chce mieć nad nią kontrolę. Nie chodziło mu o jej karierę. Tu w ogóle nie chodziło o intelekt, tylko o czystą biologię. Kobiety mogły być tak nowoczesne, jak tylko tego chciały, lecz w kwestii poddania się samcowi alfa wciąż znajdowały się na poziomie małp. Ale jeśli zaczęła wątpić, bo zrozumiała, że on nigdy nie zostawi dla niej żony, to może najwyższy czas dać jej jakąś zachętę. Przecież potrzebował jej również po to, by jeszcze przez jakiś czas przynosiła mu poufne informacje z Wydziału Zabójstw, dopóki wszystkie luźne wątki się nie złączą i bitwa nie dobiegnie końca. A wojna nie zostanie wygrana.

Zapinając płaszcz, podszedł do okna. Dom, który przejęli po jego rodzicach, stał na Manglerud, nie najlepszej dzielnicy, zwłaszcza w opinii tych, którzy mieszkali po zachodniej stronie. Ale ci, którzy tu dorastali, mieli tendencję do zostawania w tym miejscu. To była dzielnica z duszą. Jego dzielnica. Z widokiem na resztę miasta. Które wkrótce również miało należeć do niego.

– Już idą – oświadczył funkcjonariusz. Stał w drzwiach jednego z nowych pokojów przesłuchań z aparaturą wideo, jakie urządzili w KRIPOS. Niektórzy przesłuchujący woleli, by podejrzany znalazł się tu przed nimi, żeby czekał i zrozumiał, kto tu decyduje. Potem robili wielkie wejście i twardo naciskali, gdy podejrzany był najbardziej w defensywie i najbardziej wrażliwy. Bellman wolał czekać na wprowadzenie aresztowanego. W ten sposób zaznaczał rewir, mówił, kto jest właścicielem tego pomieszczenia. Wciąż potrafił kazać zatrzymanemu czekać, a sam w tym czasie przeglądał dokumenty, czując narastające zdenerwowanie tamtego. A później, kiedy nadchodził odpowiedni czas, podnosił głowę i wypalał. Ale to były drobne szczegóły techniki przesłuchania, o których zresztą chętnie by podyskutował z innymi kompetentnymi śledczymi. Jeszcze raz sprawdził, czy pali się czerwone światełko oznaczające nagrywanie. Walka z techniką po przyjściu podejrzanego mogła popsuć budowanie hierarchii.

Przez okno widział, że Beavis i Kolkka wchodzą do sąsiedniego pokoju. Między nimi szedł Tony Leike, którego przywieziono z aresztu w Budynku Policji.

Bellman głęboko odetchnął. Tak, miał teraz trochę szybszy puls. Szykowanie się do ataku przemieszało się z nerwowością. Tony Leike zrezygnował z adwokata. W zasadzie tak było lepiej dla KRIPOS, bo mieli większe pole działania, ale jednocześnie Leike dał sygnał, że nie ma się czego bać. Biedaczysko, nie wiedział przecież, że Bellman trzyma w ręku dowód na to, że Leike dzwonił do Eliasa Skoga tuż przed jego śmiercią. A przecież sam Leike twierdził, że nawet o uszy mu się nie obiło to nazwisko.

Bellman zajrzał w dokumenty i usłyszał, że Leike wchodzi do pokoju, a Beavis zamyka za nim drzwi, tak jak został poinstruowany.

– Proszę siadać – nakazał Bellman, nie podnosząc wzroku.

Słyszał, że Leike spełnił polecenie.

Bellman zatrzymał się na jakimś przypadkowym dokumencie i wodząc palcem po papierze, po cichu liczył, od jednego w górę. W małym zamkniętym pokoiku cisza aż drżała. Raz, dwa, trzy. Razem z kolegami wysłano go na kurs nowej metody przesłuchiwania, którą nakazano im stosować, tak zwane *investigative interviewing*. Najważniejsze w opinii tych oderwanych od rzeczywistości akademików były otwartość, dialog i zaufanie. Cztery, pięć, sześć. Bellman w milczeniu wysłuchał tamtego wykładu. Model został przecież wybrany przez samą górę. Ale jak się tym typom wydawało, kogo ludzie z KRIPOS przesłuchują? Delikatne życzliwe dusze, które zechcą wyznać wszystko, gdy tylko podsunie się im ramię, na którym będą mogły się wypłakać? Twierdzili, że dotychczas stosowana przez policję technika przesłuchań, tradycyjny amerykański dziewięciostopniowy model FBI, jest wroga wobec człowieka, manipulacyjna, doprowadzająca nawet niewinnych do przyznania się do niepopełnionych czynów, a przez to bezproduktywna. Siedem, osiem, dziewięć. Okej, powiedzmy, że do klatki trafił jakiś łatwo ulegający wpływom kurczak, ale jak to się może nadawać do tych roześmianych łotrów, którzy z otwartości, dialogu i zaufania będą się nabijać?

Dziesięć.

Bellman złączył koniuszki palców obu dłoni i podniósł wzrok.

– Wiemy, że dzwoniłeś do Eliasa Skoga, stąd, z Oslo. A dwa dni później byłeś w Stavanger. I że właśnie wtedy go zabiłeś. To są fakty, jakimi dysponujemy. Ale zastanawiam się dlaczego. A może w ogóle nie miałeś motywu, Leike?

To był krok numer jeden w dziewięciostopniowej technice prowadzenia przesłuchania opracowanej przez agentów FBI, Inbauda, Reida i Buckleya:

konfrontacja. Próba wykorzystania efektu szoku, aby od razu zadać cios nokautujący. Twierdzenie, że i tak już wszystko wiedzą, więc nie ma sensu zaprzeczać. Chodzi bowiem tylko o jedno – o przyznanie się do winy. W tym wypadku Bellman połączył stopień numer jeden z inną techniką: powiązać fakt z jednym lub kilkoma nie-faktami. Powiązał bezsporną datę rozmowy telefonicznej z pobytem Leikego w Stavanger i twierdzeniem, że to on jest zabójcą. Słuchając dowodów dotyczących pierwszego stwierdzenia Leike automatycznie uzna, że mają dowody poświadczające resztę. I te fakty są na tyle proste i niezaprzeczalne, że pozwalają bezpośrednio przejść do kwestii wciąż wymagającej odpowiedzi: dlaczego?

Bellman zobaczył, że Leike przełyka ślinę i próbuje odsłonić w uśmiechu wielkie jak głazy zęby. Dostrzegł zmieszanie w jego oczach i wiedział, że już wygrali.

– Ja nie dzwoniłem do żadnego Eliasa Skoga – oświadczył Leike.

Bellman westchnął.

– Chcesz, żebym ci pokazał billing z Telenoru?

Leike wzruszył ramionami.

– Ja nie dzwoniłem. Zgubiłem jakiś czas temu komórkę. Może ktoś z niej zadzwonił do tego Skoga.

– Nie próbuj się mądrzyć, Leike. Mówimy o twoim telefonie stacjonarnym.

– Powtarzam, ja do niego nie dzwoniłem.

– Słyszę. Według biura adresowego mieszkasz sam?

– Tak. To znaczy…

– Twoja narzeczona od czasu do czasu u ciebie nocuje. A czasami wstajesz wcześniej niż ona i wychodzisz do pracy, podczas gdy ona zostaje sama w mieszkaniu?

– Zdarza się. Ale częściej to ja nocuję u niej.

– Ho, ho. Czyżby córka Galtunga miała lepsze mieszkanko niż ty, Leike?

– Być może. W każdym razie przytulniejsze.

Bellman skrzyżował ręce i się uśmiechnął.

– Wszystko jedno. Jeśli to nie ty dzwoniłeś do Skoga od siebie z domu, to musiała dzwonić ona. Daję ci pięć sekund na to, żebyś zaczął z nami rozsądnie rozmawiać. Za pięć sekund radiowóz patrolowy krążący po ulicach Oslo dostanie rozkaz podjechania na sygnale pod to jej przytulne mieszkanko, skują ją, przyprowadzą tutaj i pozwolą zadzwonić do ojca, by mu powiedziała, że to ty ją obwiniasz o telefonowanie do Skoga. Anders Galtung będzie mógł załatwić swojej córce najgroźniejszą sforę kąsających adwokatów, a ty zyskasz sobie prawdziwego przeciwnika. Cztery. Trzy. Leike znów wzruszył ramionami.

– Jeśli uważasz, że to wystarczy, by dostać nakaz aresztowania młodej dziewczyny, która ma czyściusieńką kartotekę, to próbuj. Ale to raczej nie ja zyskam wtedy przeciwnika.

Czyżby go jednak nie docenił? Trudno go było teraz odczytać. Wszystko jedno, i tak skończyli już stopień pierwszy, bez przyznania się do winy. No dobrze, zostaje jeszcze osiem. Stopień drugi w dziewięciostopniowym modelu polegał na współczuciu podejrzanemu przez znormalizowanie działań. Lecz aby coś normalizować, musiał znać motyw. A motyw uśmiercenia wszystkich osób, które przypadkiem spędziły razem noc w schronisku turystycznym, nie był oczywisty, oprócz tej oczywistości, że większość motywów seryjnych zabójców skrywa się w takich zakamarkach umysłu, do jakich normalni ludzie nigdy nie zaglądają. Dlatego Bellman, przygotowując się, zdecydował, że tylko się otrze o stopień współczucia, po czym od razu przejdzie do stopnia motywacji: dać podejrzanemu powód, żeby się przyznał.

– Rzecz w tym, Leike, że ja nie jestem twoim przeciwnikiem. Jestem po prostu osobą, która chce zrozumieć, dlaczego robisz to, co robisz. Co cię napędza? Jesteś zdolnym, inteligentnym człowiekiem, wystarczy zobaczyć, co osiągnąłeś w życiu zawodowym. Fascynują mnie ludzie, którzy wyznaczają sobie cele i dążą do nich bez względu na to, co mogą pomyśleć o tym inni. Ludzie, który wyróżniają się z przeciętnego tłumu. Ośmielę się nawet powiedzieć, że akurat w tym sam się rozpoznaję. Możliwe, że rozumiem cię lepiej, niż ci się wydaje, Tony.

Bellman już wcześniej kazał jednemu ze swoich śledczych zadzwonić do kumpla Leikego z giełdy, żeby się dowiedzieć, jak Leike lubi, by wymawiać jego imię, „Touni", „Toni" czy „Tonni". Odpowiedź brzmiała: „Toni". Bellman połączył właściwą wymowę z uchwyceniem spojrzenia Leikego.

– Powiem ci teraz coś, czego nie powinienem mówić, Tony. A mianowicie, że z powodu sytuacji wewnętrznej mamy niezwykle mało czasu na tę sprawę. Dlatego chętnie bym usłyszał przyznanie się do winy. Zwykle nie proponujemy pójścia na żaden układ podejrzanemu, przeciwko któremu mamy tak mocne dowody, jak przeciwko tobie, ale to po prostu przyspieszy postępowanie. A za to przyznanie się do winy, którego wcale nie potrzebujemy, żeby cię skazać, zaproponuję ci znaczne obniżenie kary. Niestety, jeśli chodzi o konkrety, ogranicza mnie prawo, ale niech to zostanie powiedziane: ta obniżka będzie naprawdę znaczna. W porządku, Tony? To obietnica, w dodatku nagrana na taśmę. – Wskazał na czerwone światełko na rozdzielającym ich stole.

Leike długo przyglądał się Bellmanowi, w końcu otworzył usta.

– Ci, którzy mnie tu przyprowadzili, powiedzieli, że nazywasz się Bellman.

– Mów mi Mikael, Tony.

– Powiedzieli też, że jesteś bardzo inteligentnym człowiekiem, twardym, ale godnym zaufania.

– Przekonasz się, że tak właśnie jest.

– Powiedziałeś: „znaczna", prawda?

– Masz moje słowo. – Bellman czuł, że puls mu przyspiesza.

– W porządku.

– No dobrze. – Mikael Bellman powiedział to lekko i ledwie musnął dwoma palcami dolną wargę. – Zaczniemy od początku?

– Chętnie. – Leike wyjął z tylnej kieszeni spodni kartkę, którą Truls i Jussi najwyraźniej pozwolili mu zachować. – Harry Hole podał mi daty i godziny, więc powinniśmy szybko się z tym uporać. Tak więc Borgny Stem-Myhre umarła szesnastego grudnia w Oslo między godziną dwudziestą drugą a dwudziestą trzecią.

– Zgadza się. – Bellman już czuł radość w sercu.

– Sprawdziłem z kalendarzem. O tej porze znajdowałem się w Skien, w budynku Ibsena, w sali Peera Gynta, gdzie przedstawiałem swój projekt wydobycia koltanu. Może to potwierdzić osoba wynajmująca salę i około stu dwudziestu potencjalnych inwestorów, którzy byli tam obecni. Zakładam, że wiecie, iż dojazd tam zajmuje około dwóch godzin. Druga była Charlotte Lolles między... Zaraz, zaraz. Mam tu zapisane: między dwudziestą trzecią a północą trzeciego stycznia. W tym czasie byłem na kolacji z kilkoma mniej ważnymi inwestorami w Hamar. Dwie godziny samochodem z Oslo. Pojechałem tam zresztą pociągiem. Próbowałem znaleźć bilet, ale niestety bez powodzenia. – Przepraszająco uśmiechnął się do Bellmana, który przestał oddychać, a głazy Leikego ledwie ukazały się spod warg, kiedy kończył: – Ale mam nadzieję, że przynajmniej któregoś z tych dwunastu świadków obecnych na kolacji można uznać za godnego zaufania.

– Potem powiedział, że być może da się go oskarżyć o zabójstwo Marit Olsen, bo chociaż tamten wieczór spędzał w domu z narzeczoną, to jednak na dwie godziny wybrał się sam na narty, na oświetlone trasy w Sørkedalen.

Mikael Bellman pokręcił głową i jeszcze głębiej wsunął ręce w kieszenie płaszcza, przyglądając się *Choremu dziecku*.

– Tak późno? W czasie, kiedy zginęła Marit Olsen? – spytała Kaja, lekko przekrzywiając głowę, wpatrzona w usta bladej, prawdopodobnie umierającej dziewczynki. Zazwyczaj, gdy się spotykali tu, w Muzeum Muncha, starała się koncentrować na jednym szczególe. Raz mogły to być oczy, kiedy indziej pejzaż w tle, słońce albo po prostu podpis Edvarda Muncha.

– Powiedział, że ani on, ani ta córka Galtunga...

– Lene – podsunęła Kaja.

– ...nie pamiętają dokładnie o której, ale to mogło być dość późno, bo on lubi mieć te trasy tylko dla siebie.

– Mógł zamiast tego iść do parku Frogner. Jeśli był w Sørkedalen, musiał mijać punkt pobierania opłat w jedną i drugą stronę. Jeśli ma elektroniczną kartę z przodu za szybą, godzina przejazdu jest rejestrowana automatycznie, a to może... – Odwróciła się i znieruchomiała, widząc jego zimne spojrzenie. – Ale oczywiście już to sprawdziliście.

– Nie musieliśmy – odparł Mikael. – On nie ma karty. Zatrzymuje się i płaci gotówką przy każdym przejeździe, a wtedy samochód nie jest rejestrowany.

Pokiwała głową. Przeszli do następnego obrazu. Stanęli za grupką gdaczących i gestykulujących Japończyków. Zaletę spotkań w Muzeum Muncha w dni powszednie, oprócz tego, że leżało ono między KRIPOS na Bryn a Budynkiem Policji na Grønland, stanowiło to, iż było to jedno z tych turystycznych miejsc w Oslo, gdzie ma się gwarancję, że na pewno nie spotka się tu kolegów z pracy, sąsiadów czy znajomych.

– A co Leike mówił o Eliasie Skogu i o Stavanger? – spytała Kaja.

Mikael znów pokręcił głową.

– Powiedział, że z całą pewnością o to też można go podejrzewać, ponieważ nocował w domu sam i w związku z tym nie ma żadnego alibi. Spytałem, czy poszedł do pracy następnego dnia, odparł, że nie pamięta, ale przypuszcza, że stawił się o siódmej jak zwykle. Mogę sprawdzić u recepcjonistki w biurze, jeśli uznam to za istotne. Sprawdziłem i okazało się, że Leike zarezerwował jedną z sal konferencyjnych na dziewiątą piętnaście. Porozmawiałem też z paroma inwestorami u niego w biurze – dwóch z nich było na tym samym spotkaniu co Leike. Jeśli wyszedł z mieszkania Eliasa Skoga o trzeciej w nocy, to musiałby lecieć samolotem, żeby zdążyć. A jego nazwiska nie ma na żadnej liście pasażerów.

– To nic nie oznacza. Mógł podróżować pod fałszywym nazwiskiem i z fałszywym dowodem tożsamości. Poza tym wciąż mamy ten jego telefon do Skoga. Jak on to tłumaczył?

– Nawet nie próbował. Po prostu zaprzeczył – prychnął Bellman. – Co właściwie ludzie widzą w tym *Tańcu życia*? Przecież te postaci nie mają nawet twarzy! Moim zdaniem wyglądają jak zombie.

Kaja przyjrzała się uważniej tańczącym na obrazie.

– Bo może tak właśnie jest – powiedziała.

– Zombie? – zaśmiał się Bellman. – Naprawdę tak myślisz?

– Ci ludzie krążą w koło, tańczą, ale wewnętrznie czują się martwi, pogrzebani, gnijący. Z całą pewnością.

– Interesująca teoria, Solness.

Nienawidziła, kiedy zwracał się do niej po nazwisku. Z reguły robił tak, kiedy był zły albo po prostu uznawał za konieczne przypomnienie jej o swojej intelektualnej wyższości. Pozwalała mu na to, skoro najwyraźniej było to dla niego takie ważne. I może rzeczywiście miał rację. Przecież chyba między innymi z uwagi na jego nieprzeciętną inteligencję tak bez pamięci się w nim zakochała. Zbyt wyraźnie nie mogła tego sobie już przypomnieć.

– Muszę wracać do pracy – oświadczyła.

– I co będziesz tam robić? – Mikael zerknął na strażnika, który ziewał za ogrodzeniem z liny w głębi sali. – Będziesz liczyć spinacze i czekać na likwidację wydziału? Rozumiesz, że sprawiłaś mi ogromny zawód tym Leikem?

– Ja? – zawołała z niedowierzaniem.

– Ciszej, moja droga. To ty zadzwoniłaś z informacją, co Harry znalazł na temat Leikego. I powiedziałaś, że zamierza go zatrzymać. Zaufałem ci. Ufałem ci do tego stopnia, że na podstawie twoich informacji aresztowałem Leikego, a później w zasadzie oznajmiłem prasie, że sprawa jest zakończona. Tymczasem ten dupek z nas zadrwił. Ma murowane alibi co najmniej na dwa zabójstwa i w ciągu dnia będziemy musieli go wypuścić. Przyszły teść Galtung z całą pewnością już rozważa pozew i ściąga adwokatów z samego piekła, a minister będzie chciał się dowiedzieć, w jaki sposób mogło dojść do popełnienia takiego głupstwa. A głowa, która akurat teraz leży na szafocie, nie należy do ciebie, do Holego czy do Hagena, tylko do mnie, Solness. Rozumiesz? Wyłącznie do mnie. I musimy coś z tym zrobić. Ty musisz coś z tym zrobić.

– I co by to miało być?

– Niewiele. Zaledwie drobiazg. My załatwimy resztę. Chcę, żebyś wzięła Harry'ego na spacer. Dziś wieczorem.

– Na spacer? Ja?

– On cię lubi.

– Dlaczego tak sądzisz?

– Nie mówiłem ci, że widziałem, jak siedzieliście i paliliście na tarasie?

Kaja pobladła.

– Przyszedłeś późno, ale nie mówiłeś, że nas widziałeś.

– Byliście tak zajęci sobą, że nie zauważyliście mojego przyjazdu. Zaparkowałem i patrzyłem na was. On cię lubi, moja droga. Chcę, żebyś go zabrała w pewne miejsce. Tylko na dwie godziny.

– Po co?

Mikael Bellman się uśmiechnął.

– On za dużo siedzi w domu. A raczej leży. Hagen nie powinien mu dawać wolnego. Tacy ludzie jak Hole tego nie tolerują. A chyba nie chcemy, żeby zapił się na Oppsal, prawda? Zabierz go gdzieś na kolację, do kina, na piwo. Byle tylko był poza domem między ósmą a dziesiątą. I bądź ostrożna. Nie wiem, czy on jest taki bystry, czy tylko ma paranoję, ale tamtego wieczoru, kiedy wychodził od ciebie, bardzo uważnie oglądał mój samochód. W porządku?

Kaja nie odpowiedziała. Mikael uśmiechał się tym uśmiechem, o którym potrafiła długo marzyć, kiedy go nie było, kiedy praca i obowiązki rodzinne uniemożliwiały im spotkania. Dlaczego teraz ten sam uśmiech sprawiał, że żołądek nagle chciał się opróżnić?

– Ty... ty chyba nie masz zamiaru...

– Zamierzam zrobić to, co muszę. – Mikael spojrzał na zegarek.

– To znaczy?

– A jak myślisz? Wymienić głowę na szafocie.

– Nie proś mnie o to, Mikael.

– Ja cię wcale nie proszę, moja droga. Ja ci każę.

Głos Kai był ledwie słyszalny:

– A jeśli... jeśli odmówię?

– Zniszczę nie tylko Holego, ale i ciebie.

Światło z sufitu padło na jasne plamki na skórze. Takie śliczne, pomyślała. Ktoś powinien je namalować.

Marionetki tańczą tak, jak miały tańczyć. Harry Hole dowiedział się, że dzwoniłem do Eliasa Skoga. Lubię go. Myślę, że moglibyśmy się zaprzyjaźnić, gdybyśmy się spotkali w dzieciństwie albo we wczesnej młodości. Mamy parę cech wspólnych. Na przykład inteligencję. To jedyny ze śledczych, który zdaje się posiadać zdolność dostrzegania rzeczy przykrytych woalem. To oczywiście oznacza, że muszę na niego uważać. Cieszę się na dalszy ciąg. Cieszę się jak dziecko.

Część V

46 CZERWONY ŻUK

Harry otworzył oczy i popatrzył na wielkiego prostokątnego czerwonego żuka, który pełzł między nim a pustymi butelkami, mrucząc jak kot. Na chwilę ucichł, potem znów zaczął mruczeć, przesunął się jeszcze o pięć centymetrów po szklanym blacie stołu, zostawiając lekki ślad w popiele. Harry wyciągnął rękę, sięgnął po żuka i przyłożył go do ucha. Usłyszał własny głos, jakby przepuszczony przez kruszarkę do kamienia:

– Przestań do mnie wydzwaniać, Øystein!

– Harry...

– Kto to, do cholery?

– To ja, Kaja. Co robisz?

Spojrzał na wyświetlacz, by się upewnić, że głos mówi prawdę.

– Odpoczywam. – Czuł, że żołądek szykuje się do wyrzucenia zawartości. Znów.

– Gdzie?

– Na kanapie. Rozłączam się, jeżeli to nic ważnego.

– To znaczy, że jesteś w domu na Oppsal?

– Chwileczkę, zaraz zobaczę. W każdym razie tapeta się zgadza. Wiesz, muszę już iść.

Rzucił telefon w nogi kanapy, wstał, pochylił się, przenosząc punkt ciężkości przed siebie i zaczął sunąć naprzód z głową w roli radaru i tarana. Doprowadziła go do kuchni bez poważniejszych zderzeń, zdołał jeszcze oprzeć się rękami po obu stronach zlewu, zanim chlusnęło mu z ust.

Kiedy otworzył oczy, zobaczył, że w zlewie wciąż stoi suszarka do naczyń. Rzadkie zielonożółte wymiociny spływały po samotnym, ustawionym pionowo talerzyku. Odkręcił kran. Do zalet bycia powracającym do nałogu alkoholikiem należało to, że na drugi dzień wymiociny przestawały zatykać odpływ.

Wypił trochę wody prosto z kranu. Inną niezaprzeczalną zaletą doświadczonego alkoholika jest znajomość wytrzymałości własnego żołądka.

Wrócił do salonu na szeroko rozstawionych nogach, jakby narobił w spodnie, czego zresztą nie sprawdził, i się położył. Z kanapy dobiegło go ciche stękanie. Głosik miniaturowego człowieczka wołającego go po imieniu. Sięgnął między stopy i w końcu znów przyłożył czerwoną komórkę do ucha.

– O co chodzi?

Zastanawiał się, co zrobić z żółcią palącą w gardle jak lawa. Czy ją wypluć, czy raczej przełknąć? A może niech go pali, tak jak na to zasłużył?

Przez chwilę słuchał, że ona chce się z nim zobaczyć. Może spotkałby się z nią w restauracji Ekeberg, na przykład teraz. Albo za godzinę.

Harry spojrzał na dwie puste butelki Jima Beama na stole, potem na zegarek. Siódma. Monopolowy już zamknięty. Bar w restauracji.

– Teraz – powiedział.

Rozłączył się, ale telefon zadzwonił jeszcze raz. Tym razem spojrzał na wyświetlacz, zanim odebrał.

– Cześć, Øystein.

– Nareszcie odpowiadasz. Cholera, Harry, nie strasz mnie tak! Zacząłem się zastanawiać, czy nie poszedłeś w ślady Hendriksa.

– Możesz mnie zawieźć do restauracji na Ekeberg?

– Za kogo ty mnie masz? Za jakiegoś cholernego taksówkarza?

Osiemnaście minut później samochód Øysteina stał przed schodami domu rodziny Hole na Oppsal, a kierowca wołał ze śmiechem przez opuszczoną szybę:

– Potrzebujesz pomocy, żeby zamknąć te cholerne drzwi, ty pijaku?

– Obiad? – powtórzył Øystein, kiedy jechali przez Nordstrand. – Żeby się pieprzyć czy dlatego, że już się pieprzyliście?

– Przestań. Pracujemy razem.

– No właśnie. Jak powtarzała moja była żona, pragnie się tego, co się widzi codziennie. Pewnie wyczytała to w jakimś tygodniku. Tyle, że ona nie pragnęła mnie, tylko tego cholernego szczura, który pracował w sąsiednim pokoju.

– Ty nie byłeś żonaty, Øystein.

– Ale mogłem być. Facet chodził w ludowym swetrze i w krawacie i mówił w nynorsku*. Nie w żadnym dialekcie, tylko w pierdolonym nynorsku Ivara Aasena, nie żartuję! Wyobrażasz sobie, jak to jest leżeć samemu i myśleć, że właśnie w tej chwili ta, która mogła być twoją żoną, pieprzy się na biurku, wyobrażać sobie gołą białą chłopską dupę wystającą spod ludowego swetra, aż do momentu, kiedy się zatrzymuje i w nynorsku krzyczy: „Już dochodzę!".

Øystein spojrzał na Harry'ego, ale nie doczekał się żadnej reakcji.

– Cholera, Harry! To przecież wielka komedia. Jesteś aż tak pijany?

Kaja siedziała przy stoliku pod oknem i zamyślona patrzyła na miasto, gdy ciche chrząknięcie zmusiło ją do odwrócenia głowy. To był kierownik sali. Miał smutne spojrzenie, z rodzaju tych, które oznajmiają: „Owszem, to jest w karcie, ale niestety, kuchnia w tej chwili nie może tego podać", i chociaż nachylił się nad nią, to mówił tak cicho, że ledwie go słyszała:

– Bardzo mi przykro, że muszę to powiedzieć, ale pani towarzysz się zjawił. – Zaczerwienił się i poprawił: – To znaczy przykro mi, ale nie mogliśmy go wpuścić. Jest… obawiam się… odrobinę wstawiony. A nasza polityka…

– W porządku. – Kaja wstała. – Gdzie on jest?

– Czeka na zewnątrz. Obawiam się, że po drodze kupił drinka w barze i zabrał go ze sobą. Może pani udałoby się odebrać mu tego drinka. Bo możemy przez to stracić koncesję na alkohol.

– Oczywiście. Proszę mi tylko przynieść płaszcz.

Kaja szybko przeszła przez restaurację, szef sali nerwowo drobił za nią.

Na zewnątrz od razu zobaczyła Harry'ego. Stał, chwiejąc się na nogach, przy niskim murku odgradzającym zbocze, w tym samym miejscu, gdzie palili ostatnio. Podeszła do niego. Pusta szklanka stała na murku.

– Najwyraźniej nie jest nam pisane zjedzenie czegokolwiek w tej restauracji – powiedziała. – Masz jakąś propozycję?

Wzruszył ramionami i wypił łyk z piersiówki.

– Bar w Savoyu. Jeśli nie jesteś szczególnie głodna.

---

* Nynorsk – jedna z dwóch urzędowych odmian pisanego języka norweskiego, opracowana przez Ivara Aasena głównie na podstawie dialektów z zachodniej części Norwegii (przyp. tłum.).

Kaja mocniej owinęła się płaszczem.

– Właściwie aż tak bardzo nie chce mi się jeść. A może byś mnie trochę oprowadził? To przecież okolica, w której dorastałeś, a ja mam samochód. Mógłbyś mi pokazać te bunkry, na które chodziliście.

– Zimne i brzydkie – odparł Harry. – Cuchną szczynami i mokrym popiołem.

– Moglibyśmy sobie zapalić i popatrzeć na widok. Masz coś lepszego do roboty?

W dole oświetlony jak choinka ogromny statek pasażerski sunął powoli i bezszelestnie po fiordzie w stronę miasta. Siedzieli na mokrym betonie na szczycie bunkrów, lecz ani Harry, ani Kaja nie czuli chłodu wpełzającego w ciało. Kaja wypiła łyk z piersiówki Harry'ego.

– Czerwone wino w piersiówce?

– Tylko to zostało w barku ojca. To i tak jedynie prowiant rezerwowy. No to ulubiony aktor.

– Twoja kolej, żeby zacząć – stwierdziła i wypiła większy łyk.

– Robert de Niro.

Kaja się skrzywiła.

– *Depresja gangstera*? *Poznaj moich rodziców*?

– Poprzysiągłem wierność po wieki po *Taksówkarzu* i *Łowcy jeleni*. Ale, owszem, kosztowało. A twój?

– John Malkovich.

– Mhm. Nieźle. Dlaczego?

Zastanowiła się.

– Wydaje mi się, że przez kulturalne zło. Nie żebym lubiła je jako cechę, ale uwielbiam sposób, w jaki je pokazuje.

– I ma takie kobiece usta.

– To dobrze?

– Jasne. Wszyscy najlepsi aktorzy mają kobiece usta. I jasny kobiecy głos. Albo jedno i drugie. Kevin Spacey, Philip Seymour Hoffman.

Harry wyjął paczkę papierosów i zaproponował Kai.

– Tylko jeśli mi zapalisz. Akurat ci chłopcy nie są zanadto męscy.

– Mickey Rourke. Damski głos, damskie usta. James Woods. Usta stworzone do pocałunków, jak obsceniczna róża.

– Ale on nie ma jasnego głosu.

– Beczy. Jak owca. Samica.

Kaja roześmiała się i wzięła zapalonego papierosa.

– Przestań. Macho na filmach mają głębokie ochrypłe głosy. Weź na przykład Bruce'a Willisa.

– No właśnie, weź Bruce'a Willisa. Ochrypły, to prawda, ale głęboki? *Hardly.* – Harry zmrużył oczy i falsetem szepnął, oznajmiając miastu:

– *...from up here it doesn't look like you're in charge of jack shit.*

Kaja parsknęła śmiechem, papieros wypadł jej z ust i poleciał wzdłuż muru w zarośla, sypiąc dokoła iskrami.

– Źle?

– Sensacyjnie źle – parsknęła. – Cholera, przez ciebie zapomniałam, jak się nazywa ten macho z kobiecym głosem, o którym miałam powiedzieć.

Harry wzruszył ramionami.

– Na pewno sobie przypomnisz.

– Even i ja też mieliśmy takie miejsca jak to. – Kaja przyjęła nowego papierosa. Trzymała go między kciukiem a palcem wskazującym, jak gwóźdź, który zamierzała wbić. – Takie miejsca tylko dla nas. Nikt inny o nich nie wiedział, tak nam się przynajmniej wydawało. Tam mogliśmy się schować i zwierzać sobie z tajemnic.

– Masz ochotę mi o tym opowiedzieć?

– O czym?

– O twoim bracie. O tym, co się stało.

– On umarł.

– To już wiem. Myślałem, że zechcesz mi powiedzieć resztę.

– A jaka jest ta reszta?

– Hm. Na przykład dlaczego zrobiłaś z niego świętego?

– A zrobiłam?

– A nie?

Długo na niego patrzyła.

– Wina – powiedziała w końcu.

Harry podał jej piersiówkę, chciwie wypiła duży łyk.

– Zostawił kartkę – zaczęła. – Był strasznie wrażliwy. Czasami cały był tylko śmiechem i wszędzie, gdzie wchodził, wnosił ze sobą słońce. Kiedy ktoś miał jakieś problemy, to zdawały się znikać, gdy tylko on się pojawiał, jak... jak rosa na słońcu. A w tych mrocznych okresach było odwrotnie.

Wszyscy wokół niego cichli, jakby w powietrzu zawisła niedokończona tragedia. Słychać to było w jego milczeniu. Taka muzyka w tonacji moll. Piękna i straszna jednocześnie, rozumiesz? Ale zarazem w oczach pozostawało mu trochę tego zmagazynowanego słońca, bo wciąż się śmiały. To przerażało. – Wzdrygnęła się. – To się stało latem w wakacje, w słoneczny dzień, jaki tylko Even potrafił stworzyć. Byliśmy w naszym letnim domku na Tjøme. Wstałam i poszłam do sklepu po truskawki. Kiedy wróciłam, śniadanie było już gotowe, a mama zawołała, żeby Even zszedł na dół. Ale on nie odpowiedział. Myślałyśmy, że śpi, bo czasami wstawał dopiero po południu. Poszłam po coś do swojego pokoju, po drodze zastukałam do niego i powiedziałam: „Truskawki". Otwierając drzwi do swojego pokoju, nasłuchiwałam odpowiedzi. Kiedy wchodzisz do siebie, to się nie rozglądasz. Idziesz prosto tam, gdzie zamierzałeś. Do szafki nocnej, bo wiesz, że tam leży książka, po którą przyszedłeś, albo do parapetu po pudełko z haczykami na ryby. Nie zauważyłam go od razu. Zorientowałam się tylko, że coś ze światłem w pokoju jest nie tak. Spojrzałam w bok i najpierw zobaczyłam jego bose stopy. Znałam te stopy na wylot, dawał mi koronę za to, żebym je łaskotała. Uwielbiał to. W pierwszej chwili pomyślałam, że on lata, że wreszcie się tego nauczył. Spojrzałam w górę. Miał na sobie jasnoniebieski sweter, który sama zrobiłam mu na drutach. Powiesił się na lampie, na przedłużaczu. Musiał czekać, aż wstanę i wyjdę. I potem przyszedł do mojego pokoju. Chciałam uciec, ale nie mogłam się ruszyć. Nogi przyrosły mi do podłogi. Stałam tylko i patrzyłam na niego. Wisiał tak blisko. Wołałam mamę, to znaczy robiłam wszystko, co trzeba, żeby zawołać, ale z ust nie wydobył mi się żaden dźwięk. – Kaja spuściła głowę i strzepnęła popiół z papierosa. Odetchnęła z drżeniem. – Dalej pamiętam już tylko fragmenty. Dali mi jakieś lekarstwa na uspokojenie. Kiedy trzy dni później doszłam do siebie, już go pochowali. Może lepiej, że mnie przy tym nie było, bo przeżycie mogło okazać się zbyt silne – tak twierdzili. Zaraz potem się rozchorowałam. Przeleżałam to lato z gorączką. Zawsze uważałam, że ten pogrzeb nastąpił za szybko. Jakby było coś wstydliwego w rodzaju śmierci, nie sądzisz?

– Mhm. Ale mówiłaś, że zostawił kartkę.

Kaja spojrzała na fiord.

– Leżała na mojej szafce nocnej. Napisał, że nieszczęśliwie zakochał się w dziewczynie, z którą nigdy nie będzie się mógł związać, nie chce żyć, przeprasza za ból, jaki nam sprawia, i wie, że go kochamy.

– Mhm.

– Chyba trochę mnie to zdziwiło. Even nigdy mi nie mówił, że jest jakaś dziewczyna, a zawsze zwierzał mi się prawie ze wszystkiego. Gdyby nie Roar...

– Roar?

– Tak. Tego lata zaczęłam chodzić z moim pierwszym chłopakiem. Był miły i cierpliwy, odwiedzał mnie prawie codziennie, kiedy chorowałam, i słuchał, jak opowiadam o Evenie.

– O tym, jak nadziemsko fantastycznym był człowiekiem?

– Zrozumiałeś.

Harry wzruszył ramionami.

– Zachowywałem się tak samo po śmierci matki. Ale Øystein nie był tak cierpliwy jak Roar. Spytał wprost, czy zamierzam założyć nową religię.

Kaja roześmiała się i zaciągnęła papierosem.

– Wydaje mi się, że Roar z czasem zaczął czuć, że wspomnienie Evena przesłania wszystko i wszystkich, łącznie z nim. To był bardzo krótki związek.

– Mhm. Ale Even został?

Kiwnęła głową.

– Za każdymi drzwiami, które otwierałam.

– To dlatego, prawda?

Znów kiwnęła głową.

– Kiedy tamtego lata wróciłam ze szpitala do domu i miałam wejść do swojego pokoju, nie mogłam otworzyć drzwi. Po prostu nie mogłam. Wiedziałam, że jeśli to zrobię, to on znów tam będzie wisiał. I to znów będzie moja wina.

– To zawsze była twoja wina, prawda?

– Zawsze.

– Nikt nie jest w stanie odwieść nas od przekonania, że właśnie tak jest. Nawet my sami. – Harry pstryknął niedopałkiem w ciemność. Zapalił nowego papierosa.

Statek w dole dobił do kei.

Wiatr zadął głucho i ponuro w otworach strzelniczych.

– Dlaczego płaczesz? – spytał cicho.

– Bo to jest moja wina – szepnęła, a łzy ciekły jej po policzkach. – To wszystko moja wina. Wiedziałeś o tym przez cały czas, prawda?

Harry zaciągnął się dymem. Wyjął papierosa z ust i dmuchnął dymem w żar.

– Niecały.

– Od kiedy?

– Odkąd zobaczyłem twarz Bjørna Holma w drzwiach na Holmenveien. Bjørn Holm to świetny technik, ale żaden z niego de Niro. Wyglądał na szczerze zaskoczonego.

– To wszystko?

– Wystarczyło. Zrozumiałem po wyrazie jego twarzy. Nie miał pojęcia, że wpadłem na trop Leikego. Ergo nie odkrył tego na moim komputerze i nie przekablował dalej Bellmanowi. A jeśli to nie Holm był kretem, to zostawała tylko jedna osoba.

Kaja pokiwała głową i wytarła łzy.

– Dlaczego nic nie powiedziałeś? Dlaczego nic nie zrobiłeś? Nie zamordowałeś mnie?

– A jaki byłby tego cel? Uznałem, że masz dobry powód.

Łzy dalej płynęły jej z oczu.

– Nie wiem, co on ci obiecał – powiedział Harry. – Przypuszczam, że jakieś wysokie stanowisko w nowej wszechwładnej KRIPOS. I miałem rację, mówiąc, że facet, w którym się zadurzyłaś, jest żonaty i chociaż twierdzi, że zostawi dla ciebie żonę i dzieci, to nigdy tego nie zrobi.

Kaja szlochała cicho z pochyloną szyją, jakby głowa nagle zaczęła jej za bardzo ciążyć. Jak ciężki od deszczu kwiat, pomyślał Harry.

– Nie rozumiem natomiast, dlaczego chciałaś się dzisiaj ze mną spotkać. – Z niesmakiem popatrzył na papierosa. Może powinien zmienić markę.

– Najpierw pomyślałem, że chcesz mi powiedzieć, że to ty jesteś kretem, ale prędko zrozumiałem, że nie o to chodzi. Czekamy na kogoś? Coś ma się wydarzyć? Przecież ja już zostałem wyłączony z gry. Jak mogę wam jeszcze zaszkodzić?

Spojrzała na zegarek. Pociągnęła nosem.

– Możemy pojechać do ciebie, Harry?

– Po co? Ktoś tam na nas czeka?

Kiwnęła głową.

Harry wykończył piersiówkę.

Drzwi były wyłamane. Drzazgi na schodach świadczyły o tym, że wyważono je łomem. Zero wyrafinowania. Zero sprytu i przebiegłości. Włamanie policyjne.

Harry odwrócił się na schodach, spojrzał na Kaję, która wysiadła z samochodu i stała z założonymi rękami. Wszedł do środka.

W salonie było ciemno, jedyne światło wpadało z otwartego barku. Ale to wystarczyło, by rozpoznał człowieka siedzącego w cieniu pod oknem.

– Nadkomisarz Bellman – odezwał się Harry. – Siedzisz w fotelu mojego ojca.

– Pozwoliłem sobie na to, bo kanapa dziwnie pachnie. Nawet pies jej unikał.

– Mogę coś zaproponować? – Harry skinieniem głowy wskazał na barek i usiadł na kanapie. – Czy sam coś dla siebie znalazłeś?

Z trudem dostrzegł, że nadkomisarz pokręcił głową.

– Ja nie. Ale pies znalazł.

– Mhm. Zakładam, że masz nakaz przeszukania, ale jestem ciekaw podstawy.

– Anonimowe zgłoszenie, że przemyciłeś do kraju narkotyki za pośrednictwem niewinnej osoby trzeciej i że być może znajdują się one tutaj.

– I znajdowały się?

– Pies znalazł owiniętą w sreberko bryłkę jakiejś żółtobrązowej substancji. Niepodobną do niczego, co zazwyczaj znajdujemy, więc na razie nie bardzo wiadomo, o co chodzi. Ale rozważamy, czy nie oddać tego do analizy.

– Rozważacie?

– To może być opium, ale równie dobrze grudka plasteliny albo glinki. To zależy.

– Od czego?

– Od ciebie, Harry. I ode mnie.

– Ach tak?

– Jeśli zgodzisz się wyświadczyć nam przysługę, być może skłonię się ku stwierdzeniu, że to jednak plastelina, i zrezygnuję z dokładniejszego badania. Szef powinien rozważnie zarządzać wykorzystaniem zasobów, prawda?

– To ty jesteś szefem. Jaka to przysługa?

– Nie potrzebujesz owijania w bawełnę, Hole, więc powiem wprost. Chcę, żebyś wziął na siebie rolę kozła ofiarnego.

Harry zobaczył wąziutkie brązowe kółeczko na samym dnie butelki Jima Beama na stole, ale oparł się pokusie przyłożenia jej do ust.

– Właśnie musieliśmy zwolnić Tony'ego Leike, ponieważ ma doskonałe alibi przynajmniej na dwa zabójstwa. Jedyne, co na niego mamy, to telefon do jednej z ofiar. Zachowaliśmy się odrobinę zbyt ofensywnie w stosunku do mediów. Razem z Leikem i jego przyszłym teściem mogą nam urządzić niezłe piekło. Dziś wieczorem musimy wydać oświadczenie dla prasy i w tym oświadczeniu będzie napisane, że zatrzymania dokonano na podstawie nakazu, do którego wydania ty, kontrowersyjny Harry Hole, nakłoniłeś biedną świeżutką panią prokurator ze swojej komendy. Że to było działanie solo, twoje i tylko twoje, i że bierzesz na siebie całą odpowiedzialność. A udział KRIPOS polega na tym, że coś nam się nie spodobało w tym zatrzymaniu, dlatego interweniowaliśmy i w rozmowie z Leikem ustaliliśmy fakty. Po czym natychmiast go zwolniliśmy. Podpiszesz to oświadczenie i nigdy więcej nie będziesz wypowiadał się w tej sprawie. Ani jednym słowem.

Harry jeszcze raz rozważył wypicie resztek z butelki.

– Mhm. Konkretne zamówienie. Myślisz, że prasa łyknie tę historię po tym, jak wymachiwałeś rękami nad głową i przyjmowałeś wyrazy uznania?

– W oświadczeniu będzie napisane, że wziąłem na siebie odpowiedzialność. Że postanowiłem dokonać tego aresztowania, chociaż przeczuwaliśmy, że pewien policjant popełnił błąd. Ale skoro Harry Hole później zdecydował się ujawnić prawdę, pozwoliłem mu na to, ponieważ to doświadczony komisarz, który na dodatek nie pracuje w KRIPOS.

– A moją motywacją ma być to, że jeśli nie podpiszę się pod tym oświadczeniem, zostanę oskarżony o przemyt i posiadanie narkotyków?

Bellman zetknął koniuszki palców i zakołysał się w fotelu.

– No właśnie. Ale ważniejsze od motywacji jest być może to, że każę cię od razu aresztować. Szkoda, ponieważ wiem, że chętnie odwiedziłbyś w szpitalu ojca, któremu, jak rozumiem, niewiele już zostało. Naprawdę cholernie przykra sprawa.

Harry odchylił się na kanapie. Wiedział, że powinien być wściekły. Że dawny, młodszy Harry by się wściekł. Ale ten Harry miał wyłącznie ochotę zakopać się w cuchnącą rzygowinami i potem kanapę, zamknąć oczy i mieć nadzieję, że oni wszyscy sobie stąd pójdą. Bellman, Kaja, te cienie pod oknem. Mózg jednak kontynuował automatycznie wyuczone rozumowanie.

– Abstrahując ode mnie – usłyszał własny głos. – Dlaczego Leike miałby poprzeć tę wersję? Przecież on wie, że to KRIPOS go aresztowała i przesłuchiwała.

Znał odpowiedź, zanim Bellman się odezwał.

– Ponieważ Leike ma świadomość, że nieprzyjemny cień podejrzeń zawsze będzie wisiał nad kimś, kto został aresztowany. Szczególnie nieprzyjemny dla kogoś takiego jak Leike, który usiłuje akurat teraz zdobyć zaufanie inwestorów. Najlepszym sposobem na pozbycie się tego cienia jest popieranie wersji, że zatrzymanie było wynikiem działania zepsutej armaty. Niepoważnego elementu w policji, który wpadł w amok i działał solo. Zgadzasz się?

Harry kiwnął głową.

– Poza tym chodzi o instytucję... – zaczął Bellman.

– Chronię całą policję, biorąc winę wyłącznie na siebie.

Bellman się uśmiechnął.

– Przez cały czas wiedziałem, że jesteś stosunkowo inteligentnym człowiekiem, Hole. Czy to oznacza, że doszliśmy do porozumienia?

Harry się zastanowił. Gdyby Bellman teraz sobie poszedł, mógłby sprawdzić, czy na dnie tej butelki naprawdę nie zostało kilka kropli whisky. Kiwnął głową.

– Tu jest to oświadczenie. Chcę, żebyś się podpisał na dole. – Bellman podsunął mu kartkę i długopis. Było za ciemno, żeby coś przeczytać. Wszystko jedno. Harry podpisał.

– No dobrze. – Bellman sięgnął po kartkę i wstał. Światło latarni na zewnątrz padło na jego twarz, barwy wojenne zdawały się świecić. – Tak będzie dla nas najlepiej. Myśl o tym, Harry. Spróbuj trochę odpocząć.

Łaskawa troska zwycięzcy, pomyślał Harry i zamknął oczy, już czując witający go sen. Zaraz jednak je otworzył, z wysiłkiem wstał i odprowadził Bellmana na schody. Kaja wciąż stała przy samochodzie ze skrzyżowanymi rękami.

Harry zobaczył, że Bellman kiwa do niej porozumiewawczo głową, a ona w odpowiedzi wzrusza ramionami. Bellman przeszedł przez ulicę, wsiadł do tego samego samochodu, który Harry widział na Lyder Sagens gate tamtego wieczoru, uruchomił silnik i odjechał. Kaja stanęła u stóp schodów, głos miała zachrypnięty od płaczu.

– Dlaczego uderzyłeś Bjørna Holma?

Harry odwrócił się, żeby wejść do domu, ale ona była szybsza. Dwoma skokami pokonała schody, wcisnęła się między niego i drzwi, zagradzając mu drogę. Poczuł na twarzy jej przyspieszony, gorący oddech.

– Dopiero gdy zrozumiałeś, że jest niewinny, uderzyłeś. Dlaczego?

– Idź już, Kaju.

– Nigdzie nie pójdę.

Harry patrzył na nią. Wiedział, że to coś, czego nie będzie umiał wyjaśnić. Nie wytłumaczy tego nieoczekiwanego bólu, jaki poczuł, gdy zrozumiał prawdę. Bólu tak wielkiego, że po prostu musiał uderzyć w tę zdumioną, niewinną księżycową twarz, będącą lustrzanym odbiciem jego własnej naiwnej dobroduszności.

– Co ty chcesz wiedzieć? – spytał, słysząc, jak metaliczny ton wściekłości pojawia się w jego głosie. – Ja ci naprawdę wierzyłem, Kaju, więc mogę ci jedynie pogratulować. Pogratulować dobrze wykonanego zadania. Mogłabyś się teraz odsunąć?

Zobaczył, że znów napływają jej łzy do oczy, ale odstąpiła na bok. Harry wszedł do środka i zatrzasnął drzwi za sobą. Stanął w korytarzu otoczony bezgłośną próżnią po huku, nagłą ciszą, pustką, cudowną nicością.

47 STRACH PRZED CIEMNOŚCIĄ

Olav Hole w ciemności zamrugał oczami.

– To ty, Harry?

– Tak.

– Jest noc, prawda?

– Tak, noc.

– Co z tobą?

– Żyję.

– Daj mi zapalić światło…

– Nie trzeba. Chciałem ci tylko coś powiedzieć.

– Poznaję ten ton. Nie jestem pewien, czy chcę o tym słuchać.

– I tak przeczytasz jutro w gazecie.

– A ty masz inną wersję wydarzeń?

– Nie. Chciałem ci tylko powiedzieć o tym pierwszy.

– Piłeś, Harry?

– Chcesz to usłyszeć?

– Twój dziadek pił, a ja go kochałem. Pijanego tak samo jak trzeźwego. Niewiele osób może tak powiedzieć o ojcu pijaku. Nie, nie chcę tego słuchać.

– Mhm.

– I tobie też mogę to powiedzieć. Kochałem cię. Zawsze. Tak samo pijanego jak trzeźwego. To nie było nawet trudne. Chociaż ty zawsze byłeś taki wojowniczy. Zawsze byłeś w stanie wojny prawie ze wszystkimi, szczególnie ze sobą. Ale kochanie cię było najłatwiejsze w życiu, Harry.

– Tato...

– Nie ma czasu na rozmowy o nieważnych rzeczach, Harry. Nie wiem, czy ci o tym mówiłem, mam wrażenie, że tak, ale czasami myślimy o czymś tak dużo i często, i wydaje nam się, że wymówiliśmy to na głos. Zawsze byłem z ciebie dumny, Harry. Powtarzałem ci to dostatecznie często?

– Ja...

– Tak? – Olav Hole nasłuchiwał w mroku. – Płaczesz, synu? To dobrze. Wiesz, z czego byłem najbardziej dumny? Tego ci na pewno nie opowiadałem. Ale kiedyś nauczyciele z twojej szkoły zadzwonili do nas, chodziłeś wtedy jeszcze do gimnazjum, powiedzieli, że znów wdałeś się w bójkę na boisku z dwoma wielkimi chłopakami z wyższej klasy, i tym razem się nie powiodło, musieli cię wysłać na pogotowie, zszyć wargę i wyrwać obluzowany ząb. Pamiętasz, że obniżyłem ci kieszonkowe? Później Øystein opowiedział mi o tej bójce. Rzuciłeś się na nich, bo napełnili plecak Drewniaka wodą z fontanny na szkolnym podwórzu. O ile dobrze pamiętam, to nawet nie za bardzo lubiłeś Drewniaka. Øystein mówił, że tak cię poranili, bo się nie poddawałeś, tylko raz za razem podnosiłeś się, a na koniec taki byłeś pokrwawiony, że tamtym starszym zrobiło się głupio i sobie poszli.

Olav Hole śmiał się cicho.

– Wtedy wydawało mi się, że nie mogę ci o tym powiedzieć, bo jeszcze bardziej zachęcę cię do bicia. Ale z dumy o mało się nie popłakałem. Byłeś taki dzielny, Harry. Bałeś się ciemności, ale wchodziłeś w ciemność. A ja byłem najbardziej dumnym ojcem na świecie. Czy kiedykolwiek ci o tym mówiłem, Harry? Harry? Harry, jesteś tam?

***

Wolny. Butelka szampana rozbiła się o ścianę. Banieczki ściekły po tape-
cie jak gotująca się masa mózgowa, spłynęły po zdjęciach, wycinkach, po
wydruku z fotografią Harry'ego Hole, który bierze na siebie winę. Wolny.
Uwolniony od winy, swobodny! Znów można posłać cały świat do piekła.
Depczę po szkle, wbijam odłamki w podłogę, słyszę, jak trzeszczą. I jestem
bosy. Ślizgam się na własnej krwi. I wyję ze śmiechu. Wolny. Wolny!

48 HIPOTEZA

Szef Wydziału Zabójstw Okręgu Policyjnego Sydney South, Neil
McCormack, gładził rzadkie włosy, obserwując siedzącą po drugiej stronie
stołu kobietę w okularach. Przyszła bezpośrednio z wydawnictwa, w którym pracowała. Kostium miała prosty i pognieciony, ale coś w Isce Peller
mimo wszystko kazało mu przypuszczać, że jest drogi, tyle że po prostu
nie został przewidziany do imponowania takim prostym duszom jak on.
Adres zamieszkania świadczył jednak o tym, że raczej nie jest szczególnie
bogata. Bristol nie był najmodniejszą dzielnicą Sydney. Kobieta sprawiała
wrażenie dojrzałej i rozsądnej, to zdecydowanie nie ten typ, który by dra-
matyzował, przesadzał, domagał się uwagi wyłącznie dla niej samej. Poza
tym to oni ją wezwali, nie zgłosiła się sama na policję. Spojrzał na zegarek.
Umówił się z synem, że trochę dziś pożeglują, mieli się spotkać nad Watson
Bay, gdzie cumowała łódź, dlatego liczył, że rozmowa nie potrwa długo
i rzeczywiście na to wyglądało, aż do tej ostatniej informacji.

– Panno Peller. – McCormack odchylił się i złożył ręce na imponującym
półkolistym brzuchu. – Dlaczego nie powiedziała pani o tym wcześniej?

Wzruszyła ramionami.

– A po co miałam mówić? Nikt mnie nie pytał, nie widzę też jakiego-
kolwiek związku ze śmiercią Charlotte. Teraz powiedziałam o tym tylko
dlatego, że pan mnie tak szczegółowo wypytywał. Myślałam, że interesuje
was tylko to, co wydarzyło się w schronisku, a nie taki... incydent, który
miał miejsce później. Bo to właśnie tak trzeba nazwać. Drobny incydent,
który prędko się skończył i szybko poszedł w zapomnienie. Tacy idioci są wszędzie i nie można zajmować się ściganiem każdego gada tego
gatunku.

McCormack coś mruknął. Oczywiście miała rację, on też nie uważał, by powinno się to ścigać. Zawsze wynikało z tego więcej kłopotów i nieprzyjemności, a przede wszystkim pracy, zwłaszcza kiedy osoba, o którą chodziło, nosiła tytuł zawodowy zaczynający się albo kończący na „policja". Wyjrzał przez okno. Słońce odbiło się w wodzie Port Jackson i po stronie Manly, gdzie wciąż w górę unosił się dym, mimo że od ostatniego w tym sezonie pożaru buszu minął już ponad tydzień. Dym płynął na południe, a więc przyjemny ciepły wiatr z północy. Idealny do żeglugi. McCormack polubił Harry'ego Hole, a raczej Holy, jak nazywał Norwega. Facet zrobił świetną robotę, pomagając im w rozwiązaniu tamtej trudnej sprawy klauna. Ale przez telefon ten wysoki jak wieża jasnowłosy Norweg wydawał się zmęczony. McCormack miał szczerą nadzieję, że Holy nie zaczyna znów iść na dno.

– Zacznijmy od samego początku, panno Peller.

Mikael Bellman wkroczył do sali konferencyjnej Odyn i usłyszał, że rozmowy natychmiast cichną. Szybko przeszedł do mównicy. Ułożył notatki przed sobą, podłączył komputer do wejścia USB i stanął na szeroko rozstawionych nogach. Grupa śledcza liczyła trzydzieści sześć osób, trzy razy więcej niż w sprawie zwykłego zabójstwa. Pracowali już na tyle długo bez żadnych rezultatów, że parę razy musiał podnosić morale. Ale ogólnie rzecz biorąc, ci ludzie byli bohaterami. Dlatego Bellman nie tylko sobie, lecz również im pozwolił uznać aresztowanie Tony'ego Leike za wielki triumf.

– Czytaliście dziś gazety – zaczął, patrząc na zebranych.

Ocalił szczątki. Na pierwszych stronach dwóch z trzech największych gazet widniało to samo zdjęcie: Tony Leike w drodze do samochodu stojącego przed Budynkiem Policji. W trzeciej była wyciągnięta z archiwum fotografia Harry'ego Hole podczas telewizyjnego talk-show, na którym mówił o Bałwanie.

– Jak wiecie, komisarz Hole wziął na siebie odpowiedzialność, co jest dość rozsądne.

Usłyszał, że jego słowa odbiły się echem od ścian i zobaczył zmęczone, niewyspane spojrzenia. A może to była jakaś inna forma zmęczenia? W każdym razie należało ją zwalczyć, bo sprawa się zaostrzyła. Był u niego szef całej KRIPOS, powiedział, że dzwonili z ministerstwa i zadawali pytania. Piasek w klepsydrze się przesypywał.

– Tak więc nie mamy już głównego podejrzanego – stwierdził. – Ale dobre wieści są takie, że pojawiły się nowe wątki. Wszystkie prowadzą do Håvasshytta w Ustaoset.

Podszedł do komputera, wcisnął klawisz i ukazała się pierwsza strona prezentacji w programie PowerPoint, którą przygotował w nocy.

Pół godziny później omówił już wszystkie fakty, jakie mieli, z nazwiskami, godzinami i prawdopodobnymi trasami.

– Pozostaje pytanie – mówił, wyłączając komputer – z jakiego rodzaju zabójstwami mamy do czynienia. Wydaje mi się, że możemy wykluczyć typową serię. Ofiary nie zostały wybrane przypadkowo z jakiejś grupy demograficznej, tylko wiążą się z konkretnym miejscem i konkretnym czasem. Są więc powody, by przypuszczać, że mamy do czynienia również z konkretnym motywem, który może nawet dałoby się uznać za racjonalny. W takim wypadku mielibyśmy ułatwione zadanie. Znajdźmy motyw, a będziemy mieć zabójcę.

Zobaczył, że wielu śledczych kiwa głową.

– Problem w tym, że nie ma świadków, którzy mogliby nam coś powiedzieć. Jedyna pozostająca przy życiu osoba, o której wiemy, Iska Peller, przeleżała chora w sypialni sama cały dzień i całą noc. Pozostali albo nie żyją, albo się nie zgłosili. Wiemy na przykład, że Adele Vetlesen podróżowała razem z niedawno poznanym mężczyzną, ale nikt z kręgu jej znajomych nic o nim nie słyszał. Musimy więc uznać, że to była krótka znajomość. Sprawdzamy, z jakimi mężczyznami kontaktowała się przez telefon i przez internet, ale dotarcie do wszystkich trochę potrwa. A dopóki nie mamy żadnych świadków, musimy określić sobie jakiś punkt wyjścia. Potrzebne są nam hipotezy dotyczące motywu. Co może być motywem do zabicia co najmniej pięciorga ludzi?

– Zazdrość albo głosy w głowie – dobiegło z tyłu sali. – Wszelkie doświadczenia za tym przemawiają.

– Zgadzam się. A kto może słyszeć w głowie głosy nakazujące zabijanie?

– Wszyscy, którzy mają jakąś historię psychiatryczną – zaśpiewał dialekt z północy.

– I wszyscy, którzy jej nie mają – dodał ktoś inny.

– No dobrze. A kto może być tak zazdrosny?

– Narzeczony albo mąż jednej z osób, które tam wtedy przebywały.

– Kto wchodzi w grę? – spytał Bellman.

– Przecież sprawdziliśmy już alibi najbliższych wszystkich ofiar i ewentualne motywy – odezwał się jeszcze ktoś. – To pierwsza rzecz, jaką zawsze robimy. A oni albo nie mieli najbliższych, albo od razu ich wykluczyliśmy.

Mikael Bellman miał świadomość, że teraz tylko dodają gazu, podczas gdy koła kręcą się w tych samych koleinach, w których tkwili już od pewnego czasu. Ale w tej chwili najważniejsze było właśnie wzbudzenie w nich ochoty do dodawania gazu. On bowiem nie miał wątpliwości, że Håvasshytta to deska, którą można podsunąć pod koło i z jej pomocą wypchnąć samochód.

– Nie wszystkich narzeczonych i małżonków wykluczyliśmy ze sprawy.

– Bellman zakołysał się na piętach. – Po prostu uznaliśmy, że on nie jest podejrzany. Kto nie miał alibi na moment śmierci żony?

– Rasmus Olsen.

– Zgadza się. A kiedy zajrzałem do parlamentu i rozmawiałem z Rasmusem Olsenem, przyznał, że był między nimi jakiś „drobny kłopot wynikający z zazdrości" kilka miesięcy wcześniej. Jakaś kobieta, z którą Rasmus flirtował. Marit Olsen wybrała się wtedy do Håvasshytta na kilka dni, pomyśleć. To może pasować czasowo. Może nie tylko myślała. Może się zemściła. I mam tu jeszcze jedną informację. Tamtej nocy, którą ofiary spędziły w Håvasshytta, Rasmus Olsen nie przebywał w Oslo. Miał zarezerwowany pokój w hotelu w Ustaoset. Co Rasmus robił w tej okolicy, gdy jego żona była w Håvasshytta? Spędzał noc w odległości jednego dnia na nartach od schroniska?

Spojrzenia przed nim przestały już być ciężkie i zmęczone. Przeciwnie, dostrzegł w nich nowy blask. Czekał na odpowiedź. Duża grupa śledczych na ogół nie była najbardziej skuteczna w tego rodzaju improwizowanych zgadywankach, ale pracowali razem przy tej sprawie na tyle długo, że odrzucono już pomysły, pewne informacje i fantazyjne hipotezy wszystkich zgromadzonych w sali, a ich ego spiłowano.

Któryś z młodszych poderwał się do góry.

– Mógł niezapowiedzianie zjawić się w schronisku wieczorem i przyłapać ją na gorącym uczynku. Zobaczył to i uciekł. Potem w spokoju zaplanował całość.

– Być może. – Bellman podszedł do mównicy i podniósł do góry notatkę. – Pierwszy argument przemawiający za taką teorią: właśnie dostałem wydruk z centrali Telenoru. Rasmus Olsen rano rozmawiał z żoną przez telefon. Załóżmy więc, że wiedział, do którego schroniska wybiera się Marit. Argument numer dwa to ten raport meteorologiczny, z którego wynika, że noc była księżycowa, a widoczność dobra przez cały wieczór i przez noc, mógł więc dotrzeć tam na nartach, tak jak to zrobił Tony Leike. Argument numer jeden przeciwko tej hipotezie: po co zabijać innych niż żona i jej ewentualny partner?

– Może był więcej niż jeden? – zawołała niewysoka kobieta o obfitym biuście, którą Bellman uważał za lesbijkę do tego stopnia, że nawet bawił się myślą, czy nie zaprosić jej któregoś wieczoru do Kai. Oczywiście o niczym nie wspomniał. – Może tam się odbyła jakaś pieprzona orgia?

Gruchnął śmiech. To dobrze, atmosfera już się rozluźniła.

– Może nie widział, z kim uprawiała seks, nawet czy to był mężczyzna, czy kobieta? Tyle że byli razem pod prześcieradłem – rzucił ktoś inny. – I na wszelki wypadek postanowił zadziałać gruntownie.

Więcej śmiechu.

– Przestańcie, nie mamy czasu na takie brednie! – krzyknął Eskildsen, jeden ze starszych. Nikt nie wiedział, od jak dawna jest śledczym zajmującym się zabójstwami. W sali zapadła cisza. – Czy ktoś z was, smarkaczy, pamięta tę sprawę prowadzoną przez Wydział Zabójstw kilka lat temu, kiedy wszystkim się wydawało, że po Oslo krąży seryjny zabójca? Gdy wreszcie ujawniono sprawcę, okazało się, że miał motyw, by zabić tylko numer trzy w szeregu ofiar. Ponieważ jednak wiedział, że będzie podejrzewany, jeśli tylko ją zabije, to uśmiercił też inne osoby, żeby zakamuflować to chorą serią.

– O cholera! – zarżał ten młody. – Wydział Zabójstw zdołał rozwiązać jakąś sprawę? Chyba przez pomyłkę.

Ze śmiechem rozejrzał się po sali i powoli zaczął się czerwienić, bo odzewu nie było. Wszyscy posiadający pewne doświadczenie w wykrywaniu zabójstw pamiętali tę sprawę. Tamto śledztwo funkcjonowało jako przykład w szkołach policyjnych w całej Skandynawii, stało się legendarne. Podobnie jak człowiek, który sprawę rozwiązał.

– Harry Hole.

– *It's Neil McCormack, Holy. How are you? And where are you?*

McCormack całkiem wyraźnie usłyszał, że Harry odpowiedział: „W komie", ale doszedł do wniosku, że to po prostu nazwa jakiejś norweskiej miejscowości.

– *I talked to Iska Peller*. Tak jak mówiłeś, niewiele miała do powiedzenia na temat tamtej nocy, o którą wam chodzi, natomiast następnego wieczoru...

– Tak?

– I ją, i tę jej przyjaciółkę, Charlotte, zabrał ze schroniska miejscowy policjant i zaprosił do siebie. Okazało się, że podczas gdy panna Peller usiłowała przespać grypę, jej przyjaciółka razem z policjantem wypili w salonie po kieliszku. Po czym gospodarz w bardzo zdecydowany sposób usiłował uwieść Charlotte. Na tyle zdecydowany, że Charlotte zaczęła krzyczeć, panna Peller się obudziła, wstała i pobiegła do salonu, gdzie policjant już zdołał ściągnąć przyjaciółce narciarskie spodnie na wysokość kolan. Przerwał tę akcję, a one natychmiast postanowiły wynieść się stamtąd na dworzec, żeby dojechać do hotelu w jakimś miejscu, którego nazwy, obawiam się...

– Geilo.

– Dziękuję.

– Mówisz, że próbował ją uwieść, Neil. Ale masz na myśli usiłowanie gwałtu.

– Nie. Musiałem nieźle przycisnąć pannę Peller, zanim uzgodniliśmy jakieś precyzyjne sformułowanie. Powiedziała, że według słów przyjaciółki policjant zdejmował jej spodnie wbrew jej woli, ale nie dotykał jej intymnie.

– Ale...

– Możemy przypuszczać, że taki był jego zamiar, jednak pewności nie mamy. Rzecz w tym, że nie zdążył zrobić niczego karalnego. Panna Peller się z tym zgodziła. Nie zawracały sobie też głowy zawiadamianiem policji, tylko po prostu stamtąd wyjechały. Policjant zresztą wezwał jakiegoś wiejskiego oryginała, żeby odwiózł całą trójkę na dworzec, i jeszcze pomógł dziewczynom wsiąść do pociągu. Zdaniem panny Peller ta sprawa nie zrobiła na policjancie żadnego wrażenia. Bardziej interesowało go zdobycie numeru telefonu tej przyjaciółki niż przepraszanie. Jakby uznał, że to zwykła męsko-damska sytuacja.

– Mhm. Coś jeszcze?

– Nie, Harry. Oprócz tego, że daliśmy jej ochronę policyjną, tak jak proponowałeś. Pełna obsługa przez całą dobę. Jedzenie i inne niezbędne rzeczy dostarczane pod drzwi. Może korzystać ze słońca. Pod warunkiem że świeci w Bristol.

– Dzięki, Neil. Jeśli coś...

– ...się pojawi, to zadzwonię. I vice versa.

– Oczywiście. *Take care.*

Tak mówisz, pomyślał McCormack, odłożył słuchawkę i spojrzał w błękitne popołudniowe niebo. Teraz latem dni były dłuższe, zdążą jeszcze z półtorej godziny pożeglować, zanim zrobi się ciemno.

Harry wstał i poszedł pod prysznic. Przez dwadzieścia minut stał pod gorącą wodą. Potem wytarł obolałą, zaczerwienioną skórę i się ubrał. Spojrzał na komórkę, zobaczył, że kiedy spał, było osiemnaście nieodebranych połączeń. A więc udało im się zdobyć jego numer. Rozpoznał pierwsze cyfry telefonów trzech największych gazet i dwóch głównych kanałów telewizyjnych w Norwegii, ponieważ wszystkie numery centrali zawierały zera i identyczne cyfry. Końcówki numerów były już bardziej przypadkowe i z pewnością prowadziły do spragnionych komentarzy żurnalistów. Jego spojrzenie zatrzymało się na jednym z numerów, chociaż nie wiedział dlaczego. Może w mózgu jest kilka bajtów, które dla zabawy zapamiętują cyfry. A może dlatego, że pierwsze cyfry mówiły o telefonie ze Stavanger. Sprawdził w spisie rozmów i odnalazł połączenie z tym samym numerem dwa dni wcześniej. Colbjørnsen.

Oddzwonił. Wcisnął komórkę między bark a policzek, zaczął zawiązywać buty i zauważył, że najwyższa pora kupić nowe. Metalowe okucie, pozwalające bez strachu chodzić po gwoździach, odstawało od podeszwy.

– Jasny gwint, Harry! Ależ cię dzisiaj obsmarowali w gazetach. Prawdziwy *butchering*. Co na to twój szef?

Głos brzmiał tak, jakby Colbjørnsen miał kaca. Albo po prostu był chory.

– Nie wiem – odparł Harry. – Nie rozmawiałem z nim.

– Wydział Zabójstw całkiem się od tego odciął, zwalają winę osobiście na ciebie. To szef kazał ci *take one for the team*?

– Nie.

Pytanie padło po dłuższej chwili ciszy.

– Chyba... chyba nie Bellman?

– Czego ty chcesz, Colbjørnsen?

– Cholera, Harry. Prowadzę *somewhat* nielegalne śledztwo solo, tak jak i ty. Więc najpierw muszę się dowiedzieć, czy gramy w jednej drużynie, czy nie.

– Ja nie mam żadnej drużyny, Colbjørnsen.

– No dobrze, słyszę, że ciągle jesteś z nami. W drużynie przegranych.

– Akurat wychodzę.

– *Right on.* Jeszcze raz rozmawiałem ze Stine Ølberg, tą, którą tak interesował się Elias Skog.

– I co?

– Okazuje się, że Elias opowiedział jej więcej o tym, co się działo w schronisku tamtej nocy, niż wydębiłem od niej podczas pierwszego przesłuchania.

– Zaczynam wierzyć w drugie przesłuchania.

– Co?

– Nic. Mów.

49 BOMBAY GARDEN

Bombay Garden było miejscem pozornie niemającym prawa do życia, lecz w przeciwieństwie do swoich bardziej modnych konkurentów trzymało się przez kolejne lata. Położenie w centralnym rejonie wschodnich dzielnic Oslo było fatalne. Lokal znajdował się na bocznej ulicy między dawnym składem drewna i zlikwidowaną fabryką zamienioną w niezależny teatr. Koncesja na alkohol przychodziła i odchodziła po niezliczonym łamaniu przepisów, podobnie jak prawo do serwowania jedzenia. Inspektorzy nadzoru sanitarnego raz znaleźli w kuchni gryzonia, którego gatunku nie potrafili określić, oprócz tego, że wykazywał pewne pokrewieństwo z *Rattus norvegicus*. W polu przeznaczonym na komentarze protokołu pokontrolnego inspektora poniosło i nazwał kuchnię „miejscem zbrodni", w którym „niewątpliwie doszło do najbardziej obrzydliwego rodzaju zabójstwa". Stojące pod ścianami automaty do gry przynosiły trochę zysku, ale regularnie je okradano. Wietnamscy właściciele lokalu nie wykorzystywali go też do prania pieniędzy pochodzących z handlu narkotykami, o co niektórzy ich podejrzewali. Główny powód tego, że Bombay Garden wciąż utrzymywał głowę nad powierzchnią wody, znajdował się bardziej w głębi lokalu, za dwojgiem zamkniętych drzwi.

Tam mieścił się tak zwany prywatny klub. Aby się do niego dostać, należało ubiegać się o członkostwo. W praktyce oznaczało to podpisanie wniosku u Wietnamczyka przy barze, członkiem klubu zostawało się od ręki, należało tylko wpłacić sto koron rocznej składki. Następnie członka wprowadzano do środka i zamykano za nim drzwi.

Stawał wtedy w zadymionym pokoju – bo przecież ustawa antynikotynowa nie obowiązuje w prywatnych klubach – przed owalnym hipodromem w miniaturze, cztery na dwa metry. Na zielonym filcu wyznaczono siedem torów. Po tych torach poruszało się skokowo siedem płaskich metalowych koników umocowanych na drążkach. Prędkość każdego konia w danym czasie określał komputer szumiący pod stołem i była ona, przynajmniej jak wskazywały dotychczasowe doświadczenia, najzupełniej przypadkowa i sprawiedliwa. To znaczy program komputerowy dawał niektórym koniom większe prawdopodobieństwo wyższej prędkości, co odbijało się na wysokości zakładów, a tym samym na ewentualnej wygranej. Wokół toru zbierali się członkowie klubu, starzy bywalcy i ci, którzy przyszli tu po raz pierwszy. W wygodnych obrotowych fotelach ze skóry palili, popijali miejscowe piwo w specjalnej cenie dla członków i okrzykami poganiali konie albo kombinacje, na które postawili.

Ponieważ ustawa hazardowa lokowała klub w szarej strefie, obowiązywały pewne zasady: jeśli obecnych było dwunastu lub więcej członków, obstawianie ograniczano do stu koron na gonitwę. Natomiast jeżeli członków w lokalu było mniej niż dwunastu, statut klubu uznawał to za prywatne spotkanie przyjaciół, którzy wykorzystują klubowe pomieszczenia. A przecież nie można zabraniać dorosłym ludziom zawierania prywatnych zakładów, więc kwoty, które stawiają, to sprawa wyłącznie między nimi. Właśnie z tego powodu dziwnie często w pokoju w głębi Bombay Garden przebywało dokładnie jedenaście osób. Skąd zresztą wziął się w nazwie „ogród", nie wiedział nikt.

O godzinie czternastej dziesięć najświeższego członka klubu – bo został nim zaledwie czterdzieści sekund wcześniej – wpuszczono do pomieszczenia, w którym, jak stwierdził, jedynymi oprócz niego osobami byli człowiek siedzący na jednym z obrotowych krzeseł, odwrócony do niego tyłem, oraz mężczyzna pochodzenia najprawdopodobniej wietnamskiego, który najwyraźniej zarządzał gonitwami i stawkami. W każdym razie miał na sobie kamizelkę, jaką noszą krupierzy.

Plecy na obrotowym krześle były szerokie i dobrze wypełniały flanelową koszulę. Na kołnierz opadały ciemne kręcone włosy.

– Wygrywasz, Krongli? – spytał Harry, zajmując sąsiednie miejsce. Lensman odwrócił głowę.

– Harry! – zawołał ze szczerą radością i w głosie, i na twarzy. – Jak mnie znalazłeś?

– Dlaczego uważasz, że cię szukałem? Może jestem tu stałym gościem?

Krongli roześmiał się i spojrzał na konie sunące po prostej z maleńkimi dżokejami na plecach.

– Na pewno nie. Przychodzę tu za każdym razem, kiedy jestem w Oslo, i jeszcze nigdy cię nie spotkałem.

– No dobrze. Ktoś mi podsunął, że najprawdopodobniej cię tu znajdę.

– Cholera, czyżbym już był sławny? A może policjantowi nie bardzo wypada tu przychodzić? Chociaż to mieści się w granicach legalności.

– À propos tego, co legalne. – Harry przecząco pokręcił głową krupierowi, który wskazał na kranik z piwem. – Właśnie o tym chciałem z tobą porozmawiać.

– No to mów. – Krongli w skupieniu obserwował gonitwę, w której prowadził niebieski koń poruszający się po zewnętrznym torze, ale teraz czekał go długi zakręt.

– Iska Peller, ta Australijka, którą zabrałeś z Håvasshytta, twierdzi, że napastowałeś jej przyjaciółkę, Charlotte Lolles.

Harry nie zauważył żadnej zmiany w skupionej minie Krongliego. Czekał. W końcu lensman się poddał.

– Chcesz, żebym coś o tym powiedział?

– Tylko jeśli sam uważasz, że powinieneś.

– Wydaje mi się, że ty byś tego chciał. Napastowanie to złe słowo. Trochę flirtowaliśmy. Całowaliśmy się. Ona uważała, że to wystarczy. A ja spróbowałem odrobiny konstruktywnego przekonywania, jakiego kobiety często oczekują od mężczyzn. To przecież zawiera się w rolach odgrywanych przez płcie. Ale do niczego więcej nie doszło.

– To się nie zgadza z tym, co Charlotte opowiedziała Isce Peller. Uważasz, że Peller kłamie?

– Nie.

– Nie?

– Wydaje mi się, że Charlotte wolała przedstawić przyjaciółce inną wersję. Katoliczki wolą uchodzić za bardziej cnotliwe, niż są w rzeczywistości.

– Postanowiły przenocować w Geilo zamiast u ciebie, chociaż Peller była chora.

– Ale to ta Australijka zdecydowała, że pojadą. Nie wiem, o co chodziło między nimi, takie przyjacielskie układy między dziewczętami często bywają skomplikowane. Założę się, że ta Peller nie ma chłopaka. – Uniósł do połowy opróżnioną szklankę z piwem. – Do czego zmierzasz, Harry?

– Dziwne, że nie powiedziałeś Kai Solness, kiedy była w Ustaoset, że miałeś okazję poznać Charlotte Lolles.

– A mnie wydaje się dziwne, że wciąż pracujesz przy tej sprawie. Myślałem, że to działka KRIPOS. Szczególnie po dzisiejszych tytułach w gazetach. – Krongli znów skupił się na koniach. Po wyjściu z zakrętu żółty koń na trzecim torze prowadził o jedną maleńką długość.

– Rzeczywiście – przyznał Harry. – Ale gwałty to wciąż sprawa komendy.

– Gwałty? Czyżbyś jeszcze nie wytrzeźwiał, Harry?

– No cóż. – Harry wyciągnął z kieszeni spodni papierosy. – Jestem bardziej trzeźwy niż ty wtedy, Krongli. Przynajmniej taką mam nadzieję. – Włożył pogniecionego papierosa do ust. – Za każdym razem, kiedy biłeś i gwałciłeś swoją byłą dziewczynę w Ustaoset.

Krongli obrócił się do Harry'ego, łokciem wywracając szklankę. Piwo wsiąkało w zielony filc, wilgotna plama pełzła jak Wehrmacht po mapie Europy.

– Przychodzę prosto ze szkoły, w której pracuje – podjął Harry i zapalił papierosa. – To ona mi powiedziała, że prawdopodobnie tu cię znajdę. Wyjaśniła mi też, że jej wyjazd z Ustaoset był raczej ucieczką niż przeprowadzką. Że ty...

Dalej Harry nie doszedł. Krongli był szybki, nogą obrócił jego krzesło i rzucił się na niego od tyłu, zanim Harry zdążył zareagować. Poczuł uścisk na dłoni i miał świadomość, co zaraz nastąpi. Wiedział, bo ćwiczyli to od pierwszego roku w szkole. Chwyt policyjny. A mimo to był o sekundę spóźniony, o dwie doby picia zbyt powolny, o czterdzieści lat za głupi. Krongli wykręcił mu ramię i nadgarstek do tyłu, a Harry

282

runął w przód i skronią uderzył w filc po stronie złamanej szczęki. Krzyknął z bólu i na moment poczerniało mu w oczach. Zaraz jednak ból powrócił, spróbował więc podjąć szaloną próbę wyrwania się. Był silny, jak zawsze, ale od razu się zorientował, że z Kronglim nie ma szans. Poczuł na twarzy ciepły, wilgotny oddech potężnie zbudowanego lensmana.

– Nie powinieneś był tego robić, Harry. Nie powinieneś był rozmawiać z tą dziwką. Ona plecie to, co jej ślina na język przyniesie. Gotowa jest zrobić wszystko. Pokazała ci cipkę? Zrobiła to, Harry?

Trzasnęło mu w głowie, gdy Krongli zwiększył nacisk. Dwa konie, jeden żółty, drugi zielony, dźgały go w czoło i w grzbiet nosa. Harry uniósł prawą stopę i nacisnął. Mocno. Usłyszał krzyk Krongliego, wyrwał się z jego uścisku, odwrócił i uderzył. Ale nie pięścią, bo już dostatecznie dużo razy zranił sobie kostki na takich bzdurach, tylko łokciem. Trafił lensmana tam, gdzie, jak wiedział, skutek jest najlepszy – nie w środek brody, tylko lekko z boku. Krongli poleciał do tyłu. Upadł na niskie krzesło i wylądował na podłodze z nogami w powietrzu. Harry zauważył, że materiał trampek Converse na prawej stopie Krongliego ma krwawe rozdarcie po spotkaniu z metalową podeszwą jego buta, który w zasadzie nadawał się już do wyrzucenia. Zorientował się też, że w ustach wciąż trzyma papierosa. A kątem oka dostrzegł, że czerwony koń na pierwszym torze bez przeszkód biegnie po zwycięstwo.

Nachylił się, złapał Krongliego za kołnierzyk, podniósł go do góry i usadził na krześle. Dwa razy zaciągnął się dymem, głęboko, aż do brzucha, poczuł piekące ciepło w płucach.

– Zgadzam się, że te oskarżenia o gwałt nie są zbyt mocne – oznajmił. – Zwłaszcza że ani Charlotte Lolles, ani twoja dziewczyna nie złożyły zawiadomienia. Dlatego jako śledczy muszę się dowiedzieć czegoś więcej, prawda? I właśnie po to zamierzam wrócić do Håvasshytta.

– O czym ty, u diabła, mówisz? – Głos Krongliego brzmiał tak, jakby lensman nabawił się nagle silnego przeziębienia.

– Jest dziewczyna, której Elias Skog zwierzył się tego samego wieczoru, kiedy został zabity. Siedzieli w autobusie, a Elias opowiadał, że tamtej nocy w Håvasshytta był świadkiem czegoś, co, jak uznał później, mogło być gwałtem.

– Elias?

– Tak. Miał widać lekki sen. W nocy obudziły go jakieś odgłosy za oknem i wyjrzał. Świecił księżyc, więc zauważył dwie osoby w cieniu pod okapem wychodka. Kobieta stała odwrócona w jego stronę, a mężczyzna za nią, więc Elias nie widział jego twarzy. Uznał, że zamierzają się pieprzyć. Kobieta wyglądała tak, jakby uprawiała taniec brzucha, a mężczyzna nakrył jej usta dłonią, najwyraźniej po to, by nikogo nie zbudziła. A kiedy wciągnął ją do wychodka, Elias trochę rozczarowany, że nie było mu dane obejrzeć całego przedstawienia, położył się z powrotem spać. Dopiero kiedy przeczytał o tych zabójstwach, zaczął myśleć o tym inaczej. Może ta kobieta wiła się dlatego, że chciała się wyrwać, a ręka na ustach tłumiła wołanie o pomoc? – Harry zaciągnął się jeszcze raz. – To byłeś ty, Krongli? Byłeś w tym schronisku?

Krongli potarł brodę.

– Masz jakieś alibi?

– Spałem w domu sam. Czy Elias Skog powiedział, kim była ta kobieta?

– Nie. A mężczyzny, tak jak mówiłem, nie widział.

– To nie byłem ja. A ty prowadzisz niebezpieczne życie, Hole.

– Mam to przyjąć jako groźbę czy jako komplement?

Krongli nie odpowiedział, ale w oczach miał śmiech. Żółty i zimny.

Harry zgasił papierosa i wstał.

– A poza wszystkim twoja była kobieta niczego mi nie pokazywała. Siedzieliśmy w pokoju nauczycielskim. Coś mi mówi, że boi się zostać sama w jednym pomieszczeniu z mężczyzną. Coś więc osiągnąłeś, Krongli.

– Pamiętaj, żeby oglądać się przez ramię, Hole.

Harry się odwrócił. Krupier nie sprawiał wrażenia ani trochę przejętego sceną, jaka niedawno się rozegrała, i już ustawił konie do kolejnego biegu.

– Ty obstawić? – spytał łamanym norweskim.

Harry pokręcił głową.

– *Sorry*, nie mam za co.

– Tym więcej możesz wygrać.

Harry, wychodząc, zastanawiał się nad tymi słowami i doszedł do wniosku, że albo było to językowe nieporozumienie, albo jego logika tego nie ogarniała. A może po prostu jakieś idiotyczne azjatyckie przysłowie.

50 PRZEKUPSTWO

Mikael Bellman czekał.

To było najprzyjemniejsze. Sekundy oczekiwania, aż ona otworzy. Napięcie, a jednocześnie pewność, że znów spełni jego oczekiwania. Za każdym razem, gdy ją widział, uświadamiał sobie, że już zapomniał, jaka jest piękna. Za każdym razem, gdy drzwi się otwierały, potrzebował paru sekund, by przyjąć całe to piękno, by potwierdzenie do niego dotarło. Potwierdzenie, że spośród mężczyzn, którzy jej pragnęli – co w praktyce oznaczało każdego widzącego mężczyznę o mniej więcej heteroseksualnej orientacji – wybrała właśnie jego. Potwierdzenie, że to on był przywódcą stada, samcem alfa, z prawem pierwszeństwa do parzenia się z samicami. Tak, tak banalnie i wulgarnie można to było ująć. Do roli samca alfa się nie aspirowało, człowiek po prostu się z tym rodził. Nie było to najprostsze i najprzyjemniejsze życie dla mężczyzny, lecz jeśli otrzymało się już takie powołanie, to nie należało mu się sprzeciwiać.

Drzwi się otworzyły.

Była ubrana w biały golf i miała upięte włosy. Wyglądała na zmęczoną, oczy wydawały się mniejsze niż zwykle. A jednak miała w sobie elegancję, klasę, o jakiej nawet jego żona mogła tylko śnić. Przywitała się, powiedziała, że siedzi na werandzie, odwróciła się do niego plecami i weszła w głąb domu. Ruszył za nią. Zabrał piwo z lodówki, usiadł w jednym z tych wielkich, ciężkich foteli na werandzie.

– Dlaczego siedzisz na dworze? – prychnął. – Dostaniesz zapalenia płuc.

– Albo raka płuc. – Wzięła do połowy wypalonego papierosa z brzegu popielniczki i sięgnęła po książkę, którą czytała.

Spojrzał na okładkę. *Z szynką raz!* Charles... Zmrużył oczy. Bukowski? Jak ten dom aukcyjny?

– Przynoszę dobre wieści. Nie dość, że zapobiegliśmy katastrofie, to jeszcze obróciliśmy ten incydent z Leikem na naszą korzyść. Dzwonili dzisiaj z ministerstwa. – Bellman położył nogi na stole i przyglądał się etykietce na butelce piwa. – Podziękowali za tak szybką interwencję i zwolnienie Leikego. Bardzo się niepokoili, co Galtung i ta jego sfora adwokatów mogliby wymyślić, gdyby KRIPOS nie zareagowała tak prędko. Domagali się też zapewnienia, że osobiście trzymam rękę na pulsie, żeby nikt spoza KRIPOS nie mógł w tym grzebać.

Przyłożył butelkę do ust. Napił się i głośno odstawił ją na stół.

– A co ty o tym myślisz, Bukowski?

Kaja opuściła książkę i popatrzyła mu w oczy.

– Powinnaś się tym zainteresować, chyba masz świadomość, że to dotyczy również ciebie. Co myślisz o tej sprawie, moja droga? Mów. Jesteś przecież oficerem śledczym, zajmujesz się zabójstwami.

– Mikael...

– Tony Leike to człowiek skłonny do przemocy, a my daliśmy się wykiwać, ponieważ wiemy, że tacy ludzie są nienaprawialni. Ale zdolność i wola zabijania nie jest dana wszystkim ludziom. To cecha wrodzona albo wypielęgnowana. Kiedy jednak już masz w sobie zabójcę, to strasznie trudno się go pozbyć. Może sprawca wie, że mamy tego świadomość. Wie, że jeśli poda nam Tony'ego Leike na tacy, oszalejemy ze szczęścia, wołając chórem, że sprawa jest oczywista, bo mamy faceta ze skłonnością do przemocy. Dlatego włamał się do mieszkania Leikego i stamtąd zadzwonił do Eliasa Skoga. Żebyśmy przestali szukać innych, którzy przebywali wtedy w Håvasshytta.

– Ten telefon z domu Leikego był wcześniej, zanim ktokolwiek poza policją wiedział, że odkryliśmy powiązania ofiar ze schroniskiem.

– I co z tego? On pewnie liczył, że to tylko kwestia czasu. Do diabła, powinniśmy to stwierdzić już dużo wcześniej. – Bellman znów sięgnął po butelkę.

– No to kto jest zabójcą?

– Siódma osoba obecna w Håvasshytta – oświadczył. – Kawaler, którego zabrała ze sobą Adele Vetlesen. Nikt nie ma pojęcia, kto to może być.

– Nikt?

– Mam do tej roboty ponad trzydziestu ludzi. Przeszukaliśmy mieszkanie Adele. Kompletny brak pisanych źródeł. Żadnych pamiętników, kartek czy listów, najwyżej maile i SMS-y. Ci z jej znajomych mężczyzn, których zdołaliśmy zidentyfikować, zostali przesłuchani i wyłączeni ze sprawy. Również znajome kobiety. I nikt z nich nie widział ani nie rozmawiał z człowiekiem, z którym wybrała się do Håvasshytta. Ale nikogo to nie dziwiło. Zdaje się, że zmieniała partnerów równie często jak majtki. I zazwyczaj tego nie rozgłaszała. Udało nam się jedynie ustalić, że, jak podobno powiedziała jednej z przyjaciółek, z tym kawalerem miała parę wzlotów i upadków. Wzlotem było na przykład to, że prosił, by przyszła na nocną randkę do pustej fabryki w przebraniu pielęgniarki.

– Jeżeli to był wzlot, wolę nie wiedzieć o upadkach.

– Podobno jego sposób mówienia przywodził Adele na myśl jej chłopaka, tego, z którym mieszkała, ale przyjaciółka nie miała pojęcia, o co konkretnie jej chodziło.

– Facet, z którym mieszkała, to nie był jej chłopak, tylko współlokator.

– Kaja ziewnęła. – Geir Bruun jest gejem. Jeśli ten siódmy mężczyzna próbował zwalić winę na Tony'ego Leike, to musiał wiedzieć, że Leike ma zapaskudzoną kartotekę.

– Ten wyrok to oczywiście informacja publicznie dostępna. Znane jest również miejsce, w którym doszło do tej bójki. To się działo w gminie Ytre Enebakk. Leike o mało nie stał się zabójcą, kiedy mieszkał u dziadka nad Lyseren. Gdybyś jako zabójca chciała naprowadzić policję na ślad Leikego, to gdzie wyrzuciłabyś zwłoki Adele Vetlesen? Oczywiście w takim miejscu, które policja od razu powiąże z osobą z wyrokiem za przemoc na koncie. Właśnie dlatego wybrał to jezioro. Powiedz mi, nudzę cię?

– Nie.

– Bo wyglądasz na niezainteresowaną.

– Ja… mam mnóstwo innych rzeczy do przemyślenia.

– Kiedy zaczęłaś palić? Mam zresztą plan, w jaki sposób znaleźć tego siódmego człowieka.

Kaja długo mu się przyglądała.

Bellman westchnął.

– Nie spytasz mnie jaki, moja droga?

– Jaki?

– Stosując tę samą taktykę co on.

– A mianowicie?

– Koncentrując się na niewinnej osobie.

– Czy to nie jest taktyka, którą zawsze stosujesz?

Mikael Bellman gwałtownie podniósł głowę. Zaczęło mu się przejaśniać w głowie. Chodziło o coś, co miało związek z samcem alfa.

Przedstawił jej plan. Zdradził, w jaki sposób zamierza zwabić siódmego mężczyznę.

Potem zaczął się trząść z zimna i ze złości. Nie wiedział, co go bardziej rozwścieczyło. Fakt, że w ogóle nie zareagowała, ani negatywnie, ani pozytywnie, czy to, że siedziała, paliła i wyglądała tak, jakby ta sprawa była jej kompletnie obojętna. Nie rozumiała, że jego kariera, jego posunięcie szachowe właśnie teraz, w tych rozstrzygających dniach, będzie miało decydujące znaczenie również dla jej przyszłości? I chociaż nie mogła liczyć na to, że zostanie nową panią Bellman, to pod jego opieką mogła przynajmniej awansować. Pod warunkiem że będzie lojalna i dalej będzie mu wszystko przekazywać. A może tę wściekłość wywołało zadane przez nią pytanie? To, że dotyczyło tamtego. Tego drugiego. Tego starego zużytego samca alfa.

Spytała go o opium. Czy naprawdę zamierzał je wykorzystać, gdyby Hole nie ugiął się pod żądaniem wzięcia na siebie winy za aresztowanie Leikego.

– Oczywiście – odparł Bellman, próbując zobaczyć jej twarz, ale było za ciemno. – Dlaczego miałbym tego nie wykorzystać? Przecież on przemycał narkotyki!

– Nie myślałam o nim. Zastanawiałam się, czy gotów byłbyś okryć niesławą policję.

Pokręcił głową.

– Nie możemy pozwolić na to, by przekupywano nas z takich względów.

Śmiech Kai zabrzmiał sucho w zderzeniu z nieprzeniknioną ciemnością i zimnem wieczoru.

– Rzeczywiście go przekupiłeś.

– On jest przekupny. – Bellman jednym łykiem dopił piwo. – I na tym polega różnica między nim a mną. Czy ty próbujesz mi coś powiedzieć, Kaju?

Otworzyła usta. Chciała powiedzieć. Miała taki zamiar. Ale w tej samej chwili zadzwonił jego telefon. Zobaczyła, że Mikael sięga do kieszeni, jednocześnie wysuwając złączone wargi, co wcale nie oznaczało pocałunku, tylko że ma siedzieć cicho, na wypadek gdyby dzwoniła żona, szef czy ktokolwiek inny, kto nie powinien wiedzieć, że przychodził tutaj pieprzyć się z koleżanką z Wydziału Zabójstw, która przynosiła mu wszystkie informacje niezbędne do zlikwidowania konkurencyjnej jednostki. Niech diabli porwą Mikaela Bellmana! Niech diabli porwą Kaję Solness! A przede wszystkim niech…

– On zniknął. – Mikael schował telefon z powrotem do kieszeni.

– Kto?

– Tony Leike.

51 LIST

Cześć, Tony!

Od dawna zastanawiasz się, kim mogę być. Od tak dawna, że chyba najwyższa pora to zdradzić. Byłem w Håvasshytta tamtej nocy, ale Ty mnie nie widziałeś. Nikt mnie nie widział. Byłem niewidzialny jak duch. Ale Ty mnie znasz. Aż za dobrze. A teraz przyjdę po Ciebie. Jedyną osobą, która może mnie powstrzymać, jesteś Ty. Wszyscy inni nie żyją. Jesteśmy już tylko Ty i ja, Tony. Czy serce bije Ci teraz trochę szybciej? Czy ręka sięga po nóż? Czy tniesz na oślep w ciemności, oszalały ze strachu, że zostanie Ci odebrane życie?

52 WIZYTA

Coś go obudziło. Jakiś dźwięk. Tu nigdy nie słyszał dźwięków, których by nie znał, a te go nie budziły. Wstał, postawił stopy na zimnej podłodze i wyjrzał przez okno. Jego okolica. Jego krajobraz. Niektórzy nazywali go pustkowiem. Nie wiadomo, co to miało znaczyć, bo tu nigdy nie było pusto, zawsze coś się działo. Tak jak teraz. Zwierzę? A może to on? Duch? Bo że coś się pojawiło, nie miał wątpliwości. Spojrzał na drzwi. Pozostawały zamknięte od wewnątrz na zamek i na rygiel. Strzelba stała w spichlerzu. Zadrżał w grubej czerwonej flanelowej koszuli, w której tutaj chodził i spał. Tak pusto było w izbie, tak pusto na zewnątrz, pusto na świecie. Ale to nie pustkowie. Było ich dwóch. Dwóch, którzy zostali.

Harry śnił. O windzie z zębami, o kobiecie z koktajlową pałeczką w czerwonych jak koszenila ustach, o klaunie z roześmianą głową pod pachą, o białej pannie młodej, którą do ołtarza prowadził Bałwan. O gwieździe narysowanej w kurzu na ekranie telewizora, o jednorękiej dziewczynie na wieży do skoków w Bangkoku. O słodkim zapachu kulek toaletowych do pisuaru, o zarysie ludzkiego ciała pod niebieskim plastikiem łóżka wodnego, o kompresorze i krwi, tryskającej w twarz, ciepłej i śmiercionośnej. Alkohol był krzyżem, czosnkiem i święconą wodą na upiory, ale tej nocy świecił księżyc w pełni, a on miał krew jak dziewica, więc zaroiło się od nich, wypełzły z najmroczniejszych kątów i najgłębszych grobów, rzucały go między sobą w tańcu, coraz gwałtowniejszym, dzikszym niż kiedykolwiek, w rytmie serca bijącego w śmiertelnym lęku i alarmu przeciwpożarowego nieustannie wyjącego tu, w tym piekle. Nagle zapadła cisza. Zupełna. To znów się pojawiło. Wypełniło mu usta. Nie mógł oddychać. W ciemności czuł zimno. Nie był w stanie się ruszyć...

Drgnął i zaskoczony zaczął mrugać. Wśród ścian zawisło echo. Echo czego? Sięgnął po rewolwer na nocnym stoliku, postawił stopy na zimnej podłodze i zszedł po schodach na dół do salonu. Nikogo. W pustym barku wciąż się świeciło. Wcześniej stała tam samotna butelka martella. Ojciec zawsze ostrożnie traktował alkohol. Wiedział, jakich genów jest nosicielem, więc koniak był przeznaczony dla gości. Nie przychodziło ich wielu. Zakurzoną, do połowy opróżnioną butelkę olbrzymia fala zmyła wraz z kapitanem Jimem Beamem i majtkiem Harrym Hole. Harry usiadł w fotelu i zaczął dłubać w obiciu podłokietnika. Zamknął oczy i wyobraził sobie, jak napełnia szklankę. Głębokie kląskanie butelki, złocistobrunatny błysk, zapach, drżenie, gdy przystawiał szkło do ust, i paniczny opór ciała, kiedy wlewał do nich zawartość.

Jak uderzenie w skroń.

Harry otworzył oczy. Znów panowała cisza.

I znów tak samo nagle rozległ się przenikliwy, świdrujący w uszach dźwięk. Alarm przeciwpożarowy w piekle. To on go obudził. Dzwonek do drzwi. Spojrzał na zegarek, wpół do pierwszej.

Wyszedł na korytarz, zapalił światło, dostrzegł profil za nierówną szybą, ujął rewolwer prawą ręką, dwoma palcami lewej przekręcił zamek i szarpnięciem otworzył drzwi na oścież.

W blasku księżyca widział ślady nart na podwórzu. To nie były jego ślady. A duchy przecież nie jeżdżą na nartach, prawda?

Ślady okrążały dom, prowadziły na tyły.

W tej samej chwili przyszło mu do głowy, że okno do sypialni jest otwarte, że powinien... Nagle wstrzymał oddech, a ktoś przestał oddychać razem z nim. Nie ktoś. Coś. Zwierzę.

Odwrócił się. Otworzył usta. Serce przestało mu bić. Jak to coś mogło się poruszać tak szybko i bezszelestnie? Jak mogło aż tak się... zbliżyć?

Kaja wpatrywała się w niego wielkimi oczami.

– Mogę wejść? – spytała.

Była w za dużym płaszczu przeciwdeszczowym, włosy miała rozczochrane, twarz bladą i ściągniętą. Zamrugał kilka razy, żeby się upewnić, czy nadal nie śpi. Nigdy nie widział jej piękniejszej.

Harry starał się rzygać najciszej, jak umiał. Już od dwóch dni nie miał w ustach alkoholu i jego żołądek był jak wrażliwe zwierzę, które buntuje się przeciwko nagłemu piciu i nagłej wstrzemięźliwości. Spłukał toaletę, ostrożnie wypił szklankę wody i wrócił do kuchni. Dzbanek z kawą bulgotał na kuchence, a Kaja siedziała na krześle i patrzyła na niego.

– A więc Tony Leike zniknął – powtórzył.

Kiwnęła głową.

– Mikael kazał sprowadzić Leikego, ale nikt nie mógł go znaleźć. Nie było go w domu ani w biurze, nie zostawił żadnej wiadomości. Żaden Leike nie został też wpisany na listy pasażerów samolotów czy promów. W końcu któryś ze śledczych odnalazł Lene Galtung. Jej zdaniem Tony mógł się wybrać w góry, żeby sobie coś przemyśleć – chyba ma taki zwyczaj. Jeśli tak, to pojechał pociągiem, bo samochód stoi w garażu.

– Ustaoset – stwierdził Harry. – Powiedział, że to jego krajobraz.

– W każdym razie nie zatrzymał się w hotelu.

– Mhm.

– Uważają, że jest w niebezpieczeństwie.

– Oni?

– Bellman. KRIPOS.

– Sądziłem, że to dla ciebie „my", nie „oni". Dlaczego zresztą Bellman chciał się spotkać z Tonym Leike?

Zamknęła oczy.

– Mikael ułożył plan. Żeby zwabić zabójcę.

– Tak?

– Ten zabójca stara się uśmiercić wszystkich, którzy tamtej nocy byli w Håvasshytta, dlatego Mikael chciał nakłonić Leikego, żeby odegrał rolę przynęty i zgodził się na udział w zaaranżowanej akcji. Leike miałby udzielić wywiadu gazecie, opowiedzieć o trudnych chwilach, po których pragnie odpocząć w pewnym konkretnym miejscu, no i oczywiście by je zdradził.

– KRIPOS przygotowałaby tam zasadzkę.

– No właśnie.

– Ale ten plan się nie powiódł. Dlatego tu jesteś?

Popatrzyła na niego, nawet nie mrugając.

– Mamy jeszcze jedną osobę, którą możemy wykorzystać jako przynętę.

– Iskę Peller? Ona jest w Australii.

– A Bellman wie, że ma ochronę policyjną i że kontaktowałeś się z niejakim McCormackiem. Mikael chce, żebyś ją nakłonił do przyjazdu do Norwegii.

– Dlaczego miałbym się na to zgodzić?

– Dobrze wiesz. Ten sam środek nacisku co poprzednio.

– Aha. Kiedy się zorientowałaś, że w tej paczce papierosów było opium?

– Kiedy chciałam położyć karton na półce w sypialni. Masz rację, to rzeczywiście intensywnie pachnie. Pamiętałam zapach z tego twojego hotelu. Otworzyłam karton i zobaczyłam, że ostatnia paczka jest rozpieczętowana. No i znalazłam tę bryłkę. Powiedziałam Mikaelowi. Kazał mi zwrócić ci papierosy, gdy tylko o to poprosisz.

– Może dzięki temu było ci łatwiej mnie zdradzić. Bo wiedziałaś, że cię wykorzystałem.

Pokręciła głową.

– Nie, Harry. Wcale nie było łatwiej. Może powinno, ale...

– Ale?

Wzruszyła ramionami.

– Przekazanie ci tej informacji to ostatnia rzecz, jaką robię dla Mikaela.

– O?

– Później zamierzam mu powiedzieć, że nie chcę więcej się z nim spotykać.

Bulgotanie w dzbanku z kawą ucichło.

– Powinnam to była zrobić już dawno. Nie zamierzam prosić cię o wybaczenie, Harry. Bo to za dużo. Ale pomyślałam, że powiem ci to w oczy, tak
byś zrozumiał. Właściwie po to przyjechałam teraz do ciebie. Powiedzieć
ci, że zrobiłam to z głupiego, idiotycznego zadurzenia. To przez miłość
stałam się przekupna. A myślałam, że to na mnie nie działa. – Oparła
czoło na rękach. – Zdradziłam cię, Harry. Nie wiem, co mam powiedzieć,
oprócz tego, że zdrada samej siebie jest jeszcze gorsza.

– Wszyscy jesteśmy przekupni – stwierdził Harry. – Żądamy tylko
różnej ceny. I różnej waluty. Twoją jest miłość, moją znieczulenie. I wiesz
co...?

Dzbanek znów zaczął śpiewać, tym razem o oktawę wyżej.

– Wydaje mi się, że ty przez to stajesz się lepszym człowiekiem niż
ja. Chcesz kawy?

Obrócił się całkiem i spojrzał na postać. Stała tuż przed nim, nierucho-
ma, jakby tkwiła w tym miejscu od dawna i była jego własnym cieniem.
Panowała taka cisza, że słyszał swój własny oddech. Nagle wyczuł jakiś
ruch, coś uniosło się w ciemności, cicho świsnęło w powietrzu, a jemu w tej
samej chwili przyszła do głowy dziwna myśl. Że ta postać tym właśnie
była. Jego cieniem. Że on...

Myśl jakby się jąkała, przeskakiwała w czasie, jakby łączność z wizją
na moment się zrywała.

Zdumiony popatrzył przed siebie, poczuł ciepłą kroplę potu spływającą
po czole. Mówił, ale słowa nie miały sensu. Jakby w połączeniu mózgu
z ustami wystąpił błąd. Znów usłyszał ten cichy świst. Potem dźwięk się
urwał. Ucichły wszystkie dźwięki, nie słyszał nawet własnego oddechu.
Zorientował się, że klęczy, a na podłodze obok leży telefon. Przed nim
na grubych deskach malowała się smuga białego księżycowego światła,
lecz i ona zniknęła, gdy kropla dotarła do nasady nosa, spłynęła do oczu
i oślepiła go. Wtedy zrozumiał, że to nie pot.

Trzeci cios był jak sopel lodu wbity przez głowę i szyję w ciało. Wszystko
zamarzło.

Nie chcę umierać, pomyślał, próbując w geście obrony zasłonić głowę
ręką. Ale ponieważ nie był w stanie poruszyć żadną kończyną, zrozumiał,
że jest sparaliżowany.

Czwartego ciosu nie zarejestrował. Po zapachu drewna poznał jednak, że leży obrócony twarzą do podłogi. Kilka razy mrugnął i odzyskał wzrok w jednym oku. Tuż przed sobą widział narciarskie buty. Dźwięki powoli wracały. Jego własny, z trudem łapany oddech, tamten drugi, spokojny. Krew kapiąca z czubka nosa na deski. Ten drugi głos był jedynie szeptem, ale słowa zabrzmiały jak wykrzyczane prosto do ucha:

– No to jest tylko jeden.

Kiedy zegar w salonie wybił drugą, oni wciąż rozmawiali w kuchni.

– Siódmy mężczyzna. – Harry dolał więcej kawy. – Zamknij oczy. Jak go sobie wyobrażasz? Szybko, nie zastanawiaj się.

– Jest pełen nienawiści – powiedziała Kaja. – Zły. Niezrównoważony. Nieprzyjemny. Facet, na którego takie kobiety jak Adele wpadają, podrywają go i odrzucają. Trzyma w domu całe stosy gazet i filmów pornograficznych.

– Dlaczego tak myślisz?

– Nie wiem. Ponieważ kazał Adele przyjść do pustej fabryki w stroju pielęgniarki.

– Mów dalej.

– Jest kobiecy.

– Jak to?

– Hm. Adele mówiła, że kiedy się odzywał, przypominał jej współlokatora, geja. – Kaja podniosła filiżankę do ust i się uśmiechnęła. – A może to aktor, który ma jasny głos i usta stworzone do całowania? Ciągle jeszcze nie przypomniał mi się tamten macho o kobiecym głosie.

Harry też uniósł filiżankę jak do toastu.

– A co sądzisz o tej scenie, którą ci opowiedziałem? Co według ciebie Elias Skog widział przed schroniskiem w nocy? Kto to był? Czy Elias podglądał gwałt?

– To na pewno nie była Marit Olsen – oświadczyła Kaja.

– Dlaczego?

– Bo to jedyna obecna tam gruba kobieta, więc Elias na pewno rozpoznałby ją i opowiadając o tej historii, użyłby jej imienia.

– Doszedłem do takiego samego wniosku. Ale jak sądzisz, czy to mógł być gwałt?

– Na to wygląda. Zakrył jej usta, zdusił krzyki, wciągnął do wychodka. Czym innym to mogło być?

– Ale dlaczego Elias Skog nie od razu pomyślał, że to gwałt?

– Nie wiem. Musiało coś być ze sposobem... ze sposobem, w jaki stali, z mową ciała.

– No właśnie. Podświadomość zauważa o wiele więcej, niż to, nad czym zaczynamy się zastanawiać. On był pewny, że to dobrowolny seks – pewny do tego stopnia, że położył się spać. Dopiero dużo później, gdy przeczytał o zabójstwach i wrócił myślą do zapomnianej sceny, przyszedł mu do głowy gwałt.

– Zabawa – podsunęła Kaja – która mogła wyglądać na przemoc. Kto się tak bawi? Mężczyzna i kobieta, którzy właśnie przypadkiem spotkali się w schronisku i wymknęli, żeby się lepiej poznać? Raczej nie. Do tego trzeba się czuć ze sobą bezpieczniej.

– A więc to para, która sypiała już ze sobą wcześniej – powiedział Harry. – Z tego, co wiemy, mogła to być tylko...

– Adele i nieznajomy. Siódmy gość.

– Albo tej nocy pojawił się jeszcze ktoś inny. – Harry strzepnął popiół z papierosa.

– Toaleta? – spytała Kaja.

– W głębi korytarza na lewo.

Patrzył, jak dym papierosowy unosi się ku lampie wiszącej nad stołem. Czekał. Nie słyszał odgłosu otwieranych drzwi. Wstał i poszedł za Kają.

Stała w korytarzu i wpatrywała się w drzwi. W słabym świetle widział, jak przełyka ślinę, błysnęły wilgotne ostre zęby. Położył rękę wysoko na jej plecach i nawet przez ubranie wyczuł bicie serca.

– A ja mogę otworzyć? – spytał.

– Myślisz, że jestem chora psychicznie.

– Wszyscy jesteśmy chorzy. Otwieram, dobrze?

Kiwnęła głową.

Kiedy wróciła, Harry siedział przy kuchennym stole. Kaja włożyła płaszcz.

– Muszę już wracać do domu.

Harry odprowadził ją do wyjścia. Patrzył, jak się nachyla i wkłada buty.

– To się zdarza tylko wtedy, kiedy jestem zmęczona. To z drzwiami.

– Wiem. Ja mam tak samo z windami.

– Co?

– To samo.

– Opowiedz!

– Może innym razem. Kto wie, może się jeszcze zobaczymy.

Kaja milczała. Poświęciła dużo czasu na zapięcie suwaków w butach. Potem gwałtownie się podniosła i stanęła tak blisko, że poczuł jej zapach. Jak echo.

– Opowiedz mi teraz – rzuciła ze śladem dzikości w oczach, którego nie potrafił odczytać.

– No cóż. – Poczuł mrowienie w koniuszkach palców, jakby mu zmarzły i teraz powoli odzyskiwały ciepło. – Kiedy byliśmy mali, moja młodsza siostra miała bardzo długie włosy. Odwiedziliśmy mamę w szpitalu i zjeżdżaliśmy windą na dół. Ojciec czekał na dole, nie mógł znieść szpitala. Sio stała za blisko ściany i jej włosy wkręciły się między ścianę a windę. A ja się tak przeraziłem, że nie byłem w stanie się ruszyć. Widziałem, jak ona podnosi się za włosy.

– I jak to się skończyło? – spytała Kaja.

Harry pomyślał, że stoją za blisko. Tuż przy własnych granicach. I oboje mieli tego świadomość.

– Ona straciła sporo włosów. Odrosły. Ja... straciłem co innego. I to już nie odrosło.

– Uważasz, że zawiodłeś.

– Taki jest fakt.

– Ile miałeś lat?

– Byłem już dostatecznie duży, żeby zawieść – uśmiechnął się. – Ale chyba wystarczy użalania się nad sobą jak na jedną noc, nie sądzisz? Mojemu ojcu spodobało się, że dygasz.

Kaja zaśmiała się cicho.

– No to dobranoc. – I dygnęła.

Harry zrobił duży krok w bok i otworzył jej drzwi.

– Dobranoc.

Wyszła na schody, ale jeszcze się odwróciła.

– Harry?

– Tak?

– Nie czułeś się samotny w Hongkongu?

– Samotny?

– Przyglądałam ci się, jak spałeś. Wyglądałeś... na samotnego.

– Owszem – odparł. – Byłem samotny. Dobranoc.

Stali o pół sekundy za długo. Pięć dziesiątych sekundy wcześniej ona już schodziłaby ze schodów, a on wracał do kuchni.

Dotknęła palcami karku Harry'ego i przyciągnęła do siebie jego głowę, jednocześnie stając na palcach. Przestał widzieć jej oczy, rozmazały się, zanim je zamknęła. Dotknęła jego warg półotwartymi ustami. Trzymała go tak, a on się nie ruszał. Czuł jedynie słodki sztylet w brzuchu niczym uderzenie morfiny.

Puściła go.

– Śpij dobrze, Harry.

Kiwnął tylko głową.

Odwróciła się i zeszła ze schodów. On cicho zamknął drzwi.

Sprzątnął filiżanki, opłukał dzbanek i akurat go odstawiał, kiedy dzwonek znów zadzwonił.

Poszedł otworzyć.

– Zapomniałam o czymś – powiedziała.

– O czym?

Uniosła rękę i dotknęła jego czoła.

– Jak wyglądasz.

Przyciągnął ją do siebie. Jej skóra, zapach. Poczuł, że spada. Cudowny oszałamiający lot w dół.

– Pragnę cię – szepnęła. – Chcę się z tobą kochać.

– A ja z tobą.

Odsunęli się od siebie i patrzyli. Nagle zapanował jakiś uroczysty nastrój. Harry'emu przyszło do głowy, że może ona jednak żałuje. Że on sam żałuje. Że to za dużo i za prędko. Zbyt wiele jest innych rzeczy, za dużo szlaki, za dużo bagażu, za dużo dobrych powodów. Ale ona jednak ujęła go za rękę, prawie ze strachem, szepnęła „chodź" i ruszyła przodem na górę po schodach.

W sypialni było zimno i pachniało rodzicami. Zapalił światło.

W dużym małżeńskim łóżku leżały dwie kołdry i dwie poduszki.

Harry pomógł jej zmienić pościel.

– Która była jego strona? – spytała.

– Ta – pokazał.

– I dalej tam spał, kiedy ona odeszła – mruknęła do siebie. – Na wszelki wypadek.

Rozebrali się, odwróceni. Wsunęli się pod kołdrę i tam się spotkali. Najpierw tylko leżeli blisko siebie, całując się badawczo, ostrożnie, żeby nie popsuć czegoś, co nie wiadomo, jak działa. Słuchali swoich oddechów i dobiegającego z zewnątrz szumu samotnych samochodów. Potem pocałunki stały się chciwsze, dotyk śmielszy, w końcu Harry usłyszał jej przyspieszony oddech przy uchu.

– Boisz się? – spytał.

– Nie – odszepnęła i mocno ujęła wyprężony członek, unosząc biodra, żeby go naprowadzić, ale on odsunął jej dłoń i sam w nią wszedł.

Usłyszał jedynie westchnienie. Zamknął oczy, znieruchomiał i sprawdzał. W końcu zaczął ostrożnie się poruszać. Otworzył oczy, pochwycił jej spojrzenie. Wyglądała tak, jakby zaraz miała się rozpłakać.

– Pocałuj mnie – szepnęła.

Splotła język z jego językiem, gładki pod spodem, szorstki na wierzchu. Szybciej i głębiej, wolniej i głębiej. Pchnęła go na bok i nie wypuszczając z ust jego języka, usiadła na nim. Płcią dotykała mięśni jego brzucha, za każdym razem, gdy na niego opadała. W końcu odchyliła głowę do tyłu i jęknęła ochryple. Dwa razy. Głębokim zwierzęcym dźwiękiem, który się wzniósł, zmienił w wysoki ton, gdy zabrakło jej tchu, i ucichł. Szyja jej zgrubiała od krzyku, który się nie wydobył. Harry uniósł rękę i dotknął dwoma palcami tętnicy drżącej niebiesko pod skórą.

Wtedy zaczęła krzyczeć jak z bólu, jak z wściekłości, jak oswobodzona. On też poczuł napięcie w podbrzuszu i wytrysnął. To było idealne, tak nieznośnie idealne, że uderzył pięścią w ścianę za głową. Kaja na niego opadła, jakby zrobił jej śmiertelny zastrzyk.

Długo leżeli z rozrzuconymi rękami i nogami, jak polegli. Harry czuł szum w uszach i błogość rozlewającą się po ciele. I jeszcze coś. Gotów był się założyć, że to szczęście.

Zasnął i obudził się, gdy Kaja wracała do łóżka. Przytuliła się do niego. Miała na sobie podkoszulek ojca. Pocałowała go, mruknęła coś i zasnęła. Oddychała lekko i spokojnie. Harry patrzył w sufit. Pozwolił myślom wirować w głowie. Wiedział, że opór na nic się nie zda.

Było mu tak dobrze. Nie czuł się tak od czasu... od czasu...

Rolety nie były zaciągnięte i o wpół do szóstej snopy świateł samochodów jadących drogą zaczęły przesuwać się po suficie. Oslo się budziło i wyruszało do pracy. Spojrzał na nią jeszcze raz. Potem i on zasnął.

53 HEEL HOOK

Kiedy Harry się obudził, dochodziła dziewiąta, pokój zalewało dzienne światło, a obok nikt nie leżał. W telefonie cztery wiadomości.

Pierwsza od Kai, która mówiła, że jedzie samochodem do domu przebrać się do pracy, i dziękowała mu za... Nie usłyszał za co, dotarł do niego tylko jasny śmiech, zanim się rozłączyła.

Druga wiadomość była od Gunnara Hagena, który pytał, dlaczego Harry nie reaguje na jego telefony, i opowiadał, jak to prasa rzuciła się na niego w związku z tym bezpodstawnym aresztowaniem Tony'ego Leike.

Trzeci był Günther, który powtórzył dowcip z Harrym Kleinem i poinformował, że policja w Lipsku nie znalazła paszportu Juliany Verni, nie może więc sprawdzić, czy jest w nim stempel z Kigali.

Czwarty był Mikael Bellman, który całkiem po prostu kazał Harry'emu stawić się w KRIPOS o drugiej i zakładał, że Solness go poinstruowała.

Harry wstał. Czuł się dobrze. Lepiej niż dobrze. Może nawet fantastycznie. Sprawdził. No dobrze, fantastycznie to przesada.

Zszedł na dół, wyjął paczkę chrupkiego pieczywa i najpierw wykonał ważniejszy telefon.

– Słucham, tu mówi Sio Hole. – Jej głos zabrzmiał tak uroczyście, że musiał się uśmiechnąć.

– A tu mówi Harry Hole.

– Harry! – krzyknęła i powtórzyła ten sam okrzyk jeszcze dwa razy.

– Cześć, Sio.

– Tata mówił, że wróciłeś do domu. Dlaczego nie dzwoniłeś wcześniej?

– Nie byłem gotów, Sio, a teraz jestem. A ty?

– Ja zawsze jestem gotowa, przecież wiesz.

– Wiem. Zjemy lunch na mieście, zanim odwiedzimy tatę? Ja stawiam.

– Chętnie. Masz taki głos, jakbyś był bardzo zadowolony, Harry. Rozmawiałeś z Rakel? Bo ja z nią rozmawiałam wczoraj. Co to za dźwięk?

– Chrupki chleb mi się rozsypał na podłogę. Czego Rakel chciała?

– Dowiedzieć się, co z tatą. Słyszała, że jest chory.

– Tylko?

– Tak. Nie. Powiedziała, że ona i Oleg czują się dobrze.

Harry przełknął ślinę.

– To świetnie. Zdzwonimy się niedługo.

– Tylko nie zapomnij. Tak się cieszę, że wróciłeś, Harry. Tyle ci mam do powiedzenia.

Odłożył telefon na blat i nachylił się, żeby pozbierać pieczywo, kiedy telefon znów zabrzęczał. Sio miała zwyczaj po odłożeniu słuchawki przypominać sobie, czego nie powiedziała. Wyprostował się.

– Co jeszcze?

Głębokie chrząknięcie, a potem głos, który przedstawił się jako Abel. Nazwisko wydawało się znajome, więc Harry odruchowo przeszukiwał pamięć. Miał w niej teczki ze starymi sprawami zabójstw, z danymi, które chyba nigdy nie zostaną skasowane: imiona, twarze, numery domów, daty, dźwięk głosu, kolor i rok produkcji samochodu. Potrafił za to nieoczekiwanie zapomnieć nazwiska sąsiadów, którzy od trzech lat mieszkali na tej samej klatce, albo datę urodzin Olega. Nazywano to pamięcią śledczego.

– Rozumiem – powiedział w końcu. – Dziękuję za telefon.

Rozłączył się i wybrał nowy numer.

– KRIPOS – rozległ się zmęczony głos recepcjonistki. – Próbuje się pan dodzwonić do Mikaela Bellmana.

– Owszem. Mówi Hole z Wydziału Zabójstw. Gdzie jest Bellman?

Recepcjonistka udzieliła mu informacji.

– To logiczne – stwierdził Harry.

– Słucham? – ziewnęła. – Przecież on właśnie to uprawia, prawda?

Schował komórkę do kieszeni. Popatrzył w okno. Gdy wychodził, chrupki chleb zatrzeszczał pod stopami.

Na szybie w drzwiach prowadzących na parking widniał napis: „Centrum wspinaczkowe Skøyen". Harry pchnął je i wszedł do środka. Na prowadzących w dół schodach musiał się zatrzymać, żeby ustąpić z drogi grupie przejętych uczniów wychodzących z centrum. Zrzucił buty przy przeznaczonej na nie półce. W wielkiej sali wspinaczkowej pół tuzina ludzi przemieszczało się po dziesięciometrowej wysokości ścianach, przypominających sztuczne zbocza gór z *papier mâché* w filmach o Tarzanie, które w dzieciństwie oglądał z Øysteinem w kinie Symra. Te tutaj różniły się od tamtych kolorowymi chwytami, bolcami z pętlami i karabińczykami. Harry szedł po niebieskich matach, z których unosił się dyskretny zapach mydła i spoconych stóp. Zatrzymał się przy krzywonogim krępym mężczyźnie ze skupieniem wpatrującym się w przewieszkę nad nimi. Od jego uprzęży odchodziła lina do człowieka, który zaczepiony jedną ręką kołysał się wahadłowym ruchem na wysokości ośmiu metrów nad ziemią. W pewnym momencie, wychyliwszy się maksymalnie w jedną stronę, podciągnął stopę, zahaczył piętą o różowy gruszkowaty chwyt, drugą stopę oparł na występie i eleganckim, płynnym ruchem ściągnął linę zakotwiczoną na górze.

– *Got you!* – zawołał. Odchylił się na linie i postawił obie stopy na ścianie.

– Ładny *heel hook* – pochwalił Harry. – Twój szef to niezły pozer, co?

Jussi Kolkka nie odpowiedział ani nie zaszczycił go spojrzeniem, tylko zwolnił asekurację.

– W biurze mi powiedzieli, że tu jesteś – zwrócił się Harry do opadającego z góry mężczyzny.

– Mam zarezerwowane godziny raz w tygodniu – odparł Bellman. – Jeden z nielicznych bonusów w zawodzie policjanta to możliwość potrenowania w godzinach pracy. A co z tobą, Harry? Wyglądasz na nieźle nabitego. Chyba masz dużo mięśni na kilogram. Idealnie do wspinaczki.

– Mam za małe ambicje.

Bellman wylądował na szeroko rozstawionych nogach, ściągnął kawałek liny i poluzował ósemkę.

– Nie bardzo rozumiem – powiedział.

– Nie widzę sensu, żeby się tak wysoko wspinać. Od czasu do czasu trochę łażę po skałkach.

– Bouldering – prychnął Bellman, rozpiął i zdjął uprząż. – Przecież wiesz, że bardziej boli upadek z dwóch metrów bez liny niż z trzydziestu z liną.

– Tak – uśmiechnął się krzywo Harry. – Wiem.

Bellman przysiadł na drewnianej ławce, zdjął przypominające baletki buty i zaczął rozcierać stopy. W tym czasie Kolkka ściągał i zwijał linę.

– Dostałeś moją wiadomość?

– Tak.

– Więc skąd ten pośpiech? Przecież widzimy się o drugiej.

– Właśnie to chciałem z tobą wyjaśnić, Bellman.

– Wyjaśnić?

– Zanim spotkamy się z innymi, musimy ustalić, na jakich zasadach wchodzę do waszej drużyny.

– Do drużyny? – roześmiał się Bellman. – O czym ty mówisz, Harry?

– Mam mówić wyraźniej? Nie potrzebujesz mnie do tego, żebym zadzwonił do Australii i namówił kobietę na przyjazd tu, by udawała przynętę. Z tym sam sobie świetnie poradzisz. Ty prosisz o pomoc.

– Harry, doprawdy...

– Wyglądasz na zmęczonego, Bellman. Już to wiesz, prawda? Czujesz, że od sprawy Marit Olsen ciśnienie rośnie. – Harry usiadł na ławce obok nadkomisarza. Nawet na siedząco był od niego o prawie dziesięć centymetrów wyższy. – W prasie *feeding frenzy,* szał jedzenia, każdego cholernego dnia. Nie da się przejść obok stojaków z gazetami ani włączyć telewizora, żeby coś nie przypominało o Sprawie. Sprawie, której nie rozwiązałeś. Z powodu której szefowie nie dają ci spokoju. Która wymaga codziennie konferencji prasowej, a sępy jeden przez drugiego wyrzucają z dziobów pytania. A teraz człowiek, którego osobiście zwolniłeś z aresztu, rozpłynął się w powietrzu. Dziennikarskie sępy nadlatują jeszcze tłoczniej, niektóre gdaczą po szwedzku i po duńsku, a inne nawet po angielsku. Byłem tam, gdzie ty jesteś teraz, Bellman. Niedługo usłyszysz pieprzony francuski, bo to jest Sprawa, którą musisz rozwiązać. A ty utknąłeś.

Bellman nie odpowiedział, ale szczęki mu pracowały. Kolkka schował linę do worka i podszedł do nich, ale Bellman odprawił go ruchem ręki. Fin zawrócił i kołyszącym krokiem ruszył do wyjścia, jak posłuszny terier.

– Czego ty chcesz, Harry?

– Proponuję, żebyśmy to załatwili w cztery oczy, nie na odprawie.

– Chcesz, żebym poprosił cię o pomoc?

Harry zobaczył, że kolor twarzy Bellmana nabiera intensywności.

– Co ty sobie wyobrażasz? Z jakiej pozycji próbujesz negocjować, Harry?

– No cóż. Wydaje mi się, że od dawna nie byłem w lepszej.

– No to się mylisz.

– Kaja Solness nie chce dla ciebie pracować. Bjørna Holma już awansowałeś, a jeśli wyślesz go z powrotem do badania miejsca zdarzenia, to się tylko ucieszy. Jedyną osobą, której możesz teraz zaszkodzić, jestem ja, Bellman.

– Zapomniałeś, że mogę cię zamknąć i już nie spotkasz się z ojcem przed jego śmiercią?

Harry pokręcił głową.

– Nie ma się już z kim spotykać, Bellman.

Zdziwiony nadkomisarz uniósł brew.

– Rano dzwonili ze szpitala. Ojciec w nocy zapadł w śpiączkę. Jego lekarz, Abel, mówi, że już się nie obudzi. Więc to, co miałem z ojcem niezałatwione, już takie pozostanie.

54 TULIPAN

Bellman patrzył na Harry'ego w milczeniu, a raczej brunatne oczy daniela wbite były w Harry'ego, ale spojrzenie odwrócone, skierowane do środka. Harry wiedział, że w głowie nadkomisarza odbywa się zebranie komisji, i to takie, na którym wielu członków zgłasza zdania odrębne. Bellman powoli rozwiązywał opasujący go sznurek, na którym wisiał woreczek z magnezją, jakby po to, by zyskać na czasie. Potrzebował czasu do namysłu. W końcu gniewnym ruchem wrzucił woreczek do plecaka.

– Gdybym – i tylko gdybym – poprosił cię o pomoc, nie mając cię czym przycisnąć, to dlaczego, na miłość boską, miałbyś się na to zgodzić?

– Nie wiem.

Bellman porzucił pakowanie i podniósł głowę.

– Nie wiesz?

– No cóż. Na pewno nie z miłości do ciebie, Bellman. – Harry odetchnął i zaczął obracać w palcach paczkę papierosów. – Powiedzmy, że nawet ci, którzy czują się bezdomni, momentami odkrywają, że też mają jakiś dom, miejsce, w którym pewnego dnia chcieliby zostać pogrzebani. A wiesz, gdzie ja chciałbym być pochowany, Bellman? W parku przed Budynkiem Policji. Nie dlatego, że kocham policję albo że jestem gorącym zwolennikiem tego, co się nazywa duchem firmy. Przeciwnie, opiułem tchórzliwą lojalność policjantów w stosunku do całej instytucji. To kazirodcze koleżeństwo, wynikające jedynie z myślenia, że któregoś deszczowego dnia oni też będą potrzebować przysługi. Kolegi, który cię pomści, korzystnie za tobą zaświadczy lub jeśli będzie trzeba, przymknie oko. Tego wszystkiego nienawidzę. – Spojrzał na Bellmana. – Ale policja to jedyne, co mam. To jest moje plemię. Moja praca polega na wyjaśnianiu zabójstw. Wszystko jedno, czy robię to dla KRIPOS, czy dla wydziału w komendzie. Jesteś w stanie to pojąć, Bellman?

Mikael Bellman ścisnął dolną wargę w dwóch palcach.

Harry ruchem głowy wskazał na ściankę.

– Jaką drogę robiłeś, Bellman? Siedem plus?

– Osiem minus. *On sight.*

– Trudną. Przypuszczam, że to będzie dla ciebie jeszcze trudniejsze. Ale tak chcę.

Bellman chrząknął.

– W porządku. W porządku, Harry. – Mocno zacisnął sznurki plecaka. – Pomożesz nam?

Harry schował papierosy z powrotem do kieszeni i spuścił głowę.

– Oczywiście.

– Muszę tylko najpierw uzgodnić z twoim szefem, czy się zgadza.

– Nie ma potrzeby. – Harry wstał. – Już go poinformowałem, że od tej pory pracuję z wami. Widzimy się o drugiej.

Iska Peller wyjrzała przez okno piętrowego murowanego budynku na szereg identycznych domków po drugiej stronie ulicy. Mogła to być pierwsza lepsza uliczka w pierwszym lepszym mieście w Anglii, ale to była niewielka dzielnica australijskiego Sydney. Zerwał się chłodny południowy wiatr, przyjemne ciepło zniknie, gdy tylko zajdzie słońce.

Słyszała szczekanie psa i ciężki ruch samochodowy na autostradzie odległej o dwa kwartały.

Mężczyznę i kobietę w samochodzie po drugiej stronie zmieniło dwóch mężczyzn. Popijali coś niespiesznie z tekturowych kubków z przykrywką. Pili wolno, bo nie ma na świecie takiego powodu, dla którego trzeba by wypić kawę szybko, gdy ma się przed sobą osiem godzin dyżuru. Dyżuru, na którym kompletnie nic się nie wydarzy. Trzeba zwolnić, wyhamować metabolizm, postępować tak jak Aborygeni: wejść w ospałe odurzenie, będące ich sposobem czekania, w którym mogą tkwić godzinami, a jeśli trzeba, całymi dniami. Próbowała sobie wyobrazić, jak ci ludzie, tak wolno popijający kawę, mogliby w czymkolwiek pomóc, gdyby rzeczywiście coś miało się zdarzyć.

– Przykro mi – powiedziała do telefonu, próbując zapanować nad drżeniem w głosie, wywołanym tłumioną wściekłością. – Chętnie pomogłabym wam znaleźć człowieka, który zabił Charlotte, ale to, co pan proponuje, absolutnie nie wchodzi w grę. – Złość jednak w końcu wzięła górę. – Jak w ogóle śmiecie pytać? I tak już jestem niezłą przynętą. Dziesięć dzikich koni nie zdołałoby mnie znów zaciągnąć do Norwegii. To wy jesteście policjantami i wam płacą za schwytanie tego potwora. Dlaczego wy nie możecie być przynętą? – Zerwała połączenie i rzuciła telefon. Uderzył w poduszkę na fotelu, budząc kota, który wystraszony pognał do kuchni. Iska Peller ukryła twarz w dłoniach i dłużej nie wstrzymywała łez. Kochana Charlotte, kochana, ukochana Charlotte.

Nigdy wcześniej nie bała się ciemności, a teraz nie mogła myśleć o niczym innym, tylko o tym, że niedługo zajdzie słońce i nieubłaganie nadciągnie noc.

Rozległy się pierwsze takty utworu Antony'ego and the Johnsons, kiedy wyświetlacz leżącego na poduszce telefonu zaświecił. Podeszła bliżej i popatrzyła. Czuła, jak delikatne włoski na karku się podnoszą. Numer, spod którego dzwoniono, zaczynał się od +47. Znów Norwegia.

Przyłożyła telefon do ucha.

– Słucham?

– To znowu ja.

Odetchnęła z ulgą. To tylko ten policjant.

– Jeśli nie chce pani tu przyjechać, to może moglibyśmy przynajmniej wykorzystać pani nazwisko?

Kaja patrzyła na mężczyznę nachylonego nad łonem rudowłosej kobiety i na jej twarz nad odsłoniętym karkiem mężczyzny.

– Co widzisz? – spytał Mikael. Jego głos odbił się echem od ścian muzeum.

– Ona go całuje – odparła, cofając się o krok od obrazu. – Albo pociesza.

– Ona go kąsa i wysysa z niego krew – oświadczył Mikael.

– Dlaczego tak myślisz?

– Jest powód, dla którego Munch nazwał ten obraz *Wampir*. Wszystko gotowe?

– Tak, za godzinę mam pociąg do Ustaoset.

– Dlaczego chciałaś się tu ze mną zobaczyć?

Kaja głęboko odetchnęła.

– Chciałam ci powiedzieć, że nie możemy się dłużej spotykać.

Mikael Bellman zakołysał się na piętach.

– Miłość i ból.

– Co?

– Pierwotnie Munch tak nazwał ten obraz. Harry poinstruował cię o szczegółach naszego planu?

– Tak. Słyszałeś, co powiedziałam?

– Owszem, Solness, mam znakomity słuch. I jeśli dobrze pamiętam, mówiłaś to już kilka razy wcześniej. Proponuję, żebyś się zastanowiła.

– Już to przemyślałam do końca, Mikael.

Pogładził dłonią węzeł krawata.

– Byłaś z nim?

Drgnęła.

– Z kim?

Bellman zaśmiał się cicho.

Kaja nie spojrzała na niego. Sztywno utkwiła wzrok w obrazie i tylko słuchała oddalających się kroków.

Światło sączyło się przez szare żaluzje, a Harry grzał dłonie o biały kubek z niebieskim napisem KRIPOS. Sala konferencyjna do złudzenia przypominała tę w Wydziale Zabójstw, w której spędził tyle godzin życia. Jasna, urządzona drogimi materiałami, a mimo to spartańska w chłodny nowoczesny sposób, niebędący zamierzonym minimalizmem, tylko brakiem duszy. Pokój zachęcający do skuteczności, byle tylko można było z niego wyjść, choćby do piekła.

Osiem osób w pomieszczeniu stanowiło to, co Bellman nazwał wewnętrznym jądrem grupy śledczej. Harry znał tylko dwie spośród nich: Bjørna Holma i potężną, mocno stąpającą po ziemi i niegrzeszącą fantazją kobietę, nazywaną po cichu Pelikan, która kiedyś pracowała w Wydziale Zabójstw. Bellman przedstawił Harry'ego wszystkim, włącznie z Ærdalem, mężczyzną w rogowych okularach i brązowym garniturze przywodzącym na myśl konfekcję z NRD. Siedział osobno na samym końcu stołu i czyścił paznokcie szwajcarskim scyzorykiem. Harry obstawiał, że Ærdal wcześniej był związany z wywiadem wojskowym. Członkowie grupy składali raporty – wszystkie potwierdzały domysły Harry'ego, że sprawa utknęła w miejscu. Zauważył obronny nastrój, zwłaszcza gdy przyszło do raportu o poszukiwaniu Tony'ego Leike. Referujący odczytał, jakie sprawdzono listy pasażerów i linie lotnicze oraz jakie instancje u operatorów telekomunikacyjnych potwierdziły, że żadna ze stacji bazowych nie zarejestrowała sygnału z komórki Leikego. Dodał, że żaden z hoteli w mieście nie przyjął gościa o tym nazwisku, lecz oczywiście Kapitan (nawet Harry znał samozwańczego i nadgorliwego informatora – recepcjonistę z hotelu Bristol) zadzwonił i powiedział, że widział człowieka podobnego do Leikego. Odpowiedzialny śledczy z imponującymi szczegółami przedstawił wszystko, co do tej pory zrobiono, nie podkreślając, że mówi o tym wyłącznie po to, by bronić wyniku działań, który wynosił zero. Zero.

Bellman siedział przy końcu stołu ze skrzyżowanymi nogami i wciąż ostrym kantem spodni. Podziękował za raporty, po czym dokonał bardziej formalnej prezentacji Harry'ego, odczytując pospiesznie coś w rodzaju jego CV, w którym wymieniono egzamin w szkole policyjnej, kurs FBI na temat seryjnych zabójców w Chicago, sprawę mordercy z Sydney, awans na komisarza i oczywiście sprawę Bałwana.

– Harry jest więc od dzisiaj członkiem naszego zespołu – oświadczył Bellman. – Raporty będzie składał mnie.

– I podlega tylko tobie? – burknęła Pelikan.

Harry przypomniał sobie, że właśnie stąd wzięło się jej przezwisko, ze sposobu, w jaki przyciskała brodę i długi, przypominający dziób nos do cienkiej szyi, kiedy patrzyła znad okularów, sceptycznie i żarłocznie zarazem. Jak gdyby rozważała, czy nie chciałaby kogoś widzieć w menu.

– On nie podlega bezpośrednio nikomu – wyjaśnił Bellman. – Jest w zespole wolnym strzelcem. Traktujemy komisarza Hole jako doradcę. Co o tym myślisz, Harry?

– Dlaczego nie? Przepłacany, przeceniany facet, któremu się wydaje, że wie coś, czego wy nie wiecie.

Ostrożne śmiechy wokół stołu. Harry wymienił spojrzenia z Bjørnem Holmem, który zachęcająco kiwnął głową.

– Oprócz tego, że w tym wypadku rzeczywiście tak jest – powiedział Bellman. – Rozmawiałeś z Iską Peller, Harry?

– Owszem. Ale wcześniej chciałbym usłyszeć coś więcej o waszym planie wykorzystania jej jako przynęty.

Pelikan chrząknęła.

– Jeszcze nie jest szczegółowo opracowany. Na razie myśleliśmy tylko o sprowadzeniu jej do Norwegii, ogłoszeniu, że znalazła się w miejscu, w którym w oczywisty sposób wyda się zabójcy łatwym łupem. No i trzeba siedzieć gdzieś w zasadzce z nadzieją, że on połknie przynętę.

– Mhm – mruknął Harry. – Proste.

– Z reguły okazuje się, że to, co proste, działa – odezwał się szwajcarski scyzoryk w garniturze z NRD, skoncentrowany na paznokciu palca wskazującego.

– To prawda – przytaknął Harry. – Ale w tym wypadku przynęta odmówiła. Iska Peller się nie zgodziła.

Rozległy się jęki i pełne rezygnacji westchnienia.

– Proponuję więc coś jeszcze prostszego – ciągnął Harry. – Iska Peller spytała, dlaczego my – ci, którym płacą za schwytanie potwora – sami nie możemy być przynętą.

Spojrzał po stole. Przynajmniej skupił na sobie ich uwagę. Ale wiedział, że przekonanie ich będzie trudniejsze.

– W jednym punkcie mamy przewagę nad zabójcą. Przewidujemy, że on ma tę kartkę wydartą z książki gości w Håvasshytta, więc zna nazwisko Iski Peller. Ale nie wie, jak ona wygląda. Wprawdzie przypuszczamy, że sprawca spędził tamtą noc w schronisku, ale Iska i Charlotte Lolles przybyły tam jako pierwsze. Chora Iska przeleżała cały dzień i noc w sypialni, którą dzieliła wyłącznie z Charlotte. Została tam, dopóki wszyscy inni nie opuścili chaty. Innymi słowy, możemy urządzić takie małe przedstawienie, w którym ktoś od nas odegra rolę Iski Peller.

Znów powiódł wzrokiem wokół stołu. Na twarzach bez wyrazu zalegała gęsta warstwa powątpiewania.

– A w jaki sposób chcesz zaprosić widzów na to przedstawienie? – spytał w końcu Ærdal, składając scyzoryk.

– Wykorzystując to, w czym KRIPOS jest najlepsza – odparł Harry. Milczenie.

– A mianowicie? – rzuciła wreszcie Pelikan.

– Konferencję prasową.

Cisza w sali dosłownie dawała się kroić nożem, aż w końcu ktoś zaczął się śmiać. Mikael Bellman. Ze zdziwieniem popatrzyli na szefa. I zrozumieli, że plan Harry'ego Hole został usankcjonowany z góry.

– A więc... – zaczął Harry.

Po zebraniu Harry odciągnął na bok Bjørna Holma.

– Ciągle cię boli nos? – spytał.

– Próbujesz mnie przeprosić?

– Nie.

– Aha. Miałeś szczęście, żeś mi go nie złamał, Harry.

– To by mogło wyjść ci na dobre.

– Przepraszasz czy nie?

– Przepraszam, Bjørn.

– No dobrze. A to na pewno oznacza, że chcesz mnie prosić o przysługę.

– Tak.

– Jaką?

– Zastanawiam się, czy byliście w Drammen i sprawdziliście ubrania Adele, szukając DNA. Ona przecież kilka razy spotykała się z tym facetem, z którym pojechała do Håvasshytta.

– Przejrzeliśmy jej garderobę. Ale problem w tym, że te ubrania były prane, noszone i z całą pewnością miały kontakt z mnóstwem innych ludzi.

– Mhm. Ale z tego, co wiem, Adele nie była zapaloną narciarką. Sprawdzaliście jej strój narciarski?

– Niczego takiego nie miała.

– A to przebranie pielęgniarki? Mogło zostać użyte tylko ten raz i wciąż mogą być na nim plamy nasienia.

– Czegoś takiego też nie znaleźliśmy.

– Nie miała frywolnej sukienki mini i czepka z czerwonym krzyżykiem?

– Nie. Wisiały tam wprawdzie takie szpitalne spodnie i góra, ale to nie było nic takiego, co mogłoby kogokolwiek podniecić.

– Mhm. Może nie dostała wersji mini albo nie chciało jej się szukać. Sprawdzicie ten strój?

Bjørn westchnął.

– Mówiłem ci już, że sprawdzaliśmy na miejscu wszystkie ubrania. To, co nadawało się do prania, zostało uprane. Nie było ani jednej plamki, ani jednego włoska.

– Nie mógłbyś zabrać tego do laboratorium i porządnie obejrzeć?

– Harry...

– Dzięki, Bjørn. I żartowałem. Masz bardzo ładny nos. Naprawdę.

O czwartej Harry podjechał po Sio samochodem KRIPOS, który Bellman oddał mu bezterminowo do dyspozycji. W Szpitalu Centralnym rozmawiali z doktorem Ablem. Harry tłumaczył Sio to, czego nie zrozumiała. Troszeczkę popłakała. Potem poszli zobaczyć ojca, którego przeniesiono na inną salę. Sio kilka razy uścisnęła go za rękę, powtarzając jego imię, jakby delikatnie chciała obudzić go ze snu.

Przyszedł też Sigurd Altman i położył Harry'emu rękę na ramieniu, nie na długo, i powiedział kilka słów, ale też niezbyt wiele.

Wysadziwszy Sio koło jej niedużego mieszkanka nad Sognsvann, Harry pojechał do centrum i dalej po nim jeździł. Przeciskał się przez ulice jednokierunkowe, rozkopane, ślepe, przez ulice prostytutek, sklepów, narkotyków i dopiero gdy dotarł na miejsce, a miasto zostało w dole, uświadomił sobie, że jechał do bunkrów. Zadzwonił do Øysteina, który zjawił się dziesięć minut później. Zaparkował taksówkę obok jego samochodu, zostawił uchylone drzwi, podkręconą muzykę i przysiadł na murku obok Harry'ego.

– Koma – powiedział Harry. – Nie jestem pewien, czy to najgorsze. Masz papierosa?

Siedzieli i słuchali Joy Division. *Transmission.* Iana Curtisa. Øystein zawsze lubił wokalistów, którzy umarli młodo.

– Szkoda, że nie zdążyłem z nim porozmawiać, kiedy zachorował. – Øystein zaciągnął się dymem.

– I tak byś tego nie zrobił, bez względu na to, jak długo by żył.

– Racja, trzeba się tym pocieszać.

Harry się roześmiał. Øystein zerknął na niego z boku. Uśmiechnął się, jakby niepewny, czy wolno się śmiać, kiedy ojcowie leżą na łożu śmierci.

– Co będziesz teraz robił? Jakieś małe pijaństwo, żeby to uczcić? Mogę zadzwonić do Drewniaka i...

– Nie. – Harry zgasił papierosa. – Będę pracował.

– Wolisz śmierć i zatracenie od kieliszka?

– Możesz zajrzeć do ojca i powiedzieć mu „cześć", dopóki jeszcze oddycha.

Øysteina przeszły ciarki.

– Od szpitali dostaję drgawek. Poza tym on nic nie słyszy, prawda?

– Nie jego miałem na myśli, Øystein.

Øystein zmrużył oczy od dymu.

– Jedyne wychowanie, jakie odebrałem w życiu, dał mi twój ojciec, Harry. Mój nie jest wart tyle, ile mucha nasrała. Pójdę tam jutro.

– To dobrze.

Wpatrywał się w mężczyznę nad sobą. Patrzył, jak jego usta się poruszają, słyszał wydobywające się z nich słowa, ale coś musiało się uszkodzić, bo nie był w stanie poskładać z nich nic rozsądnego. Rozumiał jedynie, że nadszedł czas. Zemsta. Że będzie musiał zapłacić. I że to w pewnym sensie oznacza ulgę.

Siedział na podłodze, oparty plecami o duży okrągły metalowy piecyk. Obejmował go wygiętymi do tyłu rękami. Dłonie miał związane rzemieniami do spinania nart. Od czasu do czasu wymiotował, prawdopodobnie z powodu wstrząsu mózgu. Krew przestała płynąć i czucie w ciele powróciło. Ale na oczach kładła się i podnosiła mgła. Mimo to nie miał wątpliwości. Głos. To był głos ducha.

– Niedługo umrzesz – szeptał. – Tak jak ona. Ale jest jeszcze coś do zyskania. Możesz zdecydować, w jaki sposób. Są dwie możliwości. Jabłko Leopolda. – Podsunął mu metalową kulę z dziurkami, z jednej zwisał sznureczek. – Trzy dziewczyny poznały jego smak. Żadnej szczególnie się nie spodobał. Ale to bezbolesna, szybka śmierć. I wymaga odpowiedzi na to jedno jedyne pytanie: kto jeszcze wie? Z kim współdziałałeś? Uwierz mi, jabłko jest lepsze niż ta druga możliwość. Jako inteligentny człowiek na pewno już zrozumiałeś jaka.

Mężczyzna wstał, przesadnie wolno zabił ręce i szeroko się uśmiechnął. Ciszę przerwał tylko jego szept:

– Trochę tu chłodno, nie sądzisz?

Usłyszał trzask, po którym nastąpił cichy syk. Zapatrzył się w płomień zapałki. W żółty płomyk w kształcie tulipana.

55 TURKUS

Nadszedł wieczór z pogodnym gwiaździstym niebem i kąsającym mrozem.

Harry zaparkował samochód na wzgórzu pod domem na Voksenkollen. Na ulicy, przy której stały rozrośnięte kosztowne wille, ta wyraźnie się wyróżniała. Dom wyglądał na wyjęty żywcem z ludowych baśni, prawdziwie królewski dwór z bejcowanego na czarno drewna, z olbrzymimi drewnianymi kolumnami przy wejściu i trawą na dachu. Wokół dziedzińca stały jeszcze dwa inne budynki i disneyowska wersja wiejskiego spichlerza. Harry wątpił, by armator Anders Galtung nie miał odpowiedniej wielkości lodówki.

Zadzwonił do furtki, zauważył kamerę na murze i podał swoje nazwisko, gdy poprosił o nie kobiecy głos. Poszedł zalanym światłem podjazdem po żwirze, który chrzęścił tak, jakby zżerał to, co zostało z jego zelówek.

Kobieta w średnim wieku o turkusowych oczach, w fartuchu, przyjęła go w drzwiach i zaprowadziła do bezludnego salonu. Zrobiła to z tak delikatną mieszanką dostojeństwa, wyniosłości i zawodowej perfekcji, że nawet gdy zostawiła Harry'ego, zadawszy mu pytanie: „Kawy czy herbaty?", nie opuściły go wątpliwości, z kim ma do czynienia. Z panią Galtung, ze służącą czy z jednym i drugim.

Kiedy do Norwegii zawitały „międzynarodowe" baśnie, w kraju nie było królów ani szlachty, więc w norweskiej wersji tych opowieści króla przedstawiano jako bogatego chłopa w gronostajach. I właśnie tę wersję ujrzał Harry, gdy do salonu wszedł Anders Galtung. Okrągły, pogodny, lekko spocony bogaty wieśniak w robionym na drutach swetrze w regionalny wzór. Ale po podaniu Harry'emu ręki uśmiech zastąpiła zatroskana mina, bardziej pasująca do sytuacji. Ciężkie sapnięcie towarzyszyło pytaniu:

– Coś nowego?

– Obawiam się, że nie.

– Z tego, co mówiła mi córka, Tony czasami lubi zniknąć.

Harry odniósł wrażenie, że Galtung z pewnym wysiłkiem wymówił imię przyszłego zięcia. Ciężko usiadł naprzeciwko Harry'ego na starym ludowym krześle malowanym w róże.

– Czy macie... a raczej czy ma pan jakąś teorię, panie Galtung?

– Teorię? – Anders Galtung pokręcił głową, aż zafalowały obwisłe policzki. – Nie znam go na tyle dobrze, by móc teoretyzować. Pojechał w góry, do Afryki, skąd mogę wiedzieć?

– Mhm. Właściwie przyszedłem porozmawiać z pańską córką...

– Lene zaraz zejdzie – przerwał mu Galtung. – Chciałem się tylko najpierw zorientować.

– W czym?

– Tak jak mówiłem, czy jest coś nowego. I... czy jesteście pewni, że ten człowiek to nie krętacz.

Harry zauważył, że „Tony'ego" zastąpił „człowiek", zrozumiał więc, że jego pierwsze intuicyjne wrażenie było słuszne. Galtunga nie zachwycał wybór córki.

– A pan jest tego pewien, Galtung?

– Ja? Ja okazuję mu zaufanie. Mimo wszystko inwestuję znaczną sumę w ten jego kongijski projekt. Bardzo znaczną sumę.

– Czyli że głupiemu Jasiowi, który właśnie zapukał do drzwi, przypadnie i księżniczka, i pół królestwa?

Przez dwie sekundy panowała cisza. Galtung tylko wpatrywał się w Harry'ego.

– Być może – odparł w końcu.

– Może to pańska córka naciska na tę inwestycję? Bo ten projekt jest w ogromnej mierze uzależniony od tych pieniędzy, prawda?

Galtung rozłożył ręce.

– Jestem inwestorem, żyję z ryzyka.

– I może pan od tego zginąć.

– To dwie strony tego samego medalu. Na rynkach ryzyka śmierć jednego daje chleb drugiemu. Do tej pory umierali inni i mam nadzieję, że dalej tak będzie.

– Że inni będą umierać?

– Przedsiębiorstwo żeglugowe to rodzinny interes, więc jeśli Leike wejdzie do rodziny, powinniśmy zadbać...

Urwał, kiedy drzwi się otworzyły. Weszła wysoka jasnowłosa dziewczyna o grubych rysach ojca i turkusowych oczach matki, ale pozbawiona jego ostentacyjnego wielkopaństwa czy jej dostojnej wyniosłości. Szła zgarbiona, jakby chciała ukryć swój wzrost, nie wyróżniać się. Bardziej patrzyła na swoje buty niż na Harry'ego, gdy podawała mu rękę i przedstawiała się jako Lene Gabrielle Galtung.

Miała niewiele do powiedzenia, a jeszcze mniej pytań do zadania. Wyglądała tak, jakby kuliła się pod spojrzeniem ojca za każdym razem, gdy odpowiadała na pytania Harry'ego. Nie wiedział już, czy jego domysły, że to ona naciskała ojca w sprawie inwestycji, były choć w części prawdziwe.

Dwadzieścia minut później Harry podziękował, wstał, a wtedy jak na niewidzialny sygnał znów pojawiła się kobieta o turkusowych oczach. Kiedy otworzyła mu drzwi, z zewnątrz wpadł chłód. Harry zatrzymał się, żeby zapiąć płaszcz, i spojrzał na nią.

– Jak pani sądzi, pani Galtung, gdzie może być Tony Leike?

– Ja nic nie sądzę.

Być może odpowiedziała nieco za szybko, może pojawiło się jakieś leciutkie ściągnięcie w kąciku oka, a może było to po prostu gorące pragnienie Harry'ego, by coś odkryć. Cokolwiek. Ale nie czuł się przekonany, że ta kobieta powiedziała prawdę. Za to następne zdanie nie pozostawiało żadnych wątpliwości:

– Ja nie jestem panią Galtung. Pani jest na górze.

Mikael Bellman poprawił stojący przed nim mikrofon i spojrzał na zgromadzonych. Poszeptywano, ale spojrzenia i tak skierowane były na podium, żeby nikomu nic nie umknęło. W zatłoczonej sali rozpoznał dziennikarza ze „Stavanger Aftenblad" i Rogera Gjendema z „Aftenposten". Obok siebie słyszał Ninni, jak zwykle w odprasowanym mundurze. Ktoś odliczał sekundy do startu, jak zawsze na konferencjach prasowych transmitowanych na żywo przez radio i telewizję. W końcu w głośnikach zatrzeszczał głos Ninni.

– Witamy wszystkich. Zwołaliśmy tę konferencję, aby poinformować państwa o naszych działaniach. Ewentualne pytania…

Fala ściszonego śmiechu.

– …zostawimy na koniec. Oddaję głos kierującemu śledztwem nadkomisarzowi Mikaelowi Bellmanowi.

Mikael Bellman chrząknął. Stawili się absolutnie wszyscy. Stacjom telewizyjnym pozwolono umieścić mikrofony na stole.

– Dziękuję. Pozwólcie, że zacznę od zgaszenia nadziei. Widząc, jak tłumnie przybyliście, i patrząc na wasze wyczekujące twarze, stwierdzam, że może za bardzo podkręciliśmy oczekiwania. Nie zamierzamy wydać oświadczenia o ostatecznym przełomie w śledztwie. – Bellman zauważył rozczarowanie, tu i ówdzie rozległy się pełne rezygnacji westchnienia. – Spotykamy się, by zadośćuczynić waszym życzeniom i na bieżąco informować o przebiegu śledztwa. Przepraszam więc tych, którzy mieli na dzisiaj ciekawsze plany.

Bellman uśmiechnął się lekko, usłyszał śmiech kilku osób i już wiedział, że mu wybaczono.

Przedstawił główne linie śledztwa, czyli powtórzył relację o nielicznych sukcesach, na przykład o tym, że lina zawiodła ich do warsztatu powroźnika nad Lyseren, gdzie znaleziono kolejną ofiarę, Adele Vetlesen. Opowiedział też o narzędziu zbrodni wykorzystanym do dokonania dwóch zabójstw, tak zwanym jabłku Leopolda. Stare nowiny. Zauważył, że jeden z dziennikarzy tłumi ziewnięcie, spojrzał więc w dokumenty, w scenariusz. Bo tym właśnie były – zapisanym słowo po słowie scenariuszem niewielkiego przedstawienia. Starannie wyważonym i przedyskutowanym. Nie za dużo, nie za mało. Przynęta musi mieć zapach, ale nie może cuchnąć.

– Na koniec trochę o świadkach – zaczął i zobaczył, że przedstawiciele prasy prostują się na krzesłach. – Jak wiecie, prosiliśmy o zgłaszanie się wszystkich, którzy przebywali w Håvasshytta tej samej nocy co ofiary. Odezwała się jedna osoba, Iska Peller. Dziś wieczorem przylatuje z Sydney i jutro razem z naszym śledczym wybierze się do schroniska. Spróbują możliwie jak najdokładniej zrekonstruować wydarzenia tamtego wieczoru.

W normalnej sytuacji oczywiście nie wymieniłby nazwiska świadka, ale tym razem ważne było, aby ten, do którego się zwracali, czyli zabójca, uwierzył, że policja naprawdę odnalazła osobę z listy gości. Bellman wspomniał o śledczym bez szczególnego nacisku na liczbę, ale taka właśnie miała być informacja. Pojadą tylko we dwoje, świadek i śledczy. Do schroniska w górach. Na odludziu.

– Oczywiście liczymy na to, że panna Peller opisze nam pozostałych gości, którzy tamtego wieczoru nocowali w schronisku.

Długo dyskutowali nad doborem słów. Pragnęli jakoś dać do zrozumienia, że świadek będzie mógł wskazać mordercę. Jednocześnie Harry uważał, że ważne jest, by nie budzić zbyt wielu podejrzeń zapowiedzią, że Iska Peller pojedzie z jednym śledczym, a „trochę o świadkach" w podsumowaniu i odbierające dramatyzm „oczywiście liczymy na to..." sygnalizowały, że zdaniem policji przynajmniej na razie świadek nie jest zbyt ważny i w związku z tym nie potrzebuje dużej ochrony. Mieli nadzieję, że zabójca będzie innego zdania.

– Jak sądzicie, co ona mogła widzieć? I czy możecie przeliterować nazwisko świadka?

To ten ze Stavanger tak się wyrwał. Ninni wychyliła się, by przypomnieć, że pytania mają być zadawane na końcu, ale Mikael powstrzymał ją ruchem głowy.

– Zobaczymy, co przypomni sobie po powrocie do Håvasshytta. – Nachylił się do mikrofonu z logo NRK, kanału telewizji państwowej. Ogólnokrajowej. – Pojedzie tam z jednym z naszych najbardziej doświadczonych śledczych i zostanie przez jedną dobę.

Spojrzał na Harry'ego Hole, który stał na samym końcu sali, i zobaczył, że ten ostrożnie kiwa głową. Udało mu się przekazać sedno. Jedna doba. Dwadzieścia cztery godziny. Przynęta została rzucona i odpowiednio ułożona. Bellman przesunął wzrok. Znalazł Pelikana. Ona jako jedyna protestowała, uważając, że takie zwodzenie prasy jest niesłychane i jak w ogóle ośmielają się coś takiego zaproponować. Poprosił wtedy o krótką przerwę w naradzie i porozmawiał z nią w cztery oczy. Później przyłączyła się do większości.

Ninni zachęciła do zadawania pytań. Wśród zgromadzonych zapanowało ożywienie, ale Mikael Bellman się rozluźnił i już szykował mgliste odpowiedzi, niejasne sformułowania i zawsze przydatne stwierdzenie: „Na tym etapie śledztwa nie możemy się w to zagłębiać".

Marzły mu nogi. Marzły tak, że stracił w nich czucie. Jak to możliwe, gdy reszta ciała płonęła? Krzyczał aż do ochrypnięcia, gardło miał całkowicie wyschnięte, pokaleczone, był otwartą raną ze spaloną krwią, zmienioną w czerwony pył. Dookoła unosił się zapach spalonych włosów i tłuszczu. Metal przepalił flanelową koszulę i wżarł się w skórę na plecach. Przy wtórze jego krzyku stopili się w jedno. Roztapiał się jak ołowiany żołnierz. Kiedy poczuł, że ból i gorąco zaczynają wżerać się w świadomość, że wreszcie jest bliski utraty przytomności, nagle gwałtownie się ocknął. Mężczyzna oblał go zimną wodą. Natychmiastowa ulga sprawiła, że znów zaczął płakać. Potem usłyszał syk wody gotującej się między plecami i piecykiem, ból powrócił z odnowioną siłą.

– Więcej wody?

Podniósł głowę. Mężczyzna stał nad nim z kolejnym wiadrem. Mgła przed oczami na chwilę się rozwiała i przez kilka sekund widział go całkiem wyraźnie. Światło bijące z otworów doprowadzających powietrze do pieca zatańczyło na jego twarzy. Kropelki potu na czole błysnęły.

– To bardzo proste. Muszę wiedzieć tylko jedno. Kto? Czy to ktoś z policji? Ktoś z tych, którzy byli w Håvasshytta tamtej nocy?

– Jakiej nocy? – zaszlochał.

– Dobrze wiesz jakiej. Prawie wszyscy już nie żyją. Mów.

– Nie wiem. Ja nie mam z tym nic wspólnego. Musisz mi uwierzyć. Wody! Bądź tak dobry. Bądź tak…

– Dobry? Naprawdę powiedziałeś „dobry"?

Ten zapach. Zapach własnego palącego się ciała. Słowa, które z takim trudem z siebie wyrzucał, były zaledwie ściszonym szeptem:

– Byłem tylko ja.

Miękki śmiech.

– Mądrze. Próbujesz mówić tak, jakbyś był gotów powiedzieć wszystko, byle tylko uniknąć bólu, żebym uwierzył, że nie jesteś w stanie wypowiedzieć nazwisk tych, z którymi współdziałałeś. Ale ty potrafisz wytrzymać więcej. Jesteś twardzielem.

– Charlotte…

Mężczyzna zamachnął się pogrzebaczem, a on nawet nie poczuł uderzenia. Tylko w oczach mu pociemniało na cudowną długą sekundę. Zaraz jednak wrócił do piekła bólu.

– Ona nie żyje! – wrzasnął tamten. – Wymyśl coś lepszego.

– Miałem na myśli tę drugą. – Starał się zmusić mózg do pracy. Przecież to pamiętał. Zawsze miał dobrą pamięć, więc dlaczego teraz go zawodziła? Naprawdę był w aż tak złym stanie? – Ta Australijka…

– Kłamiesz!

Poczuł, że oczy znów mu się zamykają. Kolejny prysznic, chwila przytomności.

I głos:

– Kto? Jak?

– Zabij mnie! Łaski! Przecież wiesz, że nikogo nie osłaniam. Panie Jezu, dlaczego miałbym to robić?

– Ja nic nie wiem.

– Dlaczego mnie po prostu nie zabijesz? Ja zabiłem ją, słyszysz? Więc zrób to. Możesz się zemścić.

Mężczyzna odstawił wiadro, ciężko opadł na fotel, pochylił się, opierając łokcie na podłokietnikach, a brodę na zaciśniętych pięściach. I odpowiedział powoli, jakby nie słyszał tego, co mówi, tylko myślał o czymś zupełnie innym:

– Wiesz, przez tyle lat o tym marzyłem. A teraz, kiedy tu jesteśmy, miałem nadzieję, że to będzie miało lepszy smak. – Jeszcze raz uderzył go pogrzebaczem, przekrzywił głowę i patrzył na niego. Z niezadowoloną miną szturchnął go na próbę pogrzebaczem w bok. – A może brak mi fantazji? Może temu daniu brakuje odpowiedniej przyprawy?

Coś kazało mu się odwrócić. W stronę radia. Było włączone. Ale cicho.

Tamten podszedł do odbiornika, podgłośnił. Wiadomości. Głosy w wielkim pomieszczeniu. Mówiły coś o Håvasshytta. Świadek. Rekonstrukcja. Było mu tak strasznie zimno. Nie czuł nóg. Zamknął oczy i znów zaczął się modlić do swego Boga. Nie o uwolnienie od bólu, jak do tej pory, tylko o przebaczenie, o to, by krew Chrystusa zmyła z niego grzechy, by ktoś inny dźwignął ciężar wszystkiego, co zrobił. Odebrał życie. Tak. I modlił się o możliwość obmycia się krwią przebaczenia. A potem o śmierć.

Część VI

56 PRZYNĘTA

Piekło światła. Nawet w ciemnych okularach Harry'ego bolały oczy. To było jak wpatrywanie się w morze diamentów, w gorączkowo migające światełka, w słońce świecące na śnieg, który świecił na słońce. Harry odsunął się od okna, chociaż wiedział, że z zewnątrz szyby wyglądają jak czarne nieprzepuszczalne lustra. Spojrzał na zegarek. Do Håvasshytta dotarli w nocy. Jussi Kolkka zainstalował się w schronisku razem z Harrym i Kają, pozostali zagrzebali się w śniegu. Dwie czteroosobowe grupy na dwóch krańcach doliny dzieliło od siebie około trzech kilometrów.

Wybrali Håvasshytta jako miejsce wyłożenia przynęty z trzech powodów. Po pierwsze, ich obecność tutaj wydawała się naturalna. Po drugie, liczyli na to, że zabójca zna to miejsce na tyle dobrze, by poczuć się bezpiecznie i zaatakować. Po trzecie, to była idealna pułapka. Jedyne dostępne drogi do doliny, w której stało schronisko, prowadziły od północnego wschodu i od południa. Od wschodu odgradzała je zbyt stroma góra, a od zachodu było tyle przepaści i rozpadlin, że mógł się tu poruszać tylko ktoś, kto naprawdę znał tę okolicę jak własną kieszeń.

Harry podniósł lornetkę, próbując wypatrzyć pozostałych, ale widział jedynie biel. I światło. Rozmawiał z Mikaelem Bellmanem, który tkwił na południu, i z Milanem na północy. Normalnie kontaktowaliby się przez komórki, ale tu, w bezludnych górach, zasięg miał tylko Telenor. Dawny państwowy monopolistyczny operator jako jedyny posiadał kapitał, by zbudować stacje bazowe na każdym smaganym wiatrem pagórku. Ponieważ jednak policjanci, wśród nich Harry, byli w większości abonentami innej sieci, musieli korzystać z krótkofalówek. Na wypadek gdyby coś się działo w Szpitalu Centralnym, Harry zostawił na sekretarce wiadomość, że jest poza zasięgiem, i dodatkowo podał też numer Milana, który korzystał z usług Telenoru.

Bellman twierdził, że w nocy ani trochę nie zmarzli, bo kombinacja śpiworów, dobrze izolujących karimat i piecyków parafinowych była na tyle skuteczna, że wręcz musieli trochę się porozpinać, a ze sklepień jam wygrzebanych na zboczu kapała woda z roztopionego śniegu.

Konferencję prasową relacjonowano w telewizji, radiu i gazetach tak szeroko, że trzeba było się wykazać ogromną obojętnością, by nie wiedzieć, że Iska Peller wraz z jednym policjantem są w drodze do Håvasshytta. Kolkka i Kaja regularnie wychodzili przed schronisko i gestykulując, wskazywali to na chatę, to na drogę, którą przybyli, to na wychodek. Kaja w roli Iski Peller, Kolkka jako samotny śledczy, który pomagał jej zrekonstruować przebieg wydarzeń tamtej brzemiennej w skutki nocy. Harry ukrywał się w pokoju kominkowym, gdzie trzymał też narty i kijki, więc na zewnątrz widać było tylko dwie pary nart wbitych w śnieg.

Harry obserwował wicher hulający po nagim płaskowyżu, podrywający lekki śnieg, który w nocy przysypał okolicę. Wiatr popychał go na szczyty, urwiska, ostre zbocza i nierówności, układając w zastygłe fale i olbrzymie nawisy, takie jak ten sterczący niczym rondo kapelusza ze szczytu góry na tyłach schroniska.

Harry oczywiście zdawał sobie sprawę, że nie jest pewne, iż człowiek, którego ścigali, w ogóle się pokaże. Iska Peller z jakiegoś powodu mogła nie znajdować się na liście ofiar. Zabójca mógł też uznać, że to nieodpowiedni moment albo miał w stosunku do Iski inne plany. No i mógł też zwietrzyć zasadzkę. Ale nie brakowało i bardziej banalnych powodów. Wyjechał, rozchorował się...

Wszystko jedno. Gdyby Harry policzył, ile razy intuicja go zawodziła, wynik kazałby mu w ogóle zrezygnować z intuicji jako metody. Ale on tego nie liczył. W zamian rachował ściśle wszystkie te sytuacje, w których intuicja podpowiedziała mu coś, o czym nie wiedział, że to wie. A teraz mówiła mu, że zabójca zmierza do Håvasshytta.

Znów spojrzał na zegarek. Dali mu dwadzieścia godzin. Za parawanem z drobniutkiej siatki trzaskało i huczało palące się w ogromnym kominku świerkowe drewno. Kaja położyła się w jednej sypialni, żeby trochę odpocząć, a Kolkka siedział przy stole, zajęty smarowaniem rozmontowanego weilerta P11. Harry rozpoznał niemiecki pistolet po gładkiej lufie bez muszki. Weilert został skonstruowany specjalnie do sytuacji walki bezpośredniej, w której należało szybko wyciągnąć broń z kabury, zza paska albo z kieszeni, a przy gładkiej lufie zmniejszało się ryzyko, że się o coś zaczepi. W takich wypadkach również muszka była zbędna – należało po prostu przyłożyć pistolet do obiektu i strzelić bez celowania. Rezerwowy pistolet, SIG Sauer, leżał obok naładowany i zmontowany. Harry czuł na żebrach kaburę własnego smith & wessona 38.

Wylądowali helikopterem w nocy przy jeziorze Neddal kilka kilometrów dalej, a resztę drogi pokonali na nartach. W innych okolicznościach Harry być może dostrzegłby piękno pokrytego śniegiem, skąpanego w świetle księżyca płaskowyżu. I zorzy polarnej igrającej na niebie. Albo bliskiej uniesienia twarzy Kai, kiedy sunęli przez białą ciszę jak przez baśń w bez-dźwięczności tak całkowitej, że szuranie nart zdawało się nieść kilome-trami w głąb płaskowyżu. Jednak zbyt wielkie ryzyko podejmowali, na zbyt małą stratę było go stać, by mógł mieć oczy otwarte na coś innego niż praca, niż pościg.

To sam Harry zaangażował Kolkkę do roli „śledczego". Nie dlatego, że zapomniał o Justisen, ale uznał, że gdyby coś potoczyło się niezgodnie z planem, mogły im się przydać umiejętności walki wręcz Fina. Idealnie by było, gdyby zabójca spróbował zaatakować w ciągu dnia i został pochwy-cony przez którąś z dwóch grup kryjących się w śniegu. Gdyby jednak przybył w nocy, niezauważony wcześniej przez nikogo, musieliby radzić sobie z nim we troje bez żadnej pomocy.

Kaja i Kolkka spali w oddzielnych sypialniach, Harry w pokoju komin-kowym. Poranek minął bez zbędnych rozmów, nawet Kaja była milcząca, skoncentrowana. W odbiciu w szybie Harry widział, jak Kolkka składa pistolet, celuje w tył jego głowy i oddaje strzał na sucho. Zostało dwadzie-ścia godzin. Harry miał nadzieję, że zabójca się pospieszy.

Wyjmując jasnoniebieski szpitalny strój z szafy Adele, Bjørn Holm czuł na plecach spojrzenie Geira Bruuna.

– Nie mógłbyś zabrać stąd wszystkiego? – spytał Bruun. – Ominęłaby mnie zabawa z wyrzucaniem. A gdzie masz tego swojego kolegę, Harry'ego?

– Pojechał w góry na narty – odparł Holm cierpliwie, układając poszcze-gólne części garderoby w oddzielnych plastikowych workach, które spe-cjalnie ze sobą przywiózł.

– Tak? To ciekawe. Nie wyglądał mi na wielbiciela nart. A dokąd?

– Nie mogę powiedzieć. À propos nart. W co Adele była ubrana, kiedy wybrała się do Håvasshytta? W szafie nie ma żadnego przyzwoitego narciarskiego stroju.

– Pożyczyła ode mnie, oczywiście.

– Pożyczyła od ciebie strój do jazdy na nartach?

– Strasznie się zdziwiłeś.

– No bo... nie wyglądasz mi na wielbiciela nart. – Holm zorientował się, że jego słowa zabrzmiały dwuznacznie, choć wcale nie miał takiego zamiaru. Poczuł, że pali go kark.

Bruun zaśmiał się cicho i obrócił w drzwiach.

– Rzeczywiście, bo ja jestem... wielbicielem ciuchów.

Holm chrząknął i sam nie wiedząc dlaczego, głębszym głosem spytał:

– Mogę zerknąć?

– Ojejciu – zaseplenił Bruun, wyraźnie rozbawiony zakłopotaniem Bjørna. – Chodź, chodź, zobaczymy, co tam mam.

– Wpół do piątej – obwieściła Kaja i drugi raz podała Harry'emu garnek z lapskausem*. Nie dotykali się dłońmi. Ani spojrzeniami. Ani słowami. Noc, którą spędzili razem na Oppsal, była tak odległa jak sen sprzed dwóch dni.

– Według scenariusza mam teraz stanąć przy południowej stronie i zapalić papierosa.

Harry kiwnął głową i podał garnek Kolkce, który wydrapał go do czysta, zanim zaczął szuflować jedzenie.

– Okej. Kolkka, obstawisz zachodnie okno? – spytał Harry. – Słońce jest już nisko, więc wypatruj błysku lornetki.

– Najpierw zjem – oświadczył Kolkka spokojnie i wsunął jeszcze jeden wyładowany widelec do ust.

Harry uniósł brew. Spojrzał na Kaję i dał jej znak, że ma wyjść. Potem stanął przy oknie, wodząc wzrokiem po płaskowyżu i grzebieniach gór.

– Więc Bellman cię zatrudnił, kiedy już nikt inny cię nie chciał – powiedział to niegłośno, ale cisza w pokoju była tak wielka, że równie dobrze mógłby szeptać.

---

* Lapskaus – popularne w Norwegii danie z pokrojonych w kostkę ziemniaków, mięsa i warzyw, rodzaj gulaszu (przyp. tłum.).

Minęło kilka sekund bez odpowiedzi. Harry przypuszczał, że Kolkka przetrawia ten osobisty przytyk.

– Znam plotki rozpuszczone po tym, jak cię wylali z Europolu. Podobno podczas przesłuchania pobiłeś podejrzanego skazanego wcześniej za gwałt. Zgadza się, prawda?

– To moja sprawa. – Kolkka podniósł widelec do ust. – Ale możliwe, że nie okazał mi należytego szacunku.

– Mhm. Interesujące jest to, że plotki rozpuścił sam Europol, bo one w znacznym stopniu ułatwiły organizacji życie. I tobie również, jak przypuszczam. A także rodzicom i adwokatom dziewczyny, którą przesłuchiwałeś.

Harry usłyszał, że odgłos poruszania szczękami kompletnie zamilkł.

– Dostali po cichu odszkodowanie, nie musieli już ciągnąć ciebie ani Europolu na salę sądową, dziewczyna nie musiała na oczach wszystkich zeznawać, że przyszedłeś do jej pokoju, wypytywałeś o zgwałconą przyjaciółkę i tak cię podnieciły te odpowiedzi, że zacząłeś ją obmacywać. Piętnastolatkę. Tak przynajmniej wynika z wewnętrznej notatki Europolu.

Słyszał ciężki oddech Kolkki.

– Załóżmy, że Bellman też przeczytał tę notatkę – ciągnął Harry. – Dotarł do niej okrężną drogą. Tak jak ja. Odczekał trochę, zanim się z tobą skontaktował. Wstrzymał się, aż ujdzie z ciebie złość, aż wypuścisz z siebie całe powietrze i siądziesz na feldze. Wtedy cię wyłapał. Zwrócił ci pracę i część utraconej dumy. Wiedział, że odpłacisz mu lojalnością. On kupuje wtedy, kiedy rynek jest na dnie, Kolkka. W taki sposób tworzy swoją gwardię przyboczną.

Harry obrócił się do Fina. Twarz Jussiego Kolkki była biała.

– Zostałeś kupiony, ale w zasadzie nikt za ciebie nie zapłacił, Jussi. Tacy niewolnicy jak ty nie mogą liczyć na szacunek. Ani ze strony *massa* Bellmana, ani z mojej. Cholera, nawet ty sam nie masz szacunku dla siebie.

Widelec Kolkki z głośnym brzęknięciem upadł na talerzyk. Fin wstał, sięgnął pod kurtkę i wyciągnął pistolet. Podszedł do Harry'ego, pochylił się w jego stronę. Harry ani drgnął, podniósł tylko głowę.

– Więc jak zamierzasz odzyskać ten szacunek, Jussi? Strzelając do mnie?

Źrenice Fina aż drżały ze złości.

– Czy biorąc się, jasna cholera, do roboty?

Harry znów spojrzał na płaskowyż.

Dobiegło do niego ciężkie sapanie Kolkki. Czekał. W końcu usłyszał, że Fin się odwraca, odchodzi i siada w oknie wychodzącym na zachód. Zatrzeszczało radio. Harry sięgnął po mikrofon.

– Tak?

– Niedługo będzie ciemno. – To był głos Bellmana. – On nie przyjdzie.

– Wypatrujcie dalej.

– Czego? Zachmurzyło się, a bez księżyca nie dojrzymy...

– Jeśli my nie będziemy nic widzieć, to on też – stwierdził Harry. – Wypatrujcie światła czołówki.

Mężczyzna zgasił czołówkę. Nie potrzebował światła, wiedział, dokąd prowadzą ślady nart, po których jechał. Do schroniska. Wiedział też, że przyzwyczai się do ciemności. Zanim dotrze na miejsce, będzie miał wielkie, wrażliwe na światło źrenice. Już widział chatę. Czarną ścianę z drewna z czarnymi szybami. Tak jakby nikogo tam nie było. Zaskrzypiał świeży śnieg, gdy mężczyzna odepchnął się i pokonał ostatnie metry. Przystanął, przez kilka sekund wsłuchiwał się w ciszę, po czym bezgłośnie odpiął narty. Wyciągnął wielki, ciężki lapoński nóż z przerażającym łódkowatym ostrzem i żółtą rękojeścią z lakierowanego drewna. Nadawał się równie dobrze do obcinania gałęzi, jak do oprawiania renifera. Albo do podrzynania gardeł.

Najciszej, jak umiał, otworzył drzwi i wszedł na korytarz. Stanął, nasłuchując, przy drzwiach do pokoju z kominkiem. Cicho. Za cicho? Nacisnął klamkę i pchnął drzwi, jednocześnie stając obok wejścia plecami do ściany. Potem, aby jak najkrócej być jak najmniejszym celem, zgięty wpół wszedł w ciemność z nożem w wyciągniętej ręce.

Dostrzegł martwego, który siedział na podłodze ze zwieszoną głową, ale rękami wciąż obejmował piecyk.

Schował nóż do pochwy i zapalił światło przy kanapie. Dopiero teraz uprzytomnił sobie, że jest podobna do tej w Håvasshytta. Pewnie Towarzystwo Turystyczne dostało rabat za zakup większej ilości. Ale obicie było stare, schronisko zamknięte od lat, położone zbyt niebezpiecznie –

przy złej pogodzie zdarzało się, że ludzie spadali w przepaść, próbując trafić do tej chaty.

Głowa martwego przy piecyku uniosła się z wolna.

– Przepraszam za to gwałtowne wejście. – Sprawdził, czy więzy przytrzymujące ręce martwego wokół pieca nie puściły.

Potem zaczął rozpakowywać plecak. Wchodząc do sklepu w Ustaoset, naciągnął czapkę głęboko na czoło, prędko stamtąd wyszedł. Herbatniki. Chleb. Gazety. Pisały więcej o tej konferencji prasowej. O tym świadku w Håvasshytta.

– Iska Peller – powiedział głośno. – Australijka. Ona jest w Håvasshytta. Co o tym myślisz? Mogła coś widzieć?

Struny głosowe tamtego ledwie zdołały przepchnąć dość powietrza, by wydać z siebie jakikolwiek dźwięk.

– Policja. W Håvasshytta jest policja.

– Wiem. Napisali o tym w gazecie. Jeden śledczy.

– Oni tam są. Policja wynajęła schronisko.

– Tak?

Czyżby policja zastawiła pułapkę, a ta świnia, która siedziała przed nim, próbowała mu pomóc uniknąć zasadzki? Rozwścieczyło go to. Ale ta kobieta musiała jednak coś widzieć, inaczej nie ściągaliby jej tu aż z Australii. Sięgnął po pogrzebacz.

– Cholera, ale cuchniesz. Posrałeś się?

Głowa martwego znów opadła na pierś.

Martwy najwyraźniej się tu wprowadził. W szufladach leżały osobiste drobiazgi. List. Narzędzia. Kilka starych rodzinnych zdjęć. Paszport. Jakby martwy uciekał. Jakby mu się wydawało, że dotrze w inne miejsce. Inne niż to, gdzie w płomieniach miał cierpieć za swoje grzechy. Chociaż on sam zaczął już myśleć, że być może mimo wszystko to nie martwy krył się za tym całym diabelstwem. Są przecież granice bólu, jaki jest w stanie znieść człowiek, nim w końcu zacznie mówić.

Kolejny raz sprawdził telefon. Do diabła, nie ma zasięgu! I jeszcze ten straszny smród. Spichlerz. Powiesi go tam do wyschnięcia. Tak się robi z wędzonym mięsem.

Kaja wcześniej położyła się w sypialni i pewnie złapała trochę snu, zanim przyszła jej pora na wartę.

Kolkka nalał kawy z ekspresu, najpierw do swojego kubka, potem do kubka Harry'ego.

– Dziękuję – powiedział Harry, wpatrzony w ciemność.

– Drewniane narty. – Kolkka stanął przy kominku i patrzył na narty Harry'ego.

– Mojego ojca.

W piwnicy na Oppsal Harry znalazł pełne wyposażenie narciarskie. Kijki były nowe, zrobione z jakiegoś stopu metalu, który wydawał się lżejszy od powietrza. Przez moment pomyślał nawet, że wydrążona rurka może być wypełniona helem. Ale narty były te same. Stare szerokie narty do wędrówek po górach.

– W dzieciństwie w każdą Wielkanoc jeździliśmy do domku dziadka w Lesja. Tam był szczyt, na który mój ojciec zawsze koniecznie chciał wejść. Mówił więc mojej siostrze i mnie, że na górze jest kiosk i sprzedają tam pepsi-colę, ulubiony napój Sio. Więc jeśli damy radę pokonać tę ostatnią stromiznę…

Kolkka kiwnął głową i pogładził dłonią tył białych nart. Harry wypił łyk świeżo zaparzonej kawy.

– Sio w ciągu roku zawsze zapominała, że to ten sam stary blef, a ja zawsze żałowałem, że nie potrafię. Ale byłem nastawiony na zapamiętywanie wszystkiego, co ojciec wbijał mi do głowy. Zasady rozsądnego zachowania się w górach, wykorzystywania przyrody jako kompasu, umiejętności przeżycia pod lawiną. Norweskie dynastie królewskie, dynastie chińskie i amerykańskich prezydentów.

– To dobre narty – orzekł Kolkka.

– Trochę za krótkie.

Fin usiadł przy oknie na drugim końcu pokoju.

– Tak. To są takie rzeczy, w które trudno uwierzyć. Że narty ojca mogą być dla kogoś za krótkie.

Harry czekał. Czekał. Wreszcie usłyszał:

– Ona była taka piękna. Wydawało mi się, że i ja się jej podobam. Słowo. Dotknąłem tylko jej piersi. Nie opierała się. Pewnie się bała.

Harry zdołał zdusić chęć, by wstać i wyjść z pokoju.

– To prawda – ciągnął Kolkka. – Człowiek jest lojalny wobec tego, kto go podniósł z kupy śmieci. Nawet jeśli widzisz, że jesteś mu potrzebny, że cię wykorzystuje. Co innego można zrobić? Trzeba wybrać stronę.

Kiedy Harry zrozumiał, że kran ze słowami został zakręcony, wstał i wyszedł do kuchni. Przepatrzył wszystkie szafki, na próżno usiłując znaleźć to, czego, jak wiedział, tu nie ma. Miał świadomość, że to desperacka próba uciszenia tego, co w jego głowie głośnym krzykiem domagało się drinka. Choćby jednego.

Dostał szansę. Jedną. Duch poluzował więzy, podniósł go do góry i przeklinając, pomógł mu przejść do łazienki. Tam rzucił go na podłogę prysznica i odkręcił wodę. Przez jakiś czas stał, tylko na niego patrząc i próbując gdzieś zadzwonić z komórki. Znów przeklął brak zasięgu, wyszedł do pokoju i próbował dalej.

On chciał płakać. Uciekł tu, tutaj się schował, żeby nikt go nie znalazł. Zainstalował się w nieczynnym schronisku, zabrał ze sobą wszystko, czego potrzebował. Myślał, że wśród przepaści i rozpadlin będzie bezpieczny. Że ukryje się przed duchem. Nie płakał. Bo kiedy woda przesiąkła przez ubranie i namoczyła przyklejone do pleców resztki czerwonej flanelowej koszuli, uświadomił sobie, że to właśnie ta szansa. Jego własna komórka leżała w kieszeni spodni, rzuconych na stołek przy umywalce. Spróbował się podnieść, ale nogi nie chciały go słuchać. Nie szkodzi, od stołka dzielił go zaledwie metr. Położył poparzone ręce na podłodze, przezwyciężył ból i podciągnął się do przodu. Słyszał, jak trzaskają pęcherze i bucha smród spalenizny. Ale wystarczyły dwa ruchy i już sięgał do stołka. Przeszukał kieszenie i wyjął telefon. Był włączony i miał pełen zasięg. Kontakty. Zapisał numer policjanta, głównie po to, by się wyświetlało, że to policja dzwoni.

Wcisnął klawisz połączenia. Telefon jakby nabierał tchu podczas krótkiej wieczności między każdym dzwonkiem. Jedna szansa. Prysznic hałasował na tyle, że mężczyzna nie usłyszy, jak będzie mówił. Jest. Głos policjanta. Przerwał mu ochrypłym szeptem, ale tamten nie reagował. Uświadomił sobie, że rozmawia z automatyczną sekretarką. Czekał, aż komunikat się skończy, ściskał telefon, czuł, jak skóra dłoni pęka, ale nie puszczał, nie mógł puścić. Musi zostawić wiadomość. Niechże on kończy, do diabła! Niech w końcu rozlegnie się ten sygnał.

Nie usłyszał tamtego, prysznic zagłuszył lekkie kroki. Poczuł, że wyrywa mu telefon z ręki i zdążył jeszcze zobaczyć zbliżający się but narciarski.

Kiedy odzyskał przytomność, mężczyzna z zainteresowaniem oglądał jego komórkę.

– Więc ty masz zasięg?

Wyszedł z łazienki, stukając w klawisze. Później szum prysznica zagłuszył już wszystko. Ale tamten zaraz wrócił.

– Wybierzemy się w podróż. Ty i ja. – Mężczyzna nagle jakby odzyskał dobry humor. W jednej ręce trzymał paszport. Jego paszport. W drugiej obcęgi ze skrzynki z narzędziami.

– Otwórz gębę!

Przełknął ślinę. Jezu, zmiłuj się nade mną.

– Otwórz gębę, powiedziałem!

– Łaski! Przysięgam, powiedziałem wszystko!

Więcej wymówić nie zdołał, bo ręka złapała go za szyję, odcinając dopływ powietrza. Przez chwilę walczył, w końcu popłynęły łzy. Otworzył usta.

57 GRZMOT

Bjørn Holm i Beate Lønn stali przy wielkim stalowym stole w laboratorium i wpatrywali się w granatowe narciarskie spodnie leżące przed nimi w ostrym świetle lampy.

– To bez wątpienia plama spermy – stwierdziła Beate.

– Raczej smuga – poprawił ją Bjørn Holm. – Spójrz na długość.

– Za mało na wytrysk. Wygląda na to, że wyprężony mokry penis został przeciągnięty po pośladkach osoby, która te spodnie miała na sobie. Mówiłeś, że Bruun to gej?

– Tak, ale twierdził, że nie używał tych spodni, odkąd pożyczył je Adele.

– Wobec tego powiedziałabym, że mamy ślad spermy typowy dla gwałtu. Wystarczy to przesłać do analizy DNA.

– Zgadzam się. A co myślisz o tym? – Holm wskazał na dwie roztarte plamy tuż pod obiema tylnymi kieszeniami jasnoniebieskich szpitalnych spodni.

– Co to jest?

– W każdym razie coś, co nie schodzi w praniu. Substancja na bazie nonylofenolu, nazywana PSG. Używana między innymi w środkach do pielęgnacji samochodu.

– Najwyraźniej na tym usiadła.

– Nie tylko usiadła, bo to przeniknęło głęboko we włókna. Musiała to wetrzeć. Mocno. O tak. – Poruszył biodrami w przód i w tył.

– Aha. Masz jakąś teorię dlaczego?

Zdjęła okulary i popatrzyła na Holma, którego usta formowały się w różne kształty, by wypowiedzieć skojarzenia pojawiające się w mózgu i natychmiast odrzucane.

– Onanizowała się? – spytała Beate.

– Tak – powiedział Holm z ulgą.

– No dobrze. Ale kiedy i gdzie kobieta, która nie pracuje w szpitalu, onanizuje się w szpitalnym ubraniu na PSG?

– To proste – odparł Bjørn Holm. – Na nocnej randce w zlikwidowanej fabryce PSG.

Chmury się rozsunęły, a oni znów pławili się w niebieskim zaczarowanym świetle, w którym wszystko, nawet cienie, fosforyzowało, znieruchomiałe jak na zatrzymanej klatce filmu.

Kolkka się położył, ale Harry przypuszczał, że Fin leży w sypialni z otwartymi oczami i wyostrzonymi wszystkimi zmysłami.

Kaja siedziała, opierając brodę na ręce, i wyglądała przez okno. Ubrana była w biały sweter, bo teraz włączyli tylko elektryczne piecyki. Doszli do wniosku, że dym z komina na okrągło przez dwadzieścia cztery godziny może wyglądać podejrzanie, jeśli w schronisku mają być tylko dwie osoby.

– Jeśli czasami tęsknisz za gwiaździstym niebem nad Hongkongiem, to wyjrzyj przez okno.

– Nie pamiętam, żeby tam świeciły gwiazdy. – Harry zapalił papierosa.

– Nie tęsknisz za niczym w Hongkongu?

– Za sojowym makaronem Li Yuana. Codziennie.

– Jesteś we mnie zakochany? – zniżyła głos zaledwie odrobinę i popatrzyła na niego z uwagą, ściągając włosy gumką.

Harry sprawdził.

– Nie teraz.

Roześmiała się zdziwiona.

– Nie teraz? Co to znaczy?

– Że ta cząstka mnie jest wyłączona, dopóki jesteśmy tutaj.

Kaja przechyliła głowę.

– Ty jesteś uszkodzony, Harry.

– Akurat co do tego – Harry uśmiechnął się krzywo – nie ma najmniejszych wątpliwości.

– A co będzie, kiedy ta robota się skończy? – Spojrzała na zegarek. – Za dziesięć godzin?

– Może znów się w tobie zakocham. – Harry położył rękę na stole obok jej dłoni. – Chyba że wcześniej.

Kaja patrzyła na ich ręce. Na to, o ile większa była jego dłoń, o ile jej delikatniejsza. Jego bledsza i bardziej sękata, z grubymi żyłami wijącymi się po grzbiecie.

– To znaczy, że możesz się zakochać, zanim robota się skończy? Mimo wszystko?

Nakryła dłonią jego dłoń.

– Miałem na myśli to, że robota się skończy, zanim upłynie...

Gwałtownie przyciągnęła rękę do siebie. Harry popatrzył zdziwiony.

– Miałem na myśli tylko...

– Słuchaj!

Wstrzymał oddech, ale nic nie usłyszał.

– Co to było?

– Brzmiało jak samochód. – Kaja wyjrzała. – A według ciebie?

– Myślę, że raczej nie – stwierdził Harry. – Do najbliższej otwartej zimą drogi jest dziesięć kilometrów. Może to helikopter albo skuter śnieżny?

– Albo moja własna nadaktywna głowa – westchnęła Kaja. – Teraz już nic nie słychać. Po dłuższym zastanowieniu dojdę do wniosku, że nic nie było. Przepraszam, ale człowiek staje się przewrażliwiony, kiedy trochę się boi i...

– Nie. – Harry wyciągnął rewolwer z kabury. – Kiedy się odpowiednio boi, jest odpowiednio wrażliwy. Opisz, co słyszałaś. – Wstał i podszedł do drugiego okna.

– Przecież mówię, że nic.

Harry uchylił okno.

– Masz lepszy słuch niż ja. Słuchaj za nas oboje.

Siedzieli wsłuchani w ciszę, mijały minuty.

– Harry...

– Cicho!

– Chodź, usiądź tu, Harry.

– On tu jest – powiedział Harry półgłosem, jakby mówił do siebie. – On jest teraz tutaj.

– Harry, teraz ty jesteś przewrażli...

Rozległ się głuchy huk. Niski, głęboki, jakby okrągły i powolny, nieagresywny, niczym daleki grzmot. Ale Harry wiedział, że pogodne niebo przy siedmiu stopniach mrozu rzadko grzmi.

Wstrzymał oddech.

I wtedy to usłyszał. Kolejny huk, inny niż tamten, lecz na takiej samej niskiej częstotliwości jak fale dźwiękowe z głośnika. Fale dźwiękowe przesuwające powietrze, które czuje się głęboko w brzuchu. Wcześniej słyszał taki dźwięk tylko raz. Jeden jedyny raz. Ale wiedział, że zapamięta go do końca życia.

– Lawina! – krzyknął, zerwał się i pobiegł do sypialni Kolkki wychodzącej na zbocze góry. – Lawina!

Drzwi do sypialni się otworzyły i Kolkka stanął w nich najzupełniej przytomny. Już czuli, jak ziemia drży. To była wielka lawina. Ale nawet gdyby schronisko miało fundamenty i piwnicę, Harry wiedział, że i tak nie zdołaliby się tam przedostać. Bo za Kolkką poleciały już odłamki szkła z tego, co kiedyś było szybą w oknie, teraz wypchniętą przez masę powietrza, którą wielka lawina zwykle pcha przed sobą.

– Łap mnie za rękę! – zawołał, przekrzykując grzmot, i wyciągnął obie ręce. Jedną do Kai, drugą do Kolkki. Patrzył, jak zbliżają się do niego, gdy ze schroniska wyssane zostało powietrze, jakby lawina najpierw zrobiła wydech, a teraz wdech. Czuł uścisk ręki Fina i czekał na dłoń Kai. Ściana śniegu uderzyła w budynek.

58 ŚNIEG

Panowała ogłuszająca cisza i oślepiająca ciemność. Harry próbował się poruszyć. Niemożliwe. Jakby całe ciało miał w gipsie. Nie mógł nawet drgnąć. Co prawda odruchowo zrobił to, co kiedyś wbił mu do głowy ojciec: przyłóż dłoń do twarzy, żeby się wytworzyła naturalna kieszeń.

Nie wiedział jednak, czy jest w niej powietrze, bo nie mógł oddychać. Zrozumiał, co to jest. Pancerne serce. Pojawia się, jak tłumaczył Olav Hole, kiedy klatka piersiowa i przepona ściśnięte masami śniegu nie pozwalają płucom się poruszać. To oznacza, że człowiek ma do dyspozycji jedynie tę ilość tlenu, która już krąży we krwi. Mniej więcej litr. A przy zwykłym zużyciu – około ćwierć litra na minutę – śmierć następuje w ciągu czterech minut. Czuł, że ogarnia go panika. Potrzebował powietrza. Musiał oddychać! Napiął mięśnie. Ale śnieg był jak boa dusiciel, zacisnął się tylko mocniej wokół niego. Harry wiedział, że musi przezwyciężyć panikę, że musi być w stanie myśleć. Teraz. Świat na zewnątrz przestał istnieć. Czas, siła ciążenia, temperatura, niczego takiego już nie było. Nie miał pojęcia, gdzie jest góra, a gdzie dół, ani jak długo leży pod śniegiem. Przez głowę przeleciała mu jeszcze jedna maksyma ojca: żeby rozpoznać kierunki, musisz wypchnąć trochę śliny z ust i zobaczyć, w którą stronę ścieka po twarzy. Przeciągnął językiem po podniebieniu. Wiedział, że to lęk i adrenalina je wysuszyły. Otworzył usta i palcami ręki przy twarzy nagarnął trochę śniegu. Pogryzł go, potem znów otworzył usta i pozwolił, by woda z nich wypłynęła. Nozdrza wypełniły mu się wodą, natychmiast więc znów wpadł w panikę i zaczął się szarpać. Ale zamknął usta i wydmuchał wodę. Razem z resztką powietrza z płuc. Niedługo umrze.

Woda powiedziała mu, że leży głową w dół, a szarpnięcie, że jednak może się trochę poruszyć. Spróbował jeszcze raz. Napiął całe ciało w spazmatycznym skurczu i poczuł, że śnieg trochę się poddaje. Trochę. Wystarczy, by uwolnić się z uścisku pancernego serca? Wciągnął powietrze. Odrobinę. Za mało. Mózg musiał już zacząć odczuwać niedobór tlenu, ale przez głowę przewinęły się jeszcze inne słowa ojca wypowiadane podczas tamtych ferii wielkanocnych w Lesja: że w lawinie nie umiera się z braku powietrza, tylko z powodu zbyt wysokiej koncentracji dwutlenku węgla we krwi. Druga ręka opierała się o coś twardego, jakby o siatkę. Olav Hole: „Pod śniegiem jesteś jak rekin, umrzesz, jeśli nie będziesz się poruszać. Chociaż śnieg jest na tyle sypki, by trochę powietrza się przedostawało, to ciepło twojego ciała sprawi, że szybko wytworzy się wokół ciebie lodowa skorupa, nieprzepuszczająca powietrza i niepozwalająca się wydostać trującemu dwutlenkowi węgla z twojego oddechu. Zrobisz sobie po prostu własną trumnę. Rozumiesz?".

„Tak, tak, tato, spokojnie. To przecież Lesja, a nie Himalaje".

Śmiech matki z kuchni.

Harry wiedział, że całe schronisko jest pełne śniegu, że nad nim jest dach, a na nim prawdopodobnie jeszcze gruba warstwa śniegu. Nie ma wyjścia. Czas płynie. Tu nastąpi koniec.

Modlił się, by więcej się nie obudzić. Żeby następna utrata przytomności była już ostatnia. Wisiał nogami do góry. W głowie pulsowało, jakby miała zaraz eksplodować, pewnie z powodu wypełniającej ją krwi.

Obudził go odgłos skutera śnieżnego.

Starał się nie poruszać. Początkowo się szarpał, napinał mięśnie, próbował się uwolnić. Ale prędko zrezygnował z tych prób. Nie z powodu haków do mięsa wbitych w łydki, bo w nogach już dawno stracił czucie. Po prostu nie mógł znieść tego odgłosu rozrywanego ciała i ścięgien, pękających mięśni, gdy wił się, aż dzwoniły łańcuchy umocowane na suficie spichlerza.

Wpatrywał się w martwe oczy jelenia powieszonego za tylne nogi, jakby zatrzymanego w skoku z rogami wysuniętymi w przód. Ustrzelił go nielegalnie, tą samą strzelbą, którą zabił ją.

Słyszał jękliwy odgłos kroków na śniegu. Drzwi się otworzyły, do środka wpadło światło księżyca. Znów tu był. Duch. A najdziwniejsze, że dopiero teraz, kiedy patrzył na niego do góry nogami, nabrał pewności.

– To naprawdę ty – szepnął. Bez przednich zębów mówienie przychodziło mu z trudem. – Naprawdę ty. Prawda?

Mężczyzna obszedł go, uwolnił związane ręce.

– Czy... czy możesz mi wybaczyć, mój chłopcze?

– Jesteś gotów do podróży?

– Zabiłeś ich wszystkich, prawda?

– Tak. Jedziemy.

Harry kopał prawą ręką. Kierował się w stronę lewej, tej przyciśniętej do jakiejś siatki, nie wiadomo do czego. Część mózgu mówiła mu, że jest w pułapce, że to beznadziejna walka z sekundami, że z każdym oddechem zbliża się do śmierci, a wszystko, co robi, jest jedynie przedłużaniem cierpienia, odsuwaniem tego, co nieuniknione. Drugi głos upierał się, że woli umrzeć w desperacji niż w apatii.

Zdołał się dokopać do drugiej ręki i przesunął dłoń po siatce. Nacisnął obiema rękami, próbując ją pchnąć, ale nie dała się poruszyć. Czuł, że zaczyna oddychać ciężej, że śnieg robi się gładszy, że jego grób pokrywa się od środka pancerzem z lodu. Zawroty głowy przychodziły i odchodziły. Trwały zaledwie sekundę, ale po tych pierwszych ostrzeżeniach miał świadomość, że oddycha zatrutym powietrzem. Wkrótce pojawi się senność, mózg zacznie się zamykać, jak kolejne pokoje w hotelu pod koniec sezonu. I właśnie wtedy Harry poczuł to, czego nie czuł nigdy wcześniej, nawet w najgorsze noce w Chungking Mansion. Przytłaczającą samotność. To nie świadomość bliskiej śmierci pozbawiła go nagle całej woli, tylko to, że ma umrzeć tutaj, bez nikogo, bez tych, których kochał. Bez ojca, Sio, Olega, Rakel...

Poczuł się senny. Przestał kopać, chociaż wiedział, że to oznacza pewną śmierć. Kuszącą, zapraszającą śmierć, która weźmie go w swoje objęcia. Po co protestować? Po co wybierać ból, skoro można się poddać? Po co wybierać inaczej, niż zawsze wybierał? Zamknął oczy.

Czekał.

Siatka.

To musiał być chroniący przed iskrami parawan sprzed kominka. Kominek. Komin. Kamienny. Jeśli cokolwiek tutaj oparło się lawinie, jedyne miejsce, do którego nie zdołały się wedrzeć masy śniegu, to właśnie komin.

Jeszcze raz pchnął siatkę. Nie drgnęła nawet na milimetr. Palce szarpały za drut, bezsilne, zrezygnowane.

Tak zostało postanowione już wcześniej. Właśnie tak się to miało skończyć. Zatruty dwutlenkiem węgla mózg dostrzegał w tym logikę, chociaż nie bardzo wiedział jaką. Ale się z tym pogodził. Pozwolił, by objął go słodki ciepły sen. Znieczulenie. Wolność.

Palce przesunęły się po siatce i natrafiły na coś twardego, mocnego. Końcówki nart. Nart ojca. Nie bronił się przed tą myślą. Będzie mniej samotny. Z ręką na nartach ojca. Razem w jednym rytmie pójdą na spotkanie ze śmiercią. Jeszcze tylko ostatnie strome zbocze.

Mikael Bellman wpatrywał się w to, co było przed nim. A raczej w to, czego nie było. Bo schronisko zniknęło. Gdy wcześniej obserwował je ze śnieżnej jamy, wyglądało jak maleńki rysunek na wielkiej białej kartce, ale to było, zanim zbudził go grzmot i tamten daleki huk. Kiedy wreszcie znalazł lornetkę, znów panowała cisza i tylko w oddali rozbrzmiewało jeszcze spóźnione echo odrzucone przez Hallingskarvet. Wytężał wzrok, patrząc przez lornetkę, wodził nią po zboczu, ale to wyglądało tak, jakby ktoś po prostu wziął gumkę i starł rysunek z kartki. Została tylko spokojna niewinna biel. To nie do pojęcia. Całe schronisko zniknęło pod śniegiem. Natychmiast przypięli narty i w ciągu ośmiu minut byli na miejscu, a ściślej mówiąc – ośmiu minut i osiemnastu sekund. Zapamiętał czas, był policjantem.

– Jasna cholera! Lawinisko ma ponad kilometr kwadratowy – usłyszał jakiś głos za sobą. Widział słabe żółte światełka latarek przebiegające po śniegu.

W krótkofalówce zatrzeszczało.

– Centrala ratownicza mówi, że helikopter będzie za trzydzieści minut. Odbiór.

To za długo, pomyślał Bellman. Czytał, że po pół godzinie szansa przeżycia pod śniegiem spada do trzydziestu procent. A nawet jak helikopter już tu wyląduje, to co oni, do cholery, zrobią? Będą dźgać sondami w śniegu, szukając szczątków schroniska?

– Dziękuję. Bez odbioru.

Ærdal podjechał do niego.

– Mamy szczęście! W Ål są dwa psy lawinowe. Wiozą je już do Ustaoset. Lensmana z Ustaoset nie ma w domu, w każdym razie nie odbiera telefonu. Ale jakiś facet z hotelu ma skuter śnieżny i może je tu przywieźć. – Zaczął zabijać ręce.

Bellman patrzył na śnieg pod nimi. Gdzieś tam była Kaja.

– Co oni mówili? Jak często schodzą tu lawiny?

– Raz na dziesięć lat – odparł Ærdal.

Bellman zakołysał się na piętach. Milano dyrygował resztą, która, kręcąc się w koło, nakłuwała śnieg kijkami i nartami.

– Psy lawinowe? – spytał.

– Czterdzieści minut.

Bellman pokiwał głową. Wiedział, że psy nie będą tu do niczego potrzebne. Kiedy dotrą na miejsce, od zejścia lawiny minie ponad godzina.

Szanse na przeżycie tych ludzi, jeszcze zanim zaczną ich szukać, będą mniejsze niż dziesięć procent. Po półtorej godzinie w zasadzie równe zeru.

Podróż się zaczęła. Jechał skuterem śnieżnym. Miał wrażenie, że zbliża się ku niemu ciemność i światło, jakby posypane diamentami niebo otworzyło się i serdecznie do siebie zapraszało. Wiedział, że za nim w śniegu stoi mężczyzna, duch, i celuje w jego spalone, zwęglone, pokryte pęcherzami plecy karabinem z celownikiem optycznym. Ale jego nie mogła już dosięgnąć żadna kula. Był wolny. Zmierzał tam, dokąd chciał, dokąd zawsze się kierował. Do tego samego miejsca, do którego poszła i ona. Tą samą trasą. Nie był już związany i gdyby tylko mógł poruszyć rękami i nogami, wstałby z siodełka, dodał gazu i dotarł tam jeszcze szybciej. Z radością wzbił się w rozgwieżdżone niebo.

59 POGRZEBANIE

Harry zapadał się przez warstwy snów, wspomnień i niedokończonych myśli. Wszystko było dobrze. Oprócz jednego głosu, który stale powtarzał jedno i to samo zdanie. Głosu ojca: „...a na koniec taki byłeś pokrwawiony, że tamtym starszym zrobiło się głupio i sobie poszli".

Starał się go odgonić, słuchać któregoś z tych innych głosów, ale tamte inne słowa też wypowiadał Olav Hole. „Bałeś się ciemności, ale wchodziłeś w ciemność".

Niech to jasna cholera!

Harry otworzył oczy na ciemność. Zaczął się poruszać w żelaznym uścisku śniegu. Próbował odpychać się nogami, kopać przy siatce. Miał trochę więcej miejsca. Wreszcie palce odnalazły krawędź parawanu. On nie umrze. Olav Hole pójdzie przodem, przynajmniej na tyle musi być ojcem. Teraz dłonie, gdy miały wreszcie miejsce, by się poruszać, pracowały jak łopaty. W końcu wsunął obie ręce za parawan i pociągnął do siebie. Udało się. Parawan się poruszył. Szarpnął jeszcze mocniej i wreszcie to poczuł. Powietrze. Cuchnące popiołem, ciężkie, ale powietrze. Przynajmniej na razie. Odepchnął śnieg. Wsunął ręce w coś, co robiło wrażenie styropianu. Zrozumiał, że to wypalone polana. Parawan oparł się lawinie, w kominku nie było śniegu! Kopał dalej.

Kilka minut, a może zaledwie sekund później, leżał skulony w ogromnym kominku, chciwie chłonął powietrze i wykasływał popiół.

Uświadomił sobie, że do tej pory myślał tylko o jednym. O sobie.

Wysunął rękę za obramowanie kominka, tam gdzie, jak wiedział, były narty ojca. Zaczął grzebać w śniegu i wreszcie znalazł to, czego szukał.

Kijek. Zacisnął palce na talerzyku i przyciągnął go do siebie. Gładki, lekki, sztywny kijek z łatwością przesuwał się w śniegu. Wciągnął go do kominka, wsunął między nogi, złączył stopy i zerwał talerzyk. Miał teraz dzidę o długości nieco ponad półtora metra.

Kaja i Kolkka nie mogli być daleko od miejsca, w którym sam właśnie leżał. Podzielił w głowie przestrzeń na kratki, tak jak robili w miejscu zdarzenia, w którym poszukiwali śladów, i zaczął sondować. Pracował szybko, dźgał z dużą siłą, ale ryzyko było wkalkulowane. W najgorszym razie mógł trafić w oko albo przebić szyję, a poza tym prawdopodobieństwo, że oni wciąż oddychają, było nikłe. Ponakłuwał trochę z lewej strony i nagle poczuł, że grot kijka natrafia na coś, co się ugina. Cofnął go i jeszcze raz ostrożnie nakłuł. Znów ta elastyczność. Kiedy miał wyciągnąć kijek, poczuł, że coś go trzyma. Zwolnił uścisk i zobaczył, że kijek wysuwa mu się z dłoni. Ktoś go szarpał z drugiej strony, sygnalizując, że żyje! Tym razem Harry pociągnął kijek mocniej, ale tamta osoba trzymała ze zdumiewającą siłą. Harry musiał mieć ten kijek, wiedział, że będzie mu przeszkadzał, gdy zacznie kopać, wsunął więc rękę w pasek przy rękojeści, ale nawet wtedy musiał użyć całej siły, by go wyszarpnąć.

Przez chwilę się zastanawiał, dlaczego po prostu nie zostawił kijka i nie zaczął kopać. W końcu do niego dotarło. Wahał się jeszcze przez sekundę, po czym znów zaczął sondować w śniegu. Tym razem po prawej stronie. Za czwartym nakłuciem znów wyczuł taką samą elastyczność. Brzuch? Lekko przytrzymał kijek, chcąc sprawdzić, czy zauważy jakiś ruch, wznoszenie się i opadanie. Oddech. Ale żadnego ruchu nie było.

Wybór powinien być łatwy. Do tej pierwszej osoby droga była krótsza. Poza tym dawała oznaki życia. Trzeba ratować to, co można. Harry już klęczał i kopał jak szalony. Przy tej drugiej osobie.

Palce miał bez czucia, kiedy dotarł wreszcie do ciała, musiał więc wierzchem dłoni sprawdzać, czy to na pewno wełna. Sweter. Biały sweter. Złapał za bark, odrzucił więcej śniegu, uwolnił jedno ramię i wyciągnął bezwładne ciało przez tunel w śniegu. Jej włosy opadły mu na twarz. Wciąż pachniały Kają. Umieścił jej głowę i górną część tułowia na dnie kominka, próbując sprawdzić puls na szyi, ale końce palców miał jak z cementu. Przysunął do niej twarz, ale nie wyczuł oddechu. Otworzył jej usta, sprawdził, czy język nie blokuje, nabrał powietrza i wtłoczył jej do ust. Kolejny haust. Opanował odruch kaszlu, wywołany cząsteczkami popiołu, i znów wdmuchnął jej porcję powietrza do płuc. Trzeci raz. Zaczął liczyć. Cztery. Pięć. Sześć. Siedem. W głowie zaczęło mu się kręcić. Wydawało mu się, że jest w domku w lesie, że jest małym chłopcem, który dmucha w żar, by ożywić płomienie, a ojciec śmieje się, gdy bliski zemdlenia chłopiec chwieje się na nogach. Ale nie mógł przestać. Wiedział, że prawdopodobieństwo przywrócenia jej do życia maleje z każdą sekundą.

Kiedy się nachylił po raz dwunasty, nagle poczuł ciepły powiew na twarzy. Wstrzymał oddech. Czekał. Bał się uwierzyć, że to prawda. Ciepły powiew zniknął, ale zaraz znów się pojawił. Oddychała! Moment później jej ciało się napięło, zaczęła kaszleć. Usłyszał cichy głos:

– To ty, Harry?

– Tak.

– Gdzie... Nic nie widzę.

– Wszystko w porządku. Jesteśmy w kominku.

– A co ty robisz?

– Szukam Jussiego.

Kiedy w końcu wydobył głowę Kolkki spod śniegu, nie miał pojęcia, ile czasu minęło. Wiedział jedynie, że minął czas Jussiego Kolkki. Harry zapalił zapałkę i zanim płomyk zgasł, zdążył zobaczyć tylko wielkie, wpatrzone przed siebie puste oczy Fina.

– On nie żyje – stwierdził Harry.

– Nie możesz spróbować usta-usta?

– Nie.

– I co teraz? – szepnęła Kaja bezsilnie.

– Musimy się stąd wydostać. – Harry odszukał jej rękę i uścisnął.

– Nie możemy czekać, aż nas znajdą?

– Nie.

– Zapałka – powiedziała.

Harry się nie odezwał.

– Zgasła od razu – ciągnęła Kaja. – Tu też nie ma powietrza. Całe schronisko jest pod śniegiem. Dlatego nie chcesz próbować go reanimować. Nie wystarczy powietrza nawet dla nas dwojga. Harry...

Wstał, spróbował przecisnąć się przez komin, ale było za wąsko. Barki mu się zaklinowały. Znów przykucnął, obłamał oba końce kijka, w ten sposób miał wydrążoną w środku metalową rurkę, wsunął ją do otworu komina i podniósł się, tym razem z rękami nad głową. Ledwie się udało.

Odezwała się klaustrofobia, ale zniknęła w tym samym momencie, jakby mózg zrozumiał, że irracjonalne fobie to luksus, na który nie mógł sobie teraz pozwolić. Przycisnął plecy do ściany komina, nogami próbując się odpychać i przesuwać w górę. Zapiekły mięśnie ud. Oddychał ciężko, zawroty głowy powróciły. Ale nie rezygnował. Jedna noga do góry, zaprzeć się plecami, druga noga... Im wyżej wchodził, tym było cieplej. Wiedział, co to oznacza. Ciepłe powietrze unosiło się w górę i nie mogło się wydostać. Uświadomił też sobie, że gdyby w kominku się paliło, gdy zeszła lawina, już dawno by nie żyli, zatruci tlenkiem węgla. Że można to nazwać szczęściem w nieszczęściu. Tylko czy ta lawina była nieszczęściem? Czy zeszła przypadkiem? Ten grzmot, który słyszał wcześniej...

Kijek zatrzymał się na czymś. Harry podsunął się jeszcze wyżej. Pomacał wolną ręką. Żelazna krata. Taka, którą zakłada się na komin, żeby wiewiórki czy inne drobne zwierzęta nie dostały się do środka. Przeciągnął palcami wzdłuż brzegu. Przymurowana. Cholera!

Dotarł do niego słaby głos Kai.

– Kręci mi się w głowie, Harry.

– Oddychaj głęboko.

Przepchnął kijek przez drobne oczka kraty. Po drugiej stronie nie było śniegu!

Prawie nie czuł kwasu mlekowego palącego w udach. Z całej siły pchał kijek wyżej. I poczuł rozczarowanie, gdy koniec kijka natknął się na coś twardego. Daszek na kominie. Powinien był pamiętać, że schronisko miało taki czarujący czarny metalowy daszek, chroniący komin przed deszczem i śniegiem. Zaczął sondować, aż w końcu udało mu się ustawić kijek ukosem tak, aby ominął krawędź daszka. Wyczuł masywne zbite zwały śniegu, o wiele twardsze niż te wewnątrz. Ale mogło tak być dlatego, że śnieg wciskał się w wydrążony kijek z każdym centymetrem, z jakim on wbijał go w śnieg. Modlił się, by wreszcie poczuć nagły brak oporu, który oznaczałby, że zdołał się przebić przez to śniegowe piekło. Że mógłby wydmuchać śnieg z tej długiej słomki i wciągnąć powietrze, świeże życiodajne powietrze, wypchnąć na górę Kaję i jej też zafundować taki sam zastrzyk z antyśmierci. Ale taki przełom nie nastąpił. Przecisnął cały kijek przez kratę, a nic się nie zmieniło. Mimo wszystko próbował. Ssał, ile mógł, w końcu poczuł w ustach suchy zimny śnieg i rurka się zapchała. Nie był w stanie dłużej utrzymywać się w zakleszczeniu komina i spadł. Krzyczał głośno, wystawiał ręce i nogi na boki, czuł skórę zdzieraną z dłoni, ale dalej spadał. W ciało leżące na dole uderzył obiema nogami.

– Jak jest? – spytał, znów próbując wcisnąć się w komin.

– Wszystko dobrze. – Kaja jęknęła cicho. – A u ciebie? Przynosisz złe wiadomości?

– Tak. – Harry wcisnął się obok niej.

– Jakie? Nawet teraz nie jesteś we mnie zakochany?

Zaśmiał się i na moment ją przytulił.

– Tak, teraz jestem.

Poczuł ciepło łez na policzkach.

– Pobierzemy się? – szepnęła Kaja.

– Tak – odparł Harry ze świadomością, że to trucizna w mózgu się odzywa.

Kaja zaśmiała się cicho.

– Dopóki śmierć nas nie rozłączy.

Poczuł ciepło jej ciała. I coś twardego. Kaburę na biodrach ze służbowym rewolwerem. Puścił Kaję i odnalazł ciało Kolkki. Wydawało mu się, że twarz Jussiego już przybrała chłód i sztywność marmuru. Przesunął rękę wzdłuż szyi martwego Fina, przepchnął ją na pierś.

– Co ty robisz? – spytała Kaja słabym głosem.

– Szukam pistoletu Jussiego.

Słyszał, że zaparło jej dech. I nagle poczuł jej dłoń na plecach, delikatną i niepewną, jak zwierzątko, które straciło orientację.

– Nie – szepnęła. – Nie rób tego. Po prostu zaśniemy. Tak będzie lepiej. Even...

Tak jak Harry myślał, Jussi Kolkka położył się do łóżka z pistoletem w kaburze. Udało mu się teraz odpiąć guzik przytrzymujący pistolet, zacisnął dłoń na rękojeści i wyciągnął pistolet spod śniegu. Powiódł palcem wokół lufy. Nie było muszki. Weilert. Wstał trochę za szybko, poczuł zawrót głowy, pamiętał jeszcze tylko, żeby podeprzeć się rękami. Otoczyła go ciemność.

Bellman wpatrywał się w blisko czterometrową dziurę, gdy wreszcie usłyszał rytmiczne klepanie helikoptera ratunkowego, przypominające odgłos superszybkiej trzepaczki do dywanów. Jego ludzie w plecakach wynosili śnieg na górę, wyciągali je powiązanymi paskami do spodni.

– Okno! – krzyknął mężczyzna w jamie.

– Tłucz! – odkrzyknął Milano.

Zadzwoniło szkło.

– O Panie Boże, do diabła! – usłyszał i wiedział już, że ten okrzyk zapowiada złe wieści.

– Rzućcie kijek!

Bellman czekał w milczeniu. W końcu usłyszał:

– Śnieg. Pierdolony śnieg po sam sufit.

Rozległo się poszczekiwanie psów. Bellman próbował obliczyć, ile godzin zajmie opróżnienie schroniska ze śniegu. Poprawka: ile dni.

Harry'ego obudził gwałtowny ból szczęki. Poczuł, że coś ciepłego spływa mu po czole między oczami. Zrozumiał, że upadając, musiał uderzyć głową i wystającym miejscem złamania o kamień. To go otrzeźwiło. Najdziwniejsze, że wciąż trzymał w ręce pistolet. Próbował wciągnąć powietrze, którego nie było. Nie wiedział, czy starczy mu go na ostatnią próbę. Ale co z tego? Wybór był dość prosty, nie miał nic innego do zrobienia. Wsunął więc pistolet do kieszeni i z wysiłkiem zaczął forsować przewód kominowy. Rozstawił nogi na boki, kiedy dotarł na górę. Obmacując metalową kratkę, odnalazł końcówkę kijka wciąż wbitego w śnieg. Kijek miał leciuteńko lejkowaty kształt, szerszy otwór znajdował się po stronie Harry'ego. Zdecydowanym ruchem wsunął w niego lufę pistoletu. W dwóch trzecich długości się zaklinowała, co oznaczało, że ułożyła się równolegle do kijka, tworzącego coś w rodzaju półtorametrowego tłumika. Kula nie zdołałaby przebić półtorametrowej warstwy śniegu, lecz jeśli brakowało tylko trochę?

Przycisnął pistolet do ramienia, żeby nie poluzował się przy odrzucie i żeby kula nie poleciała krzywo. Nacisnął spust. I jeszcze raz. I jeszcze. Miał wrażenie, że bębenki mu popękają w tym ciasnym zamkniętym pomieszczeniu. Po czterech strzałach wyjął pistolet. Przyłożył wargi do końca kijka i zaczął ssać.

Wessał... powietrze.

Przez moment był tak zdumiony, że o mało znów nie spadł. Zaciągnął się powietrzem, ostrożnie, żeby nie zniszczyć tunelu wydrążonego w śniegu przez kulę. Kilka drobinek spadło i ułożyło mu się na języku. Powietrze. Miało łagodny smak whisky z lodem.

60 KARŁY I KRASNALE

Roger Gjendem biegł przez Karl Johans gate, na której właśnie otwierano sklepy. Na Egertorget spojrzał w górę i zobaczył, że wskazówki czerwonego zegara na reklamie czekolady Freia pokazują za trzy dziesiątą. Przyspieszył.

Został wezwany w trybie nagłym do Benta Nordbø, ich byłego i ze wszech miar legendarnego redaktora naczelnego, obecnie członka zarządu i strażnika świątyni.

Skręcił w prawo w Akersgata, na której stłoczyły się redakcje wszystkich dużych gazet jeszcze w czasach, gdy papierowe wydania królowały na szczycie dziennikarstwa. Skręcił w lewo w stronę budynku sądu, w prawo na Apotekergata i zdyszany wpadł do Stopp Pressen! Chyba nie zdecydowano jeszcze, czy wnętrze ma stylem przypominać pub sportowy, czy też tradycyjny angielski. Może jedno i drugie, skoro tak naprawdę chodziło o to, aby wszelkiej maści dziennikarze czuli się tu u siebie. Na ścianach wisiały zdjęcia prasowe pokazujące, co zajmowało, wstrząsało, radowało i przerażało naród w ciągu ostatnich dwudziestu lat. Głównie był to sport, gwiazdy i katastrofy naturalne. Plus kilku polityków dających się zaliczyć do tych dwóch ostatnich kategorii.

Ponieważ z dwóch pozostałych redakcji na Akersgata – „VG" i „Dagbladet" – do Stopp Pressen! dawało się przejść w kapciach, knajpę można było uważać wręcz za rozbudowaną kantynę obu redakcji, ale na razie w środku były zaledwie dwie osoby, barman za ladą i mężczyzna siedzący przy stoliku w głębi lokalu, pod półką z klasyką wydawnictwa Gyldendal i starym radiem, którego przeznaczeniem najwyraźniej było przydanie temu miejscu pewnej patyny.

Mężczyzną siedzącym pod półką był Bent Nordbø. Miał arogancką minę Johna Gielguda, panoramiczne okulary Johna Majora i szelki Larry'ego Kinga. I czytał prawdziwą papierową gazetę. Roger słyszał, że Nordbø czytywał wyłącznie „New York Timesa", „The Financial Times", „The Guardian", „China Daily", „Süddeutsche Zeitung", „El País" i „Le Monde", za to czytał je codziennie. Czasami jeszcze przeglądał „Prawdę" i słoweński „Dnevnik", ale twierdził, że „języki wschodnioeuropejskie są bardzo ciężkie dla oka".

Gjendem zatrzymał się przy stoliku i chrząknął. Bent Nordbø doczytał ostatnie linijki artykułu o przeprowadzonej przez meksykańskich imigrantów rewitalizacji części Bronksu wcześniej przeznaczonej do rozbiórki, po czym przeleciał jeszcze wzrokiem stronę, żeby się upewnić, czy nie ma tam nic więcej, co mogłoby go zainteresować. W końcu zdjął ogromne okulary, dwoma palcami wyciągnął chusteczkę z kieszonki tweedowej marynarki i spojrzał na przejętego, wciąż zdyszanego mężczyznę, który stanął przy jego stoliku.

– Roger Gjendem, jak przypuszczam.

– Tak.

Nordbø złożył gazetę. Gjendemowi powiedziano również, że gdy rozłoży ją na powrót, rozmowę można uznać za zakończoną. Nordbø lekko przekrzywił głowę i zabrał się do wcale niemałej pracy, jaką było czyszczenie szkieł.

– Od lat pracujesz przy sprawach kryminalnych. Dobrze znasz ludzi z KRIPOS i z Wydziału Zabójstw, prawda?

– No... tak.

– Mikael Bellman. Co o nim wiesz?

Harry zacisnął oczy, broniąc się przed słońcem zalewającym pokój. Akurat się obudził i pierwsze sekundy poświęcił na otrząśnięcie się ze snów i zrekonstruowanie rzeczywistości.

Usłyszeli jego strzały.

Za pierwszym poruszeniem łopaty odkryli kijek.

Później opowiadali, że odgrzebując komin, najbardziej się bali, że ich zastrzeli.

Głowa bolała go jak po tygodniowym ciągu. Spuścił nogi z łóżka i rozejrzał się po pokoju, który przydzielono mu w górskim hotelu Ustaoset.

Kaję i Kolkkę przewieziono helikopterem do Oslo, do Szpitala Centralnego. Harry nie zgodził się na powrót. Dopiero kiedy skłamał, że przez cały czas miał mnóstwo powietrza i jest w świetnej formie, pozwolili mu zostać.

Wsunął głowę pod kran w łazience i pił. „Woda nigdy nie jest zła, a często bardzo dobra". Kto tak mówił? Rakel, kiedy chciała, żeby Oleg popił obiad. Harry włączył komórkę, wyłączoną od wyjazdu do Håvasshytta. Wyświetlacz pokazywał, że jest tu zasięg. Pokazywał też, że na sekretarce jest wiadomość. Harry ją odsłuchał, ale to była tylko sekunda charczenia albo śmiechu i zaraz połączenie się urwało. Sprawdził numer dzwoniącego. Komórka. To mógł być każdy. Numer wydawał się znajomy, ale na pewno nie ze szpitala. Pewnie ten ktoś jeszcze zadzwoni, jeśli sprawa jest ważna.

W jadalni Mikael Bellman siedział w samotnym majestacie nad filiżanką kawy. Przed nim leżały złożone gazety, już przeczytane. Harry nie musiał nawet na nie zerkać, by wiedzieć, że jest w nich ciągle to samo. Więcej o Sprawie, o bezradności policji, coraz większa presja. Ale dzisiejsze wydania nie zdążyły jeszcze wydrukować informacji o śmierci Jussiego Kolkki.

– Kaja czuje się dobrze – oznajmił Bellman.

– Mhm. A gdzie reszta?

– Pojechali porannym pociągiem do Oslo.

– A ty nie?

– Pomyślałem, że na ciebie zaczekam. Co myślisz?

– O czym?

– O lawinie. Po prostu coś, co się stało?

– Nie mam pojęcia.

– Nie? A nie słyszałeś grzmotu, zanim zaczęła schodzić?

– To ten nawis na szczycie mógł spaść i uderzyć w zbocze, wywołując lawinę.

– Uważasz, że tak to brzmiało?

– Nie wiem, jak to ma brzmieć. W każdym razie to był odgłos, który wywołał lawinę.

Bellman pokręcił głową.

– Nawet doświadczeni ludzie gór wierzą w mit, że fale dźwiękowe potrafią wywołać lawinę. Wspinałem się w Alpach z ekspertem od lawin. Opowiadał mi o tamtejszych mieszkańcach, którzy wciąż wierzą, że lawiny podczas drugiej wojny światowej wywoływał huk armat. A prawda jest taka, że lawinę wywołuje jedynie jakieś ciało uderzające bezpośrednio w śnieg z siłą wybuchu.

– Mhm. No i?

– Wiesz, co to jest? – Bellman w dwóch palcach podniósł nieduży kawałeczek błyszczącego metalu.

– Nie. – Harry dał znak kelnerowi, który już sprzątał bufet śniadaniowy, że chce filiżankę kawy.

– *Karły i krasnale robią dziurę w skale* – zanucił Bellman.

– Pas.

– Rozczarowujesz mnie, Harry. No ale dobrze, może mam fory. Dorastałem na Manglerud w latach siedemdziesiątych. Na podmiejskim osiedlu, które poszerzano. Wszędzie dookoła powstawały nowe parcele. Ścieżką dźwiękową mojego dzieciństwa był odgłos odpalanych ładunków dynamitu. Po odejściu robotników chodziłem i znajdowałem skrawki przewodów w czerwonym plastiku, malutkie kawałeczki papieru z lasek. Kaja mi mówiła, że mieszkańcy tych okolic łowią ryby w szczególny sposób, a dynamit jest tu popularniejszy niż bimber. Nie mów, że ci to nie przyszło do głowy.

– Okej – powiedział Harry. – To kawałeczek spłonki. Kiedy i gdzie go znalazłeś?

– Po tym, jak przywieźliśmy was w nocy, ja i jeszcze dwóch chłopców poszperaliśmy trochę tam, gdzie zaczęła się lawina.

– Znaleźliście jakieś ślady? – Harry podziękował kelnerowi za kawę.

– Nie. To miejsce jest na tyle odsłonięte, że wiatr zasypał śniegiem wszelkie ewentualne ślady nart. Ale Kai wydawało się, że mogła słyszeć skuter.

– O tyle o ile. I upłynęła spora chwila od momentu, kiedy usłyszała ten dźwięk, do zejścia lawiny. On mógł zaparkować skuter, a potem podejść na nartach, żebyśmy go nie słyszeli.

– O tym samym pomyślałem.

– I co teraz? – Harry na próbę wypił łyk.

– Trzeba szukać śladów skutera.

– Miejscowy lensman…

– Nikt nie wie, gdzie się podziewa. Ale ja załatwiłem już skuter, mapy, liny do wspinaczki, asekurację, czekan i szczotkę. Więc nie delektuj się tak tą kawą, bo po południu zapowiadają śnieg.

Duński szef hotelu wyjaśnił, że aby dostać się do szczytu lawiniska, muszą szerokim łukiem objechać Håvasshytta od zachodu, ale nie powinni się zapuścić za daleko na północny zachód, bo trafią na okolicę nazywaną Paszczą – od porozrzucanych dookoła wielkich kamiennych bloków wyglądem przypominających kły. Płaskowyż w tym miejscu przecinały wąwozy i rozpadliny, przy złej pogodzie krążenie po tej okolicy, jeśli się jej nie znało, mogło być śmiertelnie niebezpieczne.

Było około dwunastej, kiedy Harry z Bellmanem spoglądali z góry na zbocze, u którego stóp dawało się dostrzec wygrzebany spod śniegu komin schroniska na dnie doliny.

Z zachodu już nadciągały chmury. Harry, mrużąc oczy, patrzył na północny zachód. Bez słońca cienie i kontury się zacierały.

– Musiał przyjechać stamtąd – stwierdził Harry. – Inaczej byśmy go usłyszeli.

– Paszcza – powiedział Bellman.

Dwie godziny później, przeciąwszy okolicę z południa na północ w tempie żółwia, nie znajdując żadnych śladów skutera, zdecydowali się na odpoczynek. Usiedli obok siebie na siodełku i popijali z termosu, który Bellman przezornie zabrał ze sobą. Zaczął prószyć śnieg.

– Znalazłem kiedyś niewykorzystaną laskę dynamitu na placu budowy na Manglerud – odezwał się Bellman. – Miałem piętnaście lat. Na Manglerud młodzież zajmowała się trzema rzeczami: sportem, gospelem albo ćpaniem. Mnie nie interesowała żadna z nich, a już na pewno nie siedzenie na parapecie przed pocztą w centrum i czekanie, aż życie za pośrednictwem haszyszu przez klej i heroinę zaprowadzi mnie do grobu. Tak skończyło czterech chłopaków z mojej klasy.

Harry zauważył, że w słowa Bellmana coraz bardziej wkrada się akcent z Manglerud.

– Nienawidziłem tego wszystkiego – ciągnął Bellman. – Więc moim pierwszym krokiem na drodze do kariery w policji było zabranie tej laski dynamitu za kościół na Manglerud, gdzie haszyszowa banda miała swoją ziemną fajkę wodną.

– Ziemną fajkę wodną?

– Wygrzebali dziurę w ziemi, wstawili tam do góry dnem obtłuczoną butelkę po piwie z metalową kratką w środku, na której leżał palący się haszysz. W ziemię wkopali plastikowe węże rozchodzące się od tamtej dziury i wyłaniające się z ziemi półtora metra dalej. Leżeli na trawie wokół tej dziury i każdy ssał plastikową rurkę. Nie wiem po co...

– Żeby schłodzić dym – zaśmiał się Harry. – Większe oszołomienie przy mniejszym zużyciu narkotyku. Nieźle jak na łby otępione haszyszem. Chyba nie doceniałem Manglerud.

– Wszystko jedno. Wyciągnąłem jedną z tych plastikowych rurek i na jej miejsce włożyłem dynamit.

– Wysadziłeś tę palarnię?

Bellman pokiwał głową, a Harry wybuchnął śmiechem.

– Przez pół minuty z nieba padała ziemia – uśmiechnął się Bellman. Umilkli. Wiatr zawodził cicho i ochryple.

– Chyba muszę ci podziękować. – Bellman wbił wzrok w papierowy kubek. – Za to, że w porę wyciągnąłeś Kaję.

Harry wzruszył ramionami. Kaja. Bellman wiedział, że Harry o nich wie. Skąd? I czy to oznaczało, że wie również o Kai i o nim?

– Nie miałem nic innego do roboty – powiedział.

– Owszem, miałeś. Oglądałem zwłoki Jussiego, zanim je zabrali.

Harry się nie odezwał. Zmrużonymi oczami wpatrywał się w płatki śniegu sypiące coraz gęściej.

– Miał ranę na szyi i kilka ran na obu dłoniach. Wyglądały na zrobione grotem kijka. Jego znalazłeś pierwszego, prawda?

– Być może – odparł Harry.

– Bo ta rana na szyi krwawiła. Serce musiało bić, kiedy ta rana powstała, Harry. I to bić mocno. Chyba możliwe było wykopanie go żywego. Ale dla ciebie priorytetem była Kaja, prawda?

– No cóż. Wydaje mi się, że Kolkka miał rację. – Harry wylał resztę kawy na śnieg. – Trzeba wybierać stronę.

Ślad skutera znaleźli o trzeciej, w odległości kilometra od lawiniska, między dwoma wielkimi głazami w kształcie kłów, które nie wpuszczały wiatru.

– Wygląda na to, że tu parkował. – Harry powiódł palcem wzdłuż krawędzi śladu gąsienicy. – Skuter miał czas, żeby trochę się zapaść w śnieg. – Wskazał kreskę na środku śladu lewej płozy. Bellman szczotką zmiatał lekki i suchy nawiany śnieg.

– Jest! – pokazał. – W tym miejscu zawrócił i pojechał dalej na północny zachód.

– Zbliżamy się do tych przepaści, a śnieg pada coraz gęściej. – Harry spojrzał w niebo i sięgnął po komórkę. – Musimy zadzwonić do hotelu, poprosić, żeby przysłali przewodnika na skuterze. Cholera!

– Co jest?

– Nie ma zasięgu. Trzeba wracać.

Spojrzał na wyświetlacz. Wciąż widniała na nim wiadomość z jakby znajomego numeru, osoby, która zostawiła ten dziwny dźwięk na jego sekretarce. Trzy ostatnie cyfry. Dlaczego, u diabła, plączą mu się po głowie? I nagle zaskoczył. Pamięć śledczego. Numer telefonu leżał w teczce „byłych podejrzanych" i był wydrukowany na wizytówce.

Na wizytówce z napisem: „Tony C. Leike, przedsiębiorca". Harry powoli podniósł głowę i spojrzał na Bellmana.

– Leike żyje.

– Co?

– A przynajmniej żyje jego telefon. Próbował do mnie dzwonić, kiedy byliśmy w Håvasshytta.

Bellman patrzył na Harry'ego, nie mrugając. Płatki śniegu kładły się na długich rzęsach, a jasne plamki zdawały się rozżarzać. Głos miał cichy, prawie szeptał:

– Widoczność jest dobra, nie uważasz, Harry? Wcale nie ma śniegu.

– Diabelnie dobra – odparł Harry. – A śniegu ani drobinki.

Już w biegu wskoczył na skuter.

Poruszali się skokami, po sto metrów. Namierzali możliwą trasę skutera, dojeżdżali w to miejsce, zmiatali śnieg, ustalali kierunek i robili kolejny skok. Dzięki kresce na śladzie lewej płozy, powstałej zapewne w wyniku jakiegoś uszkodzenia, mieli pewność, że poruszają się po śladach właściwego skutera. W niektórych miejscach, w płytkich dolinach albo na wystawionych na wyjątkowo silne podmuchy wiatru pagórkach, ślad był wyraźnie widoczny, wtedy szło szybciej. Ale nie za szybko. Harry już dwa razy krzykiem informował o przepaściach. Za każdym razem naprawdę niewiele brakowało. Dochodziła czwarta. Bellman gasił i zapalał przednie światła, w zależności od tego, czy śnieżyca pozwalała coś zobaczyć, czy nie. Harry patrzył na mapę. Nie bardzo wiedział, gdzie są, tyle że oddalali się od Ustaoset. Wiedział też, że światło dzienne niedługo się skończy. Jedna trzecia Harry'ego zaczęła się martwić o drogę powrotną, co oznaczało jedynie, że pozostałych dwóch trzecich ani trochę to nie obchodziło.

O wpół do piątej stracili ślad.

Śnieg sypał tak gęsty, że prawie nic nie widzieli.

– To szaleństwo! – Harry przekrzyczał ryk silnika. – Dlaczego nie zaczekamy do jutra?

Bellman uśmiechnął się w odpowiedzi.

O piątej znów go znaleźli.

Zatrzymali się i zsiedli.

– Prowadzi w tę stronę – stwierdził Bellman i wrócił do skutera. – Chodź.

– Zaczekaj! – powiedział Harry.

– Dlaczego? No chodź, niedługo zrobi się ciemno.

– Nie słyszałeś echa, kiedy wołałeś?

– Skoro tak mówisz... – Bellman się zatrzymał. – Skalna ściana?

– Na mapie nie ma żadnych gór. – Harry odwrócił się w kierunku, który wskazywał ślad. – Jar! – ryknął.

I otrzymał odpowiedź. Bardzo szybką odpowiedź. Znów odwrócił się do Bellmana.

– Wydaje mi się, że skuter, który zostawił te ślady, znalazł się w poważnych kłopotach.

– Co wiem o Bellmanie? – powtórzył Roger Gjendem, żeby zyskać na czasie. Czego legendarny redaktor Nordbø właściwie chciał? – Mówi się o nim, że jest bardzo zdolny i ogromnie profesjonalny. Potrafi wszystko i wszystko robi dobrze – ciągnął Gjendem. – Szybko się uczy, z czasem nauczył się też, jak należy traktować prasę. Taki *whiz kid*, jeśli pan rozumie...

– Owszem, to wyrażenie jest mi znajome – odparł Bent Nordbø z kwaśnym uśmiechem. Kciuk i palec wskazujący prawej ręki nie przestawały przecierać okularów chusteczką. – Ale w zasadzie bardziej mnie interesuje, czy nie ma o nim jakichś plotek.

– Plotek? – powtórzył Gjendem i nie zauważył nawet, że znów wrócił mu stary brzydki zwyczaj niezamykania ust po powiedzeniu czegoś.

– Mam szczerą nadzieję, że znasz to pojęcie, Gjendem. Przecież ty i twój pracodawca z tego żyjecie. Więc jak?

Gjendem wahał się.

– No cóż, plotki...

Nordbø przewrócił oczami.

– Spekulacje. Pogłoski. Bezpośrednie kłamstwa. Nie jestem wybredny, Gjendem. Rozwiąż worek z plotkami, obnaż radość z cudzego nieszczęścia.

– To... to znaczy jakieś negatywne rzeczy?

Nordbø ciężko westchnął.

– Drogi Gjendem, a często słyszysz plotki o trzeźwości, szczodrobliwości w sprawach finansowych, o wierności w małżeństwie i niepsychopatycznym stylu zarządzania? Czy to dlatego, że funkcją plotki jest sprawianie nam radości, bo pokazujemy się w nieco lepszym świetle?

Nordbø uporał się z jednym szkłem i zaczął polerować drugie.

– To bardzo, ale to bardzo luźna plotka – zastrzegł się Roger Gjendem i szybko dodał: – Słyszałem podobne rzeczy o innych, którzy absolutnie i definitywnie nie są tacy.

– Jako były redaktor naczelny zalecałbym skreślenie albo „absolutnie", albo „definitywnie". To masło maślane – stwierdził Nordbø. – Definitywnie nie są jacy?

– Hm. Zazdrośni.

– Czy wszyscy nie jesteśmy zazdrośni?

– Gwałtownie zazdrośni.

– Bije żonę?

– Nie. Wydaje mi się, że jej nie tknął nawet palcem. Zresztą nie miał też powodu. Natomiast tych, którzy ośmielili się spojrzeć na nią o jeden raz za dużo...

61 WYSOKOŚĆ SPADANIA

Harry i Bellman leżeli na brzuchach przy krawędzi, na której znikał ślad skutera. Wpatrywali się w dół. Czarne pionowe zbocza wcinały się w ziemię i znikały w śniegu, który sypał teraz jeszcze gęściej.

– Widzisz coś? – spytał Bellman.

– Śnieg. – Harry podał mu lornetkę.

– Skuter tam jest. – Bellman wstał i ruszył z powrotem do ich pojazdu.

– Schodzimy na dół.

– My?

– Ty.

– Ja? Myślałem, że to ty z nas dwóch jesteś wspinaczem, Bellman.

– Zgadza się. Dlatego logiczne jest, żebym to ja cię asekurował. Lina ma siedemdziesiąt metrów. Spuszczę cię tak daleko, jak się da. W porządku?

Sześć minut później Harry stał na krawędzi urwiska, obrócony plecami do przepaści, z lornetką na szyi i palącym się papierosem w kąciku ust.

– Zdenerwowany? – uśmiechnął się Bellman.

– Skąd. Wystraszony tak, że ledwie stoję.

Bellman sprawdził jeszcze, czy połączona z uprzężą Harry'ego lina, przechodząca przez przyrząd asekuracyjny i okrążająca pień drzewa, się nie skręciła.

Harry zamknął oczy, wziął głęboki oddech i skoncentrował się na tym, by odchylić się do tyłu, przezwyciężając uwarunkowany ewolucyjnie protest ciała, wykształcony przez miliony lat zdobywania doświadczenia mówiącego, że gatunek nie przeżyje, jeśli da się krok poza krawędź przepaści. Mózg zwyciężył nad ciałem z marginesem najmniejszym z możliwych.

Na pierwszych metrach opadania mógł opierać się nogami o skałę, ale kiedy występ się skończył, zawisł w powietrzu. Lina wysuwała się stopniowo, ale jej elastyczność amortyzowała nacisk na szelki na krzyżu i udach. Potem lina sunęła już równiej, po pewnym czasie stracił z oczu szczyt i został sam, unosząc się wśród białych płatków śniegu i czarnych skalnych ścian.

Wychylił się w bok i spojrzał pod siebie. Dwadzieścia metrów w dole zauważył czarne kamienne szpice wystające spod śniegu. Strome osypisko. A wśród tej bieli i czerni coś żółtego.

– Widzę skuter! – zawołał. Echo odbiło się od skały.

Skuter leżał płozami do góry. Jeśli założyć, że wiatr nie wywierał wpływu na linę, skuter znajdował się mniej więcej trzy metry od krawędzi urwiska. Ponad siedemdziesiąt metrów w dół. To znaczy, że musiał wpaść w przepaść, kiedy jechał z niezwykle niską szybkością.

Lina nagle się naprężyła.

– Niżej! – zawołał Harry.

Kamienna odpowiedź z góry brzmiała tak, jakby została wygłoszona z kazalnicy:

– Nie ma więcej liny.

Harry patrzył na skuter. Na coś, co wystawało spod niego z lewej strony. Nagie ramię. Czarne, rozdęte jak kiełbasa zbyt długo leżąca na grillu. Biała dłoń na tle czarnego kamienia. Starał się skupić wzrok, nakazać oczom, by widziały lepiej. Otwarty spód dłoni, a więc prawa. Palce. Wykręcone. Zgięte. Mózg Harry'ego przewijał do tyłu. Co Tony Leike powiedział o swojej chorobie? Niezakaźna, tylko dziedziczna. Reumatyzm.

Harry spojrzał na zegarek. Refleks śledczego. Ciało znaleziono o godzinie siedemnastej pięćdziesiąt trzy. Między skalnymi ścianami w rozpadlinie robiło się już ciemno.

– Do góry! – krzyknął Harry.

Nic się nie wydarzyło.

– Bellman?

Bez odpowiedzi.

Podmuch wiatru obrócił go na linie. Czarne ostre kamienie. Dwadzieścia metrów w dół. Nagle bez ostrzeżenia poczuł, że serce zaczyna mu walić, i odruchowo złapał za linę obiema rękami, by się upewnić, że wciąż tam jest. Kaja. Bellman wiedział.

Trzy razy odetchnął głęboko, zanim znów krzyknął:

– Ściemnia się! Wiatr się zrywa, a ja odmrożę sobie jaja, Bellman! Pora wracać do domu.

Wciąż nie było odpowiedzi. Harry zamknął oczy. Czy się bał? Bał się, że pozornie racjonalnie myślący kolega odbierze mu życie ot, tak? Z powodu przypadkowo dogodnych okoliczności? Cholera, pewnie, że się bał. Bo to nie był kaprys. To nie przypadek, że Bellman został, by zabrać go na to pustkowie. A może? Odetchnął. Bellman bez trudu mógł zaaranżować całą sytuację tak, by wyglądała na wypadek. Spuścić się potem na dół i usunąć uprząż z liną, powiedzieć, że Harry w śnieżycy spadł w przepaść. W gardle już mu zaschło. To się nie działo naprawdę. Niemożliwe, żeby wygrzebać się spod pieprzonej lawiny tylko po to, żeby dwanaście godzin później zostać wrzuconym w przepaść. Przez policjanta. Cholera, to się nie może stać. Nie...

Uprząż przestała uwierać. Spadał. Swobodnie. Szybko.

– Plotka mówi, że Bellman pobił kolegę z pracy – powiedział Gjendem. – Tylko dlatego, że facet o dwa razy za dużo zatańczył z nią na świątecznym przyjęciu. Tamten chciał złożyć doniesienie, bo miał złamaną szczękę i pękniętą czaszkę, ale brakowało dowodów. Bellman był w kapturze. Wszyscy jednak wiedzieli, że to on. Kłopoty zaczęły narastać i w końcu zgłosił się do Europolu, żeby stąd uciec.

– Wierzysz trochę w te plotki, Gjendem?

Roger wzruszył ramionami.

– W każdym razie może wyglądać, że Bellman ma... hm... pewną tolerancję dla tego rodzaju wyskoków. W związku z tą lawiną przyjrzeliśmy się trochę Jussiemu Kolkce. Pobił gwałciciela podczas przesłuchania. A Truls Berntsen, *side kick* Bellmana, też nie jest najgrzeczniejszym dzieckiem swojej matki.

– Dobrze. Chcę, żebyś się zajął tym pojedynkiem między KRIPOS a Wydziałem Zabójstw o przejęcie odpowiedzialności za najtrudniejsze śledztwa. Masz rzucić kilka pochodni. Chętnie coś na temat psychopatycznego stylu zarządzania. To wszystko. Zobaczymy, jak zareaguje minister sprawiedliwości.

Bez żadnego gestu czy słowa pożegnania Bent Nordbø wsunął na nos wypolerowane szyby, rozłożył gazetę i zaczął czytać.

Harry nie zdążył nawet pomyśleć. O niczym. I nie zobaczył też własnego życia przesuwającego się przed oczami ani twarzy ludzi, o których mógłby powiedzieć, że ich kochał, ani też żadnego światła, które by go przyciągało. Możliwe, że na takie rzeczy nie ma czasu, kiedy się spada pięć metrów w dół.

Nagle uprząż napięła się w kroczu i na krzyżu, ale elastyczność liny złagodziła hamowanie.

Poczuł, że znów zaczyna się podnosić. Wiatr nawiewał mu śnieg prosto w twarz.

– Co się, do cholery, stało? – spytał, gdy piętnaście minut później stał na krawędzi rozpadliny i z trudem utrzymywał równowagę w porywach wiatru, odpinając linę od uprzęży.

– Wystraszyłeś się? – uśmiechnął się Bellman.

Zamiast odłożyć linę, Harry owinął nią kilka razy prawą dłoń. Sprawdził, czy ma dość luzu. Krótki *uppercut* w brodę. Dzięki linie ręka będzie użyteczna i jutro. Nie tak, jak wtedy, gdy uderzył Bjørna Holma i przez dwa dni chodził z obolałymi palcami.

Zrobił krok w stronę Bellmana. Ujrzał zaskoczenie na twarzy nadkomisarza na widok ręki owiniętej liną. Ujrzał, jak Bellman się cofa, chwieje, upada w śnieg.

– Nie… Musiałem tylko zawiązać supeł na końcu liny, żeby się nie wyślizgnęła…

Harry dalej szedł w jego stronę, a Bellman, który skulił się na śniegu, odruchowo zasłonił ręką twarz.

– Harry! Wiatr powiał i ja się poślizgnąłem…

Harry zatrzymał się, popatrzył na Bellmana zdziwiony. Szedł dalej, mijając roztrzęsionego nadkomisarza. Deptał po śniegu. Lodowaty wiatr przewiewał mu ubranie, bieliznę, skórę, ciało, mięśnie, aż do samego szkieletu. Sięgnął po kijek umocowany do skutera, rozejrzał się za czymś, co mógłby przywiązać do jego końca, ale nic takiego nie znalazł, a zdejmowanie z siebie czegokolwiek nie wchodziło w grę. W końcu po prostu wbił kijek w śnieg, żeby zaznaczyć miejsce znaleziska. Wcisnął guzik elektrycznego startera. Znalazł przełącznik świateł, zapalił. I od razu zrozumiał. Poznał to po śniegu, który w snopach światła reflektorów przesuwał się poziomo i tworzył białą nieprzebytą ścianę. Wiedział, że nigdy nie zdołają się wydostać z tego labiryntu i wrócić do Ustaoset.

62 TRANZYT

Kim Erik Lokker był najmłodszym technikiem w Wydziale Techniki Kryminalistycznej, w związku z tym często otrzymywał zlecenia o mniej technicznym charakterze. Na przykład takie jak wyjazd do Drammen. Bjørn Holm wspomniał, że Bruun to gej z rodzaju tych bardziej flirtujących, ale Kim Erik miał jedynie oddać ubrania i mógł wracać.

Kiedy dama z GPS-u w samochodzie oświadczyła: *You have arrived at your destination*, Kim Erik znajdował się pod dość starą kamienicą. Zaparkował, przez otwartą bramę wszedł na drugie piętro i stanął pod drzwiami z przyczepionym dwoma kawałkami taśmy klejącej zwykłym paskiem papieru z nazwiskami: GEIR BRUUN/ADELE VETLESEN.

Kim Erik jeszcze raz wcisnął dzwonek i wreszcie usłyszał dudnienie w korytarzu.

Drzwi otworzyły się do środka. Mężczyzna był jedynie przepasany ręcznikiem. Miał niezwykle białe ciało, a gładka czaszka była mokra i lśniła od potu.

– Geir Bruun? Mam... mam nadzieję, że nie przeszkadzam.

– Ależ nic się nie stało, tylko przyjemnie się ruchało – odparł afektowanym głosem, który Bjørn Holm wcześniej naśladował. – Co to jest?

– Ubrania, które wypożyczyliśmy. Obawiam się jednak, że spodnie narciarskie jeszcze na razie zatrzymamy.

– Tak?

Kim Erik usłyszał, że drzwi za Geirem Bruunem się otwierają. I zaraz rozległ się bezwzględnie kobiecy głos:

– Co się dzieje, kochanie?

– Ktoś tylko coś przyniósł.

Za Geirem Bruunem przemknęła jakaś postać. Nie wysiliła się nawet na ręcznik i Kim Erik zdążył zauważyć, że drobna istotka jest w stu procentach kobietą.

– Cześć – zaćwierkała przez ramię Geira. – Jeśli to już wszystko, chętnie zabiorę go z powrotem. – Z wdziękiem uniosła drobną stopę i pchnęła drzwi. Szyba dźwięczała jeszcze długo po tym, jak się zatrzasnęły.

Harry zatrzymał skuter i zapatrzył się w zadymkę.

Coś tam było.

Bellman obejmował go w pasie, a głowę tulił do jego pleców, żeby osłonić się przed wiatrem.

Harry czekał. Wytężał wzrok.

Znów to samo.

Jakaś chata. Z drewnianych bali. I charakterystyczny kształt spichlerza.

Obraz znów zniknął, zatarty śniegiem, jakby nigdy go nie było. Ale Harry już znał kierunek.

Dlaczego więc po prostu nie dodał gazu i nie dotarł tam, żeby się uratować? Dlaczego się wahał? Nie wiedział. Ale w tej chacie było coś dziwnego. Coś, co wyczuł w ciągu sekund, kiedy mu się objawiła, coś w czarnych oknach. Wrażenie, że patrzy na budynek nieskończenie opuszczony, a mimo wszystko zamieszkany. Coś, co nie było dobre. I co sprawiło, że bardzo ostrożnie dodał gazu, by nie zagłuszyć wiatru.

63 SPICHLERZ

Harry włożył do piecyka polano.

Bellman siedział przy stole i szczękał zębami. Plamy na skórze nabrały niebieskawego odcienia. Przez dłuższą chwilę walili w drzwi i krzyczeli na zawodzącym wietrze, zanim w końcu wybili szybę w oknie pustej sypialni. Sypialni z niepościelonym łóżkiem i zapachem, który kazał Harry'emu myśleć, że ktoś niedawno tu spał. Ledwie się powstrzymał od sprawdzenia, czy łóżko wciąż nie jest nagrzane. I chociaż byli tak zmarznięci, że pokój i tak wydałby im się ciepły, Harry wsunął rękę do piecyka, żeby sprawdzić, czy pod czarnym popiołem nie ma żaru. Ale nie było.

Bellman przysunął się bliżej ognia.

– Widziałeś w tej przepaści coś więcej niż skuter?

To były pierwsze słowa, jakie wypowiedział, odkąd biegł, krzycząc, żeby Harry go nie zostawiał, i w końcu wskoczył na siodełko.

– Rękę – odparł Harry.

– Czyją rękę?

– A skąd mam wiedzieć? – Harry wstał i poszedł do łazienki. Sprawdził przybory toaletowe. Nie znalazł ich wiele. Mydło do rąk i maszynka do golenia. Nie było szczoteczki do zębów. Jedna osoba. Mężczyzna. Który albo nie mył zębów, albo wyruszył w podróż. Podłoga była wilgotna, nawet pod listwami przyściennymi. Jakby ktoś niedawno gruntownie ją spłukał. Coś przyciągnęło jego wzrok. Przykucnął. Coś brązowoczarnego leżało wciśnięte pod listwę. Kamyk? Harry go podniósł, obejrzał uważnie. W każdym razie to nie lawa. Schował go do kieszeni.

W szufladach w kuchni znalazł kawę i chleb. Ponaciskał go. Stosunkowo świeży. W lodówce stał słoik dżemu, masło i dwa piwa. Harry był tak głodny, że wydawało mu się, iż czuje zapach smażonej słoniny. Przeszukał szafki.

Nic. Cholera, ten facet żył chlebem z dżemem?

Na stosie talerzy znalazł paczkę herbatników. Takie same talerze jak w Håvasshytta. I takie same meble. Czy to mogło być schronisko turystyczne? Zatrzymał się. Już wiedział, że wcale mu się nie wydaje. Naprawdę czuł zapach smażonej, a raczej spalonej słoniny.

Wrócił do pokoju.

– Czujesz?

– Co?

– Zapach. – Harry przykucnął przy piecyku. Swąd bił z trzech czarnych niezidentyfikowanych kawałeczków, które przylgnęły do żeliwa, do reliefu jelenia nad drzwiczkami.

– Znalazłeś coś do jedzenia? – spytał Bellman.

– No, do jedzenia jak do jedzenia – odparł Harry zamyślony.

– Po drugiej stronie podwórza stoi spichlerz. Może...

– Może powinieneś sam iść i zobaczyć?

Bellman kiwnął głową, wstał i wyszedł.

Harry podszedł do biurka sprawdzić, czy nie leży tam coś, czym mógłby zeskrobać przypalone kawałeczki. Wyciągnął górną szufladę. Pusta. Sprawdzał po kolei. Wszystkie były puste. Tylko w najniższej leżała kartka. Wyjął ją, okazało się, że to odwrócona tyłem fotografia. Przede wszystkim zdziwiło go, że ktoś przechowuje rodzinne zdjęcie w schronisku. Fotografię zrobiono latem, przed niedużym domkiem w wiejskim gospodarstwie. Kobieta i mężczyzna siedzieli na schodach, między nimi stał chłopiec. Kobieta była w niebieskiej sukience, nieumalowana, miała zmęczony uśmiech. Mężczyzna z zaciśniętymi ustami, surową miną i poważnym, zamkniętym wyrazem twarzy, charakterystycznym dla skrępowanych Norwegów, przez co wyglądają, jakby skrywali jakieś mroczne tajemnice. Ale uwagę Harry'ego przykuł przede wszystkim chłopiec. Był podobny do matki, miał jej szeroki otwarty uśmiech, łagodną urodę oczu i czoła. Ale podobny był też jeszcze do kogoś. Te duże białe zęby... Harry podszedł do piecyka. Nagle znów wstrząsnął nim dreszcz. Ta dymiąca słonina... Zamknął oczy, koncentrując się na głębokich oddechach przez nos, lecz mimo wszystko już czuł mdłości.

W tej samej chwili Bellman wpadł do środka, szeroko uśmiechnięty.

– Mam nadzieję, że lubisz jeleninę.

Harry ocknął się i zastanawiał, co mogło go obudzić. Jakiś dźwięk? Czy może raczej brak dźwięku? Uświadomił sobie bowiem, że w pokoju jest zupełnie cicho, a na zewnątrz wiatr przestał hałasować. Zrzucił koc i wstał z kanapy.

Podszedł do okna i wyjrzał. Jakby ktoś za dotknięciem czarodziejskiej różdżki odmienił cały krajobraz. To, co przed sześcioma godzinami było surowym, bezwzględnym pustkowiem, teraz wydawało się miękkie, matczyne, wręcz piękne w czarodziejskim blasku księżyca. Pojął, że wypatruje śladów na śniegu, bo to jednak jakiś dźwięk wyrwał go ze snu. Mogło to być wszystko. Ptak. Zwierzę. Zza drzwi jednej z sypialni dobiegało lekkie pochrapywanie, więc to nie Bellman wstawał. Powiódł spojrzeniem po śladach stóp prowadzących od domu do spichlerza. A może od spichlerza do domu. A może w jedną i drugą stronę. Było ich więcej. Czy możliwe, że to ślady Bellmana sprzed sześciu godzin? Kiedy śnieg przestał padać?

Wciągnął buty, wyszedł i spojrzał na wychodek. Tam nie prowadziły żadne ślady. Obrócił się plecami do spichlerza i wysikał na ścianę domu. Dlaczego mężczyźni tak robią? Dlaczego zawsze muszą sikać na coś? Resztki instynktownego znakowania rewiru? A może... Uświadomił sobie, że wcale nie sika na coś, tylko odwraca się od czegoś. Od spichlerza. Jakby podejrzewał, że jest stamtąd obserwowany. Zapiął spodnie, odwrócił się i spojrzał na charakterystyczny budynek, kształtem przypominający grot włóczni. Ruszył w jego stronę. Mijając zasypany śniegiem skuter, zabrał łopatę. Miał zamiar od razu wejść do środka, ale jednak zatrzymał się przy prymitywnych kamiennych schodach prowadzących do niskich drzwi. Nasłuchiwał. Nic. Co, do cholery, nim kieruje? Przecież tam nikogo nie ma. Wszedł na schody, próbował podnieść rękę do klamki, ale nie chciała go usłuchać. Co to jest, do cholery? Serce waliło w piersi tak mocno, że aż bolało, jakby chciało wyskoczyć. Oblewał go pot, a ciało odmawiało wykonywania poleceń. Powoli uświadamiał sobie, że znał to z opisów. Napad panicznego lęku. Uratowała go wściekłość. Z całej siły kopnął w drzwi i spojrzał w ciemność. Unosił się tu ostry zapach tłuszczu, wędzonego mięsa i zakrzepłej krwi. Coś poruszyło się w smudze księżycowego światła. Błysnęła para oczu. Harry zamierzył się łopatą. I trafił. Usłyszał martwy odgłos mięsa, czuł, jak się poddaje. Drzwi za nim się otworzyły, do środka wpadło więcej światła. Harry patrzył na kołyszącego się przed nim jelenia. Na inne zwierzęta. Opuścił łopatę i osunął się na kolana. Potem wszystko przyszło naraz. Pękająca ściana góry, śnieg, który zjadał go żywcem, panika, że nie będzie mógł oddychać, tamto długie zachłyśnięcie się najczystszym strachem, kiedy leciał ku czarnym kamieniom. Taka wielka samotność. Bo wszyscy już odeszli. Ojciec pod respiratorem, w tranzycie, a Rakel i Oleg byli jedynie konturami postaci widocznymi pod światło na lotnisku, również w tranzycie. Harry chciał wracać. Wracać do pokoju, w którym kapała woda. Do mocnych wilgotnych ścian. Do przepoconego materaca i słodkiego dymu, który pozwalał mu podróżować tam, gdzie byli oni. Tranzyt. Schylił głowę i poczuł gorące łzy na twarzy.

*Wydrukowałem zdjęcie Jussiego Kolkki z internetowych stron „Dagbladet"
i przypiąłem je na ścianie obok pozostałych. W wiadomościach nie było
ani słowa o Harrym Hole i innych obecnych tam policjantach. Ani o Isce
Peller. Czyżby blef? W każdym razie próbują. A teraz martwy policjant.
Będą się bardziej starać. MUSZĄ się bardziej starać. Słyszysz, Hole? Nie?
Powinieneś, bo jestem tak blisko, że mógłbym Ci to szepnąć do ucha.*

Część VII

64 STAN

Doktor Abel powiedział, że stan Olava Hole się nie zmienia.

Harry siedział przy łóżku ojca i patrzył na to, co się nie zmieniało, wsłuchany w maszynę serca, która wygrywała swoją rytmiczną piosenkę, momentami się zacinając. Pojawił się Sigurd Altman, przywitał się i przepisał jakieś liczby z wyświetlacza do notatnika.

– Właściwie przyszedłem tu, żeby odwiedzić Kaję Solness – powiedział Harry, wstając. – Ale nie wiem, na którym oddziale leży. Nie mógłbyś...

– Twoja koleżanka, przetransportowana helikopterem zeszłej nocy? Jest na oddziale ratunkowym. Ale tylko do czasu, gdy będą wyniki badań, bo trochę za długo leżała pod śniegiem. Kiedy mówili o Håvasshytta, pomyślałem, że chodzi o tę dziewczynę z Australii, o której policja trąbiła w radio.

– Nie wierz we wszystko, co słyszysz, Altman. Kiedy Kaja leżała pod śniegiem, Australijka przebywała w cieple, bezpieczna. Miała osobistą ochronę i pełen *room service*. Wiesz, Bristol...

– Chwileczkę. – Altman, mrużąc oczy, spojrzał na Harry'ego. – Ty też byłeś pod śniegiem?

– Dlaczego tak myślisz?

– Bo się zachwiałeś. Kręci ci się w głowie?

Harry wzruszył ramionami.

– Czujesz się zdezorientowany?

– Nieustannie.

Altman się uśmiechnął.

– Nawdychałeś się trochę za dużo dwutlenku węgla. Ciało pozbywa się go dość szybko po podaniu tlenu, ale powinieneś zbadać sobie krew na poziom dwutlenku.

– Dziękuję, ale nie skorzystam – odparł Harry. – A co z nim? – skinął głową w stronę łóżka.

– Co mówi lekarz?

– Bez zmian. Ale ja pytam ciebie.

– Ja nie jestem lekarzem, Harry.

– I dlatego nie musisz odpowiadać jak lekarz. Powiedz mi coś w przybliżeniu.

– Nie mogę...

– To zostanie między nami.

Altman spojrzał na Harry'ego. Chciał coś powiedzieć, ale zmienił zdanie. Przygryzł dolną wargę.

– Dni – wydusił z siebie wreszcie.

– Nawet nie tygodnie?

Altman się nie odezwał.

– Dziękuję, Sigurd. – Harry już szedł do drzwi.

Twarz Kai na poduszce była blada i śliczna. Jak kwiat w zielniku, pomyślał Harry. Jej dłoń w jego ręce drobna i zimna. Na szafce leżała dzisiejsza „Aftenposten" z artykułem o lawinie w Håvasshytta. Opisywano tragiczne zdarzenie i cytowano Mikaela Bellmana, który mówił, że śmierć Kolkki przebywającego w Håvasshytta razem z Iską Peller to wielka strata. Dodawał jednak, że cieszy się, iż świadek się uratował i jest teraz w bezpiecznym miejscu.

– A więc tę lawinę wywołał wybuch dynamitu? – spytała Kaja.

– Co do tego nie ma wątpliwości.

– Dobrze ci się współpracowało z Mikaelem?

– Jasne. – Harry odwrócił się, gwałtownie kaszląc.

– Słyszałam, że znaleźliście w przepaści jakiś skuter, a pod nim być może ciało.

– Tak. Bellman został w Ustaoset, żeby odszukać to miejsce przy pomocy kogoś z urzędu lensmana.

– Krongliego?

– Nie. Nikt nie wie, gdzie on się podziewa. Ale jego asystent wydawał się godnym zaufania facetem. Roy Stille. Czeka ich niezła robota. W zasadzie nie mieliśmy pojęcia, dokąd dotarliśmy. Wszystko przysypał śnieg. Cały teren zawiało. W tej okolicy... – Harry pokręcił głową.

– Masz jakiś pomysł, czyje to może być ciało?

– Założę się o głowę, że to Tony Leike.

Kaja przesunęła się na poduszce.

– Skąd wiesz?

– Na razie nikomu jeszcze o tym nie mówiłem, ale widziałem palce tego trupa.

– I co?

– Były powykrzywiane. Tony Leike miał reumatyzm.

– Myślisz, że to on wywołał lawinę? Po ciemku wpadł w przepaść?

Harry pokręcił głową.

– Tony mówił mi, że zna teren jak własną kieszeń, że to jego krajobraz. Było pogodnie, a skuter jechał wolno. W linii prostej leżał tylko trzy metry od krawędzi urwiska. A ciało miało poparzoną rękę. Na pewno nie od dynamitu. Skuter się nie spalił.

– Co...

– Wydaje mi się, że Leikego torturowano, zabito, a potem wrzucono w tę rozpadlinę razem ze skuterem, żebyśmy go nie znaleźli.

Kaja się skrzywiła.

Harry potarł mały palec, zastanawiając się, czy mógł go sobie odmrozić.

– Co sądzisz o tym Kronglim?

– O Kronglim? – zamyśliła się Kaja. – Jeśli to prawda, że próbował zgwałcić Charlotte Lolles, to nigdy nie powinien zostawać policjantem.

– Bił też swoją dziewczynę.

– Wcale mnie to nie dziwi.

– Nie?

– Nie.

– Jest coś, czego mi nie mówisz?

Kaja wzruszyła ramionami.

– To kolega z pracy. A uznałam, że to się stało po pijaku, więc nie ma po co rozpowiadać. Ale rzeczywiście miałam okazję przez moment zobaczyć tę jego twarz. Przyszedł do mnie i dość brutalnie usiłował mi wytłumaczyć, że powinniśmy się zabawić.

– Ale?

– Mikael był wtedy u mnie.

Harry poczuł gwałtowne szarpnięcie.

Kaja podciągnęła się wyżej na łóżku.

– Chyba nie myślisz poważnie, że to Krongli...

– Nie wiem. Wiem jedynie, że osoba, która wywołała lawinę, musiała doskonale znać teren. Krongli miał do czynienia z tymi, którzy byli w Håvasshytta. Poza tym Elias Skog przed śmiercią powiedział, że widział w Håvasshytta scenę, która mogła być gwałtem. A Aslak Krongli wygląda na potencjalnego gwałciciela. Ale ta lawina... Gdybyś chciała zabić kobietę, która według ciebie przebywa sama z nieuzbrojonym policjantem w schronisku wysoko w górach, to jakbyś to zrobiła? Wywołanie lawiny nie gwarantuje rezultatu. Dlaczego nie zrobić tego w prosty, pewny sposób? Wziąć swój ulubiony rodzaj broni i pójść do schroniska? Ponieważ on wiedział, że Iska Peller i policjant nie są sami. On wiedział, że na niego czekamy. Dlatego podkradł się i zaatakował w jedyny sposób umożliwiający mu ucieczkę. Mówimy o kimś spośród nas. O kimś, kto znał nasze teorie związane z Håvasshytta i zrozumiał wszystko, kiedy usłyszał, że na konferencji prasowej wymieniamy nazwisko świadka. Urząd lensmana w Ustaoset...

– W Geilo – poprawiła go Kaja.

– Tak czy owak, to Krongli otrzymał z KRIPOS pilny wniosek o zezwolenie na lądowanie helikoptera w parku narodowym tej samej nocy. Musiał się wszystkiego domyślić.

– Wobec tego powinien też zrozumieć, że Iski Peller tam nie ma. Że nie narażalibyśmy świadka – stwierdziła Kaja. – A w takim razie dziwne, że po prostu nie trzymał się od wszystkiego z daleka.

Harry pokiwał głową.

– Znakomicie, Kaju. Zgadzam się. Krongli nawet przez sekundę nie wierzył, że Iska Peller jest w schronisku. Wydaje mi się, że ta lawina to tylko kontynuacja tego, co on uprawia już od pewnego czasu.

– Mianowicie?

– Zabawy z nami.

– Zabawy?

– Kiedy byliśmy w Håvasshytta, ktoś próbował się ze mną połączyć z telefonu Tony'ego Leike. Tony wpisał mój numer do kontaktów w swojej komórce. A jestem przekonany, że to nie on do mnie dzwonił. Rzecz w tym, że ten, kto telefonował, nie rozłączył się dostatecznie szybko. Włączyła się sekretarka i zanim połączenie przerwano, przez sekundę słychać jakiś dźwięk. Nie jestem pewien, ale wygląda mi to na śmiech.

– Śmiech?

– Śmiech kogoś rozbawionego, ponieważ akurat usłyszał mój głos z taśmy informujący, że przez parę dni będę poza zasięgiem. Wyobraźmy sobie, że to Aslak Krongli, którego podejrzenia, że jestem w Håvasshytta i czekam na zabójcę, właśnie się potwierdziły. – Harry urwał i zamyślony zapatrzył się przed siebie.

– I co? – spytała Kaja po chwili.

– Chciałem tylko usłyszeć, jak ta teoria brzmi, kiedy wypowiem ją na głos.

– I?

Wstał.

– W zasadzie do dupy. Ale sprawdzę alibi Krongliego w dniach zabójstw. Na razie.

– Truls Berntsen?

– Tak.

– Roger Gjendem z „Aftenposten". Ma pan czas, żeby odpowiedzieć na parę krótkich pytań?

– To zależy. Jeśli znów zamierzacie nas nękać o Jussiego Kolkkę, to proszę się zwrócić do...

– Nie chodzi o Jussiego Kolkkę. Ale przy okazji moje kondolencje.

– No to dobrze.

Roger siedział z nogami na stole w swoim redakcyjnym pokoju w wieżowcu Poczty i patrzył na niskie budynki składające się na Dworzec Centralny w Oslo i Operę, której budowa już niedługo miała zostać ukończona. Po rozmowie z Berntem Nordbø w Stopp Pressen! poświęcił cały dzień i część nocy na staranniejsze sprawdzenie Mikaela Bellmana. Oprócz plotki o pobiciu pracownika posterunku policji na Stovner nie bardzo było się do czego przyczepić. Ale jako dziennikarz zajmujący się sprawami kryminalnymi Roger Gjendem przez lata stworzył sobie sforę stałych, niegodnych zaufania informatorów, którzy chętnie sprzedaliby własną babkę za butelkę wódki albo za jedną działkę. Trzej mieszkali na Manglerud. Po kilku telefonach okazało się, że wszyscy trzej też tam dorastali. Może prawdą było, jak ktoś powiedział, że z Manglerud nikt się nie wyprowadza. Ani tam nie sprowadza.

Środowisko najwyraźniej było przejrzyste, bo wszyscy trzej pamiętali Mikaela Bellmana. Trochę dlatego, że był fiutem z posterunku na Stovner, ale przede wszystkim dlatego, że poderwał dziewczynę Jullego, kiedy ten odsiadywał wcześniejszy wyrok w zawieszeniu, rok za narkotyki. Wyrok odwieszono, bo ktoś doniósł, że Julle ukradł benzynę na Mortensrud. Jego dziewczyną była Ulla Swart, najładniejsza na Manglerud, o rok starsza od Bellmana. Kiedy Julle odsiedział swoje i wyszedł z więzienia, złożywszy powszechnie znaną przysięgę, że się policzy z Bellmanem, w garażu, w którym stało jego kawasaki, czekało na niego dwóch facetów. Na głowach mieli kaptury i stłukli go metalowymi prętami, obiecując, że czeka go kolejna porcja, jeśli ośmieli się tknąć Bellmana albo Ullę. Plotki głosiły, że żadnym z tych dwóch nie był Bellman, ale jednego nazywano Beavis. Stały lokaj Bellmana. Była to jedyna karta, jaką miał w ręku Roger Gjendem, kiedy dzwonił do Trulsa „Beavisa" Berntsena. Tym bardziej miał powód, by udawać, że trzyma w ręku cztery asy.

– Chciałem tylko spytać, czy prawdą jest, że swego czasu pobił pan Stanisława Hessego, który przyszedł na zastępstwo do działu płac na posterunku policji na Stovner. I że zrobił pan to na zlecenie Mikaela Bellmana.

Głucha cisza na drugim końcu.

Roger chrząknął.

– Słucham?

– To jakieś cholerne kłamstwo.

– Który fragment?

– Że dostałem takie zlecenie od Mikaela. Wszyscy widzieli, że ten pieprzony Polak podrywa jego żonę. Każdy mógł się wściec.

Roger Gjendem poczuł, że wierzy w pierwszą odpowiedź Berntsena. W to, co dotyczyło zlecenia. Ale nie w ostatnią. W to „każdy". Żaden z byłych kolegów z posterunku na Stovner, z którymi Roger rozmawiał, nie miał Bellmanowi nic konkretnego do zarzucenia, mimo to słychać było wyraźnie, że Bellman nie cieszył się sympatią i nie należał do tych, za których każdy gotów byłby iść na wojnę. Taka osoba była tylko jedna.

– Dziękuję, to wszystko – powiedział dziennikarz.

W momencie gdy Roger Gjendem chował telefon do kieszeni, Harry wyciągnął ze swojej komórkę i przyłożył do ucha.

– Tak?

– Mówi Bjørn Holm.

– Przecież widzę.

– O rany! Nie sądziłem, że będziesz sobie zawracał głowę zakładaniem książki telefonicznej.

– No jasne. Możesz się czuć zaszczycony, Bjørn, bo jesteś jednym z czterech wpisanych kontaktów.

– Co to za hałas w tle? Gdzie ty właściwie jesteś?

– To hazardziści, którym się wydaje, że wygrają. Jestem na wyścigach konnych.

– Co?

– W Bombay Garden.

– Czy to nie jest... Wpuścili cię tam?

– Jestem członkiem. A o co chodzi?

– Cholera, ty obstawiasz konie, Harry? Niczego się nie nauczyłeś w Hongkongu?

– Spokojnie, przyszedłem, żeby wykluczyć Aslaka Krongliego ze sprawy. Według dokumentów w urzędzie lensmana w czasie, kiedy zginęły Charlotte i Borgny, był w delegacji służbowej w Oslo. W zasadzie nic dziwnego, bo okazuje się, że on tu często bywa. Właśnie odkryłem powód.

– Bombay Garden?

– Owszem. Aslak Krongli ma niemały problem z hazardem. Rzecz w tym, że sprawdziłem wydruki z kary kredytowej, które przechowują tu w komputerze z datami i godzinami. Krongli przeciągał kartę nie raz, a godziny dają mu alibi. Niestety.

– Ach, tak. I oni trzymają komputer z takimi danymi w tym samym pomieszczeniu co tor wyścigowy?

– Co? Gonitwa się kończy, musisz mówić głośniej.

– Trzymają... Wszystko jedno. Dzwonię, żeby powiedzieć, że odkryliśmy spermę na spodniach narciarskich, które Adele Vetlesen miała na sobie w Håvasshytta.

– Co? Nie żartujesz? To znaczy, że...

– Że niedługo będziemy mieć DNA tego siódmego mężczyzny. Jeśli to jego nasienie. A jedynym sposobem, w jaki możemy zyskać tę pewność, jest wykluczenie pozostałych mężczyzn, którzy byli w Håvasshytta.

– Potrzebujemy ich DNA.

– No właśnie – zgodził się Bjørn. – Z Eliasem Skogiem nie ma problemu, bo jego DNA już mamy. Gorzej z Tonym Leike. Na pewno znaleźlibyśmy

DNA w jego w domu, ale do tego potrzebne jest postanowienie sądu. A po tym ostatnim aresztowaniu trzeba cholernie dużo, żebyśmy je dostali.

– Zostaw to mnie – powiedział Harry. – Powinniśmy mieć też DNA Krongliego, bo chociaż nie zabił Charlotte ani Borgny, mógł zgwałcić Adele.

– Dobrze. Jak je zdobędziemy?

– Jako policjant powinien w takim czy innym momencie znaleźć się w jakimś miejscu zdarzenia...

Harry nie musiał kończyć. Bjørn Holm już kiwał głową. Dla uniknięcia zamieszania i pomyłek rutynowo pobierano odciski palców i DNA od wszystkich policjantów, którzy byli obecni na miejscach zdarzenia i potencjalnie mogli je zanieczyścić.

– Sprawdzę w rejestrze.

– Świetna robota, Bjørn.

– Zaczekaj, bo to jeszcze nie koniec. Kazałeś nam się rozejrzeć za strojem pielęgniarki. Znaleźliśmy. Z plamami PSG. I sprawdziłem. W Oslo jest nieczynna już fabryka PSG. W Nydalen. Jeśli stoi pusta, a ten siódmy mężczyzna uprawiał tam seks z Adele, może wciąż jest szansa na znalezienie śladów spermy.

– Mhm. Napalony w Nydalen, chciał dokończyć w Håvasshytta. Może fiut go wyciągnie z kryjówki. Mówisz PSG? Masz na myśli fabrykę Kadok?

– Tak, a skąd...

– Ojciec kumpla tam pracował.

– Powtórz, bo cholerny hałas w tle.

– Meta. Trzymaj się.

Harry schował telefon do kieszeni i zrobił pół obrotu na krześle, żeby nie patrzeć na ponure twarze przegranych wokół filcowego toru, tylko na uśmiechniętą twarz krupiera.

– Jesce las glatuluję, Hally.

Wstał, włożył kurtkę i spojrzał na banknot, który podał mu Wietnamczyk. Z portretem Edvarda Muncha. Tysiąc koron.

– Dzięki – odparł Harry. – W następnej gonitwie postaw na zielonego konia. Zainkasuję kiedy indziej, Duc.

Lene Galtung siedziała w salonie, wpatrując się w podwójne szyby i podwójne odbicie. Z jej ipoda leciał *Fast Car* Tracy Chapman. Mogła słuchać tego utworu na okrągło, nigdy jej się nie nudził. Opowiadał o biednej dziewczynie, która chciała uciec od wszystkiego, wsiąść do szybkiego samochodu swojego chłopaka i uciec od całego swojego życia, od pracy w kasie w supermarkecie, od odpowiedzialności za ojca pijaka, spalić za sobą wszystkie mosty. Trudno o życie bardziej odległe od życia Lene, a jednak ona uważała, że ta piosenka jest o niej. O tej Lene, którą mogła być. Którą właściwie była. O jednej z tych dwóch, które widziała w szybie. O tej zwyczajnej, szarej. Przez wszystkie lata w szkole śmiertelnie się bała, że nagle drzwi do klasy się otworzą, ktoś wejdzie, wskaże na nią palcem i oświadczy: „Nareszcie cię mamy! Ściągaj te ładne ciuchy!". A potem rzuci jej jakieś szmaty i powie wszystkim, kim naprawdę jest. Bękartem. Całymi latami siedziała schowana cicho jak myszka i tylko czekała. Ukrywała się. Przysłuchiwała się przyjaciółkom, usiłowała wychwycić coś, co by zdradziło, że odkryły prawdę. Jej zażenowanie, lęk i obronę inni odbierali jako arogancję. Wiedziała, że przesadnie odgrywa rolę bogatej, rozpieszczonej i beztroskiej. Wcale nie była piękna i mądra jak inne dziewczyny z jej kółka, te, które z uśmiechem i pewnością siebie mogły oświadczyć: „Nie mam pojęcia", do głębi przekonane, że to, o czym nie wiedziały, nie może być wcale aż tak ważne, a świat i tak nigdy nie zażąda od nich niczego więcej oprócz tego, by były piękne. Musiała więc udawać. Piękną. Mądrą. Wyniesioną ponad inne. Ale taka była tym zmęczona. Pragnęła jedynie wsiąść do samochodu Tony'ego i poprosić, żeby ją stąd zabrał. W jakieś miejsce, gdzie będzie mogła być prawdziwą Lene, a nie tymi dwiema fałszywymi osobami, które nienawidziły się nawzajem. Tracy Chapman śpiewała, że razem z Tonym mogłaby znaleźć takie miejsce.

Odbicie w szybie się poruszyło. Lene drgnęła, zrozumiawszy, że to jednak nie jej twarz. Nie słyszała, jak ona wchodzi. Wyprostowała się i wyciągnęła słuchawki z uszu.

– Postaw tacę z kawą tam, Nanno.

Kobieta usłuchała.

– Powinnaś o nim zapomnieć, Lene.

– Przestań!

– Tak tylko mówię. To nie był mężczyzna dobry dla ciebie.

– Przestań, powiedziałam!

– Nie krzycz! – Kobieta hałaśliwie postawiła tacę na stole. Turkusowe oczy błysnęły. – Musisz pójść po rozum do głowy, Lene. Wszyscy musieliśmy tak zrobić, kiedy sytuacja tego wymagała. Mówię to jako twoja...

– Jako moja co? – prychnęła Lene. – Spójrz na siebie! Kim możesz dla mnie być?

Kobieta wytarła ręce o biały fartuch, chciała pogładzić Lene po policzku, ale dziewczyna ją odepchnęła. Westchnienie kobiety zabrzmiało tak, jakby kropla wpadała do studni. W końcu odwróciła się i wyszła. Kiedy drzwi się za nią zamknęły, zadzwonił czarny telefon leżący przed Lene. Czuła, jak serce jej podskoczyło. Odkąd Tony zniknął, komórka była stale włączona i w zasięgu ręki. Odebrała.

– Słucham, Lene Galtung.

– Harry Hole, Wydział Zab… *Sorry*, KRIPOS. Przepraszam, że przeszkadzam, ale muszę prosić o pomoc w pewnej sprawie. Chodzi o Tony'ego.

Lene poczuła, że traci kontrolę nad głosem.

– Czy… czy coś się stało?

– Poszukujemy osoby, która prawdopodobnie zginęła w przepaści w okolicach Ustaoset…

Zakręciło jej się w głowie. Podłoga chciała koniecznie wznieść się do góry, a sufit opaść.

– Jeszcze jej nie znaleźliśmy. Padał śnieg, a obszar poszukiwania jest bardzo duży i ekstremalnie trudny. Halo? Halo?

– Tak, tak.

– Kiedy znajdziemy ciało, będziemy chcieli je jak najszybciej zidentyfikować – ciągnął policjant odrobinę zachrypniętym głosem. – Ale z tego, co wiemy, może być bardzo poparzone. Dlatego już teraz potrzebne nam jest DNA osób, które bierzemy pod uwagę. A przez cały okres zaginięcia Tony'ego…

Serce Lene jakby chciało wyrwać się przez gardło, wyskoczyć z ust. A głos na drugim końcu nie przestawał mówić:

– Dlatego chciałem spytać, czy umożliwisz naszemu technikowi pobranie DNA z domu Tony'ego.

– To znaczy czego?

– Na przykład włosów ze szczotki, śliny ze szczoteczki do zębów. Oni już będą wiedzieć, czego potrzebują. Ważne jest, byś ty jako jego narzeczona udzieliła zgody i przyszła pod jego dom z kluczem.

– O… oczywiście.

– Bardzo dziękuję. Zaraz wysyłam technika na Holmenveien.

Lene odłożyła słuchawkę. Poczuła łzy cisnące się do oczu. Znów włożyła słuchawki ipoda do uszu.

Zdążyła jeszcze usłyszeć, jak Tracy Chapman śpiewa ostatnią linijkę. Tę o konieczności podjęcia decyzji. Piosenka się skończyła. Lene wcisnęła *repeat*.

65 KADOK

Nydalen stanowiło obraz odindustrializowania Oslo. Fabryczne budynki, których nie zburzono, zastępując je gładkimi, eleganckimi biurowcami ze szkła i stali, zmieniły się w przebudowane studia telewizyjne, restauracje i duże otwarte lokale z czerwonej cegły, w których obowiązkowo należało wyeksponować przewody wentylacyjne i instalacje wodne.

Te ostatnie pomieszczenia wynajmowały agencje reklamowe, które tym samym pragnęły zasygnalizować niekonwencjonalne podejście do myślenia, demonstrując, że kreatywność może rozkwitać równie dobrze w tanich lokalach przemysłowych, jak w porządnych, drogich i reprezentacyjnych budynkach wynajmowanych w centrum przez konkurencję. Ale lokale w Nydalen kosztowały co najmniej tyle samo, ponieważ wszystkie agencje reklamowe w zasadzie myślą tradycyjnie, to znaczy idą za modą i podbijają ceny tego, co jest na topie.

Właściciele działki, na której stała nieczynna już fabryka Kadok, nie uczestniczyli jednak w tej bonanzie. Kiedy czternaście lat temu, po okresie strat i zalania rynku chińskim PSG w dumpingowych cenach, fabrykę ostatecznie zamknięto, spadkobiercy założyciela skoczyli sobie do gardeł. W trakcie kłótni o to, co się komu należy, budynki stojące na uboczu za płotem po zachodniej stronie rzeki Aker popadały w coraz większą ruinę. Zaroślom i drzewom pozwolono tu rosnąć swobodnie i z czasem ukryły fabrykę przed otoczeniem. Zważywszy na to wszystko, wielka kłódka na bramie wydała się Harry'emu dziwnie nowa.

– Przetnij ją – polecił stojącemu obok funkcjonariuszowi.

Szczęki ogromnych obcęgów weszły w metal jak w masło i kłódka została przecięta równie szybko, jak Harry'emu udało się zdobyć nakaz przeszukania. Prokurator z KRIPOS miał widać ważniejsze rzeczy na głowie i Harry nawet nie dokończył mówić, o co mu chodzi, a już miał w ręku podpisany papier. W duchu pomyślał, że i w Wydziale Zabójstw przydałoby się paru takich zestresowanych i niedrobiazgowych prawników.

Niskie popołudniowe słońce błyskało w zębatych szczątkach szyb powybijanych okien w ścianach z cegieł. Panował tu nastrój opuszczenia charakterystyczny jedynie dla nieczynnych budynków przemysłowych, w których wszystko skonstruowano po to, by trwała tu gorączkowa skuteczna działalność, a gdzie nie ma już nikogo. Tylko echo metalu uderzającego o metal, okrzyków spoconych mężczyzn, przekleństw i śmiechu ponad szumem maszyn wciąż głucho rozbrzmiewa wśród ścian, a wiatr wpada przez brudne porozbijane szyby, wprawiając w drżenie pajęczyny i pancerzyki martwych owadów.

Na wielkich drzwiach prowadzących do hali fabrycznej nie było żadnego zamka. Pięciu mężczyzn przeszło przez podłużną halę o kościelnej akustyce. Wnętrze świadczyło raczej o ewakuacji niż o zamknięciu. Na podłodze leżały narzędzia, paleta załadowana białymi wiadrami z napisem „PSG TYP 3" stała gotowa do wywiezienia, na krześle wisiał niebieski fartuch magazyniera. Zatrzymali się na środku pomieszczenia. W kącie znajdowało się coś w rodzaju uniesionego o metr nad podłogą kiosku w kształcie latarni morskiej. Stanowisko brygadzisty, pomyślał Harry. Na górze wokół całej hali biegła galeria, która na jednym końcu przechodziła w półpiętro z oddzielnymi pokojami. Harry domyślał się, że pewnie znajdowała się tam stołówka i pomieszczenia administracji.

– Od czego zaczynamy? – spytał.

– Jak zawsze. – Bjørn Holm się rozejrzał. – Od najdalszego lewego rogu.

– A czego szukamy?

– Stołu albo ławy pokrytej czymś niebieskim. Plamy z tyłu spodni były roztarte trochę poniżej kieszeni. Musiała więc siedzieć na czymś z nogami niżej, to znaczy nie leżała płasko.

– Jeśli zaczynacie na dole, to ja pójdę na górę z tym chłopakiem z obcęgami – oświadczył Harry.

– Po co?

– Pootwieram wam drzwi. Obiecujemy, że nigdzie nie będziemy pryskać spermą.

– Bardzo zabawne. Nie…

– …ruszajcie niczego.

Harry i funkcjonariusz, do którego zwracał się po prostu „sierżancie", całkiem po prostu dlatego, że nazwisko wyleciało mu z głowy w dwie sekundy po tym, jak je usłyszał, głośno tupiąc, weszli po kręconych schodach, aż metal zaśpiewał. Za niezamkniętymi drzwiami mieściły się, tak jak Harry przypuszczał, pomieszczenia biurowe, z których usunięto meble. Szatnia z rzędami metalowych szafek. Duży wspólny prysznic. Ale nigdzie żadnych niebieskich plam.

– Jak myślisz, co to jest? – spytał Harry, kiedy stanęli w stołówce. Wskazał na wąskie drzwi z kłódką w głębi sali.

– Spiżarka – orzekł sierżant, który już wychodził.

Harry podszedł do drzwi, poskrobał paznokciem zardzewiałą kłódkę. Rdza była prawdziwa. Odwrócił kłódkę, spojrzał na cylinder zamka. Tu rdzy nie było.

– Tnij! – powiedział.

Sierżant wykonał polecenie i Harry otworzył drzwi. Funkcjonariusz cmoknął.

– To tylko drzwi maskujące – stwierdził Harry.

Nie było za nimi spiżarki ani w ogóle żadnego pomieszczenia, tylko kolejne drzwi. Zaopatrzone w coś, co wyglądało na solidny zamek.

Harry rozejrzał się i zaraz znalazł to, czego szukał. Dużą czerwoną gaśnicę rzucającą się w oczy na środku ściany w stołówce. To Øystein powiedział mu, że substancja, jaką wytwarzali w tej fabryce, była bardzo łatwopalna – robotnicy musieli palić nad rzeką, a niedopałki wrzucać do wody.

Zdjął gaśnicę i zaniósł ją pod drzwi. Wziął rozbieg z dwóch kroków, przymierzył się i użył metalowego cylindra jak tarana.

Drzwi pękły wokół zamka, ale wciąż trzymały się futryny. Harry powtórzył atak. Posypały się drzazgi.

– Co tam się, do cholery jasnej, wyprawia? – wrzasnął z dołu Holm.

Po trzeciej próbie drzwi wydały z siebie okrzyk rezygnacji i otworzyły się, ukazując grobową ciemność.

– Pożyczysz mi latarkę? – Harry odłożył gaśnicę i wytarł pot z czoła. – Dziękuję. Zaczekaj tutaj.

Wszedł do środka. Pachniało amoniakiem. Snop światła omiótł ściany pomieszczenia wielkości mniej więcej trzy na trzy metry, pozbawionego okien. Światło latarki przesunęło się po czarnym składanym krześle, blacie roboczym z lampką i monitorem komputera marki Dell. Na uprzątniętym blacie z naturalnego jasnego drewna nie było niebieskich plam. W koszu na śmieci leżały odcięte paski papieru, tak jakby ktoś wycinał zdjęcia. I „Dagbladet" z dziurą na pierwszej stronie. Harry przeczytał tytuł nad brakującym fragmentem i już wiedział, że dobrze trafili. Że są na miejscu. Że to tutaj.

Śmierć pod lawiną.

Odruchowo omiótł latarką ścianę nad blatem, mijając kilka niebieskich plam.

Tam byli wszyscy.

Marit Olsen, Charlotte Lolles, Borgny Stem-Myhre, Adele Vetlesen, Elias Skog, Jussi Kolkka. I Tony Leike.

Harry skoncentrował się na tym, by oddychać brzuchem. By chłonąć informacje po kawałeczku. Zdjęcia zostały wycięte z gazet lub wydrukowane na kartkach, prawdopodobnie ze stron informacyjnych w internecie. Z wyjątkiem zdjęcia Adele. Miał wrażenie, że serce zmieniło się w bęben basowy, który głuchymi uderzeniami usiłuje wpompować mu więcej krwi do mózgu. Zdjęcie na papierze fotograficznym było tak ziarniste, że musiało zostać zrobione teleobiektywem, a potem jeszcze powiększone. Ukazywało boczne okno samochodu. Adele siedziała odwrócona profilem na przednim siedzeniu, z którego chyba nie zdjęto plastikowej folii. A z szyi coś jej sterczało. Duży nóż z błyszczącą żółtą rękojeścią. Harry zmusił się, by przesunąć spojrzenie dalej. Pod zdjęciami wisiał rząd listów, również wydrukowanych z komputera. Harry prędko zeskanował wzrokiem początek jednego.

TO TAKIE PROSTE. WIEM, KOGO ZABIŁEŚ.
NIE WIESZ, KIM JESTEM, ALE WIESZ, CZEGO CHCĘ. PIENIĘDZY.
JEŚLI NIE, TO ZJAWI SIĘ CIOCIA POLICJA. PROSTE, PRAWDA?

Tekst ciągnął się niżej, ale Harry przesunął wzrok na sam dół listu. Nie było żadnego nazwiska, żadnego pożegnalnego zdania.

Sierżant stał w drzwiach. Harry słyszał, że obmacuje dłonią ścianę, mamrocząc:

– Gdzieś musi być jakiś kontakt.

Harry poświecił na niebieski sufit, na cztery duże świetlówki.

– Musi.

Znów poświecił na ścianę, wyłowił z mroku więcej niebieskich plam, zanim snop światła padł na kartkę przypiętą na prawo od zdjęć. W mózgu włączył się cichutki alarm. Kartka miała wystrzępiony brzeg, podzielona była na linijki i kolumny wypełnione odręcznym pismem. Ale charaktery pisma były różne.

– Jest – powiedział sierżant.

Harry z jakiegoś powodu pomyślał nagle o lampce na blacie. I o niebieskim suficie. O zapachu amoniaku. I w tej samej sekundzie zrozumiał, że alarmu w jego głowie wcale nie uruchomiła ta kartka.

– Nie... – zaczął.

Ale za późno.

Pod względem technicznym nie był to wybuch, tylko – jak określono w raporcie, który szef ekipy strażaków miał podpisać następnego dnia – pożar o charakterze eksplozji wywołany przez iskrę elektryczną z przewodów podłączonych do puszki z amoniakiem; od tego z kolei zapaliło się PSG, którym wymalowano cały sufit i plamy na ścianie.

Harry stracił oddech, gdy płomienie zaczęły pochłaniać tlen z pomieszczenia, a jednocześnie poczuł potworny żar na głowie. Odruchowo upadł na kolana i przeciągnął dłonią przez włosy, żeby sprawdzić, czy się nie zapaliły. Kiedy spojrzał w górę, zobaczył, że płomienie buchają ze ścian. Chciał odetchnąć, ale powstrzymał odruch. Podniósł się, drzwi były w odległości zaledwie dwóch metrów, ale musiał zabrać... Wyciągnął rękę do kartki, do strony wyrwanej z książki gości z Håvasshytta.

– Odsuń się!

Sierżant już stał w drzwiach z gaśnicą pod pachą i wężem w drugiej ręce. Harry jak na zwolnionym filmie patrzył na złocistobrunatną ciecz, tryskającą z węża i uderzającą w ścianę. Brązowy kolor tam, gdzie powinien być biały, ciecz zamiast proszku. Jeszcze zanim spojrzał w paszczę płomieni stających z rykiem na tylnych łapach w miejscu uderzenia cieczy, jeszcze zanim poczuł słodki zapach benzyny i zobaczył ogień docierający wzdłuż strumienia cieczy do sierżanta, który w szoku dalej naciskał dźwignię, Harry pojął, dlaczego gaśnicę powieszono na ścianie w stołówce jak na wystawie. Nie dało się jej nie zauważyć. Czerwona, nowa, wprost krzykiem domagała się użycia.

Ramię Harry'ego trafiło sierżanta na wysokości pasa. Cios zgiął go i rzucił na plecy do stołówki. Harry upadł na niego.

Przewrócili parę krzeseł, wpadając pod stół. Sierżant, który nie mógł złapać tchu, gestykulował i wskazywał, otwierając i zamykając usta jak ryba. Harry się odwrócił. W wieńcu płomieni toczyła się z hurgotem w ich stronę czerwona gaśnica. Wąż pluł stopioną gumą. Harry zdołał się podnieść, pociągnął funkcjonariusza za sobą do drzwi. W głowie cały czas tykał mu stoper nieodmierzający czasu. Wypchnął słaniającego się na nogach sierżanta ze stołówki na galerię i ciągnął go za sobą po podłodze w momencie, gdy nastąpiło to, co szef strażaków miał nazwać eksplozją, która wybiła wszystkie okna i podpaliła całą stołówkę.

Montażownia płonie. Mówią o tym w wiadomościach. Masz służyć i bronić, Harry, a nie burzyć i niszczyć. Będziesz musiał zapłacić odszkodowanie. Jeśli nie, odbiorę Ci coś, co jest Ci drogie. Mogę zrobić to w ciągu sekundy. Nie masz pojęcia, jakie to będzie łatwe.

66 DOGASZANIE

Nad Nydalen zapadł wieczorny zmrok. Harry stał w kocu zarzuconym na ramiona, w ręku trzymał wielki tekturowy kubek i razem z Bjørnem Holmem patrzył, jak strażacy w kombinezonach wbiegają i wybiegają, wynosząc ostatnie wiadra PSG, jakie kiedykolwiek miały opuścić fabrykę Kadok.

– Przypiął do ściany zdjęcia wszystkich ofiar? – spytał Bjørn Holm.

– Tak. Oprócz tej prostytutki z Lipska, Juliany Verni.

– A co z tą kartką? Jesteś pewien, że pochodziła z książki gości w Håvasshytta?

– Oglądałem tę książkę w schronisku i stronice wyglądały identycznie.

– I stałeś pół metra od kartki, na której najprawdopodobniej znajdowało się nazwisko siódmego mężczyzny, ale go nie widziałeś?

Harry wzruszył ramionami.

– Może powinienem sobie sprawić okulary do czytania. Wszystko poszło cholernie szybko, Bjørn. A moje zainteresowanie kartką zmalało, kiedy ten sierżant zaczął pluć benzyną.

– No tak, nie chciałem...

– Tam wisiały jakieś listy. Z tego, co zdążyłem przeczytać, wyglądało to na szantaż. Może jednak ktoś go odkrył?

Podszedł do nich strażak. Jego strój szeleścił i chrzęścił.

– KRIPOS, prawda? – burknął głosem pasującym do hełmu i butów. Po ruchach dawało się rozpoznać, że to szef.

Harry zawahał się, ale w końcu kiwnął głową. Nie było sensu jeszcze bardziej wszystkiego komplikować.

– Co tam się właściwie wydarzyło?

– Miałem nadzieję, że twoi ludzie nam to powiedzą – odparł Harry. – Ale generalnie można chyba stwierdzić, że ten ktoś, kto załatwił sobie tutaj bezpłatne biuro, miał starannie przemyślany plan na wypadek wizyty nieproszonych gości.

– Tak?

– Powinienem był od razu zrozumieć, że coś jest nie tak, kiedy zobaczyłem te świetlówki na suficie. Gdyby były używane, najemca nie potrzebowałby żadnej lampki na blacie. Kontakt w ścianie był z czymś połączony, z jakimś mechanizmem zapalającym.

– Tak myślisz? No dobrze, jutro rano przyślemy ekspertów.

– Jak to wygląda tam w środku? – spytał Holm. – To pomieszczenie, od którego się zaczęło?

Strażak zmierzył go wzrokiem.

– PSG na ścianach i na suficie, synu, więc jak to sobie wyobrażasz?

Harry był zmęczony. Zmęczony pożarem, zmęczony strachem, zmęczony ciągłym opóźnieniem. Ale akurat w tej chwili najbardziej był zmęczony dorosłymi mężczyznami, którzy nigdy nie mieli dość zabawy w króla i władcę. Odezwał się cicho, tak cicho, że strażak musiał się do niego pochylić:

– Jeżeli na serio nie jesteś zainteresowany tym, co mój technik kryminalistyczny myśli o pomieszczeniu, w którym przed chwilą była gromada twoich strażaków, to proponuję, żebyś wyrzucił z siebie to, co wiesz, w krótkich treściwych zdaniach. Bo widzisz, w tym pokoju siedział sobie facet i planował siedem, może osiem zabójstw. Których zresztą udało mu się dokonać. A my jesteśmy bardzo ciekawi, czy w środku możemy się spodziewać jakichkolwiek śladów, które pozwolą nam powstrzymać tego brzydkiego pana. Czy wyraziłem się dostatecznie jasno?

Strażak podniósł głowę. Chrząknął.

– PSG jest ekstremalnie...

– Posłuchaj, interesuje nas rezultat, a nie przyczyny.

Twarz strażaka nabrała koloru, który wcale nie był skutkiem przebywania w pobliżu płonącego PSG.

– Wypaliło się. Do cna. Papiery, meble, komputer, wszystko.

– Dzięki, szefie.

Harry i Bjørn patrzyli na plecy odchodzącego strażaka.

– Mój technik kryminalistyczny? – powtórzył Holm z grymasem, jakby zjadł coś niesmacznego.

– Musiałem powiedzieć coś, co by mu pokazało, że i ja trochę jestem szefem.

– Przyjemnie przysrać komuś, kto właśnie przysrał tobie, prawda?

Harry pokiwał głową i mocniej owinął się kocem.

– Powiedział: „wypaliło się", prawda?

– Wypaliło. Jak się czujesz?

Harry niechętnie patrzył na dym, wciąż sączący się z okien fabryki, widoczny w reflektorach strażaków.

– Jak napalony w Nydalen – odparł i dopił resztę wystygłej kawy.

Harry jechał z Nydalen. Ale ledwie dotarł do czerwonych świateł na Uelands gate, kiedy zadzwonił Bjørn Holm.

– W Instytucie Medycyny Sądowej przeanalizowali tę plamę spermy na spodniach Adele – oznajmił. – I mamy profil DNA.

– Już? – zdziwił się Harry.

– To taki wstępny profil. Ale wystarczy, żebyśmy stwierdzili z dziewięćdziesięciotrzyprocentową pewnością, że mamy trafienie.

Harry wyprostował się na siedzeniu. Trafienie. Najcudowniejsze ze wszystkich słów. Może dzień nie był jednak do końca stracony.

– No, mówże wreszcie!

– Musisz się nauczyć delektować artystycznymi pauzami – pouczył Holm.

Harry jęknął.

– No dobrze, dobrze. Znaleźli pasujący profil DNA na włosach ze szczotki Tony'ego Leike.

Harry zapatrzył się przed siebie.

Tony Leike zgwałcił Adele Vetlesen w Håvasshytta.

Tego się nie spodziewał. Tony Leike? Nie bardzo mu się to zgadzało. Owszem, gwałtownik, ale gwałcić kobietę, która przyszła do schroniska z innym mężczyzną? Elias Skog widział, jak zakrywa jej usta ręką, jak wciąga do wychodka. A może to jednak nie był gwałt?

I nagle Harry wszystko zrozumiał. Widział przeraźliwie jasno. To nie był gwałt. I właśnie to stanowiło motyw.

Samochody za nim zaczęły trąbić. Zapaliło się zielone światło.

67 KAWALER

Była za kwadrans ósma, a dzień jeszcze nie włączył koloru i kontrastu. Szare poranne światło pokazywało krajobraz w ziarnistej czarno-białej wersji, kiedy Harry parkował obok jedynego samochodu na Vøyentangen i podchodził do pływającego pomostu. Lensman Skai stał na samym jego brzegu z wędką w ręce i papierosem w kąciku ust. Mgła przypominała kłębki waty zaczepione o trzciny wystające z czarnej, oleiście gładkiej wody.

– Hole! – Skai nawet się nie odwrócił. – Wcześnie wstajesz.

– Twoja żona mi powiedziała, że cię tu znajdę.

– Co rano między siódmą a ósmą. Jedyna możliwość, żeby trochę pomyśleć, zanim zacznie się marudzenie.

– Co łowisz?

– Nic. Ale tam w trzcinach jest szczupak.

– Znajome słowa. Obawiam się, że dzisiaj marudzenie zacznie się trochę wcześniej. Chodzi mi o Tony'ego Leike.

– O Tony'ego, no tak. Zagroda jego dziadka leży w Rustad, po wschodniej stronie jeziora.

– To znaczy, że dobrze go pamiętasz?

– To nieduża okolica, Hole. Mój ojciec przyjaźnił się ze starym Leikem, a Tony spędzał tu każde lato.

– Jak go zapamiętałeś?

– No cóż, zabawny typ. Cieszył się dużą sympatią, zwłaszcza u kobiet. Taki był śliczny jak dziewczyna, trochę jak Elvis. I starał się otaczać odpowiednią aurą tajemnicy. Plotka mówiła, że wychowywał się sam u matki, nieszczęśliwej alkoholiczki, która w końcu wyrzuciła go z domu, bo mężczyzna, z którym mieszkała, nie lubił chłopca. Ale za to tutejsze kobiety bardzo go lubiły, z wzajemnością. Czasami wpadał przez to w kłopoty.

– Tak jak wtedy, kiedy upatrzył sobie twoją córkę?

Skai drgnął tak, jakby ryba zaczęła brać.

– Twoja żona – wyjaśnił Harry. – Spytałem ją o Tony'ego i opowiedziała mi, że to o twoją córkę Tony pobił się wtedy z kimś stąd.

Lensman pokręcił głową.

– Oni się nie bili, to była czysta rzeź. Biedny Ole. Zakochał się i wmówił sobie, że Mia to jego dziewczyna, tylko dlatego, że zawiózł ją i jej koleżanki na tańce. Z Olego był żaden siłacz. Raczej typ prymusa. Ale rzucił się na Tony'ego. Tamten powalił go na ziemię, wyciągnął nóż i… to naprawdę straszne. My tutaj nie jesteśmy przyzwyczajeni do takich rzeczy.

– Co zrobił?

– Obciął mu pół języka. Schował go do kieszeni i odszedł. Aresztowaliśmy go u dziadka pół godziny później. I powiedzieliśmy, że język trzeba dostarczyć na salę operacyjną. Odparł, że rzucił go wronom.

– Chciałem cię spytać, czy podejrzewałeś Tony'ego o gwałt? Wtedy albo kiedy indziej?

Skai zaczął mocno zwijać żyłkę.

– Pozwól, że powiem tak, Hole. Mia od tamtej pory już nigdy nie stała się na powrót tą samą wesołą dziewczyną. Ciągle zależało jej na tym szaleńcu, oczywiście, ale takie już są dziewczęta w tym wieku. A Ole się wyprowadził. Każde otwarcie ust tutaj przypominało i jemu, i innym o tym strasznym upokorzeniu. Więc tak, powiem, że Tony Leike był gwałcicielem, chociaż nikogo nie wykorzystał seksualnie. Gdyby miał to zrobić, zgwałciłby Mię.

– Ona…

– Byli w lesie za tą tancbudą. Nie pozwoliła Tony'emu się do siebie zbliżyć, a on to zaakceptował.

– Jesteś tego pewien? Przepraszam, że muszę o to pytać, ale…

Z wody wyłonił się haczyk i pofrunął w ich stronę. Błysnął w pierwszych poziomych promieniach słońca.

– W porządku, Hole. Jestem policjantem i wiem, nad czym pracujecie. Mia to porządna dziewczyna i nie kłamie, tym bardziej z miejsca dla świadków w sądzie. Możesz dostać protokół, jeśli życzysz sobie szczegółów. Chciałbym tylko, żeby Mia nie musiała mówić o tym jeszcze raz.

– To nie będzie konieczne – powiedział Harry. – Dziękuję.

Zgromadzonym w sali konferencyjnej Odyn Harry przekazał informację, że osoba, którą widział pod skuterem w przepaści – mimo wielkich wysiłków wciąż nieodnaleziona – miała wykrzywione reumatyzmem palce Tony'ego Leike. Przedstawił też swoją teorię. Odchylił się i czekał na reakcję.

Pelikan spojrzała na niego sponad okularów, ale odezwała się takim tonem, jakby zwracała się do wszystkich zebranych:

– Co masz na myśli, mówiąc, że twoim zdaniem Adele uczestniczyła w tym dobrowolnie? Przecież ona wzywała pomocy, do diabła!

– Eliasowi Skogowi przyszło to do głowy dopiero później – wyjaśnił Harry. – Najpierw myślał, że dwoje ludzi dobrowolnie uprawia seks.

– Kobieta, która zabiera mężczyznę do schroniska w górach, nie uprawia seksu z kimś, kto napatoczy się przypadkiem w środku nocy! Naprawdę trzeba być kobietą, żeby to zrozumieć? – parsknęła ze złością, a z nowymi przyciągającymi uwagę nietwarzowymi dredami przypominała Harry'emu rozwścieczoną meduzę. Odpowiedział jej sąsiad Harry'ego:

– Naprawdę uważasz, że płeć automatycznie zapewnia ci pełną znajomość preferencji seksualnych połowy ludzkości na ziemi? – Ærdal umilkł i uważnie obejrzał świeżo wyczyszczony paznokieć małego palca. – Czy nie ustaliliśmy, że Adele zmieniała partnerów często i spontanicznie? Że zgodziła się na seks z mężczyzną, którego ledwie znała, w zamkniętej fabryce w środku nocy?

Ærdal opuścił rękę i zaczął czyścić paznokieć palca serdecznego, ale mruknął jeszcze tak cicho, że tylko Harry to usłyszał:

– Poza tym pieprzyłem więcej kobiet niż ty, cholerny ptaku brodzący!

– Kobiety łatwo ulegały Tony'emu i na odwrót – kontynuował Harry. – Tony przybył do schroniska późno, a kawaler Adele zezłoszczony położył się wcześniej spać. Adele mogła bez przeszkód flirtować z Tonym. Jego męczyły kłopoty, a jej przestawał się podobać facet, z którym przyjechała. Mieli na siebie ochotę, ale w schronisku wszędzie byli ludzie. Wymknęli się więc nocą i spotkali przy wychodku. Zaczęli się całować, obmacywać, stanął za nią i był tak podniecony, że czubkiem penisa rozsmarował to, co

381

obyczajówka nazywa płynem przedejakulacyjnym, na jej spodniach narciarskich, zanim je ściągnął i doszło do stosunku. Ona przyjęła to z takim entuzjazmem, że obudziła Eliasa Skoga, który zobaczył ich przez okno. Wydaje mi się też, że obudzili jej kawalera, który widział ich ze swojego pokoju. Myślę, że ani trochę jej to nie obeszło. Tony natomiast próbował stłumić jej okrzyki.

– Jeśli jej to nie obeszło, to dlaczego obeszło jego? – zawołała Pelikan. – Przecież mimo wszystko to kobiety są piętnowane za tego typu rozwiązłość, a mężczyźni takim zachowaniem jedynie podnoszą swój status. W oczach innych mężczyzn, warto zauważyć.

– Tony Leike miał co najmniej dwa powody, żeby stłumić takie głośne zadowolenie – odparł Harry. – Po pierwsze, nikt nie chce rozgłaszać w kolorowej prasie skoków w bok w wolnym czasie, kiedy jest zaręczony. A zwłaszcza wtedy, gdy pieniądze przyszłego teścia mają ocalić inwestycję w Kongu. Po drugie, Tony Leike był doświadczonym człowiekiem gór i dobrze znał okolicę.

– A jaki, u diabła, to ma związek ze sprawą?

Rozległ się głośny śmiech. Wszyscy odwrócili się do drugiego końca stołu, przy którym usiadł Mikael Bellman i teraz trząsł się ze śmiechu.

– Lawina – śmiał się. – Tony Leike bał się, że krzyki Adele Vetlesen wywołają lawinę!

– Tony na pewno wiedział, że trzy czwarte lawin, w których giną ludzie, wywołuje sam człowiek – uzupełnił Harry.

Pełen niedowierzania śmiech rozszedł się wokół stołu. Nawet Pelikan się uśmiechnęła.

– Ale co cię skłania do tego, by zakładać, że kawaler Adele ich widział? – spytała. – I że Adele wcale się tym nie przejęła? Przecież w uniesieniu mogła się zapomnieć.

– Dlatego – Harry odchylił się na krześle – że Adele już kiedyś zachowała się podobnie. Wysłała swojemu facetowi MMS-a w momencie, gdy odbywała stosunek z innym. Bezlitosną, ale jednoznaczną informację. Według jej przyjaciół po wyprawie do Håvasshytta nie spotkała się już z tym swoim kawalerem.

– Interesujące – mruknął Bellman. – Ale do czego nas to prowadzi?

– Do motywu – odparł Harry. – Po raz pierwszy w tej sprawie mamy możliwą odpowiedź na pytanie dlaczego.

– Porzucamy więc teorię szalonego seryjnego zabójcy? – spytał Ærdal.

– Bałwan też miał motyw – odezwała się Beate Lønn, która właśnie weszła i usiadła przy końcu stołu. – Idiotyczny, ale zdecydowanie motyw.

– Tym razem jest znacznie prościej – stwierdził Harry. – Stara dobra zazdrość. Motyw dwóch z trzech zabójstw w tym kraju. I w większości innych krajów. Pod tym względem my, ludzie, jesteśmy całkowicie przewidywalni.

– To być może tłumaczy zabójstwo Adele Vetlesen i Tony'ego Leike – powiedziała Pelikan. – Ale co z innymi?

– Należało ich usunąć – odparł Harry. – Wszyscy byli ewentualnymi świadkami zdarzenia w Håvasshytta i mogli donieść o tym policji. Podsunąć ten motyw, którego nam brakowało. Albo, co gorsza, byli świadkami jego całkowitego upokorzenia. Publicznej zdrady. Dla osoby rozchwianej psychicznie już samo to może być wystarczającym motywem.

Bellman klasnął w dłonie.

– Miejmy nadzieję, że wkrótce uzyskamy odpowiedzi na niektóre z tych pytań. Rozmawiałem z Kronglim przez telefon. Mówi, że na obszarze poszukiwań pogoda się poprawiła i mogą wysłać psy i helikopter. Właściwie dlaczego wcześniej nie powiedziałeś, że te zwłoki mogą być ciałem Leikego?

Harry wzruszył ramionami.

– Liczyłem, że znajdą się dużo szybciej, nie widziałem więc powodów, żeby głośno spekulować. Reumatyzm mimo wszystko nie jest niczym niezwykłym.

Bellman przez chwilę na niego patrzył, w końcu zwrócił się do pozostałych:

– Mamy podejrzanego, moi drodzy. Ktoś ma ochotę go ochrzcić?

– Siódmy mężczyzna – zaproponował Ærdal.

– Kawaler – oświadczyła z mocą Pelikan.

Na kilka chwil zapadła całkowita cisza, jakby trzeba było przetrawić wszystko to, co wyszło na jaw, zanim mogli posunąć się dalej.

– Nie uczestniczę wprawdzie w śledztwie taktycznym – zaczęła Beate Lønn w spokojnym przeświadczeniu, że wszyscy zebrani w tej sali wiedzą, iż ona nigdy nie wypowiada się na żaden temat, którego gruntownie nie zgłębiła. – Ale czy coś was tutaj nie dziwi? Leike miał wprawdzie alibi na moment zabójstw, ale co z wszystkimi tymi śladami, które do niego prowadziły? Co z telefonem z jego domu do Eliasa Skoga? Co z narzędziem zbrodni przywiezionym z Konga, w dodatku z okolic, w których Leike prowadzi interesy? To przypadek?

– Nie – odparł Harry. – Kawaler od pierwszego dnia prowadził nas ku Leikemu jako zabójcy. Kawaler opłacił Julianie Verni wyjazd do Konga, bo wiedział, że każdy ślad związany z Kongiem wskaże na Leikego. A jeśli chodzi o ten telefon do Eliasa Skoga, to sprawdziłem dzisiaj coś, co powinniśmy sprawdzić już dawno, ale co zazwyczaj porzucamy, kiedy nam się wydaje, że jesteśmy już blisko celu, bo się boimy, że to osłabi nasze dowody. W czasie kiedy dzwoniono z domu Leikego do Skoga, były trzy telefony z wewnętrznego numeru Leikego w jego biurze na Aker Brygge. On nie mógł być w dwóch miejscach naraz. Stawiam dwie stówy na to, że był na Aker Brygge. Ktoś chce się założyć?

Milczące, ale przejęte twarze.

– Sugerujesz, że to Kawaler dzwonił do Eliasa z domu Leikego? – spytała Pelikan. – W jaki sposób...

– Kiedy Leike przyszedł do mnie do Budynku Policji, powiedział mi, że kilka dni wcześniej ktoś się do niego włamał przez piwnicę. Zgadzałoby się to z datą telefonu do Skoga. Kawaler ukradł Leikemu rower, pozorując zwykłe włamanie, na tyle niewinne, byśmy to ewentualnie odnotowali, ale nic więcej z tym nie zrobili. Leike, mając świadomość, że policja nic nie robi z takimi włamaniami, nawet nam tego nie zgłosił. W ten sposób Kawaler spreparował niepodważalny dowód przeciwko Leikemu.

– Niezły spryciarz! – zawołała Pelikan.

– Dobrze, kupuję wyjaśnienie, w jaki sposób – powiedziała Beate. – Ale po co? Dlaczego wskazywał na Tony'ego?

– Ponieważ wiedział, że prędzej czy później uda nam się powiązać ofiary z Håvasshytta – wyjaśnił Harry. – A to ograniczało liczbę podejrzanych i wszyscy, którzy spędzili tamtą noc w schronisku, znaleźliby się w świetle naszych reflektorów. Wyrwał stronę z książki gości z dwóch powodów. Po pierwsze dlatego, że to on, a nie my, znał dzięki temu nazwiska osób, które tam przebywały, i mógł je w spokoju zabijać, a my nie mogliśmy w żaden sposób temu zapobiec. Po drugie, co ważniejsze, w ten sposób ukrył własne nazwisko.

– To logiczne – przyznał Ærdal. – A po to, by mieć pewność, że nie pójdziemy jego tropem, musiał nam podsunąć kogoś pozornie winnego. Tony'ego Leike.

– To dlatego wstrzymywał się z zabiciem Tony'ego aż do końca – odezwał się inny śledczy, mężczyzna z bujnymi wąsami, upodobniającymi go do Nansena; Harry nie pamiętał jego imienia, tylko nazwisko.

– Ale niestety dla niego Tony miał alibi na czas zabójstw. A ponieważ odsłużył już swoje w roli kozła ofiarnego, wreszcie przyszła pora, by zabić wroga numer jeden – wtrącił się siedzący obok niego młody chłopak z błyszczącą skórą i oczami; w jego wypadku Harry nie pamiętał ani imienia, ani nazwiska.

Temperatura w sali konferencyjnej się podniosła, a blade, wahające się zimowe słońce niepewnie oświetliło pomieszczenie. Do czegoś dochodzili. Nareszcie coś się poluzowało. Harry widział, że Bellman pochyla się na krześle.

– Wszystko to bardzo pięknie... – odezwała się Beate, a Harry już czekał na „ale". Wiedział, o co ona spyta. Wiedział, że Beate odgrywa rolę adwokata diabła, a on już miał odpowiedzi. – Ale dlaczego ten Kawaler wszystko tak niepotrzebnie skomplikował?

– Ponieważ ludzie są skomplikowani. – Harry pojął, że to echo słów, które kiedyś słyszał i o których zapomniał. – Chcemy robić skomplikowane rzeczy, które się ze sobą splatają, kiedy możemy kierować czyimś losem i czuć się panami naszego własnego wszechświata. To pomieszczenie w fabryce Kadok, które się spaliło. Wiecie, co mi najbardziej przypominało? Pokój sterowania. Kwaterę główną. Nie jest wcale pewne, że Kawaler w ogóle planował uśmiercenie Tony'ego Leike. Może chciał, by go aresztowano i osądzono?

W sali zapadła taka cisza, że słychać było ćwierkanie ptaka za oknem.

– Dlaczego? – spytała Pelikan. – Dlaczego, skoro mógł go zabić? Albo torturować.

– Ponieważ ból i śmierć wcale nie są najgorsze dla człowieka. – Harry znów usłyszał to samo echo. – Najgorsze jest upokorzenie. Właśnie tego pragnął dla Leikego. Upokorzenia, jakim jest odebranie mu wszystkiego. Upadku. Wstydu.

Zobaczył lekki uśmiech na ustach Beate, widział, że z uznaniem pokiwała głową.

– Ale – ciągnął – tak jak ktoś tu powiedział, nieszczęśliwie dla naszego zabójcy Tony miał alibi. Dlatego skończyło się na karze zamiennej. Na powolnej i z całą pewnością okrutnej śmierci.

W ciszy, która zapadła, Harry'emu coś jakby przeleciało przed oczami. Poczuł zapach spalonej słoniny. Cała sala nagle jakby jednocześnie wstrzymała oddech.

– Co teraz robimy? – spytała Pelikan.

Harry podniósł głowę. Zobaczył, że ptaszek, który ćwierkał na gałęzi za oknem, to zięba, zbyt wcześnie przybyła z cieplejszych krajów. Przynosiła ludziom nadzieję na wiosnę, ale zamarznie pierwszej mroźnej nocy.

To się nie może stać, pomyślał Harry. Za diabła, nie może.

68 ŁOWY NA SZCZUPAKA

Poranna odprawa w KRIPOS się przeciągnęła.

Bjørn Holm przedstawił wyniki badań technicznych w fabryce Kadok. Nie znaleziono spermy ani innych fizycznych śladów sprawcy. Pomieszczenie, z którego korzystał zabójca, rzeczywiście całkowicie się wypaliło, a komputer zmienił się w bryłkę metalu, z której odzyskanie danych w ogóle nie wchodziło w grę.

– Prawdopodobnie podłączał się do internetu, wykorzystując niezabezpieczone sieci. W Nydalen jest ich pełno.

– Musiał zostawić po sobie jakieś ślady elektroniczne – odezwał się Ærdal. Zabrzmiało to jednak jak wyuczony refren, raczej nie potrafiłby w żaden sposób pogłębić tego stwierdzenia.

– Oczywiście możemy próbować dostać się do którejś z tej setki działających tam sieci i szukać nie wiadomo czego. Ale ile tygodni nam to zajmie, nie wiem – prychnął Bjørn. – Ani czy w ogóle coś znajdziemy.

– Zostaw to mnie – powiedział Harry. Już wstał i szedł do drzwi, wybierając numer. – Znam kogoś, kto się tym zajmie.

Zostawił drzwi uchylone i czekając na połączenie, słyszał, jak jeden ze śledczych mówi, że nikt, z kim rozmawiali, nie widział, by ktoś przychodził do Kadoka. Nic w tym dziwnego, bo budynek zasłaniają drzewa i krzaki, a poza tym zimowe miesiące są takie ciemne.

Harry wreszcie uzyskał połączenie.

– Słucham, tu sekretarka Katrine Bratt.

– Halo?

– Panna Bratt idzie właśnie na lunch.

– *Sorry*, Katrine, ale jedzenie musi poczekać. Posłuchaj...

Słuchała, a Harry wyjaśniał, czego tym razem sobie życzy.

– Kawaler miał na ścianie zdjęcia, prawdopodobnie wydrukowane z internetowych stron gazet. Za pomocą wyszukiwarki możesz zajrzeć do sieci w tej okolicy, sprawdzić logowania i zobaczyć, czy ktoś tą drogą odwiedzał strony opisujące te zabójstwa. Na pewno będzie wiele takich...

– Ale nie tyle razy, co on – stwierdziła Katrine. – Zwyczajnie poproszę o listę posortowaną według liczby ściągniętych bajtów.

– Mhm. Szybko się uczysz.

– Nomen omen, Bratt, czyli Stroma. Krzywa uczenia się ostro idzie w górę, rozumiesz?

Harry wrócił na salę.

Odsłuchiwano właśnie wiadomość, którą Harry dostał z telefonu Leikego. W celu przeprowadzenia analizy głosu nagranie przesłano do politechniki w Trondheim. Osiągano tam niezłe rezultaty w wypadku nagrań z napadów na banki, właściwie nawet lepsze niż z kamer monitoringu, ponieważ głos, nawet wtedy, gdy ktoś usiłuje go zniekształcić, pozwala się maskować w niewielkim stopniu. Niestety, tym razem Bjørnowi powiedziano, że marne jednosekundowe nagranie nieokreślonego odgłosu charczenia czy śmiechu jest bezwartościowe i nie da się na jego podstawie sporządzić żadnego profilu głosowego.

– Do diabła! – Bellman uderzył pięścią w stół. – Mając profil głosowy na jednym końcu, moglibyśmy przynajmniej zacząć wykluczać ze sprawy możliwych podejrzanych.

– Jakich możliwych podejrzanych? – mruknął Ærdal.

– Sygnał stacji bazowej mówi nam, że osoba, która korzystała z telefonu Leikego, znajdowała się wtedy w pobliżu centrum Ustaoset – wyjaśnił Holm. – Sygnał zniknął zaraz potem. Sieć tego operatora ma zasięg wyłącznie wokół centrum Ustaoset. Ale właśnie to, że sygnał zniknął, umacnia teorię, że to Kawaler używał tego telefonu.

– Dlaczego?

– Nawet kiedy nie korzysta się z telefonu, stacje bazowe danego operatora wychwytują sygnały co dwie godziny. Brak sygnałów świadczy, że ta komórka i przed, i po telefonie do Harry'ego znajdowała się na pustkowiach wokół Ustaoset. Może wręcz uczestniczyła w lawinie, torturach i całej reszcie.

Tym razem nikt się nie roześmiał. Harry stwierdził, że poprzednia euforia wyparowała. Podszedł do swojego krzesła.

– Jest jedna możliwość zdobycia tego końca, o którym mówi Bellman – odezwał się cicho. Wiedział, że już nie musi szczególnie zabiegać o uwagę zebranych. – Wróćmy do domu Leikego i do włamania. Załóżmy, że nasz zabójca włamał się do Leikego, żeby stamtąd zadzwonić do Eliasa Skoga. To się zdarzyło zaledwie kilka dni przed aresztowaniem Leikego. I załóżmy, że nasi ubrani na biało technicy wykonali tak gruntowną robotę, jak to wyglądało, kiedy tam przyszedłem i dość niespodziewanie... spotkałem Holma.

Bjørn Holm przekrzywił głowę i posłał Harry'emu spojrzenie mówiące: oszczędź sobie tych dowcipów.

– Czy jest możliwe, że już wtedy zdjęliśmy na Holmenveien odciski palców, które mogą należeć do... Kawalera?

Słońce znów rozjaśniło pokój. Zebrani popatrzyli po sobie niemal ze wstydem. To takie proste, takie oczywiste. Ale nikomu z nich nie przyszło to do głowy...

– Najwidoczniej przez to długie zebranie z mnóstwem nowych informacji nasze mózgi zaczynają pracować wolniej – stwierdził Bellman. – A co ty o tym myślisz, Holm?

Bjørn Holm uderzył się ręką w czoło.

– Oczywiście, że mamy wszystkie odciski palców. Przeprowadzaliśmy przeszukanie, ponieważ uważaliśmy Leikego za zabójcę, a jego dom za możliwe miejsce zbrodni. Liczyliśmy, że znajdziemy odciski palców pasujące do którejś z ofiar.

– A dużo macie zidentyfikowanych odcisków? – spytał Bellman.

– Właśnie w tym rzecz. – Bjørn Holm się roześmiał. – Leike ma dwie Polki, które sprzątają u niego raz w tygodniu. Były tam sześć dni wcześniej i wykonały świetną robotę. Znaleźliśmy jedynie odciski Leikego, Lene Galtung, tych dwóch Polek i jeden nieznany, ale niepasujący do odcisków żadnej z ofiar. Przestaliśmy się nim zajmować, kiedy Leike przedstawił alibi i został zwolniony. W tej chwili nie pamiętam, w którym miejscu znaleźliśmy ten nieznany odcisk.

– Za to ja pamiętam – odezwała się Beate. – Dostałam raport ze szkicem i ze zdjęciami. Odciski lewej ręki X1 pozostawiono na blacie okazałego, ale w zasadzie dość brzydkiego biurka. Pozostawiono w taki sposób. – Wstała i oparła się na lewej ręce. – Jeśli się nie mylę, właśnie tam stoi aparat stacjonarny. Tak to wyglądało. – Prawą ręką wykonała międzynarodowy gest oznaczający telefonowanie, z kciukiem przy uchu, a małym palcem przy ustach.

– Panie i panowie! – Bellman uśmiechnął się i szeroko rozłożył ręce. – Wydaje mi się, z przeproszeniem, że mamy prawdziwy ślad! Szukajcie dalej odcisków X1, Holm. Tylko obiecajcie mi, że to nie mąż którejś z tych Polek przyszedł za darmo zadzwonić do kraju, dobrze?

W drodze do wyjścia Pelikan podeszła do Harry'ego i trzęsąc swoimi nowymi rastafariańskimi warkoczykami, oświadczyła:

– Może jesteś lepszy, niż sądziłam, Harry. Ale kiedy przedstawiasz te swoje teorie, nie zaszkodziłoby, żebyś od czasu do czasu wtrącił tu i ówdzie: „wydaje mi się". – Uśmiechnęła się i żartobliwie szturchnęła go biodrem.

Harry docenił uśmiech, biodro natomiast... Komórka zawibrowała w kieszeni. Ale to nie był szpital.

– On się nazwał Nashville – powiedziała Katrine Bratt.

– Tak jak to amerykańskie miasto?

– Właśnie tak. Wchodził na strony internetowe wszystkich dużych gazet. Czytał każdą, nawet najmniejszą wzmiankę o zabójstwach. Zła wiadomość jest taka, że to wszystko, co mam dla ciebie. Nashville to komputer, który był aktywny w sieci zaledwie od kilku miesięcy i szukał wyłącznie rzeczy związanych z zabójstwami. Mogłoby się wręcz wydawać, że spodziewał się sprawdzania.

– Wygląda na to, że to naprawdę on – stwierdził Harry.

– Może i tak – przyznała Katrine. – W takim razie musisz szukać faceta w kowbojskim kapeluszu.

– Co?

– Nashville. Mekka muzyki country.

Milczenie.

– Halo? Harry?

– Jestem, jestem. Oczywiście. Bardzo ci dziękuję, Katrine.

– Buzi?

– Wszędzie, gdzie chcesz.

– Obejdzie się.

Harry'emu przydzielono pokój z widokiem na Bryn. Oglądał właśnie nieciekawą prostotę okolicy, gdy ktoś zastukał w futrynę.

W drzwiach stała Beate Lønn.

– No i jakie to uczucie, kiedy się sypia z wrogiem?

Harry wzruszył ramionami.

– Wróg to Kawaler.

– To dobrze. Chciałam ci tylko powiedzieć, że przepuściliśmy te odciski palców z biurka przez naszą bazę danych i tam go nie ma.

– Wcale się tego nie spodziewałem.

– Jak się czuje ojciec?

– Dni.

– Przykro mi.

– Dziękuję.

Popatrzyli na siebie.

Harry nagle uświadomił sobie, że to twarz, którą zobaczy na pogrzebie. Drobną bladą twarz, którą widział już na innych pogrzebach. Zapłakaną, z wielkimi smutnymi oczami. Twarz wprost stworzoną do pogrzebów.

– O czym myślisz?

– Że znam tylko jednego zabójcę, który mordował w ten sposób.

– On ci przypomina Bałwana, prawda?

Harry kiwnął głową.

Beate westchnęła.

– Obiecałam, że ci nie powiem, ale Rakel dzwoniła.

Harry wpatrywał się w bloki na Helsfyr.

– Pytała o ciebie. Powiedziałam, że wszystko w porządku. Słusznie zrobiłam, Harry?

Głęboko odetchnął.

– Oczywiście.

Beate postała jeszcze przez chwilę, w końcu poszła.

Co u Rakel? Co u Olega? Gdzie oni są? Co robią wieczorami? Kto się nimi opiekuje? Kto ich pilnuje?

Harry oparł głowę na rękach i zatkał dłońmi uszy. Jest tylko jeden człowiek, który wie, jak myśli Kawaler.

Nadszedł popołudniowy zmierzch, a nic się nie wydarzyło. Kapitan, ten zwariowany na punkcie przekazywania informacji recepcjonista, dzwonił, by powiedzieć, że ktoś telefonował z pytaniem, czy mieszka u nich Iska Peller, ta Australijka opisywana w „Aftenposten". Harry orzekł, że to najpewniej ktoś z prasy, ale Kapitan twierdził, że nawet najgorsi dziennikarze znają reguły i zawsze się przedstawiają. I mówią, gdzie pracują. Harry podziękował, mało brakowało, a poprosiłby Kapitana, żeby ten znów zadzwonił, gdyby jeszcze czegoś się dowiedział. Na szczęście uświadomił sobie, z czym może się wiązać taka zachęta. Telefonował też Bellman, informując o konferencji prasowej. Pytał, czy Harry czuje się na siłach, by wziąć w niej udział. Odpowiedział, że nie, i usłyszał, że Bellman przyjął to z ulgą.

Zaczął bębnić palcami o blat stołu. Podniósł słuchawkę, żeby zadzwonić do Kai, ale odłożył. Znów sięgnął po słuchawkę i zatelefonował do kilku hoteli w centrum. Nikt sobie nie przypominał, żeby dzwoniono z pytaniem o Iskę Peller.

Spojrzał na zegarek. Miał ochotę na drinka. Miał ochotę iść do biura Bellmana, spytać, gdzie, do jasnej cholery, schował jego opium, unieść pięść, patrzeć, jak się kuli...

Jedyny, który wie.

Wstał, kopnął krzesło, chwycił płaszcz i wyszedł.

Pojechał do miasta. Zaparkował straszliwie nieprawidłowo pod Teatrem Norweskim. Przeszedł przez ulicę i wszedł do recepcji hotelu.

Kapitanowi nadano przezwisko, kiedy pracował jako odźwierny w tym właśnie hotelu. Powodem była najprawdopodobniej kombinacja strojnego czerwonego munduru z jego nieustannym komentowaniem i komenderowaniem wszystkim i wszystkimi. Poza tym uważał się bezwzględnie za skrzyżowanie wszystkich znaczących wydarzeń w centrum Oslo. Za człowieka z ręką na pulsie stolicy. Za tego, który w i e. Za informatora przez duże I. Za nieoceniony element maszynerii policyjnej, która zapewnia miastu bezpieczeństwo.

– W najgłębszym zakamarku na tyłach mojego mózgu słyszę szczególny głos. – Kapitan, cmokając, smakował własne słowa.

Harry zauważył wzniesione do góry oczy jego kolegi, który stał koło Kapitana za kontuarem recepcji.

– Taki trochę pedalski – podsumował Kapitan.

– Masz na myśli wysoki? – spytał Harry, przypominając sobie, co twierdzili przyjaciele Adele. Że jej kawaler od wzlotów i upadków mówił tak, jak jej współlokator gej.

– Nie, bardziej taki. – Kapitan zgiął ręce w nadgarstkach, zatrzepotał rzęsami i głośno sparodiował: – Ach, jak ja się na ciebie gniewam, Søren!

Kolega, który, jak wynikało z tabliczki na jego piersi, rzeczywiście miał na imię Søren, parsknął śmiechem.

Harry podziękował i znów o mały włos nie powiedział, by Kapitan zadzwonił, gdyby coś się działo. Wyszedł na zewnątrz. Zapalił papierosa i popatrzył na szyld z nazwą hotelu. Było coś...

W tym samym momencie zauważył samochód Wydziału Komunikacji zaparkowany tuż za jego własnym autem i mężczyznę w kombinezonie zapisującego jego numer rejestracyjny.

Harry przeszedł na drugą stronę ulicy i wyciągnął identyfikator.

– Policja na służbie.

– To nic nie pomoże. Zakaz zatrzymywania to zakaz zatrzymywania – oświadczył kombinezon, nie przerywając pisania. – Proszę złożyć skargę.

– No cóż. Wiesz chyba, że my też możemy wypisywać mandaty za złe parkowanie?

Mężczyzna wreszcie uniósł głowę i się uśmiechnął.

– Jeśli ci się wydaje, że pozwolę ci wypisać własny mandat, to się mylisz, kolego.

– Miałem raczej na myśli ten samochód – pokazał Harry.

– To mój samochód, Wydziału Komunikacji...

– Zakaz zatrzymywania to zakaz zatrzymywania.

Kombinezon spojrzał z kwaśną miną.

Harry wzruszył ramionami.

– Proszę złożyć skargę. Kolego.

Kombinezon złożył notatnik, odwrócił się na pięcie i poszedł do swojego wozu.

Kiedy Harry wjeżdżał w Universitetsgata, zadzwonił telefon. Gunnar Hagen. Harry słyszał podniecone drżenie w zawsze tak spokojnym głosie szefa Wydziału Zabójstw.

– Musisz tu natychmiast przyjść, Harry.

– Co się stało?

– Po prostu przychodź. Do Kanału.

Harry usłyszał głosy i zobaczył błyski fleszy na długo, zanim dotarł do końca betonowego korytarza. Przed drzwiami do jego poprzedniego biura stali Gunnar Hagen z Bjørnem Holmem. Dziewczyna z Wydziału Techniki Kryminalistycznej omiatała pędzelkiem drzwi i klamkę, szukając odcisków palców, a mężczyzna wyglądający jak sobowtór Bjørna robił zdjęcia odcisku buta w kącie przy samej ścianie.

– Ten ślad jest stary – powiedział Harry. – Był tutaj, zanim się sprowadziliśmy. Co się dzieje?

Sobowtór spojrzał na Bjørna, który skinieniem głowy dał mu znać, że już wystarczy.

– Jeden z pracowników służby więziennej odkrył to pod drzwiami. – Hagen podniósł do góry torebkę na dowody zawierającą brązową kopertę. Przez plastik Harry mógł odczytać swoje nazwisko. Wydrukowane na naklejce adresowej przylepionej do koperty.

– Strażnik uważa, że to mogło tu leżeć ze dwa dni, bo przecież nie codziennie ktoś chodzi Kanałem.

– Zmierzymy wilgotność papieru – zdecydował Bjørn. – Położymy tu taką samą kopertę i zobaczymy, ile czasu minie, zanim osiągnie identyczną wilgotność. Wtedy zaczniemy liczyć do tyłu.

– No proszę, prawdziwe *CSI* – rzucił Harry.

– Ustalenie czasu wiele nam nie pomoże – orzekł Hagen. – Po drodze, którą ten ktoś prawdopodobnie przeszedł, nie ma żadnych kamer. A dopóki ktoś nie chce dostać się do samego więzienia, wemknąć się tutaj bardzo łatwo. Trzeba tylko wejść do recepcji, w której zawsze jest pełno ludzi, i windą zjechać tu, gdzie nie ma żadnych zamkniętych drzwi.

– No tak, po co zamykać – pokiwał głową Harry. – Ktoś ma coś przeciwko temu, że zapalę?

Nikt nie odpowiedział, ale spojrzenia były dostatecznie wymowne. Harry wzruszył ramionami.

– Liczę, że w jakimś momencie w końcu się dowiem, co było w tej kopercie – powiedział.

Bjørn Holm podniósł inną plastikową torebkę.

W słabym świetle trudno było zobaczyć zawartość. Harry podszedł więc bliżej.

– O cholera! – Cofnął się.

– Środkowy palec – wyjaśnił Hagen.

– Wygląda na to, że został najpierw złamany – dodał Bjørn. – Ładna, gładka powierzchnia cięcia. Żadnej poszarpanej skóry. Odrąbany. Siekierą. Albo... dużym nożem.

Z Kanału dobiegł odgłos biegnących kroków. Zbliżały się.

Harry patrzył. Palec był biały, bez krwi, ale czubek sinoczarny.

– Co się dzieje? Już zdążyłeś pobrać odciski?

– Tak – odparł Bjørn. – I jeśli mamy szczęście, to odpowiedź już pędzi.

– Przypuszczam, że to lewa ręka.

– Dobrze przypuszczasz, bo to prawda – powiedział Hagen.

– W kopercie nie było nic więcej?

– Nie. Teraz już wiesz tyle co my.

– Chyba nie. – Harry wyjął papierosy. – Bo ja wiem o tym palcu coś więcej.

– My też o tym myśleliśmy. – Hagen i Bjørn Holm wymienili spojrzenia. – Środkowy palec lewej ręki. Ten sam, którego pozbawił cię Bałwan.

– Mam tu coś – przerwała dziewczyna z Wydziału Techniki Kryminalistycznej.

Odwrócili się do niej.

Kucała, trzymając w dwóch palcach jakąś szaroczarną drobinę.

– Czy to nie jest podobne do tego kamyka, który znaleźliśmy w miejscu zabójstwa Borgny?

Harry podszedł bliżej.

– Owszem – orzekł. – To lawa.

Wbiegł młody mężczyzna z policyjnym identyfikatorem przyczepionym do kieszonki koszuli. Zatrzymał się przed Bjørnem i oparł ręce na kolanach, z trudem łapiąc oddech.

– No i co tam, Kim Erik? – spytał Holm.

– Są identyczne odciski – wydyszał chłopak.

– Pozwólcie, że zgadnę. – Harry wsunął papierosa do ust.

Popatrzyli na niego.

– Tony Leike.

– Skąd... skąd... – Kim Erik wyglądał na szczerze rozczarowanego.

– Widziałem jego prawą rękę wystającą spod skutera. Więc to musi być lewa. – Harry wskazał na torebkę. – A ten palec wcale nie jest złamany, po prostu zniekształcony. Stary dobry reumatyzm. Dziedziczny, ale niezakaźny.

69 KALIGRAFIA

Kobieta, która otworzyła drzwi do mieszkania w szeregowcach na Hovseter, miała barki szerokie jak zapaśnik, a wzrostem dorównywała Harry'emu. Patrzyła na niego cierpliwie, jakby nawykła do dawania ludziom sekund niezbędnych, by doszli do siebie.

– Słucham?

Harry rozpoznał głos Fridy Larsen z telefonu. Ten, który kazał mu wyobrażać sobie drobną, delikatną kobietkę.

– Harry Hole – przedstawił się. – Znalazłem ten adres przez numer telefonu. Czy zastałem Feliksa?

– Poszedł grać w szachy – odparła obojętnym tonem, jakby to była standardowa odpowiedź. – Proszę przysłać maila.

– Chciałbym z nim porozmawiać.

– O czym? – Wypełniała drzwi w sposób uniemożliwiający zajrzenie do środka i nie miało to związku jedynie z jej rozmiarami.

– Znaleźliśmy w Budynku Policji kawałeczek lawy. Zastanawiam się, czy może ona pochodzić z tego samego wulkanu co poprzednia, którą do niego wysyłaliśmy. – Harry stał dwa stopnie niżej i trzymał w rękach mały kamyk, ale kobieta nawet nie ruszyła się z progu.

– Nie da się tego stwierdzić. Wyślijcie do Feliksa maila. – Już chciała zamknąć drzwi.

– Lawa to pewnie lawa. – Harry wzruszył ramionami.

Zawahała się. Harry czekał. Z doświadczenia wiedział, że fachowiec nigdy nie zdoła się powstrzymać od poprawienia laika.

– Lawa z każdego wulkanu ma inny skład – powiedziała. – Ale różni się też w zależności od wybuchu. Musicie zrobić analizę tego kamienia. Sporo może wam powiedzieć zawartość żelaza. – Twarz miała bez wyrazu, wzrok obojętny.

– Tak naprawdę chciałem dowiedzieć się czegoś o ludziach, którzy jeżdżą oglądać wulkany. Nie może ich być znów tak wielu. Zastanawiałem się, czy Felix nie zna środowiska norweskiego.

– Jest nas więcej, niż się panu wydaje.

– Więc pani jest jedną z nich?

Wzruszyła ramionami.

– Na jakim wulkanie byliście ostatnio?

– Ol Doinyo Lengai w Tanzanii. I nie byliśmy na nim, tylko koło niego. Trwała erupcja. Magma natrokarbonatytowa. Lawa, która wypływa, jest czarna, ale w reakcji z powietrzem po kilku godzinach staje się całkiem biała. Jak śnieg.

Głos i twarz nagle odzyskały życie.

– Dlaczego pani brat nie chce mówić? – spytał Harry. – Czy on jest niemy?

Twarz znów jej zesztywniała, a głos zobojętniał i zamarł.

– Proszę przysłać maila.

Drzwi zatrzasnęły się z taką siłą, że Harry'emu do oczu wpadł kurz.

Kaja zaparkowała na Maridalsveien, przeskoczyła przez barierkę przy drodze i ostrożnie zaczęła schodzić w dół stromego zbocza w stronę lasu skrywającego fabrykę Kadok. Z zapaloną latarką przeciskała się przez gęste zarośla, odsuwała mokre gałęzie, które czepiały się jej twarzy. Cienie przeskakiwały bezszelestnie jak wilki i nawet, gdy się zatrzymywała, by nasłuchiwać, cienie drzew padały na inne drzewa, więc nie dawało się rozróżnić, co jest czym, jak w labiryncie luster.

Ale nie czuła strachu. Właściwie to dziwne, że tak się bała zamkniętych drzwi, a nie lękała się ciemności. Słuchała szumu rzeki. Czyżby coś usłyszała? Jakiś odgłos, którego nie powinno być? Ruszyła dalej. Schyliła się pod złamanym pniem i znów przystanęła. Ale tak jak poprzednio, gdy tylko się zatrzymała, wszystkie inne dźwięki od razu ucichły. Odetchnęła głęboko i dokończyła myśl: tak jakby ktoś szedł za nią i nie chciał być zauważony.

Poświeciła za siebie. Nie miała już pewności co do tego strachu przed ciemnością. W świetle latarki zobaczyła kilka rozkołysanych gałęzi, ale czy nie ona sama je potrąciła?

Znów odwróciła się do przodu.

I krzyknęła, gdy latarka oświetliła trupiobladą twarz z szeroko otwartymi oczami. Upuściła latarkę na ziemię, cofnęła się, ale postać skoczyła za nią, pochrumkując niby ze śmiechem. Mimo ciemności zauważyła, że ten człowiek nachyla się, prostuje i moment później oślepiło ją światło własnej latarki.

Wstrzymała oddech.

Chrumkający śmiech się urwał.

– Masz – powiedział chrapliwy męski głos i światło się odsunęło.

– Co?

– Swoją latarkę.

Kaja wzięła ją i poświeciła nieco w bok, tak by go zobaczyć, jednocześnie nie oślepiając. Miał jasne włosy i wysuniętą żuchwę.

– Kim jesteś?

– Truls Berntsen. Pracuję z Mikaelem.

Oczywiście słyszała o Trulsie Berntsenie. O cieniu. Beavis, czy nie tak nazywał go Mikael?

– A ja jestem...

– Kaja Solness.

– Skąd wiesz... – Przełknęła ślinę i zmieniła pytanie: – Co tu robisz?

– To samo co ty – odparł monotonnym chrapliwym głosem.

– Tak? A co ja tu robię?

Zaśmiał się tym swoim chrumkającym śmiechem, ale nie odpowiedział. Stał tylko przed nią z rękami zwieszonymi wzdłuż boków, lekko odstawionymi od ciała. Jedna powieka mu drżała, jakby wpadł pod nią owad.

– Jeśli robisz to samo co ja, to znaczy, że obserwujesz fabrykę – stwierdziła. – Na wypadek gdyby on się tu pojawił.

– Tak, na wypadek gdyby się pojawił. – Beavis nie odrywał od niej oczu.

– Przecież to nie jest wykluczone. Może nie wiedzieć o pożarze.

– Mój ojciec tu pracował – wyjaśnił Beavis. – Stale mówił, że wytwarzał PSG, kasłał PSG i zmienił się w PSG.

– Czy w okolicy są jeszcze inni z KRIPOS? To Mikael kazał wam tu przyjść?

– Ty się już z nim nie spotykasz, prawda? Spotykasz się z Harrym Hole.

Kaja poczuła nagły chłód. Skąd, na miłość boską, ten facet mógł o tym wiedzieć? Czyżby Mikael komuś o niej opowiadał?

– Nie byłeś z nami w Håvasshytta – szybko zmieniła temat.

– Nie byłem? – Znów ten śmiech. – Pewnie miałem wolne. Odbierałem sobie nadgodziny. Jussi tam był.

– Tak. On tam był.

Mocniej powiał wiatr i Kaja odwróciła głowę, bo gałąź dotknęła jej twarzy. Czy on szedł za nią, czy był tu, zanim przyszła? Chciała go o to spytać, ale już go nie widziała. Poświeciła między drzewa. Zniknął.

O drugiej w nocy zaparkowała na ulicy, weszła przez furtkę po schodach do żółtego domu i wcisnęła guzik przy malowanej ceramicznej płytce, na której widniał wykaligrafowany ozdobny napis: „Rodzina Hole".

Kiedy zadzwoniła po raz trzeci, usłyszała ciche chrząknięcie i odwróciła się w porę, by zobaczyć, jak Harry wsuwa służbową broń za pasek spodni. Musiał bezszelestnie okrążyć węgieł domu.

– Co się dzieje? – spytała przerażona.

– Wyjątkowe środki bezpieczeństwa. Powinnaś zadzwonić, uprzedzić, że przyjedziesz.

– Nie powinnam była przyjeżdżać?

Harry wszedł po schodach, wyminął ją i otworzył drzwi. Weszła za nim, objęła go od tyłu, przytuliła się do jego pleców, nogą zamknęła drzwi. Uwolnił się z jej objęć, odwrócił i chciał coś powiedzieć, ale przerwała mu pocałunkiem. Chciwym, domagającym się odpowiedzi. Wsunęła mu zimne dłonie pod koszulę i dotknęła rozgrzanej skóry. Czuła, że wstał prosto z łóżka. Wyciągnęła mu rewolwer zza paska i z głośnym stuknięciem położyła na stoliku w korytarzu.

– Chcę ciebie – szepnęła, ugryzła go w ucho i wsunęła dłoń w spodnie. Znalazła ciepły, miękki członek.

– Kaju…

– Dostanę cię?

Wydało jej się, że wyczuwa krótkie wahanie, pewną niechęć. Objęła go drugą ręką za kark, popatrzyła mu w oczy i szepnęła:

– Tak cię proszę…

Uśmiechnął się i w końcu rozluźnił. Pocałował ją delikatniej, niż chciała. Jęknęła niezadowolona, rozpięła guziki przy spodniach. W nieruchomej dłoni czuła, jak członek rośnie.

– Niech cię diabli – jęknął, wziął ją na ręce i zaniósł na górę. Kopniakiem otworzył drzwi do sypialni, ułożył na łóżku od strony matki. Kaja odchyliła głowę, zamknęła oczy, czuła, jak zdejmuje z niej ubranie, szybko, skutecznie. Czuła ciepło jego ciała na sekundę przed tym, jak się nad nią opuszczał, rozsuwając jej uda. Tak, pomyślała, niech mnie diabli.

Leżała z policzkiem i uchem przytulonym do jego piersi, słuchała uderzeń serca.

– O czym myślałeś? – spytała szeptem. – Kiedy tam leżałeś, wiedząc, że umrzesz?

– O tym, że muszę żyć – odparł Harry.

– Tylko o tym?

– Tylko.

– A nie, że spotkasz… znów spotkasz tych, których kochałeś?

– Nie.

– A ja tak. To było dziwne. Tak się bałam, że coś się rozpadło. A potem lęk minął i ogarnął mnie spokój. Po prostu zasnęłam. Później ty mnie zbudziłeś. Ocaliłeś mnie.

Harry podał jej swojego papierosa, zaciągnęła się i parsknęła śmiechem.

– Jesteś bohaterem, Harry. Po prostu kimś takim, komu dają medale. Nikt by tego o tobie nie pomyślał, co?

Harry pokręcił głową.

– Uwierz mi, myślałem tylko o sobie. Nie poświęciłem ci nawet jednej myśli, dopóki nie przedostałem się do kominka.

– No tak, ale kiedy już tam byłeś, wciąż miałeś mało powietrza. Wykopywałeś mnie ze świadomością, że powietrze zużyje się dwa razy szybciej.

– I co mam powiedzieć? Jestem hojnym facetem.

Ze śmiechem uderzyła go w pierś.

– Bohaterem!

Harry mocno zaciągnął się papierosem.

– A może to wola przetrwania wyłączyła sumienie?

– O czym ty mówisz?

– Osoba, którą znalazłem pierwszą, była tak silna, że prawie zdołała unieruchomić kijek. Zrozumiałem, że to musi być Kolkka i że on żyje. Wiedziałem, że liczą się sekundy i minuty, ale zamiast go odkopać, zacząłem nakłuwać śnieg, aż cię znalazłem. Nie ruszałaś się. Myślałem, że nie żyjesz.

– A potem?

– Może zdążyłem pomyśleć, że gdy będę odkopywał osobę, która już nie żyje, to ta, która jeszcze żyje, może w tym czasie umrzeć. W ten sposób miałbym całe powietrze dla siebie. Trudno stwierdzić, co kieruje człowiekiem.

Kaja ucichła. Na zewnątrz zawarczał motocykl, ale zaraz umilkł. Motocykl w lutym. A dzisiaj widziała ptaka z rodzaju tych, które wracają na wiosnę. Wszystko wypadło z rytmu.

– Czy ty zawsze się tyle zastanawiasz? – spytała.

– Nie. Może. Nie wiem.

Przysunęła się jeszcze bliżej.

– A nad czym zastanawiasz się teraz?

– Skąd on wie to, co wie?

Westchnęła.

– Zabójca?

– I dlaczego się ze mną bawi? Dlaczego przysyła mi cząstkę ciała Tony'ego Leike? Jakimi torami krążą jego myśli?

– W jaki sposób masz zamiar się tego dowiedzieć?

Harry zgasił papierosa w popielniczce na nocnej szafce. Odetchnął głęboko i wypuścił powietrze z przeciągłym sykiem.

– Właśnie w tym rzecz. Mogę to zrobić tylko w jeden sposób. Muszę z nim porozmawiać.

– Z nim? Z Kawalerem?

– Z kimś takim jak Kawaler.

Zasypiając, zaczął śnić. Wpatrywał się w gwóźdź wystający z głowy mężczyzny. Ale tej nocy w twarzy mężczyzny było coś znajomego. Znajomy portret. Widział go tyle razy. Widział niedawno. Obce ciało w ustach Harry'ego eksplodowało, gwałtownie drgnął. Zasnął.

70 MARTWE POLE

Harry maszerował szpitalnym korytarzem razem ze strażnikiem więziennym w cywilu. Dwa kroki przed nimi szła lekarka. Poinformowała Harry'ego o stanie pacjenta, wyjaśniła, czego może się spodziewać.

Dotarli do drzwi, które otworzył strażnik. Za nimi korytarz ciągnął się jeszcze kilka metrów, na lewej ścianie było troje drzwi. Przed jednym z pokojów stał drugi więzienny strażnik, w mundurze.

– Nie śpi? – spytała lekarka, podczas gdy umundurowany funkcjonariusz przeszukiwał Harry'ego. Kiwnął głową, wyłożył całą zawartość kieszeni Harry'ego na stół, przekręcił klucz i odsunął się na bok.

Lekarka dała Harry'emu znać, że ma zaczekać na zewnątrz. Sama weszła ze strażnikiem. Chwilę później wróciła.

– Maksymalnie piętnaście minut. Poprawia mu się, ale wciąż jest słaby.

Harry skinął głową i wziął głęboki oddech. I wszedł.

Zatrzymał się tuż za drzwiami, czując, jak się za nim zamykają. Zasłony były zaciągnięte, pokój pogrążony w ciemności, z wyjątkiem lampki zapalonej nad łóżkiem. Światło padało na półleżącą postać, z pochyloną głową i długimi włosami zwisającymi po obu stronach twarzy.

– Podejdź bliżej, Harry.

Głos mu się zmienił, brzmiał jak zgrzyt nienasmarowanych zawiasów. Ale Harry i tak go rozpoznał. Przeniknął go dreszcz.

Podszedł do łóżka i usiadł na przystawionym krześle.

Mężczyzna uniósł głowę, a Harry'emu zaparło dech w piersiach.

Wyglądał tak, jakby ktoś polał mu twarz płynnym woskiem. Zastygła w za ciasną maskę, ściągającą do tyłu skórę na czole i brodzie, usta zmieniając w nieduży, pozbawiony warg otwór, otoczony nierównym pejzażem skostniałej tkanki. Dwa parsknięcia oznaczały śmiech.

– Nie poznajesz mnie, Harry?

– Poznaję oczy – odparł Harry. – To mi wystarczy. To ty.

– Coś nowego u… – karpiowate usta ułożyły się tak, jakby próbowały się uśmiechnąć – …naszej Rakel?

Harry się na to przygotowywał. Nastawił się niczym bokser szykujący się na ból, a jednak dźwięk jej imienia w jego ustach kazał mu zacisnąć dłonie w pięści.

– Zgodziłeś się porozmawiać o pewnym człowieku. Uważamy, że on jest taki jak ty.

– Jak ja? Mam nadzieję, że ładniejszy. – Znów dwa krótkie parsknięcia. – Dziwne, ale nigdy nie byłem próżny, Harry. Sądziłem, że najgorszy w tej chorobie będzie ból. Ale wiesz, co jest najstraszniejsze? Rozpad. Przeglądanie się w lustrze, obserwowanie, jak wyłania się potwór. Wciąż pozwalają mi tu chodzić samemu do toalety, ale unikam luster. Byłem kiedyś przystojny, wiesz?

– Przeczytałeś to, co ci przysłałem?

– Musiałem się ukrywać. Doktor Dyregod uważa, że nie wolno mi się przemęczać. Infekcje. Zapalenia. Gorączka. Szczerze interesuje ją moje zdrowie, Harry. Zaskakujące, gdy się pomyśli o tym, co zrobiłem, prawda? Osobiście bardziej interesuje mnie śmierć. Akurat tego zazdroszczę tym, które... Ale ty do tego nie dopuściłeś, Harry.

– Śmierć byłaby zbyt łagodną karą.

W oczach mężczyzny coś się zapaliło. Ze szpar oczu zdawało się bić białe zimne światło.

– W każdym razie zapewniłem sobie miejsce w książkach historycznych. Ludzie będą czytać o Bałwanie. Niektórzy podejmą moje dziedzictwo i wprowadzą moje idee w czyn. A co ty z tego masz, Harry? Nic. Przeciwnie, straciłeś tę odrobinę, którą miałeś.

– To prawda – odparł Harry. – Wygrałeś.

– Brakuje ci tego palca?

– No cóż, akurat w tej chwili tak. – Harry podniósł głowę i napotkał spojrzenie tamtego. Wytrzymał. W końcu karpiowate usta się otworzyły, a śmiech zabrzmiał jak pistolet z tłumikiem.

– W każdym razie nie tracisz poczucia humoru, Harry. Wiesz, że będę żądał czegoś w zamian.

– *No cure, no pay.* Ale powiedz.

Mężczyzna z wysiłkiem odwrócił się do nocnej szafki, sięgnął po stojącą tam szklankę z wodą i przyłożył ją do otworu ust. Dłoń trzymająca szklankę wyglądała jak biały ptasi szpon. Kiedy się napił, ostrożnie odstawił szklankę i zaczął mówić. Jękliwy głos brzmiał teraz słabiej, jak z radia z wyładowanymi bateriami.

– Wydaje mi się, że w instrukcji dotyczącej mojego uwięzienia musi być coś o wyjątkowym zagrożeniu samobójstwem. W każdym razie czuwają nade mną jak jastrzębie. Przeszukali cię, zanim cię tu wpuścili, prawda? Bali się, że przemycasz nóż albo coś podobnego. Ale ja nie chcę oglądać tego upadku do końca, Harry. Już wystarczy, nie uważasz?

– Nie. Ja tak nie uważam. Wybierz coś innego.

– Mógłbyś po prostu skłamać i powiedzieć, że tak.

– Wolałbyś, żeby tak było?

Mężczyzna machnął ręką.

– Chcę się spotkać z Rakel.

Harry zdziwiony uniósł brew.

– Dlaczego?

– Chcę jej tylko coś powiedzieć.

– Co?

– To zostanie między nią a mną.

Krzesło zatrzeszczało pod Harrym, kiedy wstawał.

– O tym nie ma mowy.

– Zaczekaj. Siadaj.

Usiadł.

Mężczyzna miał spuszczony wzrok i skubał kołdrę.

– Nie zrozum mnie źle. Tamtych innych nie żałuję. To były dziwki. Ale Rakel to co innego. Ona była... inna. Tylko to chciałem jej powiedzieć.

Harry patrzył z niedowierzaniem.

– I co teraz myślisz? – spytał Bałwan. – Powiedz, że tak. Jeśli musisz, skłam.

– Tak – skłamał Harry.

– Marny z ciebie kłamca. Chcę z nią porozmawiać, zanim pomogę tobie.

– Nie wchodzi w grę.

– Dlaczego miałbym ci ufać?

– Ponieważ nie masz wyboru. Ponieważ złodzieje ufają złodziejom, kiedy muszą.

– Naprawdę?

Harry uśmiechnął się lekko.

– Kiedy w Hongkongu kupowałem opium, przez jakiś czas korzystaliśmy z toalety dla niepełnosprawnych w centrum handlowym Landmark na Des Voeux. Wchodziłem pierwszy, wkładałem butelkę ze smoczkiem z pieniędzmi pod pokrywę rezerwuaru w ostatniej kabinie z prawej strony. Potem szedłem się przejść, oglądałem podrabiane zegarki, wracałem, a w rezerwuarze leżała moja butelka. Zawsze z odpowiednią porcją opium. Ślepe zaufanie.

– Powiedziałeś, że używaliście tej toalety „przez jakiś czas"?

Harry wzruszył ramionami.

– Któregoś dnia butelka zniknęła. Może diler mnie oszukał, może ktoś nas podejrzał i zabrał pieniądze albo opium. Nie było żadnej gwarancji.

Bałwan długo się w niego wpatrywał.

***

Harry szedł korytarzem razem z lekarką. Strażnik więzienny wyprzedził ich o kilka kroków.

– To nie trwało długo – zauważyła lekarka.

– Mówił zwięźle.

Harry przeszedł przez recepcję na parking i wsiadł do samochodu. Gdy wkładał kluczyk do stacyjki, widział, że ręka mu drży, a kiedy oparł się o siedzenie, poczuł, że koszula lepi się do pleców.

Mówił zwięźle.

– Załóżmy, że on jest taki jak ja, Harry. To założenie jest mimo wszystko konieczne, bym mógł ci pomóc. Najpierw motyw. Nienawiść. Płonąca, gotująca się nienawiść. To substancja, która pozwala mu przeżyć, to magma, która go rozgrzewa. I tak jak magma, nienawiść jest warunkiem przeżycia, żeby wszystko nie zamarzło na lód. A jednocześnie ciśnienie wewnętrznego żaru nieuchronnie prowadzi do wybuchu. Do uwolnienia destrukcyjnych sił. I im dłuższy czas mija bez eksplozji, tym jest potężniejsza. Obecnie wybuch trwa i jest bardzo silny. To mi mówi, że przyczyny musisz szukać daleko w przeszłości. Bo to nie same czyny wywołane nienawiścią, tylko przyczyna tej nienawiści umożliwi ci rozwiązanie zagadki. Bez znajomości przyczyny nie dostrzeżesz sensu w czynach. Nienawiść potrzebowała czasu na to, by wezbrać. Ale przyczyna jest prosta. Coś się wydarzyło. Wszystko skupia się wokół tego jednego wydarzenia. Dowiedz się, co to było, a będziesz go miał.

Co go skłoniło do posłużenia się metaforą wulkanu? Harry ruszył stromą, krętą drogą ze szpitala Bærum.

– Osiem zabójstw. On jest teraz władcą. Na szczycie. Zbudował wszechświat, w którym wszystko zdaje się go słuchać. Jest mistrzem marionetek i bawi się z wami. Szczególnie z tobą, Harry. Trudno stwierdzić, dlaczego akurat ty zostałeś wybrany. Może to przypadek. Ale w miarę jak on zyskuje coraz większą władzę nad swoimi marionetkami, poszukuje większego napięcia. Chce z nimi rozmawiać, być blisko nich, jak najgłębiej napawać się swoimi triumfami. Razem z tymi, nad którymi triumfuje. Ale jest dobrze przebrany. Nie wygląda wcale na mistrza marionetek, przeciwnie. Może sprawiać wrażenie uległego, kogoś, kim łatwo kierować. Kogo się nie docenia i nie podejrzewa o umiejętność wyreżyserowania tak złożonego dramatu.

Harry jechał drogą E18 w stronę centrum. Korek. Skręcił na buspas. Do cholery, był policjantem i bardzo mu się spieszyło. W ustach mu zaschło. Psy szarpały za łańcuchy. Zbuntowane.

– On jest blisko ciebie, Harry. Tego jestem wręcz pewien. Po prostu nie potrafi się powstrzymać. Ale przedostał się w martwe pole. Wemknął się w twoje życie w sposób budzący zaufanie wówczas, gdy twoja uwaga była skierowana na coś innego. Albo w chwili twojej słabości. Nie jest na nieswoim miejscu. To sąsiad, przyjaciel, kolega z pracy. Albo ktoś, kto po prostu jest tuż za jakąś inną osobą, dla ciebie o wiele wyraźniejszą. Jest jej cieniem, o którym nawet nie myślisz, dodatkiem do tamtej. Zastanów się, kto się wślizgnął w twoje pole widzenia. Bo on tam jest. Już znasz jego twarz. Być może zamieniłeś z nim niewiele słów, ale on jest taki jak ja. Nie zdołał się powstrzymać, Harry. Dotknął ciebie.

Harry zaparkował pod Savoyem. Poszedł prosto do baru.

– Słucham?

Powiódł wzrokiem po butelkach stojących na szklanych półkach za barmanem.

Beefeater, Johnny Walker, Bristol Cream, Absolut, Jim Beam.

Szukał człowieka, w którym żarzy się nienawiść. Takiego, który nie dopuszcza innych uczuć. Człowieka o pancernym sercu.

Spojrzenie się zatrzymało. I znów skoczyło do tyłu. Harry rozchylił usta. To było niczym boskie mrugnięcie. I wszystko, wszystko zawierało się w tym mrugnięciu.

Głos dochodził jakby z daleka.

– *Mister?* Halo?

– Tak.

– Zdecydował się pan?

Harry powoli kiwnął głową.

– Tak – powiedział. – Zdecydowałem się.

71 RADOŚĆ

Gunnar Hagen ściskał ołówek w dwóch palcach wskazujących, przyglądając się Harry'emu, który wyjątkowo siedział, a nie leżał na krześle przed jego biurkiem.

– Formalnie rzecz biorąc, jesteś w tej chwili oddelegowany do KRIPOS i tym samym pozostajesz członkiem załogi Bellmana – stwierdził szef wydziału. – W związku z tym dokonane przez ciebie aresztowanie będzie oznaczało wygraną Bellmana.

– A jeżeli... – wciąż najzupełniej hipotetycznie – przekazałbym ci informację i samo aresztowanie pozostawił komuś z Wydziału Zabójstw? Na przykład Kai Solness albo Magnusowi Skarre?

– Nawet tak szczodrej propozycji musiałbym odmówić, Harry. Mówiłem ci, że wiążą mnie umowy.

– Mhm. Bellman wciąż ma na ciebie haka?

Hagen westchnął.

– Gdybym miał zrobić takiego szpasa i odebrać Bellmanowi aresztowanie w najgłośniejszej w Norwegii sprawie zabójstwa, ministerstwo zaraz dowiedziałoby się o wszystkim. Na przykład o tym, że się im sprzeciwiłem i sprowadziłem ciebie, żebyś podjął śledztwo w tej sprawie. Potraktowano by to jako odmowę wykonania rozkazu i dotknęłoby cały wydział. Przykro mi, Harry, ale nie mogę.

Harry w zamyśleniu patrzył przed siebie.

– No to dobrze, szefie. – Poderwał się z krzesła i szybkim krokiem ruszył do drzwi.

– Zaczekaj!

Harry się zatrzymał.

– Dlaczego teraz o to pytasz? Dzieje się coś, o czym powinienem wiedzieć?

Pokręcił głową.

– Tylko takie sprawdzanie hipotez, szefie. Na tym polega nasza praca, prawda?

Czas do godziny trzeciej Harry poświęcił na dzwonienie. Ostatni telefon wykonał do Bjørna Holma, który bez namysłu zgodził się prowadzić.

– Nie powiedziałem ci gdzie ani dlaczego – zauważył Harry.

– Nie musisz – odparł Bjørn i akcentując każde słowo, dodał: – Ja-ci-ufam.

Zapadła cisza.

– Chyba sobie na to zasłużyłem – stwierdził Harry.

– Owszem.

– Mam wrażenie, że przepraszałem, ale czy naprawdę?

– Nie.

– Nie? No dobrze. Prze... prze... Cholera, ale to trudne. Prze...

– Gaźnik ci się zapchał? – Harry usłyszał, że Bjørn mimo wszystko się uśmiecha.

– *Sorry* – mruknął Harry. – Liczę, że zdobędę pewne odciski palców, i będę chciał, żebyś je sprawdził, zanim wyruszymy o piątej. Jeśli się nie zgodzą, to w zasadzie nie będziesz musiał jechać.

– Dlaczego jesteś taki tajemniczy?

– Ponieważ mi ufasz.

O wpół do czwartej Harry zapukał do maleńkiej dyżurki w Szpitalu Centralnym.

Sigurd Altman otworzył drzwi.

– Cześć, możesz rzucić na to okiem? – Podał pielęgniarzowi plik zdjęć.

– Lepią się – zauważył Altman.

– Ledwie wywołane.

– Hm. Obcięty palec. I co?

– Podejrzewam, że jego właściciel dostał sporą dawkę ketanominy. Zastanawiałem się... może jako ekspert od anestezjologii potrafisz stwierdzić, czy znajdziemy ślady tej substancji w palcu.

– To oczywiste. Przenosi się z krwią po całym ciele. – Altman przerzucał zdjęcia. – Ten palec wygląda na całkowicie opróżniony z krwi, ale teoretycznie wystarczy jedna kropla.

– Moje następne pytanie: czy możesz nam dziś wieczorem pomóc przy aresztowaniu?

– Ja? Nie macie nikogo z medycyny sądowej?

– Akurat na tym znasz się o wiele lepiej niż oni. A mnie potrzebny jest ktoś, komu mogę zaufać.

Altman wzruszył ramionami, spojrzał na zegarek i oddał zdjęcia.

– Za dwie godziny schodzę z dyżuru, więc...

– Dobrze, przyjedziemy po ciebie. Zapiszesz się w historii norweskiej kryminalistyki, Altman.

Pielęgniarz uśmiechnął się blado.

Mikael Bellman zadzwonił w momencie, gdy Harry szedł do Wydziału Techniki Kryminalistycznej.

– Gdzie ty się podziewasz, Harry? Rano na odprawie też cię nie było.

– A tak chodzę wkoło.

– Wkoło czego?

– Wkoło naszego kochanego miasta – wyjaśnił Harry, rzucając dużą kopertę A4 na blat przed Kimem Erikiem Lokkerem i pokazując na koniuszki własnych palców, by zasygnalizować, o jakie badanie zawartości koperty mu chodzi.

– Zaczynam się denerwować, kiedy przez cały dzień nawet się nie zbliżasz do radaru, Harry.

– Nie ufasz mi, Mikael? Boisz się, że wpadnę w ciąg?

Po drugiej stronie zapadła dłuższa cisza.

– Masz obowiązek składania raportów mnie, a ja po prostu chcę być poinformowany. To wszystko.

– Raportuję, że nie mam nic do zaraportowania, szefie.

Harry rozłączył się i poszedł do Bjørna. Beate już czekała u niego w pokoju.

– Co zamierzasz nam opowiedzieć? – spytała.

– Naprawdę ekscytującą historię. – Harry usiadł.

Był mniej więcej w połowie, kiedy przez drzwi wsunął głowę Lokker.

– Znalazłem to – oświadczył, przekazując folię z odciskami palców.

– Dzięki. – Bjørn położył folię na swoim skanerze, usiadł do komputera, otworzył plik z odciskami palców znalezionymi na Holmenveien i uruchomił program wyszukujący.

Harry miał świadomość, że to potrwa zaledwie kilka sekund, ale zamknął oczy, czując, jak wali mu serce, chociaż wiedział. Bałwan wiedział. I przekazał mu tę odrobinę, która była potrzebna. Sformułował słowa. Wytworzył falę dźwiękową niezbędną do poruszenia lawiny.

Musiało tak być.

To powinno potrwać parę sekund.

Serce waliło.

Bjørn Holm chrząknął, ale nic nie powiedział.

– Bjørn... – Harry wciąż zaciskał oczy.

– Tak, Harry?

– To jedna z tych twoich artystycznych pauz, które mam się nauczyć doceniać?

– Tak.

– Czy już się skończyła, do jasnej cholery?

– Tak. I mamy pozytywną odpowiedź.

Harry otworzył oczy.

Światło słońca. Zalewa pokój, wypełnia go tak, że można by w nim pływać. Radość. Pieprzona radość.

Wszyscy troje wstali jednocześnie. Patrzyli na siebie z otwartymi ustami, jakby niemo krzyczeli z radości. W końcu objęli się w niezdarnym grupowym uścisku z Bjørnem na zewnątrz, prawie miażdżąc drobną Beate. Kontynuowali stłumione okrzyki, ostrożne przybijanie piątek, a Bjørn Holm zakończył czymś, czego w opinii Harry'ego nie można było wymagać od fana Hanka Williamsa – idealnym moonwalkiem.

72 BOY

Dwaj mężczyźni stali na pozbawionym trawy wielkim trawniku między kościołem Manglerud a autostradą.

– Nazywaliśmy to palarnią albo fajką wodną – opowiadał mężczyzna w skórzanej motocyklowej kurtce, odgarniając na bok długie cienkie kosmyki włosów. – Latem leżeliśmy tu i paliliśmy wszystko, co tylko udało się zdobyć. Pięćdziesiąt metrów od posterunku policji na Manglerud. – Uśmiechnął się krzywo. – Byłem ja, Ulla, Telewizor, jego dziewczyna i kilku innych. To były czasy.

Zapatrzył się gdzieś w dal, a Roger Gjendem notował.

Odnalezienie Jullego nie było łatwe, ale Roger w końcu zdołał go wytropić w klubie motocyklowym na Alnabru, gdzie, jak się okazało, jadł, spał i spędzał życie jako wolny człowiek, nie ruszając się dalej niż do sklepu Prix, żeby kupić snus i chleb. Gjendem już wcześniej widział, jak więzienie uzależnia ludzi od najbliższej okolicy, od rutyny, od poczucia bezpieczeństwa. O dziwo jednak, Julle stosunkowo szybko zgodził się na rozmowę o przeszłości. Kluczem, którym go otworzył, okazało się nazwisko Bellman.

– Ulla była moją dziewczyną. Miałem świetnie, bo kochali się w niej wszyscy na Manglerud. – Julle pokiwał głową, jakby zgadzał się sam ze sobą. – Ale nikt tak chorobliwie jak on.

– Mikael Bellman?

– Nie, ten drugi, cień. Beavis.

– I co się wydarzyło?

Julle rozłożył ręce. Roger zauważył strupy po ranach. Więzienny wędrowny ptak. Poruszający się ruchem wahadłowym od narkotyków na wolności do narkotyków w więzieniu.

– Mikael Bellman doniósł na mnie za kradzież benzyny. A ja miałem wyrok w zawiasach za haszysz i musiałem go odsiedzieć. Słyszałem, że Bellman zaczął chodzić z Ullą. Kiedy wyszedłem na wolność i chciałem po nią iść, ten Beavis czekał na mnie. Mało mnie nie zabił. Powiedział, że Ulla należy do niego. I do Mikaela. W każdym razie nie do mnie. I że jak się pokażę w pobliżu... – Julle przeciągnął palcem po chudym gardle obrośniętym siwym zarostem. – To było chore i przerażające. Cholera, żaden kumpel mi nie wierzył, kiedy mówiłem, że ten Beavis posunął się do gróźb. To był przecież śliniący się idiota, co tylko łaził za Bellmanem.

– Wspomniałeś coś o jakiejś partii heroiny – przypomniał Roger. Kiedy przeprowadzał wywiady z ludźmi w sprawach związanych z narkotykami, zawsze starał się używać precyzyjnych określeń, żeby nie było żadnych nieporozumień, bo slangowe nazwy szybko się zmieniały i w różnych miejscach znaczyły co innego. Na przykład *smack* mogło oznaczać kokainę na Hoveseter, heroinę na Hellerud, a na Abildsø cokolwiek, co dawało kopa.

– Ja, Ulla, Telewizor i jego dziewczyna wybraliśmy się motocyklami w podróż po Europie tego samego lata, kiedy mnie wypuścili. Z Kopenhagi przywieźliśmy pół kilo boya. Takich chłopaków jak ja i Telewizor, motocyklistów, sprawdzali na każdej granicy, ale dziewczyny wysyłaliśmy osobno. Cholera, pięknie wyglądały, w letnich sukienkach, niebieskookie, a każda miała ćwierć kilo boya w majtkach. Większość sprzedaliśmy dilerowi z Tveita.

– Szczery z ciebie chłopak – stwierdził Roger, notując, a określenie „boy" dopisał do długiej listy synonimów oznaczających heroinę.

– To już przedawnione, więc teraz nikogo nie da się za to wsadzić. Rzecz w tym, że tego dilera z Tveita złapali. I zaproponowali mu złagodzenie kary, jeśli wyda głównych sprawców. Oczywiście ten szczur to zrobił.

– Skąd wiesz?

– Ha! Sam mi o tym powiedział kilka lat później, kiedy siedzieliśmy razem w Ullersmo. Podał nazwiska i adresy nas wszystkich, łącznie z Ullą. Brakowało tylko cholernych numerów osobistych. Mieliśmy szczęście jak diabli, że sprawę po prostu umorzono.

Roger notował gorączkowo.

– A zgadnij, kto z posterunku na Stovner prowadził tę sprawę? Kto przesłuchiwał tego faceta? Kto polecił, żeby sprawy nie drążyć? Żeby o niej zapomnieć? Umorzyć? Kto uratował Ulli skórę?

– Chciałbym, żebyś ty to powiedział, Julle.

– Bardzo chętnie. To był ten pierdolony złodziej dziewczyn, Mikael Bellman.

– Jeszcze ostatnie pytanie. – Roger wiedział, że zbliża się do punktu krytycznego. Czy tę historię da się zweryfikować? Czy źródło da się sprawdzić? – Pamiętasz nazwisko tego dilera? On niczego nie ryzykuje, zresztą na pewno nie zostanie wymieniony.

– Chodzi ci o to, czy na niego doniosę? – zaśmiał się głośno Julle. – Możesz być pewien, że tak!

Przeliterował nazwisko. Roger przerzucił kartkę i zapisał je wielkimi literami. Czuł, że szczęki mu się napinają, że się uśmiecha. Wziął się w garść i wygładził twarz. Ale wiedział, że smak, który czuje w ustach, utrzyma się długo. Słodki smak sensacji.

– No to dziękuję ci za pomoc – powiedział.

– To ja ci dziękuję – odparł Julle. – Jak tylko uda ci się zniszczyć Bellmana, to jesteśmy kwita.

– Jeszcze jedno, już z ciekawości. Dlaczego ten diler przyznał się, że was wsypał?

– Bo się bał.

– Bał się? Czego?

– Wiedział za dużo. Chciał, żeby ktoś jeszcze znał tę historię, na wypadek gdyby ten gliniarz zrobił to, czym groził.

– Bellman groził dilerowi?

– Nie Bellman, tylko ten jego cień. Powiedział, że jeśli facet bodaj wspomni jeszcze raz imię Ulli, to postara się zamknąć mu gębę. Na zawsze.

73 ARESZTOWANIE

Pięć po szóstej volvo amazon Bjørna Holma skręciło na wysokości przystanku tramwajowego przy Szpitalu Centralnym. Sigurd Altman stał z rękami w kieszeniach budrysówki. Harry z tylnego siedzenia dał mu znać, że ma usiąść z przodu. Sigurd i Bjørn przywitali się, po czym zjechali na Ringveien i ruszyli na wschód w kierunku Sinsenkrysset.

Harry pochylił się do przodu między siedzeniami.

– To przypominało eksperyment na lekcji chemii w szkole. Masz wszystkie składniki, jakich potrzebujesz, żeby zaszła reakcja chemiczna, ale brakuje ci katalizatora. Zewnętrznego komponentu, iskry niezbędnej do rozpoczęcia reakcji. Informacje miałem, potrzebowałem tylko czegoś, co pozwoliłoby mi poskładać je we właściwy sposób. Moim katalizatorem był pewien chory człowiek. Zabójca nazwany Bałwanem. I butelka na półce w barze. Mogę zapalić?

Milczenie.

– Rozumiem. No więc...

Wjechali w tunel pod Bryn, kierując się w stronę Ryenkrysset i Manglerud.

Truls Berntsen stał na starej niezabudowanej parceli i patrzył na zbocze, na dom Bellmana.

Dziwne, że on, który tak często jadał tam obiady, bawił się i nocował, kiedy dorastali, nie był tam ani razu, odkąd Mikael i Ulla przejęli dom.

Powód był prosty: nigdy nie został zaproszony.

Zdarzało się, że stał jak teraz, w popołudniowej ciemności, i patrzył na dom, by choć przez chwilę ją zobaczyć. Ją, tę nieosiągalną. Tę, której nigdy nikt nie miał dostać. Nikt oprócz niego, księcia, Mikaela. Czasami zastanawiał się, czy Mikael wie. Dlatego go nie zaprasza? A może to ona wiedziała? I dała Mikaelowi do zrozumienia, że ten Beavis, z którym dorastał, nie jest osobą odpowiednią do prywatnych kontaktów, w każdym razie teraz, gdy kariera wreszcie nabierała tempa i ważniejsze stało się obracanie się we właściwych kręgach, spotykanie z właściwymi ludźmi, wysyłanie właściwych sygnałów. Niedobrym posunięciem taktycznym byłoby utrzymywanie kontaktów z duchem z przeszłości, która przynajmniej w pewnych fragmentach powinna odejść w zapomnienie.

O tak, rozumiał to. Nie mogło mu się tylko pomieścić w głowie, dlaczego ona nie pojmowała, że on nigdy, przenigdy jej nie skrzywdzi. Przeciwnie. Czy nie bronił jej i Mikaela przez te wszystkie lata? Przecież pilnował, stale obecny, sprzątał. Dbał o ich szczęście. Taka była jego miłość.

Tego wieczoru w oknach się świeciło. Czyżby urządzali przyjęcie? Jedli i śmiali się, pili wino, jakiego nigdy nikt nie widział w sklepie monopolowym na Manglerud, i rozmawiali w ten nowy sposób? Czy ona uśmiechała się tak, aż oczy jej się rozpalały, takie piękne do bólu? Czy patrzyłaby na niego inaczej, gdyby zdobył pieniądze, wzbogacił się? Czy to możliwe? Czy to takie proste?

Postał jeszcze przez chwilę na brzegu parceli wydartej skale za pomocą dynamitu i w końcu ruszył do domu.

Amazon Bjørna Holma zakołysał się majestatycznie na rondzie na Ryen.

Drogowskaz pokazywał zjazd na Manglerud.

– Dokąd jedziemy? – spytał Sigurd Altman, opierając się od środka o drzwiczki.

– Tam, gdzie Bałwan nakazał nam jechać – odparł Harry. – W daleką przeszłość.

Minęli zjazd.

– Tutaj – wskazał Harry i Bjørn skręcił.

– E6?

– Tak, jedziemy na wschód, w stronę Lyseren. Znasz te okolice, Sigurd?

– Ładnie tam, ale…

– To tam zaczyna się cała historia – mówił Harry. – Wiele lat temu koło domu ludowego, gdzie urządzano tańce, Tony Leike, właściciel tego palca, który ci dzisiaj pokazałem, stoi na skraju lasu i całuje się z Mią, córką lensmana Skaia. Zakochany w Mii Ole wychodzi jej szukać i wpada na nich. Zły i zdruzgotany rzuca się na intruza, na czarującego Tony'ego. Ale w Tonym ujawnia się nagle inna strona. Znika czarujący, uśmiechnięty flirciarz, zostaje drapieżnik i jak wszystkie drapieżniki, kiedy czują się zagrożone, atakuje z wściekłością i brutalnością, paraliżującą i Olego, i Mię, i innych, którzy po chwili się pojawiają. Tony w oszołomieniu agresją wyciąga nóż i nim zdołają go odciągnąć, odcina Olemu pół języka. A na Olego, chociaż jest w tej sprawie niewinny, spada wstyd. Jego nieodwzajemniona miłość wychodzi na jaw, został upokorzony w rytualnej na wsi walce o dziewczynę, a jego kaleka mowa na zawsze pozostanie świadectwem klęski. Ucieka więc, wyprowadza się. Nie pogubiłeś się?

Altman tylko pokręcił głową.

– Mijają lata. Ole zapuścił korzenie w nowym miejscu, ma pracę, w której jest lubiany i szanowany za swoje umiejętności. Zyskał przyjaciół, niewielu, ale wystarczy. Najważniejsze, by nie znali historii z jego przeszłości. W życiu brakuje mu dziewczyny. Poznał kilka, przez strony randkowe w internecie, przez ogłoszenia w rubryce towarzyskiej, jedną czy drugą w jakimś barze. Ale te dziewczyny prędko znikają. Nie z powodu okaleczonego języka, tylko dlatego, że Ole dźwiga na plecach klęskę jak plecak pełen gówna. Mówiąc o sobie, sam siebie umniejsza. Z góry zakłada odrzucenie, a kobietom, którym naprawdę się podoba, okazuje podejrzliwość. Zwykła rzecz. Odór klęski. Przed tym smrodem uciekają wszyscy. Ale pewnego dnia coś się dzieje. Ole poznaje kobietę, która nie ucieka, która już wcześniej wychodziła na zimową noc. Pozwala mu nawet zrealizować erotyczne fantazje, godząc się na seks w nieczynnej fabryce. Ole zaprasza ją na wycieczkę w góry. To pierwszy sygnał, że myśli o niej poważnie. Dziewczyna nazywa się Adele Vetlesen i dość niechętnie, ale z nim jedzie.

Bjørn Holm skręcił przy Grønmo. Widać było unoszący się w górę dym ze spalanych śmieci.

– Przyjemna wycieczka. Możliwe. Adele chyba jednak się nudzi. To niespokojna dusza. Zatrzymują się w Håvasshytta, gdzie jest już pięć innych osób. Marit Olsen, Elias Skog, Borgny Stem-Myhre, Charlotte Lolles i chora Iska Peller, która śpi złożona gorączką w osobnej sypialni. Po kolacji ktoś rozpala w kominku, ktoś inny otwiera butelkę czerwonego wina, niektórzy idą spać. Na przykład Charlotte Lolles. I Ole, który leży w śpiworze w sypialni i czeka na swoją Adele. Lecz Adele nie ma ochoty się kłaść. Może wreszcie i ona zaczęła czuć ów smród. Nagle coś się dzieje. Wieczorem zjawia się ostatnia osoba. Schronisko jest akustyczne i Ole słyszy męski głos z pokoju kominkowego. Sztywnieje. To głos z jego najgorszych koszmarów. Z najcudowniejszych fantazji o zemście. Ale to nie może być prawda. To jest po prostu niemożliwe. Ole nasłuchuje. Ten głos rozmawia z Marit Olsen. Przez dłuższą chwilę. Później zamienia kilka zdań z Adele. Ole słyszy, jak jego dziewczyna się śmieje. Ale wkrótce głosy cichną. Zajmowane są łóżka w sąsiedniej sypialni. Tylko Adele nie ma. I nie ma też mężczyzny o znajomym głosie. Ole nie słyszy nic, ale w końcu docierają do niego dźwięki z zewnątrz. Podpełza do okna, wygląda i widzi ich. Widzi jej zmienioną pożądaniem twarz, rozpoznaje odgłosy aktu miłosnego. I wie, że to, co niemożliwe, właśnie się dzieje. Historia się powtarza. Bo on zna mężczyznę, który stoi za Adele, który zaraz będzie ją miał. To on. To Tony Leike.

Bjørn włączył ogrzewanie. Harry odchylił się do tyłu.

– Następnego dnia, kiedy wszyscy wstają, okazuje się, że Tony już opuścił schronisko. Ole udaje, że nic się nie stało. Jest już silniejszy. Zahartowały go lata nienawiści. Wie, że inni widzieli Adele i Tony'ego, że widzieli jego upokorzenie. Tak jak wtedy. Ale jest spokojny. Wie, co ma robić. Może nawet tęsknił za tym. Za tym ostatnim pchnięciem, za swobodnym spadaniem. Parę dni później ma gotowy plan. Wraca do Håvasshytta, może ktoś go podwozi skuterem śnieżnym, i wyrywa kartkę z nazwiskami. Bo tym razem to nie on będzie ze wstydu uciekał przed świadkami, to oni będą cierpieć. I Adele. Ale najbardziej będzie cierpieć Tony. To na niego spadnie cały ten wstyd, jaki musiał dźwigać Ole. To jego nazwisko będą szargać w błocie. To jego życie legnie w gruzach. Jego dotknie ten sam niesprawiedliwy Bóg, który pozwala, by nieszczęśliwie zakochanym odcinano języki.

Sigurd Altman leciutko opuścił szybę, samochód wypełnił cichy świst.

– Na początek Ole musi zorganizować jakieś pomieszczenie, kwaterę główną, w której będzie mógł pracować bez przeszkód, nie martwiąc się, że zostanie odkryty. A co jest bardziej naturalnego, niż nieczynna fabryka, w której pewnej nocy zaznał najszczęśliwszych chwil w życiu? Tam rozpoczyna tropienie ofiar i staranne planowanie. Oczywiście najpierw musi zabić Adele Vetlesen, ponieważ to ona jako jedyna w całej Håvasshytta zna jego tożsamość. Imiona, które być może wymieniono w górach, równie szybko zapomniano, a żadnej kopii stronicy książki gości nie ma. Naprawdę nie mogę zapalić?

Znów nikt nie odpowiedział. Harry westchnął.

– Umawia się więc z nią na jeszcze jedno spotkanie. Przyjeżdża po nią samochodem. Od wewnątrz obitym plastikiem. Jadą w jakieś odludne miejsce, może do fabryki Kadok. Tam Ole wyjmuje duży nóż z żółtą rękojeścią. Zmusza Adele do napisania kartki, której treść jej dyktuje, i zaadresowania do współlokatora w Drammen. Potem ją zabija. Tak było, Bjørn?

Bjørn Holm chrząknął i zmienił bieg na niższy.

– Sekcja wykazała, że przedziurawił jej tętnicę szyjną.

– Wysiada z samochodu, robi zdjęcie Adele siedzącej na miejscu pasażera z nożem wbitym w szyję. Fotografia. Potwierdzenie zemsty. Triumfu. To pierwsze zdjęcie, które trafia na ścianę w jego biurze w fabryce Kadok.

Zza zakrętu wyłonił się samochód nadjeżdżający środkiem z przeciwnej strony, ale w porę zjechał na swój pas. Mijając ich, zatrąbił.

– Może zabójstwo przyszło mu z łatwością, a może nie. Ole i tak wie, że to najważniejsza ofiara. Spotkali się niewiele razy, ale on nie ma pewności, ile zdążyła opowiedzieć o nim swoim przyjaciołom. Wie jedynie, że jeśli Adele zostanie znaleziona, a jego da się z nią powiązać, to odrzucony kochanek od razu stanie się dla policji głównym podejrzanym. Pod warunkiem że znajdą ciało. Jeśli natomiast dziewczyna przynajmniej pozornie zniknie, na przykład w trakcie podróży po Afryce, on będzie bezpieczny. Ole topi więc ciało w miejscu, które dobrze zna, po głębokiej stronie jeziora – ludzie trzymają się od niej z daleka. Tam, gdzie w oknie stoi odrzucona panna młoda, w pobliżu warsztatu powroźnika nad Lyseren. Potem jedzie do Lipska i płaci Julianie Verni, prostytutce, za zabranie napisanej przez Adele pocztówki do Rwandy. Za zatrzymanie się tam w hotelu pod nazwiskiem Adele i wysłanie stamtąd widokówki. Poza tym Juliana ma przywieźć coś Olemu z Konga. Narzędzie zbrodni. Jabłko Leopolda. Ta szczególna broń oczywiście nie została wybrana przypadkowo – ma wskazać na Kongo i rzucić podejrzenia na tego, który często bywa w Kongu, na Tony'ego Leike. Po powrocie Juliany do Lipska Ole jej płaci. I może właśnie stojąc nad roztrzęsioną Julianą, która w szeroko otwartych ustach trzyma ów zbrodniczy instrument, a łzy lecą jej z oczu, Ole zaczyna czuć radość. Sadystyczne odurzenie, niemal seksualną przyjemność, której pragnienie narastało w nim przez lata, wypełnione samotnymi marzeniami o zemście. Później wrzuca Julianę do rzeki, ale niestety zwłoki wypływają i zostają odnalezione.

Harry głęboko odetchnął. Droga się zwęziła, las się przybliżył. Rósł teraz gęsto po obu jej stronach.

– W ciągu następnych tygodni Ole zabija Borgny Stem-Myhre i Charlotte Lolles. W przeciwieństwie do ciał Adele i Juliany nie próbuje ukrywać zwłok. Mimo to policyjne śledztwo nie posuwa się naprzód i nie kieruje się do Tony'ego Leike, na co liczył Ole. Musi więc zabijać dalej. Podsuwać następne ślady, naciskać. Zabija Marit Olsen, parlamentarzystkę, jej zwłoki eksponuje na kąpielisku w parku Frogner. Teraz policja powinna wreszcie zauważyć związek między tymi kobietami. Znaleźć człowieka z jabłkiem Leopolda. Ale to się nie dzieje. Ole rozumie, że musi interweniować, pomóc, ryzykować. Obserwuje dom Tony'ego na Holmenveien i widzi, że Tony wychodzi. Włamuje się więc przez piwnicę, wchodzi na górę do salonu i dzwoni do Eliasa Skoga ze stacjonarnego telefonu Tony'ego na biurku. Wychodząc, kradnie rower, by wyglądało to na zwykłe włamanie. Tym, że pozostawił odciski palców w salonie, Ole się nie przejmuje. Wiadomo przecież, jak policja traktuje chuligańskie włamania. Następnie jedzie do Stavanger. W tym momencie jego sadyzm już rozkwita. Zabija Eliasa, przyklejając go do wanny i ledwie ledwie odkręcając kran. Hej! Stacja benzynowa, nikt nie jest głodny?

Bjørn Holm nawet nie zwolnił.

– No dobrze. W końcu coś się zaczyna dziać. Ole dostaje list od szantażysty, który wie, że Ole zabił. Chce pieniędzy, bo inaczej wyda go policji. Ole uświadamia sobie, że to musi być ktoś, kto widział go w Håvasshytta. To na pewno jedna z osób, które jeszcze żyją. Iska Peller. Albo Tony Leike. Iskę Peller wyklucza szybko. To Australijka, wróciła do siebie, a poza tym raczej nie pisze po norwesku. Tony Leike, co za ironia! W schronisku się nie widzieli, lecz Adele oczywiście mogła o nim wspomnieć, kiedy flirtowali. Albo Tony zobaczył nazwisko Olego w książce gości. Tak czy owak, musiał zrozumieć, co się dzieje, w miarę jak w gazetach pojawiały się informacje o kolejnych zabójstwach. Poza tym próba szantażu pasuje do tego, co pisze prasa finansowa. Tony rozpaczliwie potrzebuje pieniędzy na projekt w Kongu. Ole podejmuje decyzję. Chociaż najbardziej by chciał, aby Tony zaznał życia w hańbie, musi jednak działać inaczej, zanim wszystko wymknie się spod kontroli. Tony musi umrzeć. Ole go śledzi i jedzie razem z nim pociągiem do Ustaoset, dokąd Tony często się wyprawia. Podąża śladem jego skutera do nieczynnego schroniska w okolicy pełnej rozpadlin i przepaści. Tam Ole go dopada. Tony rozpoznaje ducha, chłopaka z tamtej tancbudy, któremu uciął język. I z pewnością wie, co go czeka. Ole może się zemścić. Torturuje Tony'ego. Przypala go żywcem. Może po to, by zmusić go do wyjawienia ewentualnych wspólników w szantażu. A może dla własnej przyjemności.

Altman z całej siły zamknął okno.

– Zimno – powiedział krótko.

– Właśnie wówczas pojawia się informacja o przybyciu Iski Peller do Håvasshytta. Ole rozumie, że ostateczne rozwiązanie jest blisko, a jednocześnie wietrzy pułapkę. Przypomina sobie nawis śnieżny nad schroniskiem. Ludzie znający okolicę mówili, że może być niebezpieczny. Podejmuje decyzję. Może zabiera ze sobą Tony'ego w roli przewodnika, w każdym razie podjeżdża pod Håvasshytta i za pomocą dynamitu porusza nawis. Wraca skuterem, wrzuca Tony'ego – żywego albo martwego – w przepaść i tą samą drogą wysyła skuter. Jeśli wbrew wszelkim oczekiwaniom zwłoki miałyby zostać kiedyś odnalezione, będzie to wyglądało na wypadek. Na przykład na to, że ktoś się poparzył i jadąc po pomoc, spadł z urwiska.

Krajobraz za oknem zaczął się otwierać. Minęli jezioro, w którego wodzie odbijał się księżyc.

– Ole triumfuje, bo wygrał. Oszukał wszystkich. Wszystkich zwiódł. I spodobała mu się ta zabawa. Poczucie, że to on wszystko reżyseruje, że wszyscy działają według jego wskazówek. Mistrz, który powiązał los ośmiorga pojedynczych ludzi w jeden wielki dramat, postanawia przesłać nam pożegnalne pozdrowienia. Przesłać je mnie.

Wyłoniła się grupka domów, stacja benzynowa i budynek ze sklepami. Na rondzie skręcili w lewo.

– Ole odciął Tony'emu środkowy palec lewej ręki. Zabrał mu też telefon. Właśnie z tego aparatu zadzwonił do mnie z centrum Ustaoset. Mojego numeru nie ma w żadnej książce, ale Tony wpisał go na swoją listę kontaktów. Ole nie zostawił żadnej wiadomości. Może przyszło mu do głowy, żeby zadzwonić ot, tak sobie, dla zabawy.

– Albo po to, żeby namieszać – zauważył Bjørn Holm.

– Albo okazać nam swoją wyższość – dodał Harry. – Tak jak wtedy, kiedy dosłownie pokazuje nam palec, zostawiając palec Tony'ego pod moimi drzwiami w Budynku Policji. Podtyka go nam pod nos. Bo on już jest w stanie to zrobić. To on jest Kawalerem. Podźwignął się ze wstydu, odgryzł się, zemścił się na wszystkich tych, którzy z niego drwili, i na ich zastępcach. Na świadkach. Na dziwce. A przede wszystkim na tym, który odebrał mu dziewczynę. Ale dzieje się coś nieprzewidzianego. Kwatera główna w fabryce Kadok zostaje ujawniona. Wprawdzie policja na razie jeszcze nie ma żadnego śladu prowadzącego bezpośrednio do Olego, ale zaczyna się niebezpiecznie zbliżać. Ole idzie więc do swojego szefa i mówi, że wreszcie chce wziąć urlop i odebrać sobie nadgodziny, których się tyle nazbierało. Zapowiada, że nie będzie go przez dłuższy czas. Jego samolot ma odlecieć już pojutrze.

– O dwudziestej pierwszej piętnaście do Bangkoku przez Sztokholm – uzupełnił Bjørn Holm.

– Wiele szczegółów tej opowieści to tylko przypuszczenia, ale akurat to jest pewne. Zbliżamy się. To tutaj.

Bjørn zjechał z drogi na żwir przed dużym, pomalowanym na czerwono drewnianym budynkiem. Zatrzymał się i zgasił silnik.

W oknach się nie świeciło, ale na ścianach parteru wisiały tablice reklamowe świadczące o tym, że na jednym rogu budynku kiedyś mieścił się sklep spożywczy. Na drugim końcu placu, pięćdziesiąt metrów dalej, pod latarnią stał zielony jeep cherokee.

Zapadła cisza. Ucichły dźwięki, ucichł czas i ucichł wiatr. Ze szpary w oknie jeepa od strony kierowcy unosił się papierosowy dym.

– To jest miejsce, w którym wszystko się zaczęło – powiedział Harry. – Ten dom ludowy.

– Kto to jest? – spytał Altman, ruchem głowy wskazując na jeepa.

– Nie poznajesz? – Harry wyjął papierosy, włożył jednego do ust, ale go nie zapalał. Głodnym spojrzeniem patrzył na dym z jeepa. – Oczywiście światło latarni może oszukiwać. Większość starych latarni rzuca żółte światło i w ich świetle niebieski samochód wygląda na zielony.

– Widziałem ten film – oświadczył Altman. – *W dolinie Elah.*

– Mhm. Niezły. Prawie klasy Altmana.

– Prawie.

– Klasy Sigurda Altmana.

Sigurd nie odpowiedział.

– No i jak? Jesteś zadowolony? – spytał Harry. – Czy to jest to arcydzieło, które sobie wyobrażałeś, Sigurd? Czy może mam mówić do ciebie Ole Sigurd?

74 BRISTOL CREAM

– Wolę Sigurd.

– Szkoda, że imię nie tak łatwo zmienić jak nazwisko. – Harry wychylił się między przednimi siedzeniami. – Kiedy mi powiedziałeś, że zmieniłeś zwykłe nazwisko zakończone na „sen", nie pomyślałem o tym, że „S" w Ole S. Hansen może oznaczać Sigurda. Ale czy to ci pomogło, Sigurd? Czy to nowe nazwisko uczyniło z ciebie kogoś innego, niż tamten człowiek, który wszystko stracił tu, na tym żwirze?

Sigurd wzruszył ramionami.

– Uciekamy tak daleko, jak możemy. Nowe nazwisko pomogło mi posunąć się przynajmniej o kawałek.

– Mhm. Posprawdzałem dzisiaj sporo rzeczy. Kiedy przeniosłeś się stąd do Oslo, poszedłeś na studia pielęgniarskie. Dlaczego nie na medycynę? Miałeś przecież świetne stopnie w szkole średniej.

– Najbardziej chodziło mi o to, żebym nie musiał odzywać się publicznie. – Sigurd uśmiechnął się krzywo. – Uznałem, że jako pielęgniarza to mnie ominie.

– Rozmawiałem dziś z logopedą. Powiedział mi, że wszystko zależy od tego, jakie mięśnie zostały uszkodzone, ale teoretycznie nawet ktoś z połową języka może wyćwiczyć mówienie w sposób wręcz idealny.

– Bez czubka języka trudno wymówić „s". Czy właśnie to mnie zdradziło?

Harry opuścił szybę i zapalił papierosa. Zaciągnął się tak mocno, że aż zatrzeszczała bibułka.

– To też. Ale przez chwilę poruszaliśmy się w niewłaściwym kierunku. Logopeda wyjaśnił mi, że ludzie mają tendencję do kojarzenia seplenienia u mężczyzn z homoseksualizmem. Po angielsku nazywa się to *gay lisp* i nie jest seplenieniem w logopedycznym rozumieniu tego zjawiska, tylko innym sposobem wymawiania głoski „s". Geje potrafią włączać i wyłączać *gay lisp*, stosują to jako kod. I ten kod działa. Logopeda opowiedział mi, że w jednym z amerykańskich uniwersytetów przeprowadzono badanie sprawdzające, czy ludzie zdołają rozpoznać orientację seksualną wyłącznie z nagrania mowy. Trafiali bez pudła. Ale okazało się też, że kiedy słyszeli to, co uważali za *gay lisp*, sygnał był tak silny, że nie zważali już na inne elementy języka typowe dla heteroseksualistów. Kiedy więc recepcjonista z hotelu Bristol powiedział, że mężczyzna, który pytał o Iskę Peller, mówił po pedalsku, padł ofiarą tego samego stereotypowego myślenia. Dopiero kiedy mi zademonstrował, w jaki sposób ta osoba mówiła, zrozumiałem, że uchwycił się samego seplenienia.

– Musiało być coś więcej.

– Owszem, Bristol. To dzielnica Sydney w Australii. Widzę już po tobie, że złapałeś związek.

– Chwileczkę – odezwał się Bjørn. – Ja nie.

Harry wydmuchał dym przez szybę.

– Bałwan mi podpowiedział, że zabójca lubi być blisko. Że przemknął przez moje pole widzenia. Że mnie dotknął. A kiedy w moim polu widzenia pojawiła się butelka Bristol Cream, wreszcie skojarzyłem. Chwilę wcześniej patrzyłem na tabliczkę z tą samą nazwą. I coś komuś powiedziałem. Komuś, kto mnie dotknął. Nagle uświadomiłem sobie, że moje słowa zostały źle zrozumiane. Powiedziałem, że Iska Peller przebywa w Bristol, a ta osoba zrozumiała, że mam na myśli hotel Bristol w Oslo. Powiedziałem to tobie, Sigurd. W szpitalu, zaraz po lawinie.

– Masz dobrą pamięć.

– Do niektórych rzeczy. Kiedy moje podejrzenia skierowały się już ku tobie, to i inne elementy stały się oczywiste. Na przykład to, co mi powiedziałeś o ketanominie. Że w Norwegii trzeba pracować w anestezjologii, by mieć do niej dostęp. A mój przyjaciel mówił, że człowiek najbardziej pragnie tego, co widzi codziennie. Ktoś, kto snuje seksualne fantazje o kobiecie w zwykłym szpitalnym ubraniu, może więc pracować w szpitalu. I jeszcze login użytkownika komputera w fabryce Kadok – Nashville. Jak tytuł filmu. W reżyserii...

– Roberta Altmana. Z siedemdziesiątego piątego roku – uzupełnił Sigurd. – Niedocenione dzieło.

– To składane krzesełko w kwaterze głównej to był oczywiście fotel reżyserski. Mistrza reżyserii Sigurda Altmana.

Sigurd nie odpowiedział.

– Ale ciągle jeszcze nie wiedziałem, co było twoim motywem – ciągnął Harry. – Bałwan mi powiedział, że zabójcę napędza nienawiść. Nienawiść zrodzona w wyniku pojedynczego zdarzenia, znajdującego się w odległej przeszłości. Możliwe, że już wtedy się domyślałem. Język. Seplenienie. Poprosiłem pewną szaloną panią z Bergen o pogrzebanie w życiu Sigurda Altmana. Potrzebowała trzydziestu sekund na odnalezienie w Biurze Ewidencji Ludności informacji o zmianie nazwiska i powiązanie twojego starego nazwiska z wyrokiem Tony'ego Leike.

Z okna jeepa poleciał wypstryknięty niedopałek, ciągnąc za sobą ogon iskier.

– Pozostała jedynie kwestia czasu zbrodni – kontynuował Harry. – Sprawdziliśmy listę dyżurów w szpitalu. Masz pozorne alibi na dwa zabójstwa. Miałeś dyżur, kiedy zginęły Marit Olsen i Borgny Stem-Myhre. Ale oba te zabójstwa popełniono w Oslo, a nikt w Szpitalu Centralnym nie przypomina sobie, by cię widział w tych dniach i godzinach. Ponieważ krążysz po oddziałach, nikt nie zwraca uwagi na twoją nieobecność, nawet jeśli nie widzi cię przez kilka godzin. O ile się nie mylę, powiesz mi, że jeśli tylko masz w pracy trochę wolnego czasu, to głównie spędzasz go sam. U siebie.

Sigurd Altman wzruszył ramionami.

– Prawdopodobnie.

– No to jesteśmy. – Harry klasnął w ręce.

– Chwileczkę – powiedział Altman. – To wszystko jest tylko opowieścią. Nie masz żadnego konkretnego dowodu.

– Rzeczywiście, wyleciało mi to z głowy. Przypominasz sobie te zdjęcia, które ci dziś pokazywałem? Prosiłem, żebyś je przejrzał, a ty zauważyłeś, że są trochę lepkie.

– I co?

– Kiedy się dotyka takich zdjęć, zostają znakomite odciski palców. Pasowały do tych, które znaleźliśmy na biurku u Tony'ego Leike.

Wyraz twarzy Sigurda Altmana zmieniał się w miarę, jak docierała do niego prawda.

– Pokazałeś mi te fotografie tylko po to, żebym ich dotknął? – Przez kilka sekund wpatrywał się w Harry'ego jak skamieniały. W końcu zakrył twarz dłońmi, zza których wydobył się jakiś dźwięk. Śmiech.

– Pomyślałeś prawie o wszystkim – stwierdził Harry. – Dlaczego nie przyszło ci do głowy, żeby postarać się o coś w rodzaju alibi?

– Nie wpadłem na to, że w ogóle mogę czegoś takiego potrzebować – zarżał Altman. – A ty i tak byś to odkrył, prawda, Harry?

Spojrzenie za okularami było wilgotne, ale nie załamane. Rezygnacja. Harry widywał to już wcześniej. Ulgę, że ktoś wreszcie ujawnił prawdę. Że nareszcie będzie można o wszystkim opowiedzieć.

– Prawdopodobnie – zgodził się Harry. – To znaczy oficjalnie to nie ja cokolwiek z tego odkryłem. Zrobił to człowiek, który siedzi w tamtym samochodzie. Dlatego to on cię aresztuje.

Sigurd zdjął okulary i wytarł łzy śmiechu.

– To znaczy, że kłamałeś, mówiąc, że potrzebujesz mnie, bym ocenił, czy w palcu może być ketanomina?

– Ale nie kłamałem, kiedy mówiłem, że zapiszesz się w historii norweskiej kryminalistyki. – Harry dał znać Bjørnowi, a ten mrugnął światłami.

Z jeepa wysiadł mężczyzna.

– To twój stary znajomy – oświadczył Harry. – A przynajmniej twoją znajomą była jego córka.

Mężczyzna podszedł do nich, szeroko stawiając nogi, podciągnął spodnie za pasek. Jak stary policjant.

– Jeszcze ostatnia rzecz, nad którą się zastanawiam – powiedział Harry. – Bałwan mówił, że zabójca podpełznie do mnie ukradkiem, niezauważony. Może w chwili mojej słabości. Jak to zrobiłeś?

Sigurd z powrotem włożył okulary.

– Wszyscy pacjenci przyjmowani do szpitala muszą podać nazwisko osoby najbliższej. Twój ojciec najwyraźniej podał twoje, bo w stołówce któraś z pielęgniarek wspomniała, że na jej oddziale leży ojciec tego, który pojmał Bałwana, Harry'ego Hole we własnej osobie. Uznałem za pewnik, że mając taką przeszłość, zostaniesz zaangażowany do tej sprawy. W tamtym czasie pracowałem na zupełnie innych oddziałach, ale poprosiłem szefa o zezwolenie na wykorzystanie twojego ojca w projekcie anestezjologicznym, który przygotowywałem. Powiedziałem, że idealnie pasuje do mojej grupy testowej. Doszedłem do wniosku, że jeśli za pośrednictwem twojego ojca poznam ciebie, to będę lepiej wiedział, jak sprawa się rozwija.

– Dzięki temu mogłeś być blisko, tak? Czuć puls tej sprawy i potwierdzać swoją wyższość?

– Kiedy się wreszcie pojawiłeś, musiałem się pilnować, żeby nie wypytywać o śledztwo. – Sigurd Altman odetchnął. – Nie mogłem budzić podejrzeń. Musiałem być cierpliwy. Czekać, aż zbuduję zaufanie.

– I to ci się udało.

Sigurd Altman z namysłem kiwnął głową.

– Dziękuję. Lubię myśleć o sobie jako o osobie budzącej zaufanie. Poza tym to pomieszczenie w fabryce Kadok nazwałem montażownią. Kiedy się tam włamaliście, straciłem panowanie nad sobą. To był mój dom. Byłem tak wściekły, że chciałem odłączyć twojego ojca od respiratora, Harry. Ale tego nie zrobiłem. Chcę tylko, żebyś o tym wiedział.

Harry się nie odezwał.

– Zastanawiam się tylko nad jednym – powiedział Sigurd. – Jak się dowiedzieliście o tym nieczynnym schronisku?

Harry wzruszył ramionami.

– Przez przypadek. Razem z kolegą musieliśmy się tam włamać. Miałem wrażenie, że chwilę wcześniej byli tam jacyś ludzie, a do piecyka przylgnęło coś, co w pierwszej chwili wziąłem za spaloną słoninę. Minęło trochę czasu, nim skojarzyłem to z ręką wystającą spod skutera. Wyglądała jak przypalona na grillu kiełbasa. Asystent lensmana, który był później w tym schronisku, oderwał wszystkie kawałeczki i przesłał do analizy DNA. W ciągu kilku dni będziemy znali odpowiedź. Tony przechowywał tam rzeczy osobiste. Na przykład w szufladzie znalazłem zdjęcie rodzinne. Jest na nim mały Tony. Niezbyt dobrze po sobie posprzątałeś, Sigurd.

Policjant zatrzymał się przy oknie kierowcy, w którym Bjørn opuścił szybę. Nachylił się ponad Bjørnem i popatrzył na Sigurda Altmana.

– Cześć, Ole – odezwał się lensman Skai. – Aresztuję cię pod zarzutem zabójstwa całego mnóstwa osób, których nazwiska właściwie powinienem w tej chwili odczytać, ale tym zajmiemy się później. Zanim obejdę samochód i otworzę drzwiczki, chcę, żebyś położył ręce na desce rozdzielczej, tak żebym je widział. Zakuję cię w kajdanki i pójdziesz ze mną do przyjemnej, ślicznie wysprzątanej celi. Żona zrobiła klopsiki i kapustę na ciepło, pamięta, że to lubiłeś. W porządku, Ole?

Część VIII

75 ARCTIC CAT

– Co to, do jasnej cholery, ma znaczyć?

O siódmej budynek KRIPOS pomału budził się do życia, a w drzwiach pokoju Harry'ego stał wściekły Mikael Bellman z neseserem w jednej ręce i „Aftenposten" w drugiej.

– Jeśli myślisz o „Aftenposten"...

– Tak, właśnie o tym myślę. – Bellman uderzył gazetą w biurko. Tytuł zajmował pół pierwszej strony. *KAWALER ARESZTOWANY DZIŚ W NOCY.* Przezwisko „Kawaler" wyciekło do prasy jeszcze tego samego dnia, kiedy ochrzczono tak zabójcę w sali konferencyjnej Odyn. *ARESZTOWANY W NOCY* oczywiście nie całkiem zgadzało się z prawdą, bo nastąpiło to raczej wieczorem, ale lensman Skai znalazł czas na wysłanie informacji prasowej dopiero po północy. Po ostatnich wydaniach wiadomości telewizyjnych i tuż przed zamknięciem numerów gazet. Informacja była bardzo krótka, nie podawała ani godziny aresztowania, ani jego okoliczności, jedynie to, że po intensywnym śledztwie prowadzonym przez urząd lensmana Kawaler został zatrzymany pod domem ludowym w Ytre Enebakk.

– Co to ma znaczyć? – powtórzył Bellman.

– Chyba to, że policja wsadziła za kratki najgorszego zabójcę w historii Norwegii – odpowiedział Harry, próbując przechylić do tyłu wysokie oparcie krzesła.

– Policja – syknął Bellman. – Urząd lensmana w... – musiał się skonsultować z „Aftenposten" – ...w Ytre Enebakk?

– Chyba nie jest takie ważne, kto rozwiąże sprawę, byle tylko została rozwiązana. – Harry szukał dźwigni z boku krzesła. – Nie wiesz, jak to działa?

Bellman cofnął się o kilka kroków i zamknął drzwi.

– Posłuchaj, Hole.

– Już nie Harry?

– Zamknij się i słuchaj uważnie! Wiem, co się tu stało. Rozmawiałeś z Hagenem i dowiedziałeś się, że nie możesz zostawić aresztowania jemu i Wydziałowi Zabójstw, bo byłoby to zbyt duże ryzyko. Więc kiedy nie mogłeś wygrać, zdecydowałeś się na remis. Oddałeś honor i punkty jakiemuś wieśniakowi, który kompletnie nie ma pojęcia o tak poważnym śledztwie!

– Ja, szefie? – Harry posłał Bellmanowi niewinne spojrzenie. – Jedno z ciał znaleziono w jego rejonie, więc chyba naturalne, że prowadził śledztwo na płaszczyźnie lokalnej. Dogrzebał się do tej historii z Tonym Leike. Moim zdaniem znakomita policyjna robota.

Plamki na czole Bellmana zdawały się przybierać wszystkie kolory tęczy.

– Wiesz, jak to wygląda dla ministerstwa? Przekazali śledztwo mnie, mija tydzień za tygodniem, a ja nie mam żadnych rezultatów. Tymczasem zjawia się ten cholerny wsiur i wyprzedza nas w ciągu kilku dni.

– Mhm. – Harry znalazł dźwignię, pociągnął i oparcie krzesła gwałtownie odchyliło się do tyłu. – Rzeczywiście nie brzmi to najlepiej, kiedy tak to przedstawiasz, szefie.

Bellman oparł się obiema rękami o biurko, nachylił, a drobinki śliny wirowały w powietrzu, kiedy wyrzucał z siebie słowa:

– Mam nadzieję, że to też nie zabrzmi dobrze, Hole. Jeszcze dzisiaj ta bryłka znaleziona u ciebie w domu pójdzie do laboratorium, które stwierdzi, że to opium. Jesteś skończony, Hole.

– A ciąg dalszy, szefie?

Harry huśtał się na krześle, szarpiąc i opuszczając dźwignię.

Bellman zmarszczył czoło.

– O co ci, do cholery, chodzi?

– Co powiesz prasie i Ministerstwu Sprawiedliwości, kiedy zobaczą datę na tym nakazie przeszukania, wystawionym na twoje nazwisko? I zapytają, jak to możliwe, że dzień po znalezieniu opium u policjanta przyjmujesz go na ważne stanowisko w dowodzonej przez siebie grupie operacyjnej. Ktoś może twierdzić, że skoro KRIPOS jest zarządzana w ten sposób, to nic dziwnego, że jakiś lensman, który ma do dyspozycji jedną celę i żonę w roli kucharki, lepiej sobie radzi z wykrywaniem zabójców.

Bellman tylko mrugał z otwartymi ustami.

– Nareszcie. – Harry oparł się o unieruchomione oparcie krzesła z pełnym zadowolenia uśmiechem. I zmrużył oczy, gdy dotarła do niego fala powietrza poruszonego zatrzaskiwanymi drzwiami.

Słońce przesunęło się już za grzbiet góry, kiedy Krongli zatrzymał skuter śnieżny, zsiadł i podszedł do Roya Stille, który stał obok kijka narciarskiego wbitego głęboko w śnieg.

– I jak?

– Chyba znaleźliśmy – odparł Stille. – To na pewno kijek, którym Hole zaznaczył to miejsce.

Mający niedługo przejść na emeryturę policjant nigdy nie miał ambicji, by zostać kimś więcej niż zwykłym funkcjonariuszem, ale gęste siwe włosy, mocne spojrzenie i spokojny głos sprawiały, że gdy się odzywał, ludzie często właśnie jego brali za lensmana.

– Tak?

Podszedł za Stillem do krawędzi urwiska. Rzeczywiście w rozpadlinie leżał skuter. Krongli przyłożył lornetkę do oczu. Ujrzał wystającą nagą spaloną rękę.

– O cholera! Nareszcie. Albo jedno i drugie.

Ci, którzy przyszli zjeść śniadanie w Stop Pressen!, zaczęli już wychodzić, kiedy Bent Nordbø usłyszał chrząknięcie, podniósł głowę znad „New York Timesa", zdjął okulary, zmrużył oczy i zdobył się na minę najbliższą uśmiechowi, jakiej się nauczył.

– Gunnar.

– Bent.

Sposób powitania polegający na wypowiadaniu nawzajem swoich imion wynieśli z loży. Zawsze przypominał Gunnarowi Hagenowi spotykające się mrówki, które wymieniają substancję zapachową. Szef Wydziału Zabójstw usiadł, ale nie zdejmował płaszcza.

– Mówiłeś przez telefon, że coś znalazłeś.

– Jeden z moich dziennikarzy zdobył to. – Nordbø pchnął przez stół brązową kopertę. – Wygląda na to, że Mikael Bellman osłaniał żonę w jakiejś sprawie narkotykowej. Sprawa jest stara, więc pod względem prawnym ujdzie mu to na sucho, ale prasa...

– ...nie da mu spokoju. – Hagen wziął kopertę.

– Myślę, że możesz już uważać Bellmana za unieszkodliwionego.

– Przynajmniej równowaga terroru została osiągnięta. On też ma coś na mnie. Poza tym nawet nie wiem, czy mi się to przyda. Bo właśnie upokorzył go jakiś lensman z Ytre Enebakk.

– Czytałem o tym. Przypuszczam, że ministerstwo również, prawda?

– Oni tam czytają gazety i słuchają ludu. Ale i tak bardzo ci dziękuję.

– Nie ma za co. Trzeba sobie pomagać.

– Kto wie, może któregoś dnia to wykorzystam. – Gunnar Hagen schował kopertę pod płaszcz.

Nie doczekał się odpowiedzi, bo Bernt Nordbø wrócił do artykułu o młodym ciemnoskórym amerykańskim senatorze o nazwisku Barack Obama, którego autor tekstu całkiem poważnie uważał za możliwego kandydata na prezydenta Stanów Zjednoczonych.

Kiedy Krongli dotarł na dno rozpadliny, krzyknął do pozostałych, że jest już na dole, i wypiął się z liny.

Skuter był marki Arctic Cat i leżał płozami do góry. Lensman pokonał trzy metry dzielące go od wraku, odruchowo uważając, gdzie stawia nogi i czego dotyka rękami, jakby był na miejscu zbrodni. Przykucnął. Spod skutera wystawała ręka. Dotknął maszyny. Zakołysała się na dwóch kamieniach. Wziął głęboki oddech i przewrócił skuter na bok.

Zmarły leżał na plecach. Krongli stwierdził, że to prawdopodobnie mężczyzna. Prawdopodobnie, bo głowa i twarz były zgniecione między skuterem a kamieniami, a efekt wyglądał jak resztki po jedzeniu krabów. Nie musiał nawet dotykać potłuczonego ciała, by wiedzieć, że jest jak galareta, jak kawałek miękkiego mięsa, z którego usunięto kości. Że tors jest spłaszczony, biodra i kolana zmienione w proszek. Krongli nie byłby w stanie zidentyfikować zwłok, gdyby nie czerwona flanelowa koszula. I pojedynczy spróchniały brązowy ząb sterczący z dolnej szczęki.

76 TRANSPIRACJA

– Co ty mówisz? – Harry mocniej przycisnął telefon do ucha, jakby to w nim był problem.

– Mówię, że te zwłoki pod skuterem to nie jest Tony Leike – odparł Krongli.

– Tylko?

– Odd Utmo. Miejscowy dziwak, przewodnik, zawsze chodził w tej samej czerwonej flanelowej koszuli. I to jego skuter. Ale pewności nabrałem, widząc stan uzębienia. Pojedynczy spróchniały pieniek. Bogowie jedni wiedzą, gdzie się podziała cała reszta zębów i aparat.

Utmo. Aparat na zęby. Harry przypominał sobie, że Kaja opowiadała o człowieku, który świetnie znał okolicę, to właśnie on zawiózł ją na skuterze do Håvasshytta.

– No ale palce? – spytał Harry. – Nie są powykręcane?

– Oczywiście, że są. Temu biedakowi bardzo dokuczał reumatyzm. To Bellman kazał mi do ciebie zadzwonić i bezpośrednio cię o tym poinformować. Nie całkiem na to liczyłeś, Hole?

Harry odsunął krzesło od biurka.

– W każdym razie nie tego się spodziewałem. Czy to mógł być wypadek, Krongli?

Ale Harry znał odpowiedź, jeszcze zanim ją usłyszał. Przez cały wieczór i noc było pogodnie, świecił księżyc. Nawet bez świateł każdy zobaczyłby tę rozpadlinę. Zważywszy jeszcze, iż rzecz dotyczyła człowieka, który świetnie znał okolicę i w dodatku jechał tak wolno, że z wysokości siedemdziesięciu metrów spadł w odległości zaledwie trzech metrów od krawędzi.

– Dobrze, dobrze, Krongli, już o tym nie myśl. Powiedz mi raczej o tych oparzeniach.

Na chwilę zapadła cisza, ale w końcu rozległa się odpowiedź:

– Ramiona i plecy. Skóra na ramionach popękała, widać ciało. Fragmenty pleców są zwęglone. A między łopatkami wypalony jest motyw.

Harry zamknął oczy. Myślał o wzorze na piecyku w chacie. O dymiących kawałkach słoniny.

– Przypomina jelenia. Coś jeszcze, Hole? Musimy zająć się transportem…

– Nie, to już wszystko, Krongli. Dziękuję.

Harry odłożył słuchawkę. Przez chwilę się zastanawiał. To nie był Tony Leike. Oczywiście zmieniało to szczegóły, ale nie całościowy obraz. Utmo był jeszcze jedną ofiarą zemsty Altmana. Najprawdopodobniej w jakiś sposób mu przeszkodził. Mieli palec Tony'ego Leike, ale co się stało z resztą ciała? Jeżeli naprawdę umarł. Teoretycznie mógł tkwić gdzieś zamknięty. W jakimś miejscu, o którym wiedział jedynie Sigurd Altman.

Harry wybrał numer do lensmana Skaia.

– On nie chce się odezwać do nikogo ani słowem. – Skai coś żuł. – Rozmawia tylko z adwokatem.

– Kto nim jest?

– Johan Krohn. Znasz faceta? Wygląda jak chłopczyk i...

– Dobrze znam Johana Krohna.

Harry zadzwonił do kancelarii Krohna, przełączono go i zaraz Krohn odezwał się na poły życzliwie, na poły odpychająco, właśnie tak, jak profesjonalny adwokat powinien się zachować, kiedy dzwonią organy ścigania. Wysłuchał Harry'ego i odpowiedział:

– Niestety. Chyba że masz coś konkretnego, co mogłoby uprawdopodobnić fakt, że mój klient przetrzymuje jakąś osobę w zamknięciu lub w inny sposób naraża kogoś na niebezpieczeństwo, nie podając miejsca jego pobytu. Nie mogę w tej chwili ci zezwolić na rozmowę z Sigurdem Altmanem, Hole. Kierujesz przeciwko mojemu klientowi poważne zarzuty, a nie muszę ci chyba tłumaczyć, że moja praca polega na ochronie jego interesów w najlepszy możliwy sposób.

– Rzeczywiście – przyznał Harry. – To było zupełnie zbędne.

Rozłączyli się.

Harry wyjrzał przez okno pokoju na centrum. Krzesło było wygodne, bez wątpienia, ale jego oczy szukały znajomego szklanego budynku na Grønland.

Znów wybrał numer w telefonie. Katrine Bratt była promienna jak skowronek i tak samo ćwierkała.

– Za parę dni mnie wypisują – oznajmiła.

– A ja myślałem, że jesteś tam dobrowolnie.

– Tak, ale muszą mnie formalnie wypisać. Nawet się cieszę. Zaproponowali mi pracę biurową w komendzie, kiedy skończy mi się zwolnienie.

– To świetnie.

– Chcesz czegoś konkretnego?

Harry wyjaśnił.

– To znaczy, że próbujesz znaleźć Tony'ego Leike bez pomocy Altmana? – spytała Katrine.

– Owszem.

– Masz jakąś sugestię, od czego mogłabym zacząć?

– Tylko jedną. Zaraz po zaginięciu Tony'ego sprawdzaliśmy, czy nie nocował w Ustaoset albo gdzieś w okolicy. Rzecz w tym, że sprawdziłem kilka ostatnich lat i on prawie w ogóle nie nocował wokół Ustaoset, może ze dwa razy w schroniskach turystycznych. To trochę dziwne, skoro podobno tyle czasu spędzał w tym rejonie.

– Może oszukiwał w schroniskach. Nie wpisywał się i nie płacił.

– Nie ten typ. Zastanawiam się, czy Tony nie ma tam jakiegoś domku czy czegoś w tym rodzaju, o czym nikt nie wie.

– No dobrze, to już wszystko?

– Tak. A zresztą zobacz, czy nie znajdziesz czegoś o ruchach Odda Utmo w ostatnich dniach.

– Ciągle jesteś singlem, Harry?

– Co to, do cholery, za pytanie?

– Bo masz taki głos, jakbyś był trochę mniej singlem.

– Ja?

– Tak. Ale bardzo ci z nim do twarzy.

– Naprawdę?

– Ponieważ pytasz, odpowiem szczerze: nie.

Aslak Krongli wyprostował zdrętwiałe plecy i powiódł wzrokiem dalej wzdłuż dna rozpadliny. To krzyknął jeden z mężczyzn z grupy zabezpieczającej miejsce zdarzenia i teraz krzyczał znów, wyraźnie podekscytowany:

– Tutaj!

Aslak zaklął cicho. Grupa zakończyła już pracę, przetransportowali na górę i skuter, i Odda Utmo. Operacja okazała się skomplikowana i czasochłonna, ponieważ do rozpadliny dało się dotrzeć jedynie od góry na linie.

Podczas przerwy na lunch jeden z mężczyzn opowiadał, że pokojówka z hotelu szepnęła mu do ucha w największym zaufaniu, iż pościel w pokoju Rasmusa Olsena, męża tej zmarłej parlamentarzystki, była czerwona od krwi, kiedy się wymeldowywał. Dziewczyna początkowo sądziła, że to krew menstruacyjna, ale potem dowiedziała się, że Rasmus Olsen mieszkał tam sam w czasie, gdy jego żona nocowała w Håvasshytta.

Krongli odparł, że albo sprowadził sobie do pokoju jakąś miejscową panią, albo spotkał się z żoną rano, kiedy przyjechała do Ustaoset, i zdążyli jeszcze pogodzić się w łóżku. Facet mruknął wtedy, że nie ma wcale pewności, czy to rzeczywiście krew menstruacyjna.

– Tutaj!

Zawracanie głowy! Aslak Krongli chciał wracać do domu. Obiad, kawa i spać. Zostawić za sobą całą tę gównianą sprawę. Spłacił długi w Oslo i już nigdy więcej nie zamierzał tam jechać. Nigdy więcej nie wpadnie w to bagno. Wierzył, że tym razem dotrzyma obietnicy.

Sprowadzili psa, by mieć pewność, że znaleźli wszystkie kawałeczki ciała Utmy w śniegu, i właśnie pies pobiegł kawałek dnem rozpadliny. Sto metrów dalej stanął i zaczął szczekać. Sto stromych metrów. Aslak się zastanawiał.

– To coś ważnego? – krzyknął, pobudzając kakofonię echa.

Usłyszał odpowiedź, a dziesięć minut później stał już i patrzył na to, co pies wygrzebał spod śniegu, tak wciśnięte między kamienie, że z krawędzi urwiska nie dało się tego zobaczyć.

– Do diabła! – zezłościł się Aslak. – Kto to może być?

– W każdym razie nie ten Tony Leike – stwierdził właściciel psa. – Trzeba długo leżeć w tej zimnej rozpadlinie, żeby się zmienić w objedzony do czysta szkielet. Kilka lat.

– Osiemnaście.

To odezwał się Roy Stille. Asystent lensmana przyszedł za Aslakiem i ciężko oddychał.

– Ona tu leży osiemnaście lat. – Przykucnął i spuścił głowę.

– Ona? – zdziwił się Krongli.

Stille wskazał na biodra szkieletu.

– Kobiety mają szerszą miednicę. No i nie udało nam się jej znaleźć, kiedy zaginęła. To Karen Utmo.

W głosie Roya Stille zabrzmiało coś, czego Krongli do tej pory nigdy nie słyszał. Drżenie. Ton do głębi przejętego człowieka. Mężczyzny w żałobie. Ale granitowa jak zawsze twarz pozostała gładka i zamknięta.

– Cholera, rzeczywiście – pokiwał głową właściciel psa. – Rzuciła się w przepaść z żalu za synem.

– Raczej nie – zaprzeczył Krongli.

Spojrzeli na niego, a on już wetknął palec w małą okrągłą dziurkę w czaszce.

– Dziura od kuli? – zdumiał się mężczyzna z psem.

– Tak. – Stille obmacał tylną część czaszki. – A drugiego otworu nie ma, więc przypuszczam, że kula jest w środku.

– I co? Zakładamy, że kula pasuje do strzelby Utmy? – spytał Krongli.

– Chcesz powiedzieć, że on zabił żonę? Czy to możliwe? Zabić osobę, którą się kocha? Bo uważał, że ona i ich syn... Niech to piekło pochłonie! – prawie krzyknął właściciel psa.

– Osiemnaście lat... – Stille z wysiłkiem wstał. – Jeszcze tylko siedmiu brakowało do przedawnienia. To chyba to, co się nazywa ironią losu. Czekasz i czekasz, bojąc się, że ktoś to odkryje. Lata płyną. I kiedy wolność jest już blisko, bum, sam zostajesz zabity i lądujesz w tej samej przepaści.

Krongli zamknął oczy i pomyślał, że owszem, można zabić kogoś, kogo się kocha. To nie takie trudne. Ale wolność? Nigdy. Nigdy się od tego nie uwolnisz. Nigdy więcej tam nie pojedzie.

Johan Krohn dobrze się czuł w światłach rampy. Nie można zostać najbardziej poszukiwanym w kraju adwokatem, jeśli się tego nie lubi. I kiedy bez sekundy zastanowienia zgodził się być obrońcą Sigurda Altmana, Kawalera, to wiedział, że tych świateł będzie więcej, niż było ich przez całą jego i tak błyskotliwą karierę. Już osiągnął swój cel i pokonał ojca jako najmłodszy w historii adwokat, który zdobył uprawnienia do występowania przed Sądem Najwyższym. W wieku dwudziestu kilku lat został okrzyknięty nową gwiazdą palestry, cudownym dzieckiem. Możliwe, że woda sodowa uderzyła mu trochę do głowy, bo w dzieciństwie nie przywykł do koncentrowania na sobie aż takiej uwagi. Był irytującym prymusem, który zawsze z trochę za wielkim zapałem w klasie wyciągał w górę rękę, zawsze trochę za bardzo próbował gdzieś się wkręcić, a i tak zawsze jako ostatni dowiadywał się, gdzie w sobotę będzie impreza, jeśli w ogóle o tym słyszał.

Za to teraz młodziutkie asystentki i asesorki rumieniły się, chichocząc, kiedy prawił im komplementy albo proponował kolację w nadgodzinach. Sypały się zaproszenia. I na wykłady, i na debaty w radiu i w telewizji, a nawet na jedną czy drugą premierę, co jego żona tak wysoko sobie ceniła. Możliwe, że właśnie na takich sprawach w ostatnich latach skupiła się głównie jego uwaga, w każdym razie zaobserwował opadającą krzywą zarówno liczby wygranych spraw, liczby dużych spraw medialnych, jak i liczby nowych klientów. Na razie nie na tyle, by zaczęło się to odbijać na jego renomie wśród większości ludzi, ale wystarczająco, by wiedział, że potrzebuje sprawy Sigurda Altmana. Potrzebował czegoś głośnego, co pomogłoby mu w powrocie tam, gdzie było jego miejsce – na szczyt.

Dlatego Johan Krohn siedział całkiem nieruchomo i słuchał chudego mężczyzny w okrągłych okularach. Słuchał, podczas gdy Sigurd Altman opowiadał historię będącą nie tylko najmniej prawdopodobną historią, jaką Krohn kiedykolwiek słyszał, ale poza tym jeszcze taką, w którą w i e r z y ł.

Johan Krohn już się widział na sali sądowej. Błyskotliwy retor, agitator, manipulator, który mimo wszystko nigdy nie tracił z oczu prawa. Z przyjemnością słuchali go zarówno laicy, jak i zawodowi sędziowie. Dlatego kiedy zrozumiał, jakie plany ułożył Sigurd Altman, jego pierwszą reakcją było rozczarowanie. Przypomniawszy sobie jednak stale powtarzane przez ojca pouczenia, że adwokat jest dla klienta, a nie odwrotnie, przyjął zlecenie. Bo Johan Krohn w gruncie rzeczy nie był złym człowiekiem.

I kiedy Krohn wychodził z Więzienia Okręgowego w Oslo, bo tam właśnie w ciągu dnia przewieziono Sigurda Altmana, dostrzegł nowy potencjał w zleceniu, które mimo wszystko było jedyne w swoim rodzaju. Od razu po powrocie do kancelarii skontaktował się z Mikaelem Bellmanem. Spotkali się wcześniej tylko raz, oczywiście przy okazji zabójstwa, ale Johan Krohn natychmiast rozszyfrował Bellmana. Jastrząb zawsze rozpozna drugiego jastrzębia. Dlatego mniej więcej wiedział, jak może czuć się Bellman po dzisiejszych nagłówkach o aresztowaniu dokonanym przez wiejskiego policjanta.

– Słucham, Bellman.

– Mówi Johan Krohn.

– Dzień dobry, Krohn. – Głos brzmiał formalnie, ale nie było w nim nieżyczliwości.

– Doprawdy? Pewnie czujesz się kompletnie wyrolowany.

Krótka przerwa.

– O co chodzi, Krohn? – Tym razem przez zaciśnięte zęby, z wściekłością.

Johan Krohn już wiedział, że się uda.

***

Harry i Sio siedzieli w milczeniu przy łóżku ojca. Na nocnej szafce i dwóch stołach w sali stały wazony z kwiatami, które w ostatnich dniach nagle zaczęły się pojawiać. Harry zrobił rundę i przeczytał wizytówki. Na jednej znalazł napis: „Mojemu drogiemu, najdroższemu Olavowi, Twoja Lise". Harry nigdy nie słyszał o żadnej Lise, a tym bardziej przez myśl mu nie przeszło, że w życiu ojca mogły być inne kobiety oprócz matki. Pozostałe liściki były od kolegów i sąsiadów. Musiały ich dojść słuchy o zbliżającym się końcu i mimo iż wiedzieli, że on już ich nie zobaczy, przysyłali te słodko cuchnące kwiaty, by zadośćuczynić faktowi, że nie znaleźli czasu, by wcześniej go odwiedzić. Harry patrzył na kwiaty otaczające łóżko jak na sępy zbierające się wokół umierającego. Ciężkie zwieszone głowy na cienkich szyjach łodyg. Czerwone i żółte dzioby.

– Tu nie wolno mieć włączonej komórki, Harry! – szepnęła Sio surowo.

Harry wyjął telefon z kieszeni, spojrzał na wyświetlacz.

– Przepraszam, Sio, ale to ważne.

Katrine Bratt od razu przystąpiła do rzeczy.

– Leike bez wątpienia sporo bywał w Ustaoset i okolicy. W ostatnich latach kupował bilety kolejowe w sieci, płacił za benzynę kartą kredytową na stacji w Geilo. I za artykuły spożywcze, głównie w Ustaoset. Natomiast w oczy rzuca się faktura za materiały budowlane, również ze sklepu w Geilo.

– Materiały budowlane?

– Tak. Weszłam w ich rachunkowość. Deski, gwoździe, narzędzia, stalowa lina, pustaki, cement. Ponad trzydzieści tysięcy koron. Ale to sprzed czterech lat.

– Myślisz tak samo jak ja?

– Że coś tam sobie zbudował na górze? Jakiś aneks?

– Nie miał żadnego zarejestrowanego domku, do którego mógłby dobudować aneks, to sprawdziliśmy. Ale kto kupuje jedzenie, jeśli zamierza mieszkać w hotelu albo w schronisku? Coś mi się widzi, że Tony nielegalnie postawił jakąś niedużą dziuplę na terenie parku narodowego. Dokładnie taką, o jakiej marzenia mi zaprezentował. Oczywiście doskonale ukrytą w terenie. Miejsce, w którym może mieć całkowity, zupełny spokój. Tylko gdzie?

Harry zorientował się, że wstał i chodzi po sali.

– No właśnie – westchnęła Katrine.

– Zaczekaj. O jakiej porze roku kupował te materiały?

– Zaraz sprawdzę... Szósty lipca, tak jest na fakturze.

– Jeżeli domek miał zostać ukryty, to musi stać w pewnej odległości od powszechnie uczęszczanych ścieżek. Na pustkowiu, gdzie nie ma dróg. Wspomniałaś o stalowych linach?

– Tak. Już się domyślam po co. Kiedy bergeńczycy budowali domki letniskowe na najbardziej wietrznych obszarach Ustaoset w latach sześćdziesiątych, często używali stalowych lin do zakotwiczenia domków.

– To znaczy, że domek Leikego stoi gdzieś w wietrznej i pustej okolicy. Chciał przewieźć materiały budowlane za trzydzieści tysięcy koron. Musiało tego być co najmniej ze dwie tony. W jaki sposób zrobiłabyś to latem, kiedy nie ma śniegu i nie można użyć skutera?

– Na koniu? Jeepem?

– Przez rzeki, bagna, górskie zbocza? Spróbuj jeszcze raz.

– Nie mam pojęcia.

– Ale ja mam. Widziałem zdjęcie. Na razie. Zdzwonimy się.

– Zaczekaj!

– Tak?

– Prosiłeś, żebym sprawdziła, co Utmo robił w ostatnich dniach życia. W elektronicznym świecie niewiele o nim słyszano, ale przynajmniej trochę dzwonił. Przedostatni był telefon do Aslaka Krongliego. Wygląda na to, że połączył się jedynie z sekretarką. A ostatnia rozmowa z jego telefonu była z SAS-em. Sprawdziłam dalej w ich systemie rezerwacji. Zamówił bilet lotniczy do Kopenhagi.

– Mhm. Nie wyglądał na typa, który by dużo podróżował.

– Możesz spokojnie tak powiedzieć. Zarejestrowano wprawdzie wydany paszport na jego nazwisko, ale nie rezerwował żadnych biletów. A mówię teraz o ostatnich dwudziestu pięciu latach.

– Czyli człowiek, który w zasadzie nie rusza się z domu? I nagle jedzie do Kopenhagi. Kiedy miał wyjechać?

– Wczoraj.

– Okej, dzięki.

Harry się rozłączył, złapał płaszcz, ale w drzwiach jeszcze się odwrócił. Popatrzył na nią. Na tę wspaniałą kobietę, która była jego siostrą. Już miał spytać, czy da sobie radę bez niego, ale zdołał powstrzymać się od tego idiotycznego pytania. Kiedy sobie nie radziła?

– Cześć – rzucił.

Jens Rath stał w recepcji wspólnego biura. Plecy pod marynarką i koszulą miał mokre od potu. Przed chwilą zatelefonowano, że odwiedziła go policja. W przeszłości miał pewien epizod z Jednostką do spraw Gospodarczych, to już kilka lat temu, ale wciąż oblewał go pot na sam widok radiowozu. A teraz Jens Rath czuł, że pory otwierają się na oścież. Był niewysokim mężczyzną i musiał zadzierać głowę, by spojrzeć na policjanta, który właśnie wstawał. I wstawał. Aż w końcu zaczął o ćwierć metra górować nad Jensem i mocno, krótko uścisnął mu dłoń.

– Harry Hole, Wydział... KRIPOS. Chodzi mi o Tony'ego Leike.

– Coś nowego?

– Usiądziemy, Rath?

Usiedli w fotelach projektu Le Corbusiera, a Rath dyskretnie dał sygnał Wenche z recepcji, żeby nie podawała kawy, chociaż miała obowiązek przygotowania poczęstunku dla wszystkich gości.

– Chcę, żeby pojechał pan ze mną i pokazał, gdzie jest jego domek letniskowy – powiedział policjant.

– Domek?

– Widzę, że odwołał pan kawę, Rath. W porządku, mam równie mało czasu jak pan. Wiem też, że ta sprawa w gospodarczym jest umorzona, ale wystarczy jeden telefon, by do niej wrócić. Oczywiście nie jest pewne, czy i tym razem coś znajdą, ale obiecuję, że przygotowanie dokumentów, jakich zażądają...

Rath zamknął oczy.

– O Boże...

– ...zajmie panu więcej czasu, niż pana koledze po fachu, kumplowi i towarzyszowi niedoli Tony'emu Leike zabrało zbudowanie tego domku. Więc jak?

Jens Rath był obdarzony tylko jednym talentem – szybciej i pewniej niż większość innych potrafił skalkulować, co się opłaca. Dlatego podanie wyniku rachunku, który teraz przedstawiono, zajęło mu około jednej sekundy.

– Dobrze.

– Pojedziemy tam jutro rano o dziewiątej.

– Jak…

– W taki sam sposób, w jaki transportowaliście materiały. Helikopterem.

Policjant wstał.

– Jeszcze tylko jedno pytanie. Tony zawsze cholernie się starał, żeby absolutnie nikt nie dowiedział się o tym domku. Nawet Lene, jego narzeczona. Więc jak…

– Faktura na materiały budowlane z Geilo plus zdjęcie was trzech w roboczych strojach na stosie desek przed helikopterem.

Jens Rath kiwnął głową.

– Jasne. To zdjęcie.

– Tak w ogóle kto je zrobił?

– Pilot. Przed odlotem z Geilo. To był pomysł Andreasa, żeby zamieścić je w informacji prasowej, kiedy otwieraliśmy to wspólne biuro. Uważał, że fajniejsze będzie nasze zdjęcie w roboczych strojach niż w garniturach pod krawatem. A Tony się zgodził, bo mówił, że to wygląda tak, jakbyśmy byli właścicielami tego helikoptera. Prasa finansowa stale wykorzystuje tę fotografię.

– Dlaczego ani pan, ani Andreas nie powiedzieliście nic o tym domku, kiedy zgłoszono zaginięcie Tony'ego?

Jens Rath wzruszył ramionami.

– Niech pan mnie źle nie zrozumie. Zależy nam tak samo jak wam, żeby Tony niedługo się pojawił. Mamy pewien projekt w Kongu, który całkowicie padnie, jeśli Tony wkrótce nie położy na stole dziesięciu świeżych milionów. Ale kiedy Tony znika, to zawsze dlatego, że sam tego chce. On daje sobie radę. Trzeba pamiętać, że był najemnikiem. Założę się, że właśnie w tej chwili siedzi gdzieś z drinkiem i jakąś egzotyczną kocicą w objęciach i szczerzy zęby, bo wymyślił rozwiązanie.

– Mhm – mruknął Harry. – Zakładam, że to ta kocica odgryzła mu palec. Jutro o dziewiątej rano na Fornebu.

Jens Rath stał i patrzył za policjantem. I zastanawiał się, dlaczego nie tylko się poci, ale dosłownie płynie, wprost się rozlewa.

Kiedy Harry wrócił do szpitala, Sio wciąż tam siedziała. Przeglądała jakieś czasopismo i jadła jabłko. Spojrzał na stado sępów, pojawiło się ich więcej.

– Wyglądasz na zmęczonego, Harry – zauważyła Sio. – Powinieneś wracać do domu.

Harry się roześmiał.

– To ty już możesz iść. Dostatecznie długo siedziałaś tu sama.

– Wcale nie byłam sama – uśmiechnęła się chytrze. – Zgadnij, kto tu był?

Harry westchnął.

– Przykro mi, Sio, i tak już dostatecznie dużo muszę zgadywać w ciągu dnia.

– Øystein.

– Øystein Eikeland?

– Tak! Przyniósł czekoladę. I wcale nie dla taty, tylko dla mnie. Przykro mi, ale nic z niej nie zostało. – Zaczęła się śmiać i oczy zniknęły wśród policzków.

Kiedy wyszła się przespacerować, Harry spojrzał na telefon. Dwa nieodebrane połączenia od Kai. Podsunął krzesło pod ścianę i odchylił głowę.

77 ODCISK

Dziesięć po dziesiątej helikopter wylądował w rejonie pasma wzgórz na zachód od Hallingskarvet. O jedenastej domek był zlokalizowany.

Stał tak dobrze ukryty w terenie, że nawet gdyby mniej więcej wiedzieli, gdzie go szukać, nie znaleźliby, gdyby nie Jens Rath, który ich prowadził. Zbudowano go z kamienia, wysoko na wschodnim, osłoniętym od wiatru zboczu góry, za wysoko, by mogła go porwać lawina. Kamienie zniesiono z okolicy i połączono zaprawą z dwoma olbrzymimi głazami tworzącymi boczną i tylną ścianę. Nie było żadnych rzucających się w oczy kątów prostych. Okna przypominały otwory strzelnicze, znajdowały się tak głęboko w ścianie z kamieni, że nie odbijało się w nich słońce.

– To nazywam prawdziwą górską chatą – oświadczył Bjørn Holm, odpiął narty i natychmiast zapadł się po kolana w śnieg.

Harry wyjaśnił Jensowi, że od tej chwili nie potrzebują już jego usług, więc ma wrócić do helikoptera i czekać razem z pilotem.

Przy wejściu śnieg nie był aż tak głęboki.

– Ktoś tu niedawno odśnieżał – stwierdził Harry.

Drzwi były zamknięte na pojedynczą kłódkę, która bez szczególnych protestów poddała się łomowi Bjørna.

Zanim otworzyli, zdjęli wełniane rękawice i zastąpili je lateksowymi, a na buty narciarskie założyli niebieskie plastikowe worki. Weszli do środka.

– Oj! – westchnął Bjørn cicho.

Cała chata składała się z jednego prostego pomieszczenia, pięć na trzy metry, i najbardziej przypominała staroświecką kajutę kapitańską z oknami jak bulaje i kompaktowymi, oszczędzającymi przestrzeń rozwiązaniami. Podłogę, ściany i sufit pokrywały grube surowe deski pomalowane białą farbą, by wykorzystać niewielką ilość światła wpadającą do środka. Krótszą ścianę zajmował prosty kuchenny blat ze zlewem i szafką. Otomana pełniła najwyraźniej również funkcję łóżka, na środku stał stół z dosłownie jednym, poplamionym farbą krzesłem, a pod oknem – zużyte biurko z inicjałami i rozmaitymi napisami wyrytymi w drewnie. Z lewej strony dłuższej ściany, którą stanowiła odsłonięta skała, znajdował się czarny piecyk. Aby lepiej wykorzystać ciepło, odchodząca od niego rura kominowa biegła w prawo, zanim skierowała się w górę. Obok stał kosz wypełniony drewnem brzozowym i gazetami na rozpałkę. Na ścianach wisiały mapy okolicy, lecz również mapa Afryki.

Bjørn wyjrzał przez okienko nad biurkiem.

– A to nazywam prawdziwym widokiem. Cholera, widać stąd połowę Norwegii!

– Zaczynajmy – polecił Harry. – Pilot dał nam dwie godziny. Podobno od wybrzeża nadciągają jakieś chmury.

Mikael Bellman jak zwykle wstał o szóstej i rozbudził się na elektrycznej bieżni w piwnicy. Znów śniła mu się Kaja. Siedziała na tylnym siedzeniu motocykla, obejmując mężczyznę, któremu widać było jedynie kask i przyłbicę. Uśmiechała się szczęśliwa, odsłaniając ostre ząbki, i pomachała mu, kiedy odjeżdżali. Ale czy nie ukradli tego motocykla? Czy to nie była jego maszyna? Nie wiedział tego z całą pewnością, bo Kaja miała tak długie włosy, że zasłaniały tablicę rejestracyjną.

Mikael wziął prysznic i zszedł na śniadanie.

Przygotował się wewnętrznie, zanim wziął do ręki poranną gazetę, którą Ulla również jak zwykle położyła obok jego talerza.

Ze względu na brak zdjęć Sigurda Altmana, alias Kawalera, wydrukowali zdjęcia lensmana. Skai stał przed swoim urzędem z rękami założonymi na piersiach, w zielonej bejsbolówce z długim daszkiem, jak jakiś pieprzony łowca niedźwiedzi. Nagłówek głosił: *Kawaler aresztowany?*. A obok, przy zdjęciu żółtego pogruchotanego skutera: *Kolejne zwłoki znalezione w Ustaoset*.

Bellman szybko omiótł wzrokiem tekst w poszukiwaniu słowa „KRIPOS", a w najgorszym razie własnego nazwiska. Na pierwszej stronie nic. To już dobrze.

Rozłożył gazetę na stronach, do których odsyłano, i tam już było wszystko. Ze zdjęciami.

Nadzorujący śledztwo Mikael Bellman z KRIPOS w krótkim komentarzu oświadcza, że nie chce się wypowiadać przed przesłuchaniem Kawalera. Nie chce też komentować faktu, że to akurat lensman z Ytre Enebakk zatrzymał podejrzanego.

– Ogólnie mogę powiedzieć, że wszelkie działania policji to praca zespołowa. Dla nas w KRIPOS nie jest ważne, komu przypadnie najbardziej efektowny etap.

Tego ostatniego nie powinien był mówić. To oczywiste kłamstwo i jako takie zostanie odebrane. Już z daleka cuchnęło człowiekiem, który nie umie przegrywać.

Ale to mogło się okazać wcale nie takie złe i niebezpieczne. Bo jeśli mecenas Johan Krohn powiedział mu wczoraj przez telefon prawdę, to Bellman miał wspaniałą możliwość naprawienia wszystkiego. Ba, nawet więcej. Sam mógł zaliczyć efektowny etap. Wiedział, że cena, jakiej zażąda Krohn, będzie wysoka, ale miał też świadomość, że nie on ją zapłaci, tylko ten pieprzony łowca niedźwiedzi. I Harry Hole. I Wydział Zabójstw.

Strażnik więzienny przytrzymał drzwi do pokoju odwiedzin na górze. Mikael Bellman puścił Johana Krohna przodem. Krohn uparł się, że ponieważ ma to być rozmowa, a nie formalne przesłuchanie, musi się odbyć w jak najbardziej neutralnym otoczeniu. Wypuszczenie Kawalera poza teren Więzienia Okręgowego w Oslo, gdzie dostał jeden z apartamentów, nie wchodziło w rachubę, Krohn i Bellman uzgodnili więc, że porozmawiają w jednym z pokojów odwiedzin, wykorzystywanych do prywatnych spotkań osadzonych z rodziną. Żadnych kamer, żadnych mikrofonów. Zwyczajne pomieszczenie bez okien, w którym podjęto niezbyt energiczną próbę wprowadzenia pewnej przytulności za pomocą szydełkowego obrusa na stole i ozdobnej taśmy do dzwonka na ścianie. Z reguły zezwalano tu na spotkania kochanków, a sprężyny poplamionej spermą kanapy były tak zniszczone, że Bellman zobaczył, jak Krohn, siadając, się zapada.

Sigurd Altman zajmował krzesło przy końcu stołu. Bellman usiadł na drugim krześle, dokładnie naprzeciwko niego. Altman miał wymizerowaną twarz, zapadnięte oczy i wyraźnie zaznaczoną okolicę ust z wystającymi zębami, która skojarzyła się Bellmanowi ze zdjęciami wychudzonych Żydów w Auschwitz. I z potworem z *Obcego*.

– Takie rozmowy jak ta są wbrew regulaminowi – przypomniał Bellman. – Dlatego będę nalegał, aby nikt nie robił notatek, i nic z tej rozmowy nie może przedostać się dalej.

– Jednocześnie musimy mieć gwarancję, że prokurator spełni warunki przyznania się do winy – zauważył Krohn.

– Masz na to moje słowo – odparł Bellman.

– Uniżenie za nie dziękuję. Ale co więcej możesz mi dać?

– Więcej? – uśmiechnął się Bellman niepewnie. – Co mam zrobić? Podpisać umowę na papierze?

Cholerny arogancki dupek z tego adwokata!

– Bardzo chętnie. – Krohn przesunął po stole kartkę.

Bellman zerknął na nią, spojrzenie przeskakiwało ze zdania na zdanie.

– Oczywiście nikt inny tego nie zobaczy, jeśli nie będzie takiej konieczności – powiedział Krohn. – A dokument zostanie ci zwrócony po spełnieniu warunków umowy. A to... – Podał Bellmanowi pióro. – To jest S.T. Dupont. Najlepszy przyrząd do pisania, jaki istnieje.

Bellman wziął pióro i położył je obok siebie na stole.

– Jeśli ta historia jest dostatecznie dobra, to podpiszę.

– Jeżeli to ma być miejsce zbrodni, to zbrodniarz nieźle po sobie posprzątał. – Bjørn Holm ujął się pod boki i rozejrzał. Przeszukali już wszystko, wysoko i nisko, przepatrzyli szuflady i szafki, świecili, by odkryć ślady krwi, i zdejmowali odciski palców. Bjørn ustawił na biurku swojego laptopa, podłączył do niego skaner odcisków palców wielkości pudełka zapałek, podobny do tych, jakich na niektórych lotniskach zaczęto używać do identyfikacji pasażerów. Na razie wszystkie odciski pasowały do jednej osoby związanej ze sprawą: Tony'ego Leike.

– Działaj dalej. – Harry klęczał pod zlewem i rozkręcał plastikowe rury. – To musi gdzieś tutaj być.

– Co?

– Nie wiem. Coś.

– Skoro mamy działać dalej, to musimy tu chociaż trochę nagrzać.

– No to rozpal ogień.

Bjørn Holm kucnął przy piecyku, otworzył drzwiczki i zaczął drzeć i zgniatać gazety wyjęte z kosza.

– Co tak naprawdę zaproponowałeś Skaiowi, żeby zgodził się wziąć udział w tym twoim przedstawieniu? Sporo ryzykuje, gdyby prawda miała wyjść na jaw.

– Nie ryzykuje niczego – odparł Harry. – Nie powiedział ani słowa, które nie byłoby prawdą. Przeczytaj uważnie jego wypowiedzi. To media wyciągnęły błędne wnioski. A nie istnieje żadna instrukcja, która by określała, komu wolno, a komu nie wolno aresztować podejrzanego. Nie musiałem mu niczego proponować za pomoc. Powiedział, że czuje do mnie mniejszą antypatię niż do Bellmana, i to już był wystarczający powód.

– To wszystko?

– No cóż. Opowiedział mi jeszcze o swojej córce Mii. Niezbyt dobrze jej się ułożyło. W takich wypadkach rodzice szukają przyczyny, czegoś konkretnego, co da się wskazać palcem. Skai uważa, że to tamta noc przed domem ludowym naznaczyła Mię na całe życie. Ludzie gadali, że Mia i Ole chodzili ze sobą, a kiedy Ole przyłapał ją z Tonym na skraju lasu, to wcale nie były tylko niewinne pocałunki. W oczach Skaia to Ole i Tony są winni problemów córki.

Bjørn pokręcił głową.

– Ofiary, same ofiary, wszędzie, gdzie się nie ruszysz.

Harry podszedł do Bjørna i wyciągnął rękę. Na jego dłoni leżało coś, co wyglądało na kawałeczki odcięte z metalowej siatki.

– To leżało w odpływie. Masz pojęcie, co to może być?

Bjørn wziął druciki i uważnie im się przyglądał.

– Halo! – zawołał nagle Harry. – A to co takiego?

– Co?

– Gazeta. Spójrz, to z konferencji prasowej, na której lansowaliśmy Iskę Peller!

Bjørn spojrzał na zdjęcie Bellmana, odsłonięte po wyrwaniu pierwszej strony.

– Cholera, rzeczywiście!

– To gazeta zaledwie sprzed kilku dni. Ktoś tu niedawno był!

– Cholera, rzeczywiście! – powtórzył Bjørn. – Może na pierwszej stronie są odciski pal...

Harry zajrzał do piecyka, ale pierwszą stronę akurat trawiły płomienie.

– *Sorry* – westchnął Bjørn. – Ale mogę sprawdzić te inne.

– Dobrze. A poza tym zastanawia mnie to drewno.

– Bo?

– W promieniu wielu kilometrów nie rośnie ani jedno drzewo. On musi mieć gdzieś jakiś zapas drewna. Ty sprawdź tę gazetę, a ja się przejdę naokoło.

Mikael Bellman patrzył na Sigurda Altmana. Nie podobało mu się to zimne spojrzenie. Nie podobało mu się kościste ciało, zęby naciskające na wargi od środka, kanciaste ruchy i denerwujące seplenienie. Sigurd Altman nie musiał mu się jednak podobać, by mógł w nim widzieć wybawcę i dobroczyńcę. Z każdym słowem Altmana Bellman był o krok bliższy zwycięstwa.

– Liczę, że czytałeś raport Harry'ego Hole z relacją z zakładanego przebiegu wydarzeń – powiedział Altman.

– Masz na myśli raport lensmana Skaia – odparł Bellman. – Jego prezentację.

Altman uśmiechnął się krzywo.

– Może i tak, jeśli wolisz. Historia, którą opowiedział Harry, była w każdym razie zaskakująco poprawna. Problem w tym, że na jej poparcie istnieje tylko jeden jedyny namacalny dowód. Moje odciski palców w domu Tony'ego Leike. No cóż, załóżmy, że powiem tak: byłem tam, odwiedziłem go i rozmawialiśmy o starych dobrych czasach.

Bellman wzruszył ramionami.

– Uważasz, że ława przysięgłych w to uwierzy?

– Lubię o sobie myśleć, że jestem facetem budzącym zaufanie, ale… – Wargi Altmana podsunęły się do góry, odsłaniając dziąsła. – Ale przecież ja nigdy nie stanę przed żadną ławą przysięgłych, prawda?

Pod występem skalnym Harry znalazł stos drewna przykryty zielonym brezentem. Siekiera tkwiła wbita w pieniek do rąbania, obok niej nóż. Harry rozejrzał się i parę razy kopnął w śniegu. Nic ciekawego. But jednak na coś natrafił. Na białą plastikową szpulkę. Nachylił się. Z boku był opis produktu. Dziesięć metrów bandaża. Co to tutaj robi?

Przekrzywił głowę i przez chwilę przyglądał się pieńkowi do rąbania drewna. Patrzył na czarne plamy wżarte w drewno. Na nóż. Na rękojeść. Żółta, gładka. Co robi nóż na pieńku do rąbania drewna? Oczywiście mogło być kilka powodów, ale jednak…

Położył lewą dłoń na pieńku w taki sposób, by kikut środkowego palca znalazł się na górze, a pozostałe palce przyciskały się do boków pniaka.

Ostrożnie wyciągnął nóż, trzymając go w dwóch palcach za górną część rękojeści. Metal był ostry jak brzytwa. Ze śladami, których w swoim zawodzie stale szukał. Postał chwilę, po czym jak łoś na długich nogach ruszył przez głęboki śnieg.

Kiedy wpadł do chaty, Bjørn podniósł głowę znad komputera.

– Cały czas tylko Tony Leike – westchnął.

– Na tym nożu jest krew – rzucił Harry zdyszany. – Sprawdź, czy na rękojeści nie ma odcisków.

Bjørn ostrożnie wziął od niego nóż, posypał gładko polakierowane żółte drewno czarnym proszkiem i lekko na nie dmuchnął.

– Tylko jeden zestaw odcisków, za to śliczny. Ale może znajdą się i komórki naskórka.

– *Yes!* – zawołał Harry.

– W czym rzecz?

– Ten, kto zostawił te odciski, obciął palec Leikemu.

– Co cię do…

– Na pieńku do rąbania drewna jest krew. Był też w pogotowiu bandaż do przewiązania rany. Poza tym odnoszę wrażenie, że widziałem już ten nóż. Na niewyraźnym zdjęciu Adele Vetlesen.

Bjørn Holm gwizdnął cicho, przycisnął folię do rękojeści, by proszek się do niej przykleił. Potem położył ją na skanerze.

– Sigurdzie Altman, może i znalazłbyś dobrego adwokata, który jakoś zdołałby wytłumaczyć odciski palców na biurku Leikego – szepnął Harry, gdy Bjørn uruchomił przeszukiwanie bazy danych i obaj obserwowali niebieski pasek, skokami przesuwający się ku prawej stronie poziomego prostokąta. – Ale z odcisków na tym nożu już się nie wykpisz!

Ready...

Found 1 match.

Bjørn Holm wcisnął „pokaż".

Harry nie mógł oderwać oczu od nazwiska, które się ukazało.

– Naprawdę uważasz, że to odciski palców osoby, która odrąbała palec Tony'emu? – spytał Bjørn.

78 UMOWA

– Kiedy zobaczyłem, jak Adele i Tony parzą się jak psy koło wychodka, wszystko powróciło. Wszystko, co zdołałem głęboko zakopać. Wszystko, co, jak twierdził psycholog, zostawiłem za sobą. Okazało się, że jest odwrotnie. To było niczym pies na łańcuchu, ale dobrze karmiony, który urósł i nabrał mnóstwo sił. A teraz się urwał. Harry miał rację. Zaplanowałem zemstę, która miała polegać na upokorzeniu Tony'ego Leike dokładnie w taki sposób, w jaki on upokorzył mnie.

Sigurd Altman z uśmiechem spojrzał na swoje dłonie.

– Ale dalej Harry już się mylił. Nie planowałem śmierci Adele. Chciałem upokorzyć Tony'ego na oczach wszystkich, głównie tych, których uważał za swoją przyszłą rodzinę, a zwłaszcza tej dojnej krowy, Galtunga, który miał sfinansować całą tę jego przygodę w Kongu. Bo z jakiego innego powodu Tony chciałby się ożenić z taką szarą myszą jak Lene Galtung?

– Rzeczywiście – przytaknął Mikael Bellman, by pokazać, że jest po jego stronie.

– Wysłałem więc do Tony'ego list, w którym podałem się za Adele. Napisałem, że zrobił mi dziecko i chcę je urodzić. Ale jako przyszła samotna matka muszę zadbać o finanse i dlatego domagam się pieniędzy za zachowanie ojcostwa w tajemnicy. Na początek czterystu tysięcy. Miał się stawić z pieniędzmi na parkingu za sklepem Lefdal w Sandvika o północy dwa dni później. Potem wysłałem list do Adele, podpisując się jako Tony, z pytaniem, czy nie moglibyśmy się spotkać w tym samym miejscu na randce. Wiedziałem, że otoczenie przypadnie Adele do gustu. A założyłem, że nie wymienili się adresami ani numerami telefonów. Że nie odkryją oszustwa, zanim będzie za późno, dopóki nie dostanę tego, czego chciałem. O jedenastej byłem już na miejscu, siedziałem w samochodzie z przygotowanym aparatem. Planowałem zrobić zdjęcia tej randki, wszystko jedno, czy się będą kłócić, czy pieprzyć, i wysłać je z opisem całej historii Andersowi Galtungowi. To wszystko.

Sigurd spojrzał na Bellmana i powtórzył:

– To wszystko.

Bellman kiwnął głową, a Altman podjął:

– Tony przyjechał wcześniej. Zaparkował, wysiadł i się rozejrzał. Potem zniknął w cieniu pod drzewami nad rzeką. Schowałem się za kierownicą. Zaraz zjawiła się Adele. Opuściłem szybę, żeby dobrze słyszeć. Stała i czekała, rozglądała się, patrzyła na zegarek. Widziałem, jak Tony staje tuż za nią, tak blisko, że nie mogła go nie zauważyć. Widziałem, jak wyciąga lapoński nóż i obejmuje ją za szyję. Wierzgała nogami, kiedy niósł ją do własnego samochodu. Otworzył drzwiczki i zobaczyłem, że siedzenia są obciągnięte plastikową folią. Nie słyszałem, co Tony do niej mówi, ale wyjąłem aparat i uruchomiłem zoom. Dostrzegłem, że on wciska jej do ręki długopis i najwyraźniej dyktuje coś, co miała napisać.

– Na widokówce z Kigali – uzupełnił Bellman. – Wszystko zaplanował z góry.

– Robiłem zdjęcia, nie myślałem o niczym innym. Aż do chwili, kiedy zobaczyłem, że unosi rękę i wbija jej nóż w szyję. Nie wierzyłem własnym oczom. Krew trysnęła na przednią szybę od środka.

Ani Bellman, ani Altman nie zważali na Krohna, który z trudem łapał powietrze.

– Odczekał chwilę, zostawiając ten nóż, jakby chciał, żeby całkiem się wykrwawiła. Potem przeniósł ją z kabiny do bagażnika. Kiedy miał wsiąść z powrotem do samochodu, przystanął, jakby wietrzył. Stał pod latarnią, dlatego dobrze widziałem: te same szeroko otwarte oczy, ten sam uśmiech, jaki miał, kiedy siedział na mnie pod domem ludowym i wbijał mi nóż w usta. Jeszcze długo po jego odjeździe sztywny ze strachu nie byłem w stanie się ruszyć. Zrozumiałem, że nie mogę wysłać żadnego listu do Andersa Galtunga ani nigdzie indziej. Bo właśnie stałem się współwinny zabójstwa.

Sigurd spokojnie wypił mały łyk ze stojącej przed nim szklanki z wodą i zerknął na Johana Krohna, który kiwnął mu głową.

Bellman chrząknął.

– Z prawnego punktu widzenia nie współdziałałeś w zabójstwie, co najwyżej byłeś winny szantażu i oszustwa. Mogłeś na tym poprzestać. Oczywiście byłoby to dla ciebie bardzo nieprzyjemne, ale powinieneś się zwrócić do policji. Przecież zrobiłeś nawet zdjęcia, które stanowiły tego dowód.

– I tak zostałbym oskarżony i skazany. Twierdziliby, że lepiej niż ktokolwiek inny wiedziałem, że Tony Leike reaguje przemocą, kiedy znajdzie się pod presją, i że wszystko to wszcząłem umyślnie.

– Nie przyszło ci wtedy do głowy, że tak się może stać? – spytał Bellman, ignorując ostrzegawcze spojrzenie Krohna.

Sigurd Altman się uśmiechnął.

– Czy to nie dziwne, nadkomisarzu, że najtrudniej przewidzieć nasze własne zamiary? Albo je zapamiętać? Szczerze mówiąc, nie bardzo sobie przypominam, co wtedy myślałem.

Bo nie chcesz pamiętać, pomyślał Bellman, ale kiwnął głową i mruknął, jakby dziękował Altmanowi za to, że pozwolił mu na nowo wejrzeć w głąb ludzkiej duszy.

– Zastanawiałem się przez wiele dni – mówił Altman. – W końcu znów pojechałem do Håvasshytta i wyrwałem tę stronę z książki gości z nazwiskami i adresami wszystkich, którzy wtedy tam nocowali. Potem wysłałem do Tony'ego nowy list. Pisałem, że wiem, co zrobił i dlaczego. Że widziałem go z Adele Vetlesen w schronisku. I że chcę pieniędzy. Podpisałem się jako Borgny Stem-Myhre. Pięć dni później przeczytałem w gazecie, że znaleziono ją martwą w jakiejś piwnicy. To się miało skończyć w tym miejscu. Policja powinna zbadać sprawę i odkryć Tony'ego. Właśnie to powinna zrobić. Złapać go.

Sigurd Altman podniósł głos, a Bellman gotów był się założyć, że miał łzy w oczach zasłoniętych okrągłymi okularami.

– Ale wy nie mieliście nawet jednego śladu, błądziliście we mgle. Dlatego musiałem mu podsuwać kolejne ofiary, grozić kolejnymi nazwiskami z listy w Håvasshytta. Wycinałem z gazet zdjęcia ofiar i wieszałem je na ścianie w montażowni w fabryce Kadok, razem z kopiami listów wysłanych w imieniu ofiar. Kiedy Tony zabijał jedną osobę, przychodził list od innej, która twierdziła, że to ona wysłała wszystkie poprzednie. Teraz wie już, że ma dwie, trzy, a później cztery osoby na sumieniu. A cena za milczenie odpowiednio rosła. – Altman wychylił się do przodu, głos miał udręczony. – Robiłem to, by umożliwić wam złapanie go. Zabójca popełnia błędy, prawda? Im więcej zabójstw, tym większe szanse na to, żeby został schwytany.

– I tym lepszy się staje w tym, co robi – wtrącił Bellman. – Pamiętaj, że Tony Leike nie był nowicjuszem w takich sprawach. Nie da się tak długo jak on być najemnikiem w Afryce i nie mieć krwi na rękach. Tak jak i ty ją masz.

– Krew na rękach! – krzyknął Altman, nagle rozwścieczony. – Włamałem się do domu Tony'ego i zadzwoniłem stamtąd do Eliasa Skoga, żebyście wpadli na jego ślad przez rejestrację rozmów. To wy nie wywiązaliście się z tego, co do was należało, i to wy macie krew na rękach! Takie dziwki jak Adele i Mia, tacy mordercy jak Tony, a jeśli...

– Uspokój się, Sigurd. – Johan Krohn wstał. – Zrobimy chwilę przerwy, dobrze?

Altman zamknął oczy, podniósł ręce do góry i pokręcił głową.

– Wszystko w porządku, wszystko w porządku. Miejmy to już za sobą.

Johan Krohn spojrzał na swojego klienta, potem na Bellmana i usiadł.

Altman odetchnął głęboko. W końcu znów zaczął mówić:

– Chyba po trzecim zabójstwie Tony wreszcie zrozumiał, że kolejny list wcale nie musi pochodzić od osoby, która się pod nim podpisała. A mimo to dalej zabijał, w coraz okrutniejszy sposób. Jakby chciał mnie przestraszyć, skłonić do odwrotu. Pokazać, że jest w stanie zabić wszystko i wszystkich, a na koniec dopaść i mnie.

– Albo chciał się pozbyć wszystkich potencjalnych świadków, którzy widzieli go z Adele – podsunął Bellman. – Wiedział, że w Håvasshytta nocowało zaledwie siedem osób. Tylko nie miał możliwości zorientowania się, kto to był.

– No właśnie. – Altman się zaśmiał. – Założę się, że wybrał się do Håvasshytta, żeby zajrzeć do książki gości, i zobaczył tylko resztki wyrwanej kartki. Osioł.

– A co z twoim motywem?

– O co ci chodzi? – spytał Altman z nagłą czujnością.

– Mogłeś o wiele wcześniej anonimowo zgłosić wszystko policji. Może ty też chciałeś, żeby wszyscy świadkowie zniknęli?

Altman przekrzywił głowę, uchem prawie dotykając ramienia.

– Tak jak mówiłem, nadkomisarzu, trudno jest znać wszystkie motywy swoich działań. Podświadomość kieruje się instynktem przetrwania i dlatego często bywa bardziej racjonalna niż świadome myślenie. Może podświadomość zrozumiała, że i dla mnie będzie bezpieczniej, jeżeli Tony usunie z drogi wszystkich świadków? Wtedy nikt nie mógłby wyjawić, że i ja tam byłem, albo któregoś dnia nagle rozpoznać mnie na ulicy. Ale na to pytanie chyba nigdy nie dostaniemy odpowiedzi, prawda?

W piecyku trzeszczało i syczało.

– Dlaczego, na miłość boską, Tony Leike miał sam sobie odrąbać palec? – zdumiał się Bjørn.

Siedział na kanapie, a Harry przeglądał apteczkę, którą znalazł schowaną głęboko w kuchennej szufladzie. Było w niej kilka rolek bandaża. I maść hamująca krwawienie, przyspieszająca koagulację krwi. Data na tubce świadczyła, że wyprodukowano ją zaledwie przed dwoma miesiącami.

– Altman go do tego zmusił. – Harry obracał w palcach niedużą brązową buteleczkę bez etykietki. – Chciał upokorzyć Leikego.

– Mówisz tak, jakbyś sam w to nie wierzył.

– Cholera, oczywiście, że wierzę. – Harry odkręcił korek i powąchał zawartość butelki.

– Tak? Nie ma tu ani jednego odcisku palca, który nie byłby odciskiem Leikego, ani jednego włosa innego niż kruczoczarne włosy Leikego, żadnego śladu buta innego niż numer czterdzieści pięć, jaki nosi Leike. Sigurd Altman ma włosy popielatoblond i numer buta czterdzieści dwa, Harry.

– Dobrze po sobie posprzątał. Przypomnij mi, żeby to przeanalizowali. – Harry schował brązową buteleczkę do kieszeni.

– Dobrze posprzątał? W miejscu, które najprawdopodobniej nie jest nawet miejscem zdarzenia? Ten sam człowiek, który zostawił wielkie tłuste odciski palców na biurku Leikego na Holmenveien? Który, jak sam powiedziałeś, tak marnie posprzątał po sobie w tym schronisku, gdzie zabił Utmę? Ja w to nie wierzę, Harry! I ty też nie!

– Cholera! – krzyknął Harry. – Cholera, cholera. – Oparł czoło na rękach i zapatrzył się w blat.

Bjørn Holm trzymał w palcach metalowe kawałeczki wyjęte z odpływu pod zlewem. Paznokciem zeskrobał żółty osad.

– Posłuchaj... Wydaje mi się, że wiem, co to jest.

– Tak? – Harry nawet nie podniósł głowy.

– Żelazo, chrom, nikiel i tytan.

– I co z tego wynika?

– Jak byłem mały, nosiłem aparat ortodontyczny. Kiedy trzeba było dopasować nowy, tamten należało rozgiąć i pociąć.

Harry gwałtownie poderwał głowę i spojrzał na mapę Afryki. Patrzył na kraje wchodzące jedne w drugie niczym kawałeczki puzzli. Na Madagaskar ułożony osobno, jak kawałek, który nigdzie nie pasuje.

– U dentysty...

– Cicho! – Harry podniósł rękę do góry. Teraz to czuł. Coś akurat wpadło na swoje miejsce. Słychać było jedynie szum ognia w piecyku i coraz częstsze porywy wiatru. Dwa kawałeczki puzzli leżące daleko od siebie. Po dwóch różnych stronach układanki. Dziadek znad jeziora Lyseren. Ojciec matki. I fotografia w szufladzie w schronisku. Rodzinne zdjęcie. Należące nie do Tony'ego Leike, tylko do Odda Utmo. Reumatyzm. Jak to Tony powiedział? Niezakaźny, ale dziedziczny. Chłopiec z dużymi odsłoniętymi zębami. I dorosły mężczyzna z mocno zaciśniętymi ustami, jakby skrywał mroczną tajemnicę. Chował własne spróchniałe zęby i aparat. Kamyk. Brązowoczarny kamień znaleziony na podłodze w łazience schroniska. Wsunął rękę do kieszeni. Kamyk wciąż w niej leżał. Rzucił go Bjørnowi.

– Powiedz mi... – zaczął, przełykając ślinę. – Natknąłem się na to. Myślisz, że to może być ząb?

Bjørn podniósł kamień pod słońce, podrapał paznokciem.

– Możliwe.

– Musimy wracać. – Harry czuł, że włosy stają mu dęba na głowie. – Natychmiast. Do cholery, to nie Altman ich pozabijał!

– Nie?

– To Tony Leike.

– Oczywiście czytałeś w gazetach, że Tony Leike został aresztowany i zwolniony – powiedział Bellman. – Miał taką małą znakomitą rzecz, która nazywa się alibi. Potrafił udowodnić, że przebywał gdzie indziej, kiedy zginęły Borgny i Charlotte.

– O tym nic mi nie wiadomo. – Sigurd Altman założył ręce na piersi.

– Wiem tylko, że widziałem, jak Leike wbija nóż w Adele. I że te listy, które wysyłałem, wiązały się ze śmiercią rzekomych nadawców kilka dni później.

– Zdajesz sobie sprawę, że przez to stałeś się przynajmniej współwinny zabójstwa?

Johan Krohn chrząknął.

– A ty zdajesz sobie sprawę, że zawarłeś transakcję, dzięki której ty i KRIPOS dostajecie na tacy głowę prawdziwego zabójcy? To rozwiąże wszystkie twoje problemy, Bellman. Dostaniesz kredyt zaufania i świadka, który na sali sądowej zezna, że widział, jak Tony Leike zabija Adele Vetlesen. A to, co się wydarzyło później, pozostanie między nami.

– I twój klient zostanie zwolniony?

– Na tym polega ta umowa.

– A jeśli Leike zatrzymał listy i później pojawią się w trakcie procesu? – spytał Bellman. – Wtedy będzie problem.

– Właśnie dlatego mam wrażenie, że się nie pojawią – uśmiechnął się Krohn. – Prawda, nadkomisarzu?

– Co ze zrobionymi przez ciebie zdjęciami Adele i Tony'ego?

– Przepadły w pożarze w Kadoku. Przeklęty Hole!

Mikael Bellman wolno kiwnął głową. W końcu sięgnął po pióro. S.T. Dupont. Ołów i stal. Ciężkie, ale kiedy już raz dotknął nim kartki, podpis złożył się sam.

– Dziękuję – rzucił Harry. – Bez odbioru.

W odpowiedzi usłyszał trzask i zaraz zapadła cisza. Przez słuchawki dochodził jedynie monotonny warkot helikoptera.

Harry odgiął mikrofon przymocowany do słuchawek i wyjrzał.

– Za późno.

Właśnie zakończył rozmowę przez radio z wieżą na Gardermoen. Ze względów bezpieczeństwa mieli dostęp prawie do wszystkich danych. Również do list pasażerów. I potwierdzili, że Odd Utmo wczoraj odleciał, wykorzystując zarezerwowany wcześniej bilet do Kopenhagi.

Krajobraz w dole przesuwał się wolno.

Harry wyobrażał go sobie, jak stoi z paszportem człowieka, którego torturował i zabił. Widział mężczyznę albo kobietę rutynowo sprawdzającą, czy nazwisko w paszporcie zgadza się z zarejestrowanym nazwiskiem pasażera, i jeśli w ogóle komuś chciało się zerkać na zdjęcie, to sobie pomyślał: cholera, dorosły facet z aparatem na zębach. Podniósł głowę, zauważył ten sam aparat na być może sztucznie przyciemnionych zębach. Aparat, który Tony Leike musiał rozgiąć i przyciąć, by jako tako pasował na jego porcelanowobiałe wieżowce.

Wlecieli w chmurę deszczu, który eksplodował na bańce pleksiglasu, rozbiegł się na boki drżącymi smużkami i zniknął. Po paru sekundach jakby w ogóle go nie było.

Palec.

Tony Leike obciął sobie palec i przysłał go Harry'emu. Ostatni służący dezorientacji manewr. Miał pokazać, że Tony'ego Leike należy uważać za umarłego. Że można o nim zapomnieć, zrezygnować z niego, odłożyć na półkę. Czy to przypadek, że wybrał ten sam palec, którego nie miał Harry? Że chciał się do niego upodobnić?

Ale co z jego alibi? Tym świetnym alibi?

Harry'emu już wcześniej przychodziło to do głowy, ale odrzucał tę myśl, bo mordujący z zimną krwią należą do rzadkości, są perwersyjnymi zboczeńcami w prawdziwym znaczeniu tego słowa. Ale czy to możliwe, że istniał jeszcze ktoś taki? Czy to takie banalne, że Tony Leike miał po prostu wspólnika?

– Cholera! – zaklął tak głośno, że aktywowany głosem mikrofon przekazał ostatnią sylabę do trzech innych zestawów słuchawek w helikopterze. Zauważył, że Jens Rath przygląda mu się z boku. Może Rath mimo wszystko miał rację. Może Tony Leike akurat w tej chwili siedzi gdzieś przy drinku z egzotycznym kociakiem w objęciach i szczerzy zęby w uśmiechu, bo wymyślił rozwiązanie.

79 NIEODEBRANE POŁĄCZENIA

Piętnaście po drugiej helikopter wylądował na Fornebu, nieczynnym już lotnisku położonym o dwanaście minut jazdy samochodem od centrum. Kiedy Harry i Bjørn Holm weszli do budynku KRIPOS, Harry spytał w recepcji, dlaczego Bellman ani nikt inny spośród kierujących śledztwem nie odbiera telefonu. Powiedziano mu, że wszyscy są na zebraniu.

– Dlaczego, do cholery, nas nie wezwano? – mruknął, sunąc długim krokiem przez korytarz. Bjørn truchtał za nim.

Harry pchnął drzwi bez pukania. Odwróciło się siedem głów. Ósma, należąca do Mikaela Bellmana, nie musiała się odwracać, bo nadkomisarz siedział u szczytu stołu zwrócony twarzą do drzwi. Wcześniej to na niego patrzyli wszyscy pozostali.

– Flip i Flap – rzucił Bellman wesoło, a Harry po śmiechu poznał, że omawiano ich *in absentia*. – Gdzie byliście?

– Wy się tu bawiliście w Królewnę Śnieżkę i siedmiu krasnoludków, a my w tym czasie odwiedziliśmy górską chatę Tony'ego Leike. – Harry opadł na krzesło po przeciwnej stronie stołu. – I mamy nowiny. To nie Altman. Złapaliśmy nie tego człowieka. To był Tony Leike.

Harry nie wiedział, jakiej reakcji się spodziewał, ale na pewno nie takiej: kompletnego braku reakcji.

Nadkomisarz odchylił się na krześle z życzliwym pytającym uśmiechem.

– M y złapaliśmy nie tego człowieka? O ile dobrze pamiętam, to lensman Skai uznał za słuszne aresztować Sigurda Altmana. A jeśli chodzi o wartość tej nowej wiadomości, to jest ona bardzo ograniczona. Jeśli chodzi o Tony'ego Leike, powiem tak: spóźniliście się, ale zapraszamy.

Spojrzenie Harry'ego przeskoczyło z Ærdala na Pelikana i z powrotem na Bellmana, podczas gdy umysł na najwyższych obrotach pracował dalej. I wyciągnął jedyny możliwy wniosek.

– Altman – pokiwał głową Harry. – Altman powiedział, że to Leike. Wiedział o tym przez cały czas.

– Nie tylko wiedział – odparł Bellman. – Tak jak Leike wywołał lawinę, która zeszła na Håvasshytta, tak Altman nieświadomie uruchomił te wszystkie zabójstwa. Skai aresztował niewinnego człowieka, Harry.

– Niewinnego? – Harry pokręcił głową. – Widziałem te zdjęcia w fabryce Kadok, Bellman. Altman jest w to zamieszany, jeszcze tylko nie całkiem wiem, w jaki sposób.

– Za to my wiemy. Więc jeśli na razie pozostawisz to nam…

Harry już słyszał słowo „dorosłym" wypełzające z ust Bellmana, ale stanęło na czym innym:

– ...znającym fakty, to możesz się do nas przyłączyć, kiedy już zaktualizujesz swoją wiedzę, w porządku? Ty, Bjørn, też? Wobec tego kontynuujemy. Właśnie mówiłem, że niewykluczone, iż Leike miał wspólnika. Kogoś, kto dokonał co najmniej dwóch zabójstw, na które sam ma alibi. Wiemy, że kiedy zginęły Borgny i Charlotte, Leike był na spotkaniach w interesach i ma na to mnóstwo świadków.

– Sprytny dupek – podsumował Ærdal. – Oczywiście wiedział, że policja powiąże ze sobą wszystkie te zabójstwa, więc jeśli załatwi sobie niepodważalne alibi na jedno czy dwa, to automatycznie zostanie zwolniony z podejrzeń o popełnienie pozostałych.

– No właśnie – zgodził się Bellman. – Ale kto może być jego wspólnikiem?

Harry słuchał propozycji, komentarzy i pytań padających z ust innych uczestników zebrania.

– Motywem zabójstwa Adele Vetlesen z pewnością nie była dla Leikego oszczędność czterystu tysięcy – stwierdziła Pelikan. – Tylko strach przed podaniem do publicznej wiadomości informacji o tym, że jakaś kobieta jest z nim w ciąży. Bał się, że Lene Galtung z nim zerwie, a wtedy będzie mógł się pożegnać z milionami Galtunga na swój projekt w Kongu. Powinniśmy więc znaleźć odpowiedź na pytanie, kto miał zbieżny motyw.

– Inni inwestujący w Kongu! – zawołał chłopak o gładkiej skórze. – Może ci jego koledzy ze wspólnego biura?

– Tony Leike jest uzależniony od tego projektu w Kongu, dla niego to być albo nie być – powiedział Bellman. – Ale żaden z tych pozostałych szczeniaków finansjery nie zabiłby dwóch osób dla zapewnienia sobie dziesięcioprocentowego udziału w projekcie. Ci chłopcy są przyzwyczajeni do wygrywania i tracenia pieniędzy. Poza tym Leike musiał współpracować z kimś, do kogo miał zarówno osobiste zaufanie, jak i wiarę w jego profesjonalizm. Pamiętajcie, że również narzędzie zbrodni było takie samo w obu przypadkach, i Borgny, i Charlotte. Jak je nazwałeś, Hole?

– Jabłko Leopolda – odparł Harry matowym głosem, wciąż oszołomiony.

– Głośniej, dobrze?

– Jabłko Leopolda.

– Dziękuję. Z Afryki. Z tego samego miejsca, gdzie Leike był najemnikiem. Dlatego aż korci, by założyć, że Leike wykorzystał któregoś ze swoich dawnych kolegów. Uważam, że właśnie od tego powinniśmy zacząć.

– Jeśli wykorzystał najemnego zabójcę do usunięcia ofiar numer dwa i trzy, to dlaczego nie do wszystkich? – zaprotestowała Pelikan. – Miałby alibi na każde zabójstwo.

– Pewnie otrzymałby też rabat za ilość – rzucił ten z wąsami Nansena.

– Przecież płatny zabójca i tak nie dostanie więcej niż dożywocie.

– W grę mogły wchodzić jakieś argumenty, których na razie nie znamy – stwierdził Bellman. – Banalne przyczyny. Na przykład taka, że ta osoba nie miała czasu albo Leike nie dysponował odpowiednią kwotą. Albo najzwyklejszy powód w sprawach kryminalnych: po prostu tak się stało.

Wokół stołu pokiwano głowami na zgodę. Nawet Pelikan wydawała się zadowolona z tej odpowiedzi.

– Inne pytania? Nie ma? Wobec tego skorzystam z okazji i podziękuję Harry'emu Hole za dotychczasowe uczestnictwo w naszej pracy. Ponieważ nie potrzebujemy go już jako eksperta, wraca do Wydziału Zabójstw ze skutkiem natychmiastowym. Interesujące dla nas było przyjrzenie się, jak inni pracują nad zabójstwami, Harry. Wprawdzie tym razem nie rozwiązałeś żadnej sprawy, ale kto wie, może na Grønland czekają cię jakieś ciekawe śledztwa, niekoniecznie dotyczące zabójstw. Więc jeszcze raz ci dziękuję. A teraz muszę pędzić na konferencję prasową.

Harry patrzył na Bellmana. Nie potrafił go nie podziwiać. Tak jak podziwia się karalucha, którego spuszcza się w kiblu, a on znów stamtąd wypełza. I znów. A na koniec podbije świat.

Przy łóżku w Szpitalu Centralnym w powolnej falującej monotonii mijały minuty, kwadranse, a z czasem i godziny. Przyszła i poszła pielęgniarka, przyszła i poszła Sio. Kwiaty niezauważenie przysuwały się bliżej.

Harry już wcześniej widział, jak najbliżsi krewni nie wytrzymują czekania, zanim ich bliski wyda ostatnie tchnienie. Jak w końcu modlą się, błagają o to, by przyszła śmierć i ich uwolniła. Ich, nie chorego.

Ale z Harrym było odwrotnie. On nigdy nie czuł się bliższy ojcu niż teraz, tu, w tej sali, bez słów, gdzie liczył się tylko oddech i następne uderzenie serca. Patrzenie na Olava Hole w tym miejscu, w którym teraz się znajdował, było jak przebywanie tam samemu, w spokojnym zawieszeniu między życiem i śmiercią.

Śledczy z KRIPOS wiele widzieli i wiele zrozumieli. Ale nie zauważyli oczywistego związku, dzięki któremu wszystko wydawało się o wiele jaśniejsze. Związku między zagrodą Leike a Ustaoset. Między plotkami o duchu zaginionego chłopca z zagrody Utmy a mężczyzną, który okoliczne płaskowyże nazywał swoim krajobrazem. Między Tonym Leike a chłopcem stojącym na zdjęciu razem ze swoim brzydkim ojcem i piękną matką.

Harry od czasu do czasu zerkał na komórkę i patrzył na nieodebrane połączenia. Hagen. Øystein. Kaja. Znów Kaja. Powinien wkrótce się do niej odezwać. Zadzwonił.

– Mogę dziś przyjść do ciebie na noc? – spytała.

80 RYTM

Deszcz bębnił o deski pływającego pomostu. Harry podszedł do pleców stojących na samym brzegu.

– Dzień dobry, Skai.

– Dzień dobry, Hole – odparł lensman, nie odwracając się. Czubek wędki wyginała żyłka znikająca w trzcinach na przeciwnym brzegu.

– Duża ryba?

– Skąd. Zaczepiłem o coś w tych przeklętych trzcinach.

– Przykro mi, przepraszam. Czytałeś dzisiejsze gazety?

– Na prowincję docierają dopiero przed południem.

Harry wiedział, że to nieprawda, ale kiwnął głową.

– Pewnie piszą, że jestem wiejskim durniem – powiedział Skai. – Że trzeba było miastowych z KRIPOS, żeby uporządkować ten bałagan.

– Tak jak już mówiłem, przepraszam.

Skai wzruszył ramionami.

– Nie ma za co. Niczego przede mną nie ukrywałeś, wiedziałem, na co się decyduję. No i było też trochę zabawnie. Tu się znów tak wiele nie dzieje, no wiesz.

– Mhm. Mało piszą o tobie. Głównie przejęci są tym, że to jednak mimo wszystko Tony Leike okazał się zabójcą. Bellman jest często cytowany.

– Na pewno.

– Niedługo też odkryją, kto był ojcem Tony'ego.

Skai odwrócił się i popatrzył na Harry'ego.

– Powinienem był wymyślić to wcześniej. Zwłaszcza kiedy rozmawialiśmy o tej zmianie nazwiska.

– Nie bardzo teraz łapię, Hole.

– Przecież sam mi powiedziałeś, Skai, że Tony mieszkał u dziadka w zagrodzie Leike. U ojca matki. Tony przyjął nazwisko panieńskie matki.

– Nic w tym niezwykłego.

– Może i nie, ale w tym wypadku istniał dobry powód. Tony ukrywał się u dziadka. Matka go tu przysłała.

– Dlaczego tak myślisz?

– Dzięki koleżance. – Harry przez moment poczuł zapach Kai nocą. – Przekazała mi to, co lensman z Ustaoset opowiadał jej o Oddzie Utmo i jego rodzinie. O ojcu i synu, którzy nienawidzili się tak bardzo, że skończyło się zabójstwem.

– Zabójstwem?

– Sprawdziłem kartotekę Utmy. Podobnie jak syn słynął ze swojej złości. W młodości odsiedział osiem lat za zabójstwo z zazdrości. Później przeniósł się na pustkowie. Ożenił się z Karen Leike, mieli syna. Chłopak zaczął dojrzewać i już wtedy był przystojny, wysoki i czarujący. Dwaj mężczyźni i kobieta w niemal całkowitej izolacji. Jeden już wcześniej zabijał z zazdrości. Karen Leike najprawdopodobniej usiłowała zapobiec tragedii, potajemnie wysyłając syna z domu, a jednocześnie zostawiając jego but w miejscu, gdzie akurat zeszła lawina.

– Ja o tym nie wiedziałem, Hole.

Harry wolno pokiwał głową.

– Niestety, zdołała jedynie opóźnić dramat. Właśnie znaleźliśmy jej zwłoki w rozpadlinie skalnej. Z dziurą po kuli w czole. Kilka metrów dalej jej mąż i morderca w jednej osobie zginął przygnieciony skuterem śnieżnym. Wcześniej był torturowany, miał spaloną skórę na plecach i rękach, wyrwane zęby. Zgadniesz, kto to zrobił?

– O Boże…

Harry wsunął papierosa do ust.

– Jak na to wpadłeś? – spytał Skai.

– Podobieństwo. Materiał dziedziczny. – Zapalił papierosa. – Ojciec i syn. Można próbować od tego uciekać, ale to i tak zostaje w człowieku. Wydaje mi się, że Odd Utmo to zrozumiał – zabójstwa związane z Håvasshytta oznaczały, że i on jest ścigany. Że próbuje go dopaść duch jego rodzonego zaginionego syna. Uciekł więc ze swojej zagrody do tego nieczynnego schroniska ukrytego wśród skał. Zabrał tam ze sobą zdjęcie rodziny. Tej rodziny, którą sam zniszczył. Wyobraź to sobie. Wystraszony, być może żałujący zabójca, sam ze swoimi myślami.

– Nie zdołał uciec przed karą.

– Znalazłem to zdjęcie. Tony miał szczęście. Był podobny przede wszystkim do matki. W chłopcu na zdjęciu trudno się dopatrzyć dorosłego Tony'ego, ale już wtedy miał te wielkie białe zęby. Jego ojciec natomiast swoje ukrywał. Akurat pod tym względem się różnili.

– Powiedziałeś chyba, że odkryłeś go dzięki podobieństwu.

Harry kiwnął głową.

– Cierpieli na tę samą chorobę.

– Byli zabójcami.

Harry pokręcił głową.

– Choroba znaczy choroba, Skai. Obaj cierpieli na reumatyzm. Pokrewieństwo zostało udowodnione dziś rano. Wyniki analizy DNA tych kawałeczków ciała na piecyku i włosów Tony'ego Leike potwierdzają, że to ojciec i syn.

Skai pokiwał głową.

– No cóż – powiedział Harry. – W każdym razie przyjechałem tu podziękować ci za pomoc i przeprosić za rezultat. Bjørn Holm kazał mi pozdrowić twoją żonę i przekazać, że w życiu nie jadł lepszych klopsików i kapusty.

Skai uśmiechnął się przelotnie.

– Większość ludzi tak uważa. Nawet Tony je lubił.

– Tak?

Skai wzruszył ramionami i wyciągnął nóż z pochwy przy pasku.

– Mówiłem ci, że Mia zadurzyła się w tym gówniarzu. Zaraz po tym, jak okaleczył Olego, przyprowadziła go do domu na obiad, wiedząc, że mnie nie będzie. Żona nic nie powiedziała, kiedy się pojawili, ale oczywiście zrobiłem jej awanturę, jak się o tym dowiedziałem. Było ostro, wiesz, jakie są dziewczyny w tym wieku, w dodatku zakochane. Próbowałem jej tłumaczyć, że Tony jest agresywny. Byłem taki głupi. Powinienem wiedzieć, że o im gorsze rzeczy oskarża się ukochanego, tym bardziej będzie się starała go utrzymać. Bo w takich sytuacjach to ich dwoje tworzy partię przeciwko całemu światu. Sam to na pewno widziałeś, przypomnij sobie te kobiety, które zaczynają korespondować ze skazanymi mordercami.

Harry kiwnął głową.

– Mia chciała uciec z domu. Iść z nim na koniec świata. Nie miała umiaru. – Skai przeciął żyłkę i zaczął ją nawijać.

Harry zapatrzył się w jej luźny koniec.

– Mhm. Na koniec świata?

– No tak.

– Rozumiem.

Skai gwałtownie zatrzymał kołowrotek.

– Nie – powiedział z naciskiem.

– Co „nie"?

– To, o czym myślisz.

– Czyli?

– Że Mia i Tony spotkali się jeszcze później. On z nią zerwał i już nigdy więcej się nie widzieli. Jej życie toczyło się bez niego. Ona nie miała z tą sprawą nic wspólnego, rozumiesz? Masz na to moje słowo. Próbuje ułożyć sobie życie, więc bardzo cię proszę, nie...

Harry kiwnął głową i wyjął z ust papierosa, którego zgasił deszcz.

– Ja już jestem wyłączony z tego śledztwa. Ale twoje słowo i tak by wystarczyło.

Kiedy odjeżdżał z parkingu, widział w lusterku, że Skai pakuje wędkę.

Szpital Centralny. Harry wpadł już w rytm. Czasu nie szarpały wydarzenia, płynął równym strumieniem. Zastanawiał się, czy nie poprosić o materac. Byłoby mniej więcej tak jak w Chungking Mansion.

81 SNOPY ŚWIATŁA

Minęły trzy dni. On żył. Wszyscy żyli.

Nikt nie wiedział, gdzie się podziewa Tony Leike. Ślady fałszywego Odda Utmo urywały się w Kopenhadze. W jednej z gazet pojawiło się zdjęcie Lene Galtung w chuście na głowie i dużych ciemnych okularach w najlepszym stylu Grety Garbo. Pod nagłówkiem: *Bez komentarza*. A teraz od dwóch dni nikt jej nie widział. Ukryła się. Podobno w londyńskim domu ojca. Kilka gazet zamieściło zdjęcie Tony'ego w roboczym stroju przed helikopterem. Dzisiejszy tytuł wołał: *Zniknięcie Kawalera*. Tony przejął to przezwisko, prawdopodobnie dlatego, że stało się popularne, a poza tym bardziej pasowało do niego niż do Altmana. O dziwo, nikt z prasy nie zdołał powiązać Tony'ego z zagrodą Utmy. Matka, a później Tony najwyraźniej dobrze zatarli ślady.

Mikael Bellman codziennie bywał na konferencjach prasowych. Podczas telewizyjnego talk-show pokazał zarówno swoje zdolności pedagogiczne, jak i podbijający serca uśmiech, kiedy tłumaczył, w jaki sposób doszło do rozwiązania sprawy. Oczywiście przedstawił własną wersję wydarzeń. W jego ustach nieujęcie zabójcy wyglądało na zwykłe niedopatrzenie. Bo najważniejsze przecież, że Tony „Kawaler" Leike został ujawniony, zneutralizowany, wykluczony z gry.

Ciemność zapadała co wieczór o kilka minut później. Wszyscy czekali na wiosnę albo na mróz. Nie nadchodziło ani jedno, ani drugie.

Snopy światła omiatały sufit.

Harry leżał na boku i obserwował papierosowy dym wijący się w ciemności, tworzący zawiłe i zawsze nieprzewidywalne wzory.

– Taki jesteś cichy. – Kaja wtuliła się w jego plecy.

– Zostanę tu do pogrzebu – oświadczył. – Potem wyjeżdżam.

Zaciągnął się dymem. Kaja nie odpowiedziała. Zdumiony poczuł na łopatce gorąco i wilgoć. Odłożył papierosa do popielniczki i odwrócił się do niej.

– Płaczesz?

– Prawie nie. – Zaśmiała się i pociągnęła nosem. – Nie wiem, co się ze mną dzieje.

– Chcesz papierosa?

Pokręciła głową i wytarła łzy.

– Mikael dzisiaj dzwonił i chciał, żebyśmy się spotkali.

– Mhm.

Przytuliła się do jego piersi.

– Nie chcesz wiedzieć, co mu odpowiedziałam?

– Tylko jeśli sama chcesz mi o tym powiedzieć.

– Powiedziałam, że nie. A on, że pożałuję. I że ściągniesz mnie na dno. Że to dla ciebie nie będzie pierwszy raz.

– No cóż. Ma rację.

Kaja podniosła głowę.

– Ale to nic nie znaczy, nie rozumiesz? Chcę iść z tobą wszędzie, dokąd pójdziesz. – Z oczu znów pociekły jej łzy. – I jeśli to oznacza „na dno", to też tego chcę!

– Tam nic nie ma. Nawet mnie, bo i ja zniknę. Widziałaś mnie w Chungking. To by było tak jak tuż po zejściu lawiny. Byłabyś w tej samej chacie, tylko że samotna i opuszczona.

– Ale ty mnie znalazłeś i odkopałeś. Ja mogę zrobić to samo z tobą.

– A jeśli nie będę chciał? Nie ma więcej umierających ojców, którymi mogłabyś mnie zwabić.

– Ale ty mnie kochasz, Harry. Wiem, że mnie kochasz. To wystarczający powód, prawda? Ja jestem wystarczającym powodem.

Harry pogładził ją lekko po włosach, po policzkach, palcami złowił łzę, podniósł ją do ust.

– Tak – uśmiechnął się ze smutkiem. – Ty jesteś wystarczającym powodem.

Wzięła go za rękę, pocałowała tam, gdzie on wcześniej całował.

– Nie – szepnęła. – Nie mów tak. Nie mów, że właśnie przeze mnie wyjedziesz. Żeby nie ściągnąć mnie na dno. Ja i tak pójdę za tobą na koniec świata, rozumiesz?

Przyciągnął ją do siebie i w tej samej chwili poczuł, że coś się w nim rozluźnia. Jak mięsień, który zbyt długo drżał zbyt mocno naciągnięty, a on nie miał tej świadomości. A teraz puścił, zrezygnował, pozwolił na upadek. I ból, który w nim był, stopniał, zmienił się w coś ciepłego, co razem z krwią rozeszło się po ciele. Zmiękczyło je, przydało mu spokoju. Poczucie spadania przyniosło mu ulgę tak wielką, że gardło mu się zasznurowało. Wiedział, że jakaś jego część tego pragnęła, właśnie tego, również tam w śnieżnej mgle nad rozpadliną.

– Na koniec świata – szepnęła, już oddychając szybciej.

Snopy światła cały czas przesuwały się po suficie.

82 CZERWIEŃ

Wciąż było ciemno, kiedy Harry siadał przy łóżku ojca. Pielęgniarka przyniosła mu kawę, spytała, czy jadł już śniadanie, i rzuciła na kolana plotkarskie czasopismo.

– Od czasu do czasu musi pan zająć myśli czymś innym – oświadczyła, przechylając głowę z taką miną, jakby miała ochotę pogłaskać go po policzku.

Kiedy pielęgniarka zajmowała się ojcem, Harry z obowiązku przerzucił gazetę. Ale i kolorowa prasa nie pozwoliła mu odpocząć. Zdjęcia Lene Galtung z premier, z uroczystych kolacji, w nowym porsche. *Tęsknota za Tonym* – głosił tytuł. Stwierdzenie to zostało podbudowane wypowiedziami nie samej Lene, tylko jej przyjaciół celebrytów. Zamieszczono zdjęcie bramy jakiegoś domu w Londynie, ale tam też nikt jej nie widział, a w każdym razie nie rozpoznał. Była też niewyraźna fotografia zrobiona z daleka przed Crédit Suisse w Zurychu. Gazeta twierdziła, że widoczna na niej rudowłosa kobieta to Lene Galtung, cytowano bowiem stylistkę Lene, której zapewne nieźle zapłacono za tę wypowiedź: *Poprosiła, żebym jej zakręciła włosy i ufarbowała na ceglastoczerwono.* O Leikem pisano w takim tonie, jakby podejrzewano go o udział w średniej wagi skandalu z wyższych sfer, a nie o to, że jest sprawcą w jednej z najpoważniejszych w kraju spraw kryminalnych.

Harry wstał, wyszedł na korytarz i zadzwonił do Katrine Bratt. Nie było jeszcze siódmej, ale Katrine już nie spała. Dzisiaj się przenosiła, po weekendzie zaczynała pracę w Komendzie Okręgowej Policji w Bergen. Miała nadzieję, że przynajmniej na początku będzie spokojnie. Chociaż połączenie Katrine Bratt ze spokojem trudno było sobie wyobrazić.

– Ostatnia robota – powiedział.

– A potem? – spytała.

– Potem znikam.

– Nikt nie będzie za tobą tęsknił.

– ...bardziej niż ja?

– Tam wcześniej była kropka, mój drogi.

– Chodzi mi o Crédit Suisse w Zurychu. Czy Lene Galtung może mieć tam konto? Podobno dostała sporą zaliczkę na spadek. Szwajcarskie banki są dość skomplikowane. Pewnie będziesz potrzebowała sporo czasu.

– Nie bój się. Nabieram wprawy.

– To dobrze. I jest jeszcze pewna kobieta. Chciałbym, żebyś sprawdziła jej ruchy.

– Lene Galtung?

– Nie.

– Nie? To jak się nazywa to zwierzę?

Harry przeliterował.

Kwadrans po ósmej Harry zaparkował przed domem z baśni ludowej na Voksenkollen. Stały tam już dwa samochody, a Harry przez krople deszczu na szybach dostrzegł zmęczone twarze i długie obiektywy paparazzich. Wyglądali tak, jakby czuwali tu przez całą noc. Harry zadzwonił do furtki i wszedł. Kobieta o turkusowych oczach czekała na niego przy drzwiach.

– Lene nie ma – oznajmiła.

– A gdzie jest? – spytał.

– Gdzieś, gdzie jej nie dopadną. – Wskazała na samochody za bramą.

– A wy obiecaliście, że po tym ostatnim przesłuchaniu zostawicie ją w spokoju. Przecież trwało trzy godziny.

– Wiem – skłamał Harry. – Ale ja chciałem porozmawiać z panią.

– Ze mną?

– Mogę wejść?

Poszedł za kobietą do kuchni. Wskazała mu krzesło, odwróciła się tyłem i nalała kawy z ekspresu stojącego na blacie.

– Jaka jest ta historia? – spytał.

– Co za historia?

– Ta, że pani jest matką Lene.

Filiżanka uderzyła o podłogę i rozbiła się na tysiąc kawałków. Kobieta oparła się o blat, widział, jak jej plecy poruszają się przy gwałtownych oddechach. Harry jeszcze chwilę się wahał, ale w końcu wypalił to, na co wcześniej się zdecydował:

– Zbadaliśmy DNA.

Odwróciła się z wściekłością.

– Jak to? Nie macie przecież…

Harry popatrzył w turkusowe oczy. Dała się złapać na blef. Czuł się trochę nieswojo. Może ze wstydu. Trudno, to minie.

– Proszę wyjść! – syknęła.

– Do nich? – Harry wskazał na paparazzich. – Ja już kończę pracę jako policjant. Wyjeżdżam. Potrzeba mi trochę gotówki. Skoro stylistka dostaje dwadzieścia tysięcy koron za powiedzenie, jaki kolor włosów wybrała Lene, to jak pani myśli, ile mi dadzą za informację o tym, kto jest jej prawdziwą matką?

Kobieta zrobiła krok w przód. Uniosła prawą rękę jak do ciosu, ale łzy wezbrały w oczach, zgasiły wściekłość, bez sił osunęła się na krzesło. Harry przeklinał się w duchu, wiedział, że niepotrzebnie był aż tak brutalny. Ale czas nie pozwalał na użycie delikatniejszych środków.

– Przepraszam – powiedział. – Ale próbuję uratować pani córkę. I do tego potrzebna mi jest pani pomoc. Rozumie pani? – Nakrył ręką jej dłoń, ale się wyrwała. – Ten człowiek to zabójca. Ale jej to nic nie obchodzi, prawda? I tak to zrobi.

– Co?

– Pójdzie za nim na koniec świata.

Nie odpowiedziała. Pokręciła tylko głową, cicho płacząc.

Harry czekał. Wstał, nalał kawy do drugiej filiżanki, urwał kawałek papierowego ręcznika, położył go na stole przed kobietą, usiadł i czekał. Wypił łyk i czekał dalej.

– Mówiłam jej, żeby nie robiła tak jak ja – usłyszał wreszcie. – Żeby nie zakochiwała się w mężczyźnie tylko dlatego, że on... że on potrafił sprawić, by poczuła się piękna. Piękniejsza niż naprawdę. To się może wydawać w danej chwili błogosławieństwem, ale w rzeczywistości to przekleństwo.

Harry czekał.

– Kiedy raz zobaczy się swoją urodę w jego spojrzeniu, to... to jest jak czary. I dlatego się zostaje. Cały czas się zostaje. Bo liczy się na to, że zobaczy się to jeszcze raz.

Harry wciąż czekał.

– Dorastałam w przyczepie kempingowej. Jeździliśmy po kraju, nie mogłam chodzić do żadnej szkoły. Kiedy miałam osiem lat, zabrała mnie opieka społeczna. Kiedy miałam szesnaście, zaczęłam sprzątać w przedsiębiorstwie żeglugowym Galtunga. Anders był zaręczony, kiedy zaszłam z nim w ciążę. To nie on miał pieniądze, tylko ona. Zainwestował, ale stawki przewozowe spadły i nie miał wyboru. Odprawił mnie. Ale ona się zorientowała. I to ona zdecydowała, że mam urodzić dziecko, że mam dalej pracować jako pomoc domowa, że moja córka zostanie wychowana jako ich dziecko. Pani sama nie mogła mieć dzieci, więc Lene stała się dla niej czymś w rodzaju przybranej córki. Odebrali mi ją. Pytali, jaką przyszłość mogę jej zapewnić. Ja, samotna matka, bez wykształcenia, bez nikogo bliskiego. Czy naprawdę mam sumienie, by pozbawić dziecko możliwości dobrego życia? Byłam taka młoda i wystraszona. Myślałam, że oni mają rację, że tak będzie najlepiej.

– Nikt o tym nie wiedział?

Sięgnęła po papier na stole i wytarła nos.

– Dziwne, jak łatwo oszukać ludzi, którzy chcą być oszukiwani. A nawet jeśli nie dali się oszukać, to w każdym razie tego nie okazywali. To nie miało zbyt wielkiego znaczenia. Posłużyłam za macicę dla spadkobierczyni Galtungów. I co z tego?

– To już wszystko?

Wzruszyła ramionami.

– Nie. Miałam przecież Lene. Karmiłam ją piersią, butelką, zmieniałam pieluchy, spałam razem z nią. Uczyłam ją mówić i wychowywałam. Ale wszyscy wiedzieliśmy, że to tymczasowe. Że pewnego dnia będę musiała z nią zerwać.

– I tak się stało?

Zaśmiała się gorzko.

– A czy matka kiedykolwiek potrafi zerwać? Córka potrafi. Lene gardzi mną za to, co zrobiłam. Za to, kim jestem. Ale proszę, teraz postępuje tak samo.

– Idzie za niewłaściwym mężczyzną na koniec świata?

Wzruszyła ramionami.

– Wie pani, gdzie ona jest?

– Nie. Wiem tylko, że wyjechała, by być razem z nim.

Harry wypił łyk kawy.

– Wiem, gdzie jest koniec świata – oświadczył.

Nie odpowiedziała.

– Mogę tam pojechać i spróbować ją pani przywieźć.

– Ona tego nie chce.

– Mogę próbować. Z pani pomocą. – Wyciągnął kartkę i położył przed nią. – Co pani na to?

Przeczytała. Potem podniosła głowę. Makijaż spłynął z turkusowych oczu na zapadnięte policzki.

– Przysięgnij, że sprowadzisz moją córkę do domu całą i zdrową, Hole. Przysięgnij. Jeśli to zrobisz, to się zgodzę.

Harry długo na nią patrzył.

– Przysięgam.

Kiedy stanął przed domem i zapalał papierosa, myślał o tym, co powiedziała. „Czy matka kiedykolwiek potrafi zerwać?" O Oddzie Utmo, który zabrał ze sobą zdjęcie syna. „Córka potrafi". Czy naprawdę? Wydmuchnął dym. Czy on sam potrafił?

Gunnar Hagen stał przy ladzie z warzywami w ulubionym pakistańskim sklepie. Patrzył na swojego komisarza z niedowierzaniem.

– Chcesz wracać do Konga? Żeby odnaleźć Lene Galtung? I to nie ma żadnego związku z tymi zabójstwami?

– Tak samo jak ostatnio. – Harry wziął do ręki jakieś warzywo, którego nie potrafił rozpoznać. – Szukamy zaginionej osoby.

– O ile dobrze wiem, zaginięcie Lene Galtung zgłosiła wyłącznie kolorowa prasa.

– Teraz już nie. – Harry wyciągnął kartkę z kieszeni płaszcza i pokazał Hagenowi podpis. – Zgłosiła je jej biologiczna matka.

– Ach tak? A jak wytłumaczę ministerstwu, że zaczynamy poszukiwania w Kongu?

– Mamy ślad.

– Mianowicie?

– Przeczytałem w „Se og Hør", że Lene Galtung kazała sobie przefarbować włosy na kolor ceglastoczerwony. Nie mam pojęcia, czy takiej nazwy koloru włosów w ogóle się u nas używa. Pewnie dlatego to zapamiętałem.

– Co zapamiętałeś?

– Że właśnie takie określenie wpisano w rubryce „kolor włosów" w paszporcie Juliany Verni z Lipska. Swego czasu prosiłem Günthera, żeby sprawdził, czy w jej paszporcie nie ma stempla z Kigali. Ale policja nie znalazła tego paszportu. Jestem pewien, że Tony Leike go zabrał.

– Paszport? I?

– I teraz ma go Lene Galtung.

Hagen włożył do koszyka pęczek chińskiej kapusty *pak choi* i powoli pokręcił głową.

– Uzasadniasz wyjazd do Konga czymś, co przeczytałeś w jakimś plotkarskim magazynie?

– Uzasadniam to tym, że sprawdziłem, a raczej zrobiła to Katrine Bratt, czym Juliana Verni zajmowała się ostatnio.

Hagen ruszył ku mężczyźnie przy kasie ustawionej na podwyższeniu pod ścianą po prawej.

– Verni nie żyje, Harry.

– No tak. Ale ostatnio zmarli latają samolotami. Okazuje się, że Juliana Verni, a raczej kobieta z kręconymi włosami w kolorze ceglastej czerwieni, kupiła bilet lotniczy z Zurychu na koniec świata.

– Na koniec świata?

– Do Gomy w Kongu. Na jutro rano.

– No to ją aresztują, kiedy odkryją, że posługuje się paszportem osoby nieżyjącej od ponad dwóch miesięcy.

– Sprawdzałem w ICAO. Powiedzieli mi, że skreślenie z rejestrów numeru paszportu zmarłej osoby może potrwać nawet do roku. To oznacza, że ktoś mógł już wjechać do Konga na paszport Odda Utmo. Tak czy owak, nie mamy żadnej umowy o współpracy z Kongiem. Zresztą tam wykupienie się z aresztu nie stanowi problemu nie do przejścia.

Hagen czekał, aż mężczyzna w kasie podsumuje towary. W tym czasie masował sobie skronie, jakby chciał uprzedzić nieunikniony ból głowy.

– No to znajdź ją w Zurychu. Wyślij szwajcarską policję na lotnisko.

– Będziemy ją śledzić. Lene Galtung doprowadzi nas do Leikego, szefie.

– Ona nas doprowadzi na zatracenie, Harry.

Hagen zapłacił, zabrał swoje zakupy i wymaszerował na mokrą od deszczu, smaganą wiatrem Grønlandsleiret, którą spieszyli ludzie z podniesionymi kołnierzami i spuszczonym wzrokiem.

– Ty nic nie rozumiesz, szefie. Katrine zdołała potwierdzić, że Lene kilka dni temu wyczyściła swoje konto w Zurychu. Dwa miliony euro. To nie jest suma, od której może zakręcić się w głowie, i zdecydowanie nie wystarczy na sfinansowanie całego projektu budowy kopalni. Ale to dość, by przetrwać fazę krytyczną.

– Spekulacje.

– A na co innego jej, do cholery, dwa miliony euro w gotówce? Szefie, to nasza jedyna szansa! – Harry musiał wyciągać nogi, żeby dotrzymać Hagenowi kroku. – W Kongu nie znajdzie się ludzi, którzy nie chcą być znalezieni. Ten cholerny kraj jest tak duży jak cała zachodnia Europa i w przeważającej mierze składa się z lasu, którego nie oglądał żaden biały człowiek. Trzeba zaatakować, bo inaczej Leike będzie cię dręczył w koszmarach.

– Ja nie miewam takich koszmarów jak ty, Harry.

– A mówisz bliskim ofiar, jak dobrze sypiasz w nocy, szefie?

Gunnar Hagen zatrzymał się gwałtownie.

– *Sorry*, szefie. Posunąłem się za daleko.

– Owszem. I właściwie nie rozumiem, dlaczego tak nudzisz o moje zezwolenie. Do tej pory nigdy nie było to dla ciebie ważne.

– Pomyślałem, że miło ci będzie mieć wrażenie, że to ty decydujesz, szefie.

Hagen spojrzał na niego ostrzegawczo. Harry wzruszył ramionami.

– Pozwól mi to zrobić. Później możesz mnie wywalić za odmowę wykonania rozkazu. Biorę na siebie całą winę. Naprawdę tak będzie w porządku.

– Będzie w porządku?

– I tak później składam wymówienie.

Hagen długo na niego patrzył.

– Dobrze – oznajmił. – Jedź.

I znów ruszył.

Harry pospieszył za nim.

– Dobrze? Naprawdę?

– Tak. Właściwie zgodziłem się już na samym początku.

– Tak? To dlaczego nie powiedziałeś tego od razu?

– Bo uznałem, że przyjemnie mieć wrażenie, że to ja decyduję.

Część IX

83 KONIEC ŚWIATA

Śniło jej się, że stoi przed zamkniętymi drzwiami i słyszy dobiegający z lasu samotny, zimny krzyk ptaka. Brzmiał tak dziwnie, bo słońce nie przestawało świecić. Otworzyła drzwi...

Obudziła się z głową wciśniętą w ramię Harry'ego i zaschniętą śliną na ustach. Głos kapitana oznajmiał, że schodzą do lądowania w Gomie.

Wyjrzała przez okno samolotu. Szara smuga na wschodzie ogłaszała nadejście nowego dnia. Minęło dwanaście godzin, odkąd opuścili Oslo. Za sześć godzin miał wylądować samolot z Zurychu z Julianą Verni na liście pasażerów.

– Zastanawiam się, dlaczego Hagen tak od razu łyknął to, że będziemy śledzić Lene – odezwał się Harry.

– Pewnie uznał twoje argumenty za przekonujące – ziewnęła Kaja.

– Hm. Wydawał mi się trochę zbyt spokojny. Moim zdaniem on ma coś w zanadrzu. Coś, co sprawia, że czuje się bezpieczny, wie, że ujdzie mu to na sucho.

– Może ma coś na jakiegoś decydenta w ministerstwie.

– Mhm. Albo na Bellmana. Może wie, że ty i Bellman mieliście romans.

– W to wątpię. – Kaja w ciemności zmrużyła oczy. – Tu prawie nie ma świateł.

– Wygląda na to, że prąd wysiadł. Lotnisko pewnie ma własny agregat.

– Ale tam mają światło. – Pokazała na czerwoną łunę na północ od miasta. – Co to jest?

– Nyiragongo. To lawa oświetla niebo.

– Naprawdę? – Przycisnęła nos do szyby.

Harry opróżnił szklankę z wodą.

– Omówimy plan jeszcze raz?

Kiwnęła głową i podniosła oparcie.

– Ty zostaniesz w hali przylotów i będziesz obserwować tablicę, kontrolować, czy wszystko idzie zgodnie z planem. Ja w tym czasie pójdę na zakupy. Z lotniska do centrum jest tylko piętnaście minut, więc wrócę w porę przed wylądowaniem samolotu Lene. Ty będziesz uważała. Sprawdzisz, czy ktoś po nią wyszedł i pójdziesz za nią. Lene mnie zna, więc będę czekał na was w taksówce. A gdyby zaszło coś nieprzewidzianego, to od razu do mnie dzwonisz, dobrze?

– Dobrze. Jesteś pewien, że ona będzie nocować w Gomie?

– Nie jestem pewien absolutnie niczego. W Gomie są tylko dwa wciąż czynne hotele, a według Katrine w żadnym nie zarezerwowano pokoju na nazwisko Verni czy Galtung. Z drugiej jednak strony partyzantka kontroluje drogi prowadzące na zachód i na północ, a najbliższe miasto na południu jest oddalone o osiem godzin jazdy.

– Naprawdę myślisz, że jedynym powodem, dla którego Tony sprowadził tutaj Lene, jest wydojenie z niej pieniędzy?

– Według Jensa Ratha sytuacja projektu jest krytyczna. Widzisz jakiś inny motyw?

Kaja wzruszyła ramionami.

– A jeśli nawet zabójca potrafi kogoś pokochać tak bardzo, że po prostu chce z nim być? To nie do pomyślenia?

Harry kiwnął głową. Mogło to oznaczać: „Tak, masz rację". Albo: „Tak, to nie do pomyślenia".

Rozległ się szum i wysuwane koła zaklikały jak na zwolnionym filmie. Kaja wyjrzała przez okno.

– Nie podobają mi się te twoje zakupy, Harry. Nie lubię broni.

– Leike to przestępca.

– Nie lubię też być policjantką incognito. Rozumiem, że nie możemy przemycać własnej broni do Konga, ale moglibyśmy poprosić tutejszą policję o pomoc w aresztowaniu.

– Mówiłem ci już, że nie mamy żadnej umowy o ekstradycji. Poza tym nie jest wykluczone, że taki bogacz jak Leike opłaca miejscowych policjantów, by go ostrzegali.

– Teoria spiskowa.

– Owszem. I prosta matematyka. Z pensji policjanta w Kongu nie da się wyżywić rodziny. Nie martw się. Van Boorst ma śliczny sklepik żelazny i jest profesjonalistą w dostatecznym stopniu, żeby trzymać język za zębami.

Koła cicho jęknęły, dotykając pasa startowego.

Kaja, mrużąc oczy, wyglądała przez okno.

– Dlaczego tu tylu żołnierzy?

– ONZ przysyła posiłki. Partyzantka w ostatnich dniach przysunęła się bliżej.

– Jaka partyzantka?

– Partyzantka Hutu, partyzantka Tutsi, partyzantka Mai-Mai, kto wie?

– Harry...

– Tak?

– Miejmy już tę robotę za sobą i wracajmy do domu.

Pokiwał głową.

Było już jasno, kiedy Harry szedł wzdłuż rzędu taksówek przed budynkiem lotniska. Z każdym kierowcą zamieniał kilka słów, w końcu znalazł takiego, który mówił po angielsku nieźle, a właściwie doskonale. Był to niewysoki mężczyzna o bystrym spojrzeniu, siwych włosach i grubych żyłach na skroniach i po bokach wysokiego błyszczącego czoła. Jego angielski był zdecydowanie oryginalny, odmiana sztucznego oksfordzkiego wariantu z silnym akcentem kongijskim. Harry wytłumaczył, że chce go wynająć na cały dzień. Szybko uzgodnili cenę, przypieczętowali ją uściskiem dłoni, jedną trzecią umówionej sumy w dolarach i podaniem imion. Harry i doktor Duigame.

– Literatury angielskiej – wyjaśnił taksówkarz, otwarcie przeliczając pieniądze. – Ale ponieważ mamy razem spędzić cały dzień, możesz mi mówić Saul.

Otworzył tylne drzwiczki poobijanego hyundaia. Harry wyjaśnił, że chce dojechać do drogi poniżej spalonego kościoła.

– Mówisz tak, jakbyś był tu już wcześniej. – Saul skręcił na równy pas asfaltu, który, gdy tylko dotarli do głównej szosy, zmienił się w księżycowy krajobraz kraterów i szczelin.

– Raz.

– To musisz być ostrożny – uśmiechnął się Saul. – Hemingway pisał, że kiedy już raz otworzysz duszę dla Afryki, to nie będziesz chciał jechać w żadne inne miejsce.

– Hemingway tak napisał? – spytał z powątpieniem Harry.

– Oczywiście. Ale on cały czas pisał takie romantyczne bzdury. Po pijaku zabijał lwy i sikał na ścierwa słodkim moczem z whisky. A prawda jest taka, że do Konga nie wraca nikt, kto nie musi.

– Ja musiałem – powiedział z uśmiechem Harry. – Posłuchaj, próbowałem skontaktować się z kierowcą, z którego usług korzystałem poprzednio. To Joe z organizacji pomagającej uchodźcom. Ale jego numer nie odpowiadał.

– Joe wyjechał – odparł Saul.

– Wyjechał?

– Zabrał rodzinę, ukradł samochód i pojechał w stronę Ugandy. Goma jest oblężona. Pozabijają wszystkich. Ja też niedługo wyjeżdżam. Joe miał dobry samochód, może mu się uda.

Harry rozpoznał wieżę kościoła wznoszącą się nad ruinami tego, co pożarł Nyiragongo. Trzymał się mocno, kiedy hyundai podskakiwał na dziurach. Parę razy coś paskudnie zgrzytnęło i uderzyło w podwozie.

– Zaczekaj tutaj – poprosił Harry. – Dalej pójdę piechotą. Niedługo wrócę.

Ruszył. Jakiś ewidentnie pijany człowiek próbował pchnąć go ramieniem, ale nie trafił i runął na drogę. Rzucił za Harrym kilka przekleństw, ale on się nie obejrzał. Szedł nie za szybko i nie za wolno. Kiedy dotarł do jedynego murowanego budynku między sklepami, podszedł do drzwi, mocno zastukał i czekał. Usłyszał szybkie kroki ze środka. Trochę za szybkie jak na van Boorsta. Drzwi się uchyliły i w szparze ukazało się pół czarnej twarzy i jedno oko.

– *Van Boorst home?* – spytał Harry.

– *No.* – W górnej szczęce zalśnił złoty ząb.

– Chcę kupić broń, *miss* van Boorst. Możesz mi pomóc?

Pokręciła głową.

– *Sorry. Good bye.*

Harry czym prędzej wsunął nogę w szparę.

– Dobrze zapłacę.

– *No guns. Van Boorst not here.*

– A kiedy wróci, *miss* van Boorst?

– Nie wiem. Nie mam teraz czasu.

– Szukam pewnego człowieka z Norwegii. Tony'ego. Wysoki. Przystojny. Widziałaś go?

Kobieta pokręciła głową.

– Van Boorst wróci wieczorem do domu? To ważne, *miss*.

Popatrzyła na niego. Zmierzyła wzrokiem od stóp do głów. I jeszcze raz. Miękkie wargi rozsunęły się, odsłaniając zęby.

– Jesteś bogaty?

Harry nie odpowiedział. Zamrugała sennie. Lekko błysnęły czarne oczy. W końcu się uśmiechnęła.

– Przyjdź za pół godziny.

Harry wrócił do samochodu, usiadł na przednim siedzeniu i poprosił, żeby Saul zawiózł go do banku. Sam zadzwonił do Kai.

– Siedzę w hali przylotów – powiedziała. – Nie ma żadnych informacji o opóźnieniu samolotu z Zurychu.

– Zarezerwuję dla nas miejsce w hotelu, zanim wrócę do van Boorsta i kupię to, czego potrzebujemy.

Hotel leżał na wschód od centrum, po drodze do granicy z Rwandą. Przed recepcją był parking pokryty glazurą z lawy otoczonej drzewami.

– Posadzono je po ostatnim wybuchu – objaśnił Saul, jakby przeczytał w myślach Harry'ego, że w Gomie prawie nie ma drzew.

Dwuosobowy pokój położony był na piętrze w niskim budynku nad samym jeziorem i miał balkon wiszący nad wodą. Harry zapalił papierosa, wpatrując się w poranne słońce migoczące w wodzie i odbijające się w widocznej w oddali platformie wiertniczej. Spojrzał na zegarek i wrócił na parking.

Sposób bycia Saula jakby się dostosował do powolnego ruchu ulicznego: jechał wolno, mówił wolno, wolno poruszał dłońmi. Zaparkował pod murami kościoła, spory kawałek od domu van Boorsta. Zgasił silnik, odwrócił się do Harry'ego i uprzejmie, ale zdecydowanie poprosił o jeszcze jedną trzecią umówionej sumy.

– Nie ufasz mi? – spytał Harry, unosząc brew.

– Ufam w twoją szczerą chęć zapłacenia mi – odparł Saul. – Ale w Gomie pieniądze są bezpieczniejsze u mnie niż u ciebie, *mister* Harry. Szkoda, ale to prawda.

Harry ze zrozumieniem pokiwał głową, odliczył kwotę i spytał, czy Saul nie ma w samochodzie czegoś ciężkiego i twardego wielkości rewolweru, na przykład latarki. Saul otworzył schowek na rękawiczki. Harry wyjął latarkę, wsunął ją do wewnętrznej kieszeni kurtki, spojrzał na zegarek. Minęło dwadzieścia pięć minut. Szybko przeszedł na drugą stronę ulicy, potem dalej prosto. Ale kątem oka rejestrował mężczyzn odwracających się za nim ze spojrzeniem, które oceniało. Szacowało wzrost i ciężar. Elastyczność kroków. Kurtkę, lekko przekrzywioną i wybrzuszoną w miejscu, gdzie znajdowała się wewnętrzna kieszeń. Rezygnowali.

Podszedł do drzwi i zapukał.

Te same lekkie kroki.

Drzwi się otworzyły. Obrzuciła go szybkim spojrzeniem, po czym zerknęła na ulicę.

– Szybko, chodź! – Wciągnęła go do środka.

Harry przestąpił próg i stanął w półmroku. Wszystkie zasłony były zaciągnięte, oprócz tych w oknie nad łóżkiem, na którym widział ją półnagą za pierwszym razem.

– On jeszcze nie przyszedł – wyjaśniła swoim prostym, lecz skutecznym angielskim. – Ale przyjdzie niedługo.

Harry kiwnął głową i popatrzył na łóżko. Próbował ją sobie na nim wyobrazić, z kocem na biodrach, światło padające na jej skórę. Ale nie potrafił, bo coś innego starało się przyciągnąć jego uwagę. Coś, co się nie zgadzało. Coś, czego brakowało. Albo było tu, a być nie powinno.

– Przyszedłeś sam? – spytała. Obeszła go i usiadła na łóżku przed nim. Prawą ręką oparła się o materac, jedno ramiączko sukni zsunęło się z ramienia.

Harry wodził wzrokiem, szukając błędu. I w końcu go znalazł. Władca kolonii, ciemiężca, król Leopold.

– Tak – odparł odruchowo, na razie nie wiedząc dlaczego. – Sam.

Portret króla Leopolda, który przedtem wisiał na ścianie nad łóżkiem, zniknął. Następna myśl przypłynęła błyskawicznie. Van Boorst nie przychodził. On też zniknął.

Harry podszedł do niej o krok. Odwróciła do niego głowę, zwilżyła pełne czerwonoczarne wargi, a Harry zbliżył się na tyle, by dojrzeć, co zastąpiło portret belgijskiego króla. Gwóźdź, na którym przedtem wisiało zdjęcie, przebijał banknot. Widniała na nim twarz wrażliwego człowieka ze starannie wypielęgnowanym wąsem. Edvard Munch.

Harry już zrozumiał, co się dzieje, już się odwracał, ale coś mu powiedziało, że jest za późno. Że znalazł się dokładnie w tym miejscu, które przewidział dla niego reżyser. Bardziej wyczuł, niż zobaczył ruch za sobą i nie poczuł nawet precyzyjnego ukłucia w szyję, jedynie oddech na skroni. Kark zaczął zmieniać się w lód, odrętwienie biegło w dół pleców i w górę do głowy. Nogi się pod nim ugięły, gdy substancja dotarła do mózgu i zaczął tracić przytomność. Zanim ciemność zamknęła się wokół niego, zdążył jeszcze pomyśleć, że ketanomina rzeczywiście działa zaskakująco szybko.

84 POWTÓRNE POŁĄCZENIE

Kaja przygryzła wargę. Coś było nie tak. Jeszcze raz wstukała numer Harry'ego.

I jeszcze raz połączyła się z automatyczną sekretarką.

Od blisko trzech godzin siedziała w hali przylotów – będącej zarazem halą odlotów – na plastikowym krzesełku odgniatającym każdą część jej ciała, z jakim się zetknęło.

Słyszała szum samolotu. Niedługo potem jedyny monitor w hali, pogięta skrzynka zwisająca z sufitu na dwóch zardzewiałych drutach, obwieścił, że samolot KJ337 z Zurychu wylądował.

Co dwie minuty skanowała wzrokiem wszystkie osoby w hali i stwierdzała, że nikt z przybyłych nie jest Tonym Leike.

Zadzwoniła jeszcze raz, ale przerwała połączenie, uświadamiając sobie, że wykonuje je wyłącznie po to, by coś robić. Że to nie jest żadne działanie, tylko apatia.

Drzwi prowadzące z hali bagażowej rozsunęły się i wyszli pierwsi pasażerowie, ci, którzy podróżowali tylko z bagażem podręcznym. Kaja stanęła pod ścianą obok drzwi. Z tego miejsca mogła zobaczyć nazwiska na plastikowych tabliczkach i kawałkach papieru, które taksówkarze trzymali w górze i podsuwali wychodzącym. Na żadnej tabliczce nie było nazwiska Juliany Verni ani Lene Galtung.

Wróciła na swój punkt obserwacyjny na krześle. Usiadła na dłoniach, czuła, że są mokre od potu. Co robić? Zdjęła duże ciemne okulary i wbiła spojrzenie w rozsuwane drzwi.

Płynęły sekundy. Nic się nie działo.

Lene Galtung skryła się prawie całkiem za fioletowymi okularami przeciwsłonecznymi i potężnym czarnym mężczyzną, który szedł przed nią. Włosy miała rude, kręcone, a ubrana była w dżinsową kurtkę, spodnie khaki i solidne górskie buty. Ciągnęła torbę na kółkach, dopasowaną do maksymalnych wymiarów bagażu podręcznego. Nie miała torebki, tylko nieduży błyszczący metalowy neseser.

Nic się nie działo. A zarazem działo się wszystko. Równolegle i jednocześnie. Przeszłość i teraźniejszość. Kaja w dziwny sposób zrozumiała, że oto wreszcie nadarza się okazja. Okazja, na którą czekała. Możliwość dokonania tego, co słuszne.

Nie patrzyła bezpośrednio na Lene Galtung. Pilnowała się, by mieć ją z lewej strony pola widzenia. Stała spokojnie, a kiedy Lene ją minęła, wzięła swoją torbę i ruszyła za nią. Wyszła na oślepiające słońce. Do Lene wciąż jeszcze nikt się nie zwrócił, a po jej szybkich zdecydowanych krokach Kaja domyśliła się, że dziewczyna została szczegółowo poinstruowana, co ma robić. Wyminęła taksówki, przeszła na drugą stronę drogi i wsiadła na tylne siedzenie granatowego range rovera. Drzwiczki otworzył jej czarny mężczyzna w garniturze. Zamknąwszy je za nią, obszedł samochód i zajął miejsce kierowcy. Kaja wskoczyła do pierwszej taksówki w kolejce, wychyliła się między siedzeniami, przez chwilę się zastanawiała, ale wiedziała, że w zasadzie nie ma innego sposobu, by to sformułować:

– *Follow that car.*

W lusterku zobaczyła spojrzenie kierowcy i jego uniesioną brew. Wskazała na samochód przed nimi. Kierowca kiwnął głową, że zrozumiał, ale silnik wciąż pracował na luzie.

– *Double pay* – dodała Kaja.

Kierowca kiwnął głową i wrzucił bieg.

Kaja zadzwoniła do Harry'ego. Wciąż bez odpowiedzi.

W ślimaczym tempie jechali na zachód główną ulicą, pełną ciężarówek, wózków i samochodów ze stertami walizek na dachach. Po obu stronach drogi szli ludzie dźwigający na głowach wielkie toboły z dobytkiem. W niektórych miejscach ruch całkowicie zamierał. Kierowca chyba rzeczywiście zrozumiał, w czym rzecz, bo starał się, by od samochodu Lene Galtung dzielił ich co najmniej jeden pojazd.

– Dokąd idą ci wszyscy ludzie? – spytała Kaja.

Kierowca z uśmiechem pokręcił głową, że nie rozumie. Kaja powtórzyła pytanie po francusku, również bez odpowiedzi. W końcu po prostu wskazała pytająco na ludzi ocierających się o ich samochód.

– *Re-fu-gee* – wyjaśnił kierowca. – *Go away. Bad people coming.*

Kaja kiwnęła głową.

Wysłała do Harry'ego SMS-a. Próbowała zagłuszyć panikę.

Na środku Gomy główna droga się rozwidlała. Range rover skręcił w lewo, kawałek dalej jeszcze raz w lewo i zaczął się toczyć w stronę jeziora. Znaleźli się w zupełnie innej części miasta, z dużymi willami skrytymi za wysokimi ogrodzeniami, w otoczeniu wypielęgnowanych ogrodów, pełnych drzew rzucających cień i uniemożliwiających zajrzenie do środka.

– *Old* – odezwał się kierowca. – *The Bel-gium. Co-lo-nist.*

W dzielnicy willowej nie było żadnego ruchu. Kaja zasygnalizowała więc kierowcy, że ma utrzymywać większą odległość, chociaż wątpiła w to, by Lene Galtung miała jakąkolwiek wprawę w odkrywaniu, że jest śledzona. Kiedy range rover stanął w odległości stu metrów od nich, Kaja kazała swojemu taksówkarzowi też się zatrzymać.

Metalową bramę otworzył mężczyzna w szarym uniformie, samochód wjechał do środka i brama się zamknęła.

Lene Galtung czuła, że serce nie przestaje jej walić. Biło tak, odkąd zadzwonił telefon i usłyszała jego głos. Powiedział, że jest w Afryce, a ona ma do niego przyjechać. Że jej potrzebuje. Że tylko ona może mu pomóc. Ocalić ten świetny projekt, który od tej pory będzie należał również do niej. Dzięki temu on będzie miał pracę. Mężczyźni potrzebują pracy. Przyszłości. Bezpiecznego życia w miejscu, w którym mogą dorastać dzieci.

Kierowca otworzył jej drzwi i Lene wysiadła. Słońce wcale nie świeciło tak mocno, jak się tego obawiała. Willa, na którą patrzyła, była wspaniała. Stara, powoli budowana. Kamień na kamieniu. Za stare pieniądze. Tak jak oni sami zamierzali to zrobić. Kiedy poznała Tony'ego, bardzo się interesował jej drzewem genealogicznym. Galtungowie byli norweskim rodem szlacheckim, jednym z niewielu niepochodzących z importu. Tony stale o tym mówił. Może dlatego tak zwlekała z wyznaniem, że jest taka sama jak on, że pochodzi ze zwykłej skromnej rodziny, że jest jak szary kamień na osypisku, że jest nuworyszką.

Ale teraz założą własny szlachecki ród i w osypisku zacznie błyszczeć. Będą budować.

Kierowca ruszył przed nią po kamiennych schodach do drzwi, które otworzył uzbrojony mężczyzna w mundurze maskującym. W holu wisiał ogromny kryształowy żyrandol. Lene ściskała w spoconej ręce uchwyt metalowej walizeczki z pieniędzmi. Miała wrażenie, że serce zaraz wyskoczy jej z piersi. Czy włosy ma dobrze ułożone? Czy widać po niej brak snu i długą podróż? Po szerokich schodach ktoś schodził z piętra. Ale nie, to jakaś czarna kobieta, na pewno służąca. Lene uśmiechnęła się życzliwie, lecz bez przesady. Zobaczyła błysk złotego zęba, kiedy kobieta odpowiedziała jej bezwstydnym, wręcz bezczelnym uśmiechem i zniknęła w drzwiach za plecami Lene.

To był on.

Stał przy balustradzie na piętrze i patrzył na nie z góry.

Wysoki, ciemnowłosy, ubrany w jedwabny szlafrok. Widziała piękną szeroką bliznę jaśniejącą na piersi. Uśmiechnął się. Lene usłyszała swój własny przyspieszony oddech. Uśmiech. Rozjaśnił jego twarz, rozjaśnił jej serce bardziej, niż byłby w stanie to zrobić jakikolwiek kryształowy żyrandol.

Zaczął schodzić ze schodów.

Lene odstawiła walizkę i pobiegła mu na spotkanie. Przyjął ją z otwartymi ramionami. Była przy nim. Czuła jego zapach, silniejszy niż kiedykolwiek. Przemieszany z innym, ostrzejszym, bardziej pikantnym zapachem. Musiał unosić się ze szlafroka. Zobaczyła teraz, że elegancka jedwabna szata miała za krótkie rękawy i wcale nie była nowa. Dopiero gdy poczuła, że on usiłuje uwolnić się z jej uścisku, zrozumiała, że się w niego wczepiła, więc czym prędzej się odsunęła.

– Ależ, kochana, przecież ty płaczesz! – roześmiał się, dotykając palcem jej policzka.

– Naprawdę? – Też się roześmiała i wytarła oczy z nadzieją, że makijaż jej się nie rozpłynął.

– Mam dla ciebie niespodziankę – powiedział, biorąc ją za rękę.

– Ale… – odwróciła się i zobaczyła, że metalowy neseser został już zabrany.

Po schodach weszli na górę do dużej jasnej sypialni.

– Spałeś? – spytała, wskazując na niezaścielone łóżko z baldachimem.

– Nie – uśmiechnął się. – Usiądź tutaj. I zamknij oczy.

– Ale…

– Po prostu zrób, jak mówię, Lene.

Wydało jej się, że słyszy cień irytacji w jego głosie, więc czym prędzej spełniła polecenie.

– Zaraz przyniosą szampana i wtedy cię o coś spytam. Ale najpierw chciałbym ci opowiedzieć pewną historię. Jesteś gotowa?

– Tak – odparła. Wiedziała, że to ta chwila. Ta, na którą tak długo czekała. Którą miała zapamiętać do końca życia.

– To historia o mnie. Jest sporo rzeczy, które powinnaś wiedzieć, zanim odpowiesz na moje pytanie.

– Ach tak. – Miała wrażenie, że bąbelki szampana już krążą w jej krwi i musiała się wstrzymywać, by się nie roześmiać.

– Opowiadałem ci, że dorastałem u dziadka. Że moi rodzice umarli. Ale nie mówiłem ci, że mieszkałem z nimi do piętnastego roku życia.

– Wiedziałam! – zawołała.

Tony uniósł brew, tak delikatnie zarysowaną, taką piękną, pomyślała.

– Przez cały czas wiedziałam, że skrywasz jakąś tajemnicę, Tony – roześmiała się. – Ale i ja mam tajemnicę. Chciałabym, żebyśmy wiedzieli o sobie wszystko. Wszystko!

Tony uśmiechnął się krzywo.

– Pozwól mi więc kontynuować bez kolejnych przerw, Lene. Moja matka była głęboko religijna, ojca poznała w domu modlitwy. Akurat wyszedł z więzienia, w którym odsiadywał wyrok za zabójstwo z zazdrości. W więzieniu się nawrócił. Dla mojej matki to była historia żywcem wyjęta z Biblii. Skruszony grzesznik, człowiek, któremu mogła pomóc w osiągnięciu zbawienia i życia wiecznego, jednocześnie pokutując za własne grzechy. Tak tłumaczyła mi powody, dla których poślubiła tę świnię.

– Co…

– Cicho! Mój ojciec odpokutowywał zabójstwo, piętnując wszystko, co nie było wychwalaniem Boga, jako grzech. Zabraniał mi wszystkiego, co robiły inne dzieci. Kiedy próbowałem się opierać, czułem smak pasa. Często mnie prowokował, mówiąc, że Słońce krąży wokół Ziemi, że tak jest napisane w Biblii. A kiedy prostowałem, bił mnie. Miałem dwanaście lat, gdy jak zwykle poszedłem do wychodka z matką. Kiedy stamtąd wyszliśmy, uderzył mnie ostrym szpadlem, bo uznał to za grzech. Uważał, że jestem za duży, by chodzić do wychodka z rodzoną matką. Naznaczył mnie na całe życie.

Lene przełknęła ślinę, a Tony podniósł wykręcony reumatyzmem palec i przeciągnął nim po górnej części blizny na piersi. Dopiero teraz zauważyła, że Tony ma okaleczoną dłoń.

– Tony, co się…

– Cicho bądź! Ostatni raz ojciec mnie zbił, kiedy miałem piętnaście lat. Wywijał pasem nieprzerwanie przez dwadzieścia trzy minuty. Tysiąc trzysta dziewięćdziesiąt dwie sekundy. Liczyłem. Uderzał co czwartą sekundę. Jak maszyna. Bił i bił, coraz bardziej wściekły, ponieważ nie płakałem. W końcu ręka zmęczyła mu się tak, że musiał przestać. Trzysta czterdzieści osiem uderzeń. Tej nocy odczekałem, aż zaśnie. Usłyszałem jego chrapanie, wtedy zakradłem się do ich sypialni i wlałem mu kroplę kwasu do oka. Strasznie krzyczał, a ja szeptałem mu do ucha, że jeśli jeszcze raz mnie tknie, to go zabiję. Czułem, jak drętwieje w moich ramionach. Wiedziałem, że zrozumiał. Pojął, że jestem od niego silniejszy. I uświadomił sobie, że ja też to w sobie mam.

– Co, Tony?

– Jego krew. Krew zabójcy.

Serce Lene zamarło. To nie była prawda. To nie mogła być prawda. Przecież mówił jej, że to nie on, że się pomylili.

– Od tamtego dnia wystrzegaliśmy się siebie jak zwierzęta. Matka wiedziała: albo on, albo ja. Któregoś dnia powiedziała, że wyprawił się do Geilo po nowe naboje do karabinu, muszę więc wykorzystać okazję i uciekać. Ustaliła już z dziadkiem, co należy zrobić. Dziadek był wdowcem, mieszkał nad Lyseren i zrozumiał, że musi mnie ukrywać, bo inaczej ojciec mnie wyśledzi. Wyjechałem. Matka zaaranżowała to tak, by wyglądało, że porwała mnie lawina. Mój ojciec unikał ludzi, więc zawsze to matka załatwiała wszystko, co wymagało kontaktów z obcymi. Ojciec uważał, że zgłosiła moje zaginięcie, ale w rzeczywistości poinformowała tylko jedną osobę o tym, co zrobiła i dlaczego. Asystenta lensmana. Z Royem Stille… dobrze się znali. Stille był dostatecznie mądry, by wiedzieć, że policja nie jest w stanie wiele zdziałać, by ochronić mnie przed ojcem, i odwrotnie. Pomógł więc w zatarciu moich śladów. U dziadka było mi dobrze, aż do czasu otrzymania wiadomości, że matka zaginęła w górach.

Lene wyciągnęła rękę.

– Mój biedny Tony...

– Mówiłem ci, żebyś zamknęła oczy.

Drgnęła, słysząc ostrość w jego głosie, zabrała więc rękę i czym prędzej zacisnęła powieki.

– Dziadek zabronił mi jechać na uroczystości żałobne. Nikt nie mógł się dowiedzieć, że żyję. Kiedy wrócił do domu, powtórzył mi słowo w słowo, co mówił o matce pastor. Trzy zdania. Trzy zdania o najpiękniejszej, najsilniejszej kobiecie pod słońcem. Ostatnie brzmiało: „Karen lekko stąpała po ziemi". Cała reszta była o Jezusie i o odpuszczeniu grzechów. Trzy zdania i odpuszczenie grzechów, których nigdy nie popełniła!

Lene słyszała, że teraz Tony ciężko oddycha.

– Lekko stąpała po ziemi. Ten piekielny pastor twierdził z ambony, że nie zostawiła po sobie żadnych śladów. Że zniknęła tak samo bez śladu, jak żyła. I dalej następny werset z Biblii. Dziadek opowiedział mi to bez owijania czegokolwiek w bawełnę i wiesz co, Lene? To był najważniejszy dzień w moim życiu. Rozumiesz?

– Nie, Tony.

– Wiedziałem, że on tam siedział. Ta świnia, która ją zabiła. I poprzysiągłem, że się zemszczę. Że mu pokażę. Że pokażę im wszystkim. To było tego dnia, kiedy postanowiłem, że bez względu na to, co się stanie, nie skończę tak jak on. Ani jak ona. Jako trzy zdania. A odpuszczenia grzechów nie potrzebowałem ani ja, ani ta świnia, która tam siedziała. Mieliśmy obaj smażyć się w piekle. Lepiej tak niż tkwić w raju z takim Bogiem. – Zniżył głos: – Nikt, absolutnie nikt nie mógł stanąć mi na drodze. Rozumiesz teraz?

– Tak – uśmiechnęła się Lene. – I zasłużyłeś na to, Tony. Na wszystko. Tak ciężko pracowałeś.

– Cieszę się, że jesteś taka wyrozumiała, moja kochana. Bo zaraz usłyszysz resztę. Jesteś gotowa?

– Tak. – Lene klasnęła w dłonie. Ona też pokaże tej, która została w domu, zazdrosna, samotna i rozgoryczona. Tej, która nie pozwalała córce zaznać miłości.

– Wszystko już miałem w ręku. – Lene poczuła jego dłoń na kolanie. – Ciebie, pieniądze twojego ojca, ten projekt. Nie wierzyłem, że coś może ułożyć się nie tak. Tak było aż do momentu, kiedy przykleiła się do mnie ta pieprzona nimfomanka w Håvasshytta. Nie pamiętałem nawet, jak ma na imię, dopóki nie dostałem od niej listu, w którym pisała, że jest w ciąży i chce pieniędzy. Stanęła mi na drodze, Lene. Wszystko dokładnie zaplanowałem. Wyłożyłem samochód plastikową folią. Wziąłem ze sobą czystą widokówkę z Konga, którą miałem pod ręką. Zmusiłem ją do napisania tekstu wyjaśniającego jej zniknięcie. A potem wbiłem jej nóż w szyję. Wiesz, Lene, odgłos krwi tryskającej na plastik to coś zupełnie wyjątkowego.

85 MUNCH

Lene miała wrażenie, jakby ktoś wbił jej w czaszkę sopel lodu. Mimo to zacisnęła powieki.

– Ty... ty... ją zabiłeś? Tę kobietę, z którą się przespałeś tam, w górach?

– Moje libido jest większe niż twoje, Lene. Skoro nie chcesz robić dla mnie tego, o co cię proszę, muszę szukać innych, które mnie zaspokoją.

– Ale ty... ty chciałeś, żebym ja... – W jej głosie zadźwięczał płacz. – To nie jest naturalne!

Tony zaśmiał się krótko.

– Ona nie miała nic przeciwko temu, Lene. Juliana też. Chociaż co prawda ta wzięła za to niezłe pieniądze.

– Juliana? O kim ty mówisz, Tony? Tony...

Lene wyciągała przed siebie ręce jak niewidoma.

– Niemiecka dziwka z Lipska, z którą regularnie się spotykałem. Gotowa zrobić wszystko za pieniądze. To znaczy była gotowa.

Lene czuła łzy spływające po policzkach. Tony mówił tak spokojnie. Właśnie przez to wszystko stawało się nierzeczywiste.

– Powiedz... powiedz, że to nieprawda, Tony. Proszę cię, przestań już!

– Cicho bądź! Potem dostałem kolejny list. Ze zdjęciem. Nie wiem, czy jesteś w stanie wyobrazić sobie szok, jaki przeżyłem, widząc zdjęcie Adele w moim samochodzie z moim nożem wbitym w szyję. List był podpisany przez jakąś Borgny Stem-Myhre. Napisała, że chce pieniędzy, tylko wówczas nie doniesie na mnie za zabójstwo Adele Vetlesen. Zrozumiałem, że muszę ją usunąć. Ale wiedziałem też, że potrzebuję alibi na czas tego zabójstwa. Na wypadek gdyby policja zdołała powiązać mnie z Borgny i jej próbą szantażu. Właściwie sam zamierzałem wysłać widokówkę napisaną przez Adele z Afryki przy okazji następnego wyjazdu, ale wpadłem na jeszcze lepszy pomysł. Skontaktowałem się z Julianą i to ją wysłałem do Gomy. Przyjechała tu pod nazwiskiem Adele. Wysłała kartkę z Kigali, odwiedziła van Boorsta i kupiła jabłko, które zamierzałem podać Borgny. Kiedy Juliana wróciła, spotkaliśmy się w Lipsku. Jej jako pierwszej pozwoliłem posmakować jabłka. – Tony zaśmiał się krótko. – Biedaczka, myślała, że to jakaś nowa erotyczna zabawka.

– Ty… ją też zabiłeś?

– Tak. A potem Borgny. Śledziłem ją. Otwierała bramę do swojej kamienicy, kiedy podszedłem do niej z nożem. Zabrałem ją do piwnicy, w której wszystko już przygotowałem. Kłódkę. Jabłko. Zrobiłem jej zastrzyk z ketanominy w szyję i pojechałem do Skien na spotkanie z inwestorami, gdzie czekali już wszyscy moi świadkowie. Alibi. Wiedziałem, że podczas gdy będę wznosił toast białym winem, Borgny sama wykona robotę z jabłkiem. Wszyscy to w końcu robią. Potem wróciłem, poszedłem do tej piwnicy, zabrałem kłódkę, na którą zamknąłem Borgny, wyjąłem jej jabłko z ust i wróciłem do domu. Do ciebie. Kochaliśmy się. Udawałaś orgazm. Pamiętasz?

Lene pokręciła głową. Nie była w stanie mówić.

– Mówiłem ci, żebyś zamknęła oczy!

Poczuła na czole jego palce zamykające jej powieki, jakby był pracownikiem zakładu pogrzebowego. Słyszała monotonny głos, jak gdyby mówił do siebie:

– On lubił mnie bić. Rozumiem teraz to poczucie władzy, które tkwi w zadawaniu bólu. W obserwowaniu, jak drugi człowiek ulega, pozwala, by twoja wola dopełniała się jako w niebie, tak i na ziemi.

Lene czuła jego zapach. Zapach płci. Zapach kobiety. Za chwilę głos Tony'ego rozległ się znów tuż przy jej uchu:

– W miarę jak je kolejno zabijałem, coś się działo. Jakby ich krew podlewała ziarenko, które czekało na to od dawna. Zacząłem rozumieć, co widziałem wtedy w oczach ojca. Rozpoznałem to. Bo tak jak on widział siebie we mnie, tak i ja widziałem w sobie jego, kiedy przeglądałem się w lustrze. Lubiłem siłę. I bezsilność. Polubiłem grę, ryzyko, otchłań i szczyt szczytów jednocześnie. Bo kiedy stoisz na szczycie z głową w chmurach i słuchasz anielskich pień, musisz jednocześnie słuchać syku piekielnego ognia pod tobą, żeby to miało jakieś znaczenie. Mój ojciec o tym wiedział. A teraz wiem i ja.

Lene widziała czerwone plamy tańczące pod powiekami.

– Zrozumiałem, jak bardzo go nienawidziłem, dopiero dwa lata później, kiedy stałem z dziewczyną pod lasem koło domu ludowego, gdzie odbywały się tańce. Pewien chłopak się na mnie rzucił. Widziałem zazdrość bijącą mu z oczu. Ukazał mi się ojciec rzucający się z łopatą na mnie i na matkę. Tamtemu chłopakowi obciąłem język. Złapali mnie, dostałem wyrok. I odkryłem, co więzienie robi z człowiekiem. Wiedziałem też, dlaczego ojciec nigdy ani słowem nie wspomniał o tym czasie, jaki spędził za kratami. Dostałem krótki wyrok, a mimo to o mało tam nie zwariowałem. Właśnie podczas odsiadki zrozumiałem, co muszę zrobić. Pojąłem, że muszę wsadzić go do więzienia za zabicie matki. Nie zabijać go, tylko posłać za kraty, pogrzebać żywcem. Ale najpierw należało znaleźć dowód. Szczątki matki. Zbudowałem więc chatę w górach, z dala od ludzi, by nie ryzykować, że ktoś rozpozna chłopca, który przepadł bez wieści, kiedy miał piętnaście lat. Co roku przeszukiwałem płaskowyż. Kilometr za kilometrem. Zaczynałem, gdy tylko większość śniegu topniała. Najchętniej nocą. Kiedy nikt inny tamtędy nie wędrował. Przeszukiwałem urwiska i lawiniska. Jeśli musiałem, nocowałem w schroniskach. Tam przecież i tak byli tylko przyjezdni. Ale ktoś z miejscowych też musiał mnie zauważyć, bo w każdym razie zaczęły krążyć plotki o duchu syna Utmy. – Tony zaśmiał się wesoło.

Lene otworzyła oczy, ale Tony tego nie zauważył. Patrzył na fifkę, którą właśnie wyjął z kieszeni szlafroka. Lene czym prędzej opuściła powieki.

– Po zabójstwie Borgny przyszedł list podpisany przez Charlotte. Napisała, że to ona kryła się również za poprzednim. Zrozumiałem, że zostałem wciągnięty w jakąś grę. Że to mógł być kolejny blef, że to mogła robić każda z osób nocujących wtedy w Håvasshytta. Pojechałem do schroniska zajrzeć do książki gości, ale strona z tamtej nocy została wyrwana. Więc zabiłem Charlotte. I czekałem na kolejny list. Przyszedł. Zabiłem Marit. A później Eliasa. Potem nic się nie działo. Przeczytałem w gazecie, że policja prosi o zgłoszenie się osób nocujących w Håvasshytta razem z ofiarami. Liczyłem, że jeśli sam się stawię, policja mi powie, kto tam był oprócz mnie. Kto mnie ściga. Komu jeszcze muszę odebrać życie. Poszedłem więc bezpośrednio do tego, kto moim zdaniem wiedział najwięcej. Do tego śledczego, Harry'ego Hole. Próbowałem go wypytywać o innych gości, ale bez skutku. A w zamian zjawił się ten Mikael Bellman z KRIPOS i mnie aresztował. Twierdził, że ktoś dzwonił z mojego telefonu do Eliasa Skoga. Wtedy zrozumiałem. Nie chodziło o pieniądze, tylko o postawienie mnie pod ścianą. Ktoś chciał wsadzić mnie do więzienia. Kto mógł z zimną krwią patrzeć na śmierć ludzi i mimo wszystko kontynuować tę... tę krucjatę przeciwko mnie? Kto mógł mnie aż tak nienawidzić? W końcu przyszedł ostatni list. Tym razem nadawca nie podawał swojej tożsamości, napisał tylko, że był tamtej nocy w Håvasshytta, niewidzialny jak duch. I dodał, że znam go aż za dobrze. I że przyjdzie po mnie. Wtedy już wiedziałem. On mnie wreszcie odnalazł. Ojciec. – Tony głęboko odetchnął. – Zaplanował dla mnie to, co ja zaplanowałem dla niego. Pogrzebanie żywcem. Zamurowanie do końca życia. Ale jak mu się to udało? Pomyślałem, że ma nadzór nad Håvasshytta, że dowiedział się, co tam się wydarzyło. Może już wcześniej zrozumiał, że żyję? Może już od jakiegoś czasu obserwował mnie z daleka? Odkąd się zaręczyłem, plotkarska prasa zaczęła publikować moje zdjęcia, a nawet ojciec od czasu do czasu przeglądał takie czasopisma. Ale musiał z kimś współpracować. Bo na przykład nie mógł pojechać do Oslo i włamać się do mnie. Ani zrobić zdjęcia Adele z nożem w szyi. A może mógł? Dowiedziałem się, że wyniósł się z zagrody. Wstrętna świnia! Nie miał natomiast pojęcia, że ja, stale poszukując ciała matki, poznałem ten obszar lepiej niż własną kieszeń i lepiej niż on przez te lata. Odnalazłem go w schronisku koło Paszczy, cieszyłem się jak dziecko. To miał być punkt kulminacyjny, ale było odwrotnie.

Zaszeleścił jedwab szlafroka.

– Torturowanie go sprawiło mi mniejszą przyjemność, niż się spodziewałem. Nawet mnie nie poznał, ślepy idiota! Wszystko jedno. Chciałem przecież, żeby zobaczył mnie takim, jaki sam nigdy nie zdołał być. Chciałem, żeby widział mój sukces. Chciałem go upokorzyć. Zamiast tego zobaczył we mnie samego siebie. Zabójcę. – Tony westchnął. – Zacząłem też sobie uświadamiać, że on z nikim nie współpracował. A nie miał możliwości, żeby wszystko zrobić sam. Był na to zbyt słaby, za bardzo się bał, zbyt wielkim był tchórzem. Wywołałem lawinę pod Håvasshytta niemal w panice.

Bo już wiedziałem, że to ktoś inny. Jakiś niewidzialny, poruszający się bezszelestnie myśliwy, który stał gdzieś w ciemności i oddychał razem ze mną. Musiałem uciec. Wyjechać z kraju. Gdzieś, gdzie nie da się mnie znaleźć. Dlatego jesteśmy tutaj, kochana. Na skraju dżungli o wielkości Europy Zachodniej.

Lene nie panowała już nad drżeniem całego ciała.

– Dlaczego to robisz, Tony? Dlaczego... dlaczego mi o tym opowiadasz?

Poczuła jego dłoń na policzku.

– Ponieważ na to zasłużyłaś, moja droga. Ponieważ nosisz nazwisko Galtung i kiedy umrzesz, mowa pożegnalna będzie długa. Ponieważ uważam, że powinnaś wiedzieć o wszystkim, zanim odpowiesz na moje pytanie.

– Jakie pytanie?

– Czy zostaniesz moją żoną?

W głowie jej wirowało.

– Czy ja... ja...

– Otwórz oczy, Lene.

– Ale ja...

– Otwórz oczy, powiedziałem.

Usłuchała.

– To dla ciebie – oświadczył.

Lene Galtung zaparło dech w piersiach.

– Ze złota – dodał Tony. Słońce błysnęło na złocistobrązowym metalu leżącym na kartce na rozdzielającym ich stoliku. – Chcę, żebyś to włożyła.

– Włożyła?

– Oczywiście kiedy już podpiszesz kontrakt małżeński.

Lene nie przestawała mrugać. Próbowała zbudzić się z koszmaru. Dłoń z powykręcanymi palcami spoczęła na stole, dotknęła jej ręki. Lene spojrzała na potwora w szlafroku z jedwabiu w kolorze burgunda.

– Wiem, o czym myślisz – powiedział. – Że pieniądze, które przywiozłaś, wystarczą tylko na pewien czas. Ale małżeństwo zapewnia mi pewne prawa do dziedziczenia po twojej śmierci. Zastanawiasz się, czy zamierzam cię zabić, prawda?

– A zamierzasz?

Tony zaśmiał się cicho i uścisnął jej rękę.

– Chcesz stanąć mi na drodze, Lene?

Pokręciła głową. Przecież ona chciała jedynie być dla kogoś ważna. Dla niego. Jak w transie ujęła pióro, które jej podawał. Dotknęła nim papieru, łzy kapnęły na podpis, atrament się rozlał. Tony wyrwał jej kartkę.

– Wszystko będzie dobrze. – Dmuchnął na podpis i ruchem głowy wskazał na stolik. – A teraz to włożymy.

– O czym ty mówisz, Tony? Przecież to nie jest pierścionek.

– Otwórz usta, Lene.

Harry mrugał. Z sufitu zwieszała się samotna zapalona żarówka. Leżał na plecach na materacu. Nagi. To był ten sam sen, tyle że on nie śnił. Nad nim ze ściany wystawał gwóźdź przebijający głowę Edvarda Muncha. Norweski banknot. Otwierał usta tak szeroko, że złamana szczęka zdawała się pękać, a mimo to czuł nacisk. Jakby miało rozsadzić mu głowę. Wcale nie śnił. Ketanomina przestała działać i ból nie pozwalał dłużej na żadne sny. Jak długo już tu leżał? Od jak dawna bóle doprowadzały go do szaleństwa? Lekko obrócił głowę i spojrzał na pokój. Wciąż był u van Boorsta. Sam. Nie był związany, mógł wstać, gdyby zechciał.

Powiódł spojrzeniem wzdłuż napiętego drutu, przywiązanego do klamki drzwi wejściowych, który prowadził przez pokój do ściany za nim. Ostrożnie obrócił głowę w drugą stronę. Drut przechodził przez uchwyt w kształcie litery U w murze tuż nad jego głową. A stamtąd do jego ust. Jabłko Leopolda. Był unieruchomiony. Drzwi otwierały się w taki sposób, że pierwsza osoba, która ich dotknie, zwolni igły, a te przebiją mu głowę od środka. Czeka go to również wtedy, gdy sam gwałtownie się poruszy.

Wsunął kciuk i palec wskazujący w kąciki ust. Dotykał bolców. Na próżno usiłował wcisnąć palec pod któryś z nich. Dopadł go atak kaszlu, w oczach mu pociemniało, kiedy nie mógł złapać tchu. Uświadomił sobie, że z powodu wystających bolców tkanka gardła napuchła i zaraz mógł się udusić. Drut prowadzący do klamki. Obcięty palec. Czy to był przypadek, czy też Tony wiedział o Bałwanie? I chciał go przerosnąć.

Harry uderzył w ścianę i napiął struny głosowe, ale metalowa kula stłumiła krzyk. Poddał się. Oparł się o ścianę, przygotował na ból i ścisnął usta. Czytał gdzieś, że nacisk ludzkich szczęk nie jest wcale dużo słabszy niż siła szczęk rekina ludojada. Mimo to mięśnie szczęki zdołały zaledwie odrobinę wcisnąć w kulę bolce, które zaraz znów zaczęły naciskać od środka. Zdawały się pulsować, jakby miał w ustach żywe serce z żelaza. Dotknął sznureczka zwisającego z ust. Wszelkie instynkty kazały mu pociągnąć, usunąć kulę z ust. Ale jemu demonstrowano już, co się wtedy stanie. Oglądał zdjęcia z miejsca zbrodni. Gdyby na własne oczy...

W tej samej chwili Harry już wiedział. Wiedział nie tylko, w jaki sposób sam umrze, lecz także, jak zginęły inne ofiary. I dlaczego wybrano dla nich taką śmierć. Paradoksalnie zachciało mu się śmiać. To było tak diabelnie proste. Tak diabelnie proste, że tylko diabeł mógł to wymyślić.

Alibi Tony'ego Leike. Nie miał żadnego wspólnika. Pomogły mu same ofiary. Kiedy Borgny i Charlotte ocknęły się w samotności z narkotykowego snu, nie miały pojęcia, co trzymają w ustach. Borgny została zamknięta w piwnicy, Charlotte była na zewnątrz. Ale sznureczek zwisający jej z ust wchodził do bagażnika wraku samochodu znajdującego się przed nią i bez względu na to, jak bardzo się starała, jak szarpała i drapała pokrywę, bagażnik pozostał zamknięty. Żadna nie miała możliwości wydostania się stamtąd, gdzie były. A gdy ból nabrał odpowiedniej mocy, zachowały się przewidywalnie. Pociągnęły za sznurek. Czy domyślały się, co się stanie? Czy za sprawą bólu podejrzenia musiały ustąpić nadziei, że po pociągnięciu za sznurek bolce schowają się z powrotem w głąb tajemniczej kuli? I podczas gdy dziewczyny powoli, ale nieuchronnie, mimo wątpliwości i domysłów popełniały wreszcie ostateczny czyn, Tony Leike mógł przemieścić się o kilkadziesiąt kilometrów – na kolację z klientami albo na wykład, spokojny o to, że ofiary same wykonają ostatnią część pracy, jednocześnie zapewniając mu najlepsze możliwe alibi na porę dokonania zbrodni. Przecież tak naprawdę nawet ich nie zabił.

Harry poruszył głową, żeby się przekonać, jak daleko może się wyciągnąć, nie napinając drutu.

Musiał coś robić. Cokolwiek. Jęknął, wydało mu się, że drut się napina. Wstrzymał oddech i tylko patrzył na drzwi. Czekał, aż się otworzą, aż...

Nic się nie wydarzyło.

Próbował sobie przypomnieć demonstrację van Boorsta. Jak daleko wystają bolce, jeśli nie napotkają na żaden opór? Gdyby tylko mógł jeszcze szerzej otworzyć usta. Gdyby tylko szczęki...

Zamknął oczy. Zdumiał się, jak normalna i oczywista wydaje mu się ta idea. Prawie nie czuł przed nią oporu, raczej przeciwnie, ulgę. Ulgę, że zada sobie jeszcze więcej bólu, a być może nawet odbierze sobie życie, podejmując próbę przeżycia. To było logiczne, proste. Szare światło wątpliwości zastąpiła jasna, przejrzysta chora myśl.

Obrócił się na brzuch z głową tuż przy uchwycie umocowanym w ścianie, tak by drut nieco się poluzował. Ostrożnie podniósł się na kolana. Dotknął szczęki, odnalazł punkt, w którym wszystko tkwiło. Ból, plątanina nerwów i mięśni, ledwie utrzymujących szczęki razem po incydencie w Hongkongu. Nie był w stanie sam siebie dostatecznie mocno uderzyć, potrzebny mu był do tego ciężar własnego ciała. Na próbę dotknął palcem gwoździa. Wystawał ze ściany około czterech centymetrów. Zwykły gwóźdź z dużym szerokim łebkiem. Zniszczy wszystko, co znajdzie się na jego drodze, jeśli tylko przyłoży się odpowiednią siłę. Harry przymierzył się, na próbę przyłożył szczękę do gwoździa, podniósł się, by obliczyć pod jakim kątem musi upaść, jak głęboko musi wbić się gwóźdź i jak głęboko wbić się nie może. Kark, nerwy, paraliż. Kalkulował. Nie na zimno i na spokojnie, ale mimo wszystko kalkulował. Zmuszał się do tego. Główka gwoździa była lekko skrzywiona w stosunku do trzpienia, więc nie musiała koniecznie wyrwać wszystkiego. Na koniec starał się uświadomić sobie, czy jest coś takiego, czego nie wziął pod uwagę. W końcu zrozumiał, że to podjęta przez mózg próba odsunięcia tego w czasie.

Wziął głęboki oddech.

Ciało się sprzeciwiało. Protestowało, buntowało się. Nie pozwalało opuścić głowy. „Idioto", próbował krzyknąć Harry, ale z ust wydobył się jedynie syk. Poczuł łzę na policzku.

Dość tego płakania, pomyślał. Pora trochę poumierać.

Opuścił głowę.

Gwóźdź powitał go z głębokim westchnieniem.

Kaja po omacku odszukała telefon. The Carpenters zawołali chórem *Stop!*, a Karen Carpenter odpowiedziała: *Oh, yeah, wait a minute.* Sygnał SMS-a.

Ciemność zapadła wokół samochodu nagle i brutalnie. Kaja zdążyła już wysłać trzy wiadomości do Harry'ego. Dała mu znać, co się wydarzyło. Informowała, że parkuje na ulicy pod willą, do której weszła Lene Galtung, napisała, że czeka na dalsze polecenia i prosi go o znak życia.

Dobra robota. Przyjedź po mnie na ulicę po wschodniej stronie kościoła. Łatwo znaleźć, to jedyny murowany dom. Od razu wejdź, drzwi są otwarte. Harry

Przekazała opis taksówkarzowi, który kiwnął głową, ziewnął i włączył silnik.

Kaja odpisała: *Już jadę.* Skierowali się przez oświetlone ulice na północ. Wulkan rozjaśniał wieczorne niebo jak lampa żarowa, zacierał gwiazdy i wszystko spowijała lekka krwistoczerwona poświata.

Kwadrans później byli już na pogrążonej w ciemności ulicy, przypominającej lej po bombie. Przed jakimś sklepem wisiały dwie lampy naftowe. Albo prąd znów wysiadł, albo też do tej dzielnicy po prostu nie dochodził.

Kierowca zatrzymał się i pokazał palcem. Van Boorst. Rzeczywiście był to nieduży murowany domek. Kaja się rozejrzała. Kawałek dalej na ulicy dostrzegła dwa range rovery. Minęły ją też dwa pobekujące motorowery z trzęsącymi się światłami. Z jakichś drzwi wylewało się ciężkie afrykańskie disco. Tu i ówdzie widać było żarzące się papierosy i białka oczu.

– *Wait here* – powiedziała, wepchnęła włosy pod czapkę z daszkiem i nie zważając na ostrzegawczy okrzyk kierowcy, otworzyła drzwiczki i wysiadła.

Ruszyła prosto do murowanego domu. Nie miała żadnych naiwnych wyobrażeń o szansach, jakie ma samotna biała kobieta po zapadnięciu ciemności w takim mieście jak Goma, lecz akurat w tej chwili ciemność była jej najserdeczniejszą przyjaciółką.

W czarnym bloku lawy dostrzegła drzwi. Czuła, że musi się spieszyć, że to już nadchodzi, że musi zdołać to wyprzedzić. Potknęła się, ale szła dalej. Oddychała otwartymi ustami. W końcu dotarła. Położyła rękę na klamce. Mimo że po zachodzie słońca temperatura zaczęła zaskakująco szybko spadać, pot spływał jej po plecach i między piersiami. Zmusiła rękę do naciśnięcia klamki. Słuchała. Było tak dziwnie cicho. Tak cicho jak wtedy.

Płacz ściskający w gardle wydawał się lepką mieszanką betonu.

– Przestań – szepnęła do siebie. – Nie teraz.

Zamknęła oczy. Skupiła się na oddychaniu. Opróżniła mózg z myśli. Teraz musiała dać sobie radę. Łzy płynęły ciurkiem. *Delete, delete.* O tak!

Została jeszcze tylko jedna mała myśl. Zaraz będzie mogła otworzyć drzwi.

Harry'ego obudziło lekkie skubanie w kąciku ust. Otworzył oczy. Za oknem się ściemniło. Musiał zemdleć. Zorientował się, że coś ciągnie za sznurek metalowej kuli, wciąż tkwiącej mu w ustach. Serce mu zamarło, potem przyspieszyło, zaczęło uciekać. Przysunął usta do samego uchwytu w ścianie, w pełni świadom, że niewiele mu to pomoże, jeśli ktoś szarpnie drzwiami.

Smuga światła z zewnątrz padła na ścianę nad jego głową. Błysnęła krew. Wsunął palce do ust, położył je na zębach żuchwy i nacisnął. Z bólu na moment zrobiło mu się czarno przed oczami, ale poczuł, że żuchwa zwisa. Wyskoczyła ze stawu. Naciskając na nią jedną ręką, drugą uchwycił kulę i próbował ją wyciągnąć.

Słyszał odgłosy na zewnątrz. Cholera! Wciąż nie mógł przecisnąć kuli między zębami. Jeszcze mocniej chwycił żuchwę. Odgłos pękającej kości i rozdzieranych tkanek rozległ się jakby w samym uchu. Może zdołałby odgiąć żuchwę z jednej strony, by wydobyć kulę bokiem, ale przeszkadzał w tym policzek. Zobaczył, że klamka się porusza. Nie było czasu. W ogóle go nie było. Czas skończył się w tym momencie.

Ostatnia krótka myśl. SMS. Kaja otworzyła oczy. Co Harry takiego powiedział u niej na werandzie, kiedy rozmawiali o tytule tej książki Fantego? Że nigdy nie wysyła SMS-ów. Bo nie chce tracić duszy. Woli nie pozostawiać śladów, kiedy zniknie. Nigdy nie dostała od niego żadnej wiadomości. Dopiero teraz. Mógł zadzwonić. To się nie zgadzało. Tym razem to nie ogarnięty paniką mózg wymyśla wymówki, by nie otworzyć drzwi. To pułapka.

Kaja delikatnie puściła klamkę. Poczuła ciepłe powietrze na karku, jakby czyjś oddech. W myślach skreśliła „jakby" i się odwróciła.

Było ich dwóch. Twarze zlewały się z ciemnością.

– *Looking for someone, lady?*

Ogarnęło ją uczucie *déjà vu*, jeszcze zanim odpowiedziała:

– *Wrong door, that's all.*

W tej samej chwili usłyszała odgłos włączanego silnika i zobaczyła tylne światła taksówki oddalającej się nierówą ulicą.

***

– *Don't worry, lady* – powiedział głos. – *We paid him.*

Odwróciła się i spuściła wzrok. Na wycelowany w nią pistolet.

– *Let's go.*

Kaja rozważała alternatywę. Poradziła sobie z nią szybko. Tak naprawdę jej nie było.

Ruszyła pierwsza w stronę range roverów. Gdy się zbliżała, tylne drzwiczki jednego z nich się uchyliły. Wsiadła. Pachniało korzenną wodą po goleniu i nowością skóry. Drzwiczki zamknęły się za nią. Mężczyzna się uśmiechał. Miał duże białe zęby, miękki, wesoły głos.

– Cześć, Kaju.

Tony Leike był ubrany w żółtoszary mundur maskujący. W ręku trzymał czerwoną komórkę. Telefon Harry'ego.

– Kazano ci wejść do środka. Co cię zatrzymało?

Wzruszyła ramionami.

– Fascynujące – powiedział, przechylając głowę.

– Co?

– Nie wyglądasz na ani trochę przestraszoną.

– A dlaczego miałabym się bać?

– Ponieważ niedługo umrzesz. Naprawdę tego nie zrozumiałaś?

Kaja poczuła ściskanie w gardle. Wprawdzie jedna część jej mózgu krzyczała, że to pusta groźba, że jest policjantką, że on oczywiście nigdy nie podjąłby takiego ryzyka. Ale ten głos nie był w stanie przekrzyczeć drugiego, który mówił, że Tony Leike siedzi koło niej i doskonale wie, jaka jest sytuacja. Wie, że ona i Harry to para idiotów kamikadze, daleko od domu, bez żadnej autoryzacji, bez wsparcia, bez możliwości odwrotu. Bez szans.

Leike wcisnął guzik i opuścił boczną szybę.

– Skończcie z nim, a potem przywieźcie go na górę – nakazał dwóm mężczyznom i z powrotem zasunął okno. – Uważam, że dodałabyś wszystkiemu pewnej klasy, gdybyś otworzyła te drzwi – zwrócił się do Kai.

– W moim przekonaniu jesteśmy winni Harry'emu poetycką śmierć. Ale w takiej sytuacji postawimy raczej na poetyckie pożegnanie. – Wychylił się i spojrzał w niebo. – Piękna czerwień, prawda?

Kaja dopiero teraz to w nim zobaczyła. I usłyszała. A ten głos w niej, ten, który mówił prawdę, też jej to powiedział. Że naprawdę umrze.

86 KALIBER

Kinzonzi wskazał na murowany dom van Boorsta i polecił Oudry'emu podjechać range roverem pod same drzwi. Widział za zasłonami światło i pamiętał, że *mister* Tony zdecydował – wychodząc, mają zostawić je zapalone. Żeby ten biały mężczyzna widział, co go czeka. Kinzonzi wysiadł i czekał, aż Oudry wyjmie kluczyk ze stacyjki i przyjdzie za nim. Rozkaz był prosty: zabić i przywieźć. Nie wywoływał żadnych uczuć. Ani lęku, ani radości, ani nawet napięcia. Ot, praca.

Kinzonzi miał dziewiętnaście lat. Walczył od jedenastego roku życia. Wtedy PDLA, People's Democratic Liberation Army, zaatakowała jego wioskę. Bratu rozbili czaszkę kolbą kałasznikowa, a dwie siostry zgwałcili na oczach ojca. Później komendant powiedział, że jeśli ojciec nie będzie w stanie odbyć przy nich stosunku z najmłodszą córką, zabiją Kinzonziego i najstarszą siostrę. Zanim jednak komendant dokończył zdanie, ojciec rzucił się prosto na ich maczety. Gruchnął śmiech.

Kiedy stamtąd odchodzili, Kinzonzi pierwszy raz od wielu miesięcy dostał porządny posiłek i beret, który, jak powiedział komendant, będzie jego mundurem. Dwa miesiące później miał już kałasznikowa i zastrzelił pierwszego człowieka, pewną kobietę z wioski, która odmówiła odda-nia swoich wełnianych koców People's Democratic Liberation Army. Skończył już dwanaście lat, kiedy stał w kolejce żołnierzy gwałcących młodą dziewczynę niedaleko od miejsca, w którym sam został wcielony do armii. Kiedy przyszła jego kolej, uświadomił sobie, że dziewczyna może być jego siostrą, wiek się zgadzał. Ale gdy popatrzył na jej twarz, pojął, że nie pamięta już twarzy ojca, matki, rodzeństwa. Zniknęły, zatarły się.

Kiedy cztery miesiące później wraz z dwoma kolegami odrąbywał ręce komendantowi i patrzył, jak wykrwawia się na śmierć, nie robił tego z żądzy zemsty czy nienawiści, lecz ponieważ CFF, Congo Freedom Front, obiecywał, że będzie płacić lepiej. Przez pięć lat utrzymywał się z tego, co przyniosły ataki partyzantów z CFF na wioski w dżungli w rejonie Kiwu Północnego. Jednak nieustannie musieli się wystrzegać innych grup partyzanckich, a wsie, do których przychodzili, z czasem były już tak splą-drowane, że nie mogły ich wyżywić. Przez pewien czas CFF negocjował z rządem zawieszenie broni w zamian za amnestię i zatrudnienie. Sprawa rozbiła się jednak o wynagrodzenia.

Z czystego głodu i desperacji CFF zaatakował jedną ze spółek wydobywających koltan, chociaż wiadomo było, że spółki górnicze mają zarówno lepszą broń, jak i lepszych żołnierzy niż oni. Kinzonzi nigdy nie wyobrażał sobie, że będzie żył długo i że umrze w jakiś inny sposób niż w walce. Dlatego nawet nie mrugnął, kiedy odzyskał przytomność i spojrzał prosto w lufę karabinu białego człowieka mówiącego do niego w obcym języku. Kinzonzi tylko kiwał głową, by pokazać, że chce to już mieć za sobą. Dwa miesiące później rany się zagoiły, a spółka górnicza stała się jego nowym pracodawcą.

Białym człowiekiem był *mister* Tony. *Mister* Tony płacił dobrze, ale nie okazywał łaski wobec najmniejszych oznak nielojalności. Odzywał się do nich i był najlepszym szefem, jakiego Kinzonzi miał do tej pory. Kinzonzi nie zawahałby się ani sekundy przed zastrzeleniem go, gdyby to się opłacało. Ale się nie opłacało.

– Pospiesz się – powiedział Kinzonzi do Oudry'ego i naładował swój pistolet. Wiedział, że agonia po otwarciu drzwi i uruchomieniu metalowej kuli w ustach białego policjanta może trochę potrwać, dlatego chciał go od razu zastrzelić, żeby mogli pojechać na Nyiragongo, gdzie czekał *mister* Tony z paniami.

Jakiś mężczyzna, który siedział na krześle i palił pod sklepem w sąsiednim budynku, wstał, mruknął coś wściekle i zniknął w ciemności.

Kinzonzi popatrzył na klamkę. Pierwszy raz był tutaj, kiedy przyszli po van Boorsta. Wtedy też pierwszy raz miał okazję ujrzeć osławioną Almę. Van Boorst zdołał wydać wszystkie swoje pieniądze na Singapore Sling, na ochronę i na Almę, która nie była tania. W desperacji Belg popełnił największe głupstwo swojego życia. Zażądał od *mister* Tony'ego pieniędzy, grożąc, że pójdzie na policję z posiadanymi informacjami. Gdy przyszli, van Boorst wyglądał na bardziej zrezygnowanego niż zaskoczonego i tylko dopił drinka. Pocięli go na odpowiednio duże kawałki, którymi nakarmili paradoksalnie tłuste świnie pod obozem dla uchodźców. *Mister* Tony przejął Almę. Almę z jej biodrami, ze złotym zębem i z tym podniecającym spojrzeniem lunatyczki, które mogło dać Kinzonziemu jeszcze jeden powód do tego, by władować kulkę w czoło *mister* Tony'ego. Gdyby się opłacało.

Kinzonzi nacisnął klamkę i mocno pchnął drzwi. Otworzyły się, ale w połowie powstrzymał je cienki drut odchodzący od ich wewnętrznej strony. W momencie gdy się napiął, rozległo się głośne wyraźne kliknięcie i odgłos metalu uderzającego o metal, jakby bagnetu wyciąganego z metalowej pochwy. Drzwi, zgrzytając, zaczęły się z powrotem zamykać.

Kinzonzi wszedł do środka i wciągnął za sobą Oudry'ego. Gorzki zapach wymiocin kręcił w nosie.

– Zapal latarkę.

Oudry usłuchał polecenia.

Kinzonzi patrzył w koniec pokoju. Z nagiego gwoździa wbitego w ścianę zwisał banknot przesiąknięty krwią spływającą również po ścianie. Na łóżku w kałuży żółtych wymiocin leżała zakrwawiona metalowa kula z wystającymi długimi igłami, jak słońce z promieniami. Ale białego policjanta nie było.

Drzwi. Kinzonzi obrócił się błyskawicznie z pistoletem gotowym do strzału. Tam też nikogo nie było.

Klęknął i zajrzał pod łóżko. Nikogo.

Oudry otworzył jedyną szafę w pokoju. Pusta.

– Uciekł – powiedział Oudry do Kinzonziego, który stał przy łóżku i wciskał palec w materac.

– Co to jest? – spytał Oudry, podchodząc bliżej.

– Krew. – Kinzonzi zabrał Oudry'emu latarkę, poświecił na podłogę i powiódł nią aż do miejsca na środku, gdzie ślad się urywał. Klapa z żelaznym pierścieniem. Podszedł do niej, podniósł i zaświecił w ciemność w dole.

– Przynieś swój karabin, Oudry!

Kolega wyszedł i wrócił z AK-47.

– Osłaniaj mnie! – polecił Kinzonzi i zaczął schodzić na dół po drabinie.

Kiedy stanął na podłodze, wziął jednocześnie pistolet i latarkę w obie ręce i zaczął się obracać. Snop światła omiótł szafki i półki pod ścianą. Dalej sunął po swobodnie stojącym na środku regale z białymi groteskowymi maskami na półkach. Jedna miała nity w miejscu brwi, inna żywej barwy asymetryczne usta, z jednej strony sięgające aż do ucha, jeszcze inna puste oczy i dzidy wytatuowane na obu policzkach. Światło latarki padło na półkę na przeciwległej ścianie. I gwałtownie znieruchomiało.

Kinzonzi zdrętwiał. Broń. Karabiny, amunicja. Mózg to fantastyczny komputer. W ciągu ułamka sekundy jest w stanie zarejestrować całą tonę danych. Pokombinować, wyciągnąć wnioski i wymyślić prawidłową odpowiedź. Kiedy więc Kinzonzi wrócił latarką do masek, znał już prawidłową odpowiedź. Światło padło na białą maskę z asymetrycznymi ustami. Widać w nich było tylne zęby. Lśniły czerwienią. Taką samą czerwienią jak krew na ścianie pod gwoździem.

Kinzonzi nigdy nie wyobrażał sobie, że będzie długo żył. Ani że umrze w inny sposób niż w walce.

Mózg wysłał polecenie do palca, by nacisnął cyngiel pistoletu. Mózg to fantastyczny komputer.

Palec zareagował w ciągu mikrosekundy. A jednocześnie mózg doprowadził rozumowanie do końca. Znał odpowiedź. Wiedział, jaki będzie wynik.

Harry miał świadomość, że jest tylko jedno rozwiązanie. I że nie ma czasu na to, by dłużej czekać. Dlatego jeszcze raz nakierował głowę na gwóźdź, tym razem trochę wyżej. Prawie nie poczuł, kiedy gwóźdź przebił policzek i stuknął w metalową kulę. Harry zsunął się na łóżku, przycisnął głowę do ściany i odchylił się całym ciężarem, jednocześnie próbując napiąć mięśnie policzka. W pierwszej chwili nic się nie stało, potem przyszły mdłości. I panika. Wiedział, że jeśli teraz zacznie wymiotować, z jabłkiem Leopolda w ustach, utonie. Ale tego nie dało się powstrzymać. Czuł, jak żołądek się kurczy po to, by wysłać pierwszy ładunek przez przełyk. Harry w desperacji podniósł głowę i biodra, a potem ciężko upadł i poczuł, jak tkanka policzka się poddaje, jak pęka rozrywana gwoździem. Poczuł krew napływającą do ust, do tchawicy, uruchamiającą odruch kaszlowy, a jednocześnie gwóźdź oparł się o zęby. Harry wsunął palce do ust, przesuwały się po śliskim od krwi metalu. W końcu podłożył je pod kulę i pchnął, drugą ręką obciągając żuchwę. Usłyszał zgrzyt o zęby, a potem z gwałtowną siłą zaczął wymiotować.

Może właśnie wymioty wypchnęły kulę. Harry leżał pod ścianą i patrzył na śmiercionośny wynalazek w kałuży wymiocin na materacu pod tkwiącym w ścianie uchwytem.

Potem wstał, nagi, na chwiejnych nogach. Był wolny.

Zataczając się, podszedł do drzwi, gdy nagle przypomniał sobie, po co tu przyszedł. Za trzecią próbą udało mu się podnieść klapę. Kiedy schodził po drabinie, poślizgnął się na własnej krwi i spadł w oślepiającą ciemność. Leżał na betonowej posadzce, próbując złapać oddech, kiedy usłyszał podjeżdżający samochód. Dotarły do niego głosy i trzaśnięcie drzwiczek. Wstał, poruszając się po omacku, odnalazł drabinę, wspiął się na nią dwoma długimi krokami i zatrzasnął klapę. Zamknęła się w momencie, kiedy otworzyły się drzwi i rozległo metaliczne kliknięcie jabłka.

Ostrożnie zszedł na dół, a kiedy poczuł pod stopami zimny beton, spróbował uruchomić pamięć. Malował w głowie obrazy tego miejsca, tak jak wyglądało poprzednio.

Półka z lewej strony. Kałasznikow. Glock. Smith & wesson. Walizka z märklinem. Amunicja. W tej kolejności. Podszedł tam i zaczął macać. Palce znalazły lufę karabinu. Gładką stal glocka. A wreszcie znajomy kształt smith & wessona 38, takiego samego jak jego służbowy rewolwer. Zabrał go ze sobą i przesunął się w stronę skrzynek z amunicją. Koniuszkami palców badał drewno. Z góry dobiegały wściekłe głosy i kroki. Wystarczyło ściągnąć pokrywę. Oby teraz mieć trochę szczęścia! Wsunął rękę do środka i zacisnął na kartonowym pudełku. Wyczuł kontury nabojów. Cholera jasna, za duże! Kiedy otwierał wieko kolejnej skrzynki, klapa się podniosła. Wyciągnął jedno pudełko, musiał zaryzykować, że to odpowiedni kaliber. W tej samej chwili do piwnicy wpadło trochę światła, jasne kółko oświetliło podłogę przy drabinie. Wystarczyło jednak, by Harry przeczytał etykietę na pudełku. 7,62 milimetra. Cholera! Popatrzył na półkę, tam, sąsiednia skrzynka. Kaliber 38. Światło zniknęło z podłogi i zakołysało się na suficie. Harry zobaczył kształt kałasznikowa w otworze i mężczyznę schodzącego po drabinie.

Mózg to fantastyczny komputer.

W chwili kiedy Harry otwierał pokrywę skrzynki i wyciągał pudełko, jego mózg już dokonał obliczeń. Wiedział, że jest za późno.

87 KAŁASZNIKOW

– Gdybyśmy nie prowadzili działalności wydobywczej, to nie byłoby tu drogi – tłumaczył Tony Leike, kiedy samochodem trzęsło na wąskiej bitej dróżce. – Tacy przedsiębiorcy jak ja to jedyna nadzieja, że mieszkańcy krajów w rodzaju Konga staną w końcu na nogi, spróbują nas gonić, cywilizować się. Alternatywą jest pozostawienie ich samych sobie, żeby dalej robili to, co robili od zawsze. Wyrzynali się nawzajem. Na tym kontynencie każdy jest myśliwym i zwierzyną w jednej i tej samej osobie. Nie zapominaj o tym, gdy będziesz widzieć błagalnie patrzące oczy głodującego afrykańskiego dziecka. Nie zapominaj, że jeśli dasz mu trochę jedzenia, to te oczy zaraz spojrzą na ciebie od drugiej strony. Zza karabinu maszynowego. I wtedy nie będzie mowy o łasce.

Kaja nie odpowiedziała. Wpatrywała się w rude włosy siedzącej z przodu na miejscu pasażera Lene Galtung, która ani się nie poruszała, ani nie odzywała. Siedziała tylko wyprostowana, z cofniętymi ramionami.

– W Afryce wszystko jest cykliczne – ciągnął Tony. – Pora deszczowa i susza. Noc i dzień. Jedzenie i bycie zjadanym. Życie i śmierć. Cykl natury rządzi wszystkim, nic nie można zmienić, trzeba płynąć z prądem, starać się przeżyć tak długo, jak się da, brać to, co dają. Tylko tyle można zrobić. Bo życie twoich przodków to twoje życie. Nie da się wprowadzić żadnej zmiany, rozwój nie jest możliwy. To nie jest afrykańska filozofia, to doświadczenia pokoleń. I właśnie doświadczenie musimy zmieniać. To doświadczenie odmienia myślenie, a nie odwrotnie.

– A jeśli doświadczenie mówi, że biali ludzie wyzyskują? – spytała Kaja.

– Idea wyzysku została zasiana przez białych – oświadczył Tony. – Ale pojęcie okazało się przydatne afrykańskim przywódcom, którzy potrzebują wskazania wspólnego wroga, by zjednoczyć naród. Od samego początku likwidacji kolonii w latach sześćdziesiątych wykorzystywali poczucie winy białych do zdobycia władzy, tak by prawdziwy wyzysk ludu mógł się zacząć. Poczucie winy u białych za kolonizację Afryki jest żałosne. Prawdziwą zbrodnią było pozostawienie Afrykanów ich własnej morderczej i destrukcyjnej naturze. Uwierz mi, Kaju, większość Kongijczyków nigdy nie miała się lepiej niż pod rządami Belgów. Buntownicy nigdy nie wywodzili się z ludu, to były żądne władzy pojedyncze osoby. Domy Belgów tu, nad jeziorem Kiwu, zostały zaatakowane przez nieduże ugrupowania, ponieważ budynki były takie ładne. Liczyli, że znajdą w nich coś, na co będą mieli ochotę. Tak było i tak jest. Dlatego tutejsze posiadłości zawsze mają co najmniej dwie bramy. Po jednej z każdej strony. Taką, przez którą wpadają rabusie, i drugą, którą mogą uciec mieszkańcy.

– W taki sposób opuściliście tamten dom? Dlatego was nie zauważyłam?

Tony się roześmiał.

– Naprawdę myślałaś, że to ty śledziłaś nas? Mieliśmy na was oko, odkąd przyjechaliście. Goma to małe miasto i mało w nim pieniędzy. Za to przejrzysty aparat władzy. To bardzo naiwne z waszej strony przyjeżdżać tylko we dwoje.

– Kto jest naiwny? – spytała Kaja. – Jak myślisz, co się stanie, gdy się okaże, że dwoje norweskich policjantów przepadło w Gomie?

Tony wzruszył ramionami.

– Porwania w Gomie są stosunkowo częste. Nie zdziwiłoby mnie, gdyby miejscowa policja wkrótce dostała list od walczących o wyzwolenie partyzantów z żądaniem zapłacenia za was niesłychanej sumy w gotówce. Oraz zwolnienia konkretnych więźniów, znanych z tego, że są przeciwnikami prezydenta Kabili. Negocjacje potrwają kilka dni, ale do niczego nie doprowadzą, ponieważ żądania okażą się tak wygórowane, że nie da się ich spełnić. A później nikt już was nie zobaczy. To tutaj codzienność, Kaju.

Kaja usiłowała pochwycić spojrzenie Lene Galtung w lusterku, ale dziewczyna miała odwrócony wzrok.

– Co z nią? – spytała Kaja głośno. – Czy ona wie, że zabiłeś tyle osób, Tony?

– Teraz już wie. I mnie rozumie. Na tym polega prawdziwa miłość, Kaju. Dlatego Lene i ja dziś wieczorem bierzemy ślub. Jesteście zaproszeni. – Roześmiał się. – Właśnie jedziemy do kościoła. Wydaje mi się, że to będzie bardzo uroczysta ceremonia, gdy będziemy sobie ślubować wierność na wieki, prawda, Lene?

W tej samej chwili Lene pochyliła się do przodu, a Kaja zobaczyła przyczynę ściągniętych do tyłu ramion. Lene miała ręce skute na plecach różowymi kajdankami. Tony nachylił się, złapał ją za ramię i mocno szarpnął do tyłu. W tym momencie Lene odwróciła do nich głowę i Kaja aż drgnęła. Lene Galtung wprost trudno było rozpoznać. Twarz miała nabrzmiałą od płaczu, jedno oko opuchnięte, rozciągnięte usta ułożone w kształcie litery „o". W środku tego „o" lekko błyszczał metal. Ze złotej kuli zwisał krótki czerwony sznureczek. Słowa Tony'ego były dla Kai echem innych miłosnych wyznań. Pogrzebu wśród śniegu: „Dopóki śmierć nas nie rozłączy".

Harry wsunął się za półkę z maskami w momencie, gdy tamten człowiek zszedł z drabiny, odwrócił się i zaczął poruszać latarką. Nie było gdzie się ukryć, pozostawało jedynie odliczanie do momentu, gdy zostanie odkryty. Harry zamknął oczy, żeby nie oślepiła go latarka, a lewą ręką otwierał pudełko z nabojami. Wyjął cztery, palce dobrze wiedziały, ile to cztery naboje. Prawą ręką wysunął bębenek, starał się, by zautomatyzowane ruchy przychodziły same z siebie, tak jak wówczas, gdy siedział samotnie w Cabrini Green i z nudów ćwiczył szybkie ładowanie broni. Ale tu nie czuł się samotny, wcale się też nie nudził. Palce się roztrzęsły. Widział czerwone wnętrze własnych powiek, gdy światło padło mu na twarz. Sprężył się. Ale strzały nie padły. Światło zniknęło. Nie umarł, jeszcze nie. Palce zaczęły słuchać. Wepchnęły naboje w cztery z sześciu wolnych komór, spokojnie, szybko, jedną ręką. Bębenek wskoczył na miejsce. Harry otworzył oczy w momencie, gdy światło padło mu na twarz. Oślepiony wystrzelił prosto w słońce.

Światło podskoczyło do góry, przeleciało po suficie i zniknęło. Echo wystrzału wciąż drgało przy wtórze szorstkiego stukotu latarki wirującej wokół własnej osi i niczym latarnia morska omiatającej światłem ściany nad podłogą.

– Kinzonzi! Kinzonzi!

Latarka zatrzymała się przy półce. Harry skoczył, złapał ją, położył się na plecach na podłodze, trzymając latarkę w wyprostowanej ręce, odsuniętej jak najdalej od ciała. Zaparł się nogami o półkę i przesunął w stronę drabiny, tak by otwór w suficie znalazł się bezpośrednio nad nim. Posypały się kule. Strzały brzmiały jak strzelanie z bata, a Harry czuł odpryski betonu na ręce i piersi, gdy kule wbijały się w podłogę wokół latarki. Wycelował i strzelił w oświetloną postać stojącą na szeroko rozstawionych nogach nad włazem. Trzy szybkie strzały.

Kałasznikow spadł pierwszy. Głośno stuknął o posadzkę obok głowy Harry'ego. Potem zleciał mężczyzna. Harry ledwie zdołał się odsunąć, zanim ciało uderzyło w podłogę. Bez oporu. Mięso. Martwy ciężar.

Na parę sekund zapadła cisza. W końcu Harry usłyszał cichy jęk Kinzonziego, jeśli tak ten człowiek się nazywał. Wstał, wciąż z latarką odsuniętą od boku, zobaczył glocka na podłodze, odsunął go nogą. Sięgnął po kałasznikowa.

Zaciągnął tamtego drugiego mężczyznę pod ścianę jak najdalej od Kinzonziego, poświecił na niego. Wcześniej tamten zareagował tak, jak

Harry przewidział, oślepiony, wypalił prosto w słońce. Wzrok śledczego automatycznie zarejestrował, że spodnie mężczyzny w kroku są nasiąknięte krwią, że kula najprawdopodobniej przebiła się dalej do brzucha, ale raczej go nie zabiła. Zakrwawiony bark, a więc druga kula trafiła go pod pachą. To wyjaśniało, dlaczego kałasznikow spadł pierwszy. Harry przykucnął. Bo to nie wyjaśniało, dlaczego mężczyzna nie oddychał.

Poświecił mu w twarz i poprawił się w myślach: chłopiec nie oddychał. Trzecia kula weszła pod brodą. Pod takim kątem, pod jakim pozostawali w stosunku do siebie, ołów prawdopodobnie przeleciał przez usta i podniebienie aż do mózgu. Harry wypuścił powietrze. Ten chłopak nie mógł mieć więcej niż szesnaście-siedemnaście lat. Był wręcz piękny. Zmarnowana uroda. Harry wstał, przyłożył lufę karabinu do głowy martwego chłopca i krzyknął głośno:

– *Where are they? Mister Leike. Tony. Where?*

Odczekał chwilę.

– *What? Louder! I can't hear you. Where? Three seconds. One, two…*
– Nacisnął spust. Broń była najwidoczniej przełączona na pełen automat, bo zdążył wystrzelić co najmniej cztery razy, zanim puścił cyngiel. Zamknął oczy, chroniąc się przed opryskiem, a kiedy je otworzył, pięknej twarzy chłopca już nie było. Harry czuł, że po jego nagim ciele spływa coś mokrego i ciepłego.

Podszedł do Kinzonziego. Stanął nad nim, poświecił mu w twarz, a lufę karabinu przystawił do czoła. Powtórzył pytania dokładnie słowo w słowo.

– *Where are they? Mister Leike. Tony. Where? Three seconds…*

Kinzonzi otworzył oczy. Harry zobaczył, że drżą mu białka. Strach przed śmiercią jest warunkiem woli przeżycia. Tak musiało być, przynajmniej tutaj, w Gomie.

Kinzonzi odpowiedział. Powoli i wyraźnie.

88 KOŚCIÓŁ

Kinzonzi leżał nieruchomo. Wysoki biały mężczyzna postawił latarkę na podłodze, tak by świeciła na sufit. Kinzonzi patrzył, jak olbrzym wciąga na siebie ubranie Oudry'ego. Widział, jak szarpie jego T-shirt na pasy i owija sobie nimi brodę i głowę, by zakryły wielką ranę ciągnącą się od kącika ust do ucha, a potem je naciąga, żeby żuchwa nie zwisała na jedną stronę. Na oczach Kinzonziego krew przesiąkła przez bawełnę.

Odpowiedział mężczyźnie na tych kilka pytań. Gdzie. Ilu. Jaką mają broń.

Teraz biały podszedł do półki, ściągnął z niej czarną walizkę, otworzył i sprawdził zawartość.

Kinzonzi wiedział, że umrze. W młodym wieku i gwałtowną śmiercią. Ale może jeszcze nie teraz, nie tej nocy. Brzuch piekł go, jakby ktoś polał go kwasem, ale może jeszcze wytrzyma. Biały mężczyzna podniósł się, sięgnął po kałasznikowa Oudry'ego, podszedł do Kinzonziego i stanął przed nim pod światło, ogromna postać z głową owiniętą białym płótnem. Zwykle tak obwiązuje się brodę zmarłym przed pogrzebaniem. Jeśli Kinzonzi miał zostać zastrzelony, stanie się to teraz. Ale mężczyzna rzucił mu pasy z podartego T-shirtu i powiedział:

– *Help yourself.*

Kinzonzi słyszał, jak wielkolud stęka, wchodząc po drabinie.

Zamknął oczy. Jeśli nie będzie zwlekał zbyt długo, może zdoła zatamować największy krwotok, zanim umrze z upływu krwi. Wejdzie na górę, przeczołga się przez drogę, znajdzie ludzi. A jeśli będzie miał szczęście, może nie będą oni należeć do gatunku sępów gomijskich. Może odnajdzie Almę. Mógłby ją wziąć. Bo ona już nie miała mężczyzny. A Kinzonzi nie miał już pracodawcy. Widział, co jest w walizce, którą zabrał ze sobą ten biały wielkolud.

Harry zatrzymał range rovera przy niskich murach kościoła, maska w maskę z powgniatanym hyundaiem, który ciągle tam stał.

W samochodzie żarzył się papieros.

Harry zgasił światła, opuścił szybę i wystawił głowę.

– Saul!

Zobaczył, że czerwony punkcik się porusza. Taksówkarz wysiadł.

– Harry! Co się stało? Twoja twarz…

– Nie wszystko poszło zgodnie z planem. Nie liczyłem, że wciąż tu będziesz.

– Dlaczego? Zapłaciłeś mi za cały dzień. – Saul pogładził dłonią maskę range rovera. – Dobry samochód. Kradziony?

– Pożyczony.

– Pożyczony samochód. Ubranie też pożyczone?

– Tak.

– Czerwone od krwi. Poprzedniego właściciela?

– Pozwolimy twojemu samochodowi odpocząć, Saul.

– Myślisz, że mam ochotę na tę przejażdżkę, Harry?

– Pewnie nie. Coś to pomoże, jeśli powiem, że jestem od dobrych chłopaków?

– Przykro mi, ale w Gomie zapomnieliśmy już, co to znaczy, Harry.

– Mhm. Sto dolarów pomoże?

– Dwieście.

Harry kiwnął głową.

– ...i pięćdziesiąt.

Wysiadł, żeby wpuścić Saula za kierownicę.

– Jesteś pewien, że oni tam są? – Saul wyjechał na drogę.

– Tak – odparł Harry z tyłu. – Ktoś mi kiedyś powiedział, że to jedyne miejsce, z którego ludzie w Gomie mogą iść do nieba.

– Nie lubię go – powiedział Saul.

– Tak? – Harry otworzył leżącą obok siebie skrzynkę. Märklin. Instrukcja składania karabinu była przyklejona wewnątrz pokrywy. Harry wziął się do roboty.

– Złe demony. Ba-Toye.

– Mówiłeś, że studiowałeś w Oksfordzie. – Rozległy się niegłośne miękkie kliknięcia, kiedy nasmarowane części posłusznie zaczęły się składać.

– Rozumiem, że nic nie wiesz o demonie ognia.

– Nie. Ale wiem, co to jest. – Harry podniósł jeden z nabojów leżących w oddzielnej przegródce. – I kiedy przyjdzie mi się ścigać z Ba-Toye, postawię na niego.

Złota łuska błysnęła w wątłym żółtym świetle na suficie samochodu. Ołowiana kula w środku miała średnicę szesnastu milimetrów. Największy kaliber na świecie. Kiedy przygotowywał raport o sprawie Czerwonego Gardła, ekspert balistyk powiedział mu, że kaliber Märklina przekracza granice tego, co rozsądne. Nawet jeśli ktoś chce strzelać do słoni. Że bardziej się nadaje do powalania drzew.

Harry umocował celownik optyczny.

– Dodaj gazu, Saul. – Oparł lufę na oparciu pustego siedzenia pasażera i wypróbował spust, odsuwając nieco oko od okularu, bo samochodem trzęsło. Celownik należało wyjustować, wykalibrować, ustawić. Ale na to nie będzie czasu.

Dotarli na miejsce. Kaja wyjrzała przez okno. Rozrzucone światełka w dole to Goma. W oddali widziała światła wiertnicy na jeziorze Kiwu. Księżyc błyszczał w zielonoczarnej wodzie. Ostatnia część drogi była jedynie ścieżką wijącą się wokół szczytu, a światła samochodu wydobywały z mroku czarny, nagi, księżycowy krajobraz. Kiedy dotarli na najwyższy płaskowyż, gładki jak naleśnik kamienny talerz o średnicy około stu metrów, samochód przejechał na jego drugi koniec przez chmurę białego dymu, który tuż przy kraterze Nyiragongo barwił się na czerwono.

Zgasł silnik.

– Mogę cię o coś spytać? – zaczął Tony. – O jedną rzecz, nad którą się zastanawiałem przez ostatnie tygodnie. Jakie to uczucie, kiedy masz pewność, że umrzesz? Nie chodzi mi o strach wywołany poczuciem grożącego ci śmiertelnego niebezpieczeństwa, bo tego sam nieraz doświadczyłem. Ale jak to jest mieć pełną świadomość, że tu i teraz życie się skończy? Czy potrafiłabyś mi to... przekazać? – Nachylił się, szukając kontaktu wzrokowego z Kają. – Nie spiesz się, bylebyś dobrała odpowiednie słowa.

Kaja patrzyła na niego. Czekała na panikę. A ona wcale nie przychodziła. Kaja czuła się równie skamieniała jak otaczający ich krajobraz.

– Nic nie czuję – odparła.

– Daj spokój. Tamci tak się bali, że nie potrafili nawet odpowiedzieć. Charlotte Lolles tylko się gapiła, jakby była w szoku. Elias Skog nie mógł mówić wyraźnie. Mój ojciec płakał. Czy to po prostu chaos, czy są jakieś refleksje? Czujesz smutek, żal? A może ulgę, że nie musisz już dłużej się opierać? Spójrz na przykład na Lene. Ona już zrezygnowała. Pójdzie na śmierć niczym ofiarne jagnię, którym zresztą jest. A co z tobą, Kaju? Jak bardzo pragniesz oddać komuś kontrolę nad sobą?

Kaja uświadomiła sobie, że widzi w jego oczach szczerą ciekawość.

– Pozwól, że raczej spytam, jak bardzo ty pragnąłeś odzyskać kontrolę, Tony. – Oblizała językiem wargi, szukając wilgoci. – Kiedy pokierowano tobą tak, byś zabijał jednego człowieka po drugim. Kiedy sterowała tobą niewidzialna osoba, a okazał się nią chłopak, któremu kiedyś obciąłeś język. Możesz mi to wytłumaczyć?

Tony zapatrzył się przed siebie i wolno pokręcił głową, jakby zadała zupełnie inne pytanie.

– Nawet mi to przez myśl nie przeszło, dopóki nie przeczytałem w internecie, że stary dobry lensman Skai aresztował chłopaka, który kiedyś mieszkał w tej samej wsi. Tego małego Olego. Kto by pomyślał, że ten chłopak ma takie jaja?

– Tyle nienawiści w sobie, chyba to chcesz powiedzieć.

Tony wyjął z kieszeni kurtki pistolet. Spojrzał na zegarek.

– Harry się spóźnia.

– Na pewno przyjdzie.

Tony się roześmiał.

– Ale, niestety dla ciebie, już bez pulsu. Polubiłem go zresztą. Naprawdę. Przyjemnie było się z nim bawić. Dzwoniłem do niego z Ustaoset. Dał mi swój numer. Usłyszałem nagraną na sekretarce wiadomość, że przez kilka dni będzie poza zasięgiem. Nie mogłem powstrzymać się od śmiechu. Oczywiście ten spryciarz był w Håvasshytta. – Tony położył pistolet na otwartej dłoni, drugą ręką go gładził. – Poznałem po nim, kiedy go zobaczyłem w Budynku Policji, że on jest taki jak ja.

– W to wątpię.

– Ależ tak. Ścigany człowiek. Ćpun. Ktoś, kto robi to, co musi, żeby dostać to, co chce. I jeśli trzeba, pójdzie po trupach. Nieprawda?

Kaja nie odpowiedziała.

Tony znów spojrzał na zegarek.

– Chyba zaczniemy bez niego.

On przyjdzie, pomyślała Kaja. Muszę mu tylko dać czas.

– Więc uciekłeś – powiedziała. – Z paszportem twojego ojca i jego aparatem na zęby.

Tony spojrzał na nią.

Wiedziała, że on ma świadomość, co ona robi. Ale i jemu się to podobało. Chciał opowiadać. O tym, jak ich zwiódł. Wszyscy to lubią.

– Wiesz co, Kaju? Żałuję, że nie ma tu teraz mojego ojca. Że mnie nie widzi. Tu, na szczycie mojej góry. Chciałbym, żeby to zobaczył i zrozumiał. Zanim go zabiłem. Tak jak Lene rozumie, że musi umrzeć. Tak jak mam nadzieję, że i ty rozumiesz, Kaju.

Teraz wreszcie czuła lęk. Bardziej przypominał fizyczny ból niż panikę, która rujnuje wszelkie logiczne myślenie. Ona wszystko widziała wyraźnie, słyszała wyraźnie i myślała wyraźnie. Wręcz wyraźniej niż kiedykolwiek.

– Zacząłeś zabijać, żeby ukryć zdradę – odezwała się już bardziej zachrypniętym głosem. – Żeby zapewnić sobie miliony rodziny Galtungów. A co z tymi milionami, które wyłudziłeś od Lene? Naprawdę wystarczą do uratowania twojego projektu?

– Nie wiem – uśmiechnął się Tony i ujął mocniej rękojeść pistoletu. – Zobaczymy. Wysiadaj.

– Czy warto, Tony? Czy to naprawdę jest warte tylu ludzkich istnień?

Jęknęła, kiedy lufa wbiła jej się w żebra. Głos Tony'ego syczał jej do ucha:

– Rozejrzyj się, Kaju. To jest kolebka ludzkości. Zobacz, ile jest warte ludzkie życie. Jedni umierają, a jeszcze więcej ludzi się rodzi. W jednym wściekłym wyścigu wszystko się kręci w koło, jedno nie ma więcej sensu niż drugie. Ale gra ma sens. Pasja, namiętność. Opętanie grą, jak nazywają to niektórzy idioci. To wszystko. To jest jak Nyiragongo. On pochłania wszystko, wszystko niszczy, jest również warunkiem wszelkiego życia. Bez pasji, bez sensu, bez wrzącej lawy w środku wszystko tutaj byłoby martwe jak kamień, zmrożone. Namiętność, Kaju, czy ty ją w sobie masz? Czy jesteś wygasłym wulkanem? Ludzkim płatkiem śniegu, który w pożegnalnej mowie pogrzebowej zostanie podsumowany w trzech zdaniach?

Kaja wyrwała się, a Tony głośno się roześmiał.

– Jesteś przygotowana na zaślubiny, Kaju? Gotowa do rozmarznięcia?

Poczuła smród siarki. Kierowca otworzył jej drzwi, patrzył na nią obojętnie, celując krótkolufową bronią. Nawet tutaj, w samochodzie, dziesięć metrów od brzegu krateru, czuła gorąco. Nie poruszyła się. Czarnoskóry mężczyzna nachylił się i ujął ją za ramię. Pozwoliła mu się ciągnąć, nie stawiając oporu. Starała się jedynie nie pomagać, jak najbardziej mu ciążyć, tak aby nie mógł utrzymywać pełnej równowagi, i gdy nagle wyrwała się do przodu, zaskoczony zatoczył się w tył. Był zdumiewająco drobny, pewnie nieco niższy niż ona. Uderzyła łokciem. Coś trzasnęło, mężczyzna się przewrócił, zgubił broń. Kaja uniosła nogę. Nauczyła się, że najskuteczniejszym sposobem unieszkodliwienia osoby leżącej jest nadepnięcie jej na udo. Połączenie nacisku całego ciała od góry z naciskiem ziemi od spodu natychmiast wywołuje tak duże krwawienia w potężnych mięśniach uda, że taka osoba nie jest w stanie się podnieść. Alternatywą jest nadepnięcie na pierś i szyję z możliwym skutkiem śmiertelnym. Spojrzała na odsłoniętą szyję, kiedy światło księżyca padło na twarz mężczyzny. Zawahała się przez ułamek sekundy. On nie mógł być starszy od Evena.

Poczuła ramiona oplatające jej ciało od tyłu. Ręce odepchnięto jej na boki, z płuc uszło powietrze, gdy została podniesiona z ziemi i bezradnie machała nogami. Głos Tony'ego tuż przy uchu. Wesoły.

– Świetnie, Kaju. Namiętność. Pasja. Ty chcesz żyć. A jemu obetnę pensję, obiecuję.

Chłopiec leżący na ziemi poderwał się i sięgnął po broń. Obojętność zniknęła. Z oczu biła mu wściekłość.

Tony odgiął jej ręce do tyłu, poczuła cienkie plastikowe zaciski napinające się wokół nadgarstków.

– Już dobrze – powiedział Tony. – Czy mogę prosić, by była pani druhną moją i Lene, panno Solness?

Teraz – nareszcie – pojawiła się panika. Opróżniła mózg ze wszystkiego. Wszystko stało się błyszczące, czyste, odkryte. Proste. Zaczęła krzyczeć.

89 ZAŚLUBINY

Kaja stała na krawędzi i patrzyła w dół. Bijące z krateru gorąco owiewało jej twarz. Od trujących oparów już kręciło jej się w głowie. Ale może to tylko drżące rozedrgane powietrze sprawiało, że nie widziała wyraźnie. Lawa wydawała się drżeć w otchłani, świecąc odcieniami żółci i czerwieni. Kosmyk włosów opadł jej na twarz, ale ręce miała związane z tyłu zaciskami. Stała ramię w ramię z Lene Galtung, która musiała być czymś odurzona, bo tylko patrzyła przed siebie jak lunatyczka. Ubrany na biało żywy trup z zimnem i pustką wewnątrz. Manekin w ślubnej sukni w oknie warsztatu powroźnika.

Tony stał tuż za nimi. Czuła jego dłoń na plecach.

– Czy bierzesz za męża tego, który stoi u twego boku, czy przysięgasz go kochać, otoczyć troską i szanować, być przy nim na dobre i na złe? – szepnął.

Wyjaśnił, że nie robi tego z okrucieństwa, takie rozwiązanie jest po prostu praktyczne. Nie pozostanie po nich żaden ślad, prawie nie będzie pytań. W Kongu ludzie znikają codziennie.

– Oświadczam, że jesteście mężem i żoną.

Kaja mamrotała modlitwę. Tak jej się przynajmniej zdawało. Aż do momentu, gdy usłyszała słowa:

– ...bo nigdy nie będę mogła się z nim związać.

Pożegnalne słowa z listu Evena.

W oddali zawarczał silnik na niskim biegu i reflektory omiotły niebo. Po drugiej stronie krateru pojawił się range rover.

– Są i tamci – stwierdził Tony. – Pomachajcie ładnie na pożegnanie, dziewczęta.

Harry nie wiedział, co zobaczy, kiedy skręcali na płaskowyż przy kraterze. Kinzonzi twierdził, że oprócz dziewcząt *mister* Tony'emu towarzyszy jedynie kierowca. Ale obaj mają broń maszynową.

Tuż przed szczytem Harry zaproponował Saulowi, że go wysadzi, ale tamten odmówił.

– Ja już nie mam żadnej rodziny, Harry. Może to prawda, że ty jesteś dobrym chłopakiem. Poza tym zapłaciłeś za cały dzień.

Wykręcili i stanęli.

Reflektory oświetliły krater. Po jego drugiej stronie ukazały się trzy osoby stojące na jego krawędzi. Wkrótce całą trójkę zasłoniła chmura dymu, ale Harry już zdążył dokonać podsumowania. Oprócz tej trójki był jeszcze jeden mężczyzna z krótkolufowym karabinem. Jeden zaparkowany range rover. I ani chwili czasu. Chmura dymu rozwiała się i Harry zobaczył, że zarówno Tony, jak i ten drugi mężczyzna przesłaniają dłonią oczy, patrząc na samochód, jakby na kogoś czekali.

– Zgaś silnik – polecił Harry z tyłu, kładąc lufę märklina na oparciu przedniego siedzenia. – Ale świateł nie gaś.

Saul wykonał polecenie.

Mężczyzna w mundurze maskującym ukląkł, przyłożył broń do ramienia i wycelował do nich.

– Mrugnij parę razy światłami. – Harry przyłożył oko do celownika. – Oni czekają na jakiś sygnał.

Zmrużył lewe oko, odcinając połowę świata. Odciął się od bladych twarzy. Od tego, że w celowniku widzi Kaję, że to Lene z wypchniętymi policzkami i czarnymi ze strachu oczami. Że to są te sekundy. Odciął się od turkusowych oczu, które patrzyły na niego, gdy wypowiadał słowo

„przysięgam". Odciął się od trzasku strzału, który powiedział mu, że to zły sygnał. Od huku, gdy najpierw jedna, a potem druga kula trafiła w karoserię. Odciął się od wszystkiego, co nie dotyczyło załamania światła w przedniej szybie i w drżącym od żaru powietrzu nad kraterem, od prawdopodobnego zniesienia kuli w prawo, w tę samą stronę, w którą przesuwały się kłęby pary. Wiedział, że trzyma go jedna jedyna rzecz. Adrenalina. I że to krótkie odurzenie, może minąć w każdej sekundzie. Dopóki jednak serce wciąż pompowało krew do mózgu, potrzebował jedynie tej sekundy. Bo mózg to fantastyczny komputer. Głowa Tony'ego Leike była w połowie przesłonięta głową Lene Galtung, ale trochę ponad nią wystawała.

Harry wycelował w ostre ząbki Kai. Przesunął celownik na błyszczącą kulę w ustach Lene. Podniósł lufę wyżej. Odrobinę. Brak regulacji. Przypadek. Ostatnia gonitwa.

Chmura pary nadciągała od lewej.

Wkrótce ich spowije. I nagle jakby został na moment obdarzony zdolnością jasnowidzenia, ale wiedział, że kiedy ta chmura przesunie się w prawo, tam już nie będzie nikogo. Cofnął palec. Zobaczył, że Kaja mruga tuż nad krzyżykiem celownika.

Przysięgam.

Był zatracony. Nareszcie.

Samochód zdawał się eksplodować od huku, ramię jakby chciało się wyrwać ze stawu. Na przedniej szybie pojawiła się biała lodowa gwiazdka. Krwawoczerwona chmura zasłoniła wszystko po drugiej stronie krateru. Harry wziął głęboki oddech i czekał.

90 MARLON BRANDO

Harry leżał na plecach i unosił się na wodzie. Odpływał, zapadał się, zanurzał w jeziorze Kiwu, krew, jego własna i cudza, mieszała się z krwią jeziora, zlewała się w całość, znikała w wielkim śnie wszechświata, a gwiazdy ponad nim ginęły w czarnej zimnej wodzie. Spokój otchłani, cisza, nicość. Dopóki znów nie wzniósł się na powierzchnię na bańce metanu. Niebieskie jak noc zwłoki, ciało zarażone robakiem gwinejskim, który gotował się i poruszał pod skórą.

Musiał wydostać się z jeziora Kiwu po to, by żyć dalej. Żeby czekać. Otworzył oczy. Nad sobą widział hotelowy balkon. Odwrócił się na bok i przepłynął kilka metrów dzielących go od brzegu. Wyszedł z wody.

Niedługo wstanie świt. Niedługo będzie siedział w samolocie wiozącym go z powrotem do Oslo. Niedługo stanie w gabinecie Gunnara Hagena i powie, że to już koniec. Że oni zginęli. Przepadli na zawsze. Że się nie udało. Potem znów spróbuje zniknąć.

Drżąc, owinął się dużym białym ręcznikiem i ruszył w stronę schodów do pokoju hotelowego.

Kiedy chmura się odsunęła, przy krawędzi krateru nikt już nie stał.

Harry celownikiem odruchowo poszukał strzelca. Odnalazł go i już miał wystrzelić, jednak uświadomił sobie, że widzi jego plecy, ponieważ ten człowiek szedł do samochodu. Wkrótce potem range rover ruszył, minął ich i zniknął.

Przesunął celownik z powrotem tam, gdzie wcześniej widział Kaję, Tony'ego i Lene. Pokręcił optyką. Dostrzegł stopy. Trzy pary.

Odrzucił karabin, wyskoczył z samochodu i obiegł krater, w wyciągniętej ręce trzymając pistolet. Biegł i się modlił. Kiedy do nich dotarł, osunął się na kolana. I jeszcze zanim sprawdził, wiedział, że przegrał.

Otworzył drzwi do swojego pokoju w hotelu. Wszedł do łazienki, zdjął z głowy mokry bandaż i założył nowy, który dostał w recepcji. Tymczasowe szwy trzymały policzek, gorzej było z żuchwą. Torba stała spakowana przy łóżku. Ubrania, w których miał wracać, wisiały na krześle. Z kieszeni spodni wyjął papierosy, wyszedł na balkon i usiadł na plastikowym krześle. Chłód tłumił ból szczęki i policzka. Patrzył na srebrzyste jezioro, którego już nigdy w życiu nie zobaczy.

Ona nie żyła. Ołowiana kula o średnicy półtora centymetra przebiła jej prawe oko, wyrwała prawą stronę tyłu głowy, wbiła wielkie białe zęby Tony'ego Leike w czaszkę, w której otworzyła krater, i wszystko to rozrzuciła na przestrzeni stu metrów kwadratowych lawy.

Harry zwymiotował. Obrzygał ich zielonym śluzem i zatoczył się do tyłu.

Z paczki wyciągnął dwa papierosy. Wsunął je do ust, czuł, jak podskakują w szczękających zębach. Samolot miał odlecieć za cztery godziny, z Saulem umówił już podróż na lotnisko. Z wycieńczenia ledwie był w stanie utrzymać oczy otwarte. Mimo to nie mógł ani nie chciał spać. Pierwszej nocy upiory miały zakaz wstępu.

– Marlon Brando – powiedziała.

– Co? – Harry zapalił papierosy i podał jej jednego.

– Ten aktor macho, którego nie mogłam sobie przypomnieć. To on ma najbardziej kobiecy głos z nich wszystkich. I takie kobiece usta. Zauważyłeś, że sepleni? Nie słychać tego wyraźnie, ucho nie postrzega tego jako dźwięku, ale mózg mimo wszystko rejestruje.

– Wiem, o czym mówisz. – Harry zaciągnął się dymem i spojrzał na nią.

Wtedy była zbryzgana krwią, szczątkami tkanki, odłamkami kości i masą mózgową. Dużo czasu zajęło mu przecięcie plastikowych zacisków, którymi miała związane ręce, palce całkiem po prostu nie chciały go słuchać. Kiedy wreszcie była wolna, wstała, a on dalej leżał na czworakach.

I nie zrobił nic, kiedy złapała Tony'ego za kołnierz kurtki i pasek i przetoczyła ciało za krawędź krateru. Harry nie słyszał żadnego dźwięku oprócz szeptu wiatru. Widział ją, jak stoi i patrzy w głąb krateru. W końcu się odwróciła.

Kiwnął głową. Nie musiała tłumaczyć. Właśnie tak należało zrobić.

Gestem zadała pytanie, wskazując na ciało Lene Galtung. Ale Harry pokręcił głową. Musiał najpierw zważyć. Na jednej szali to, co praktyczne, na drugiej to, co etyczne. Konsekwencje dyplomatyczne i grób, na który mogła pójść matka. Prawda przeciwko kłamstwu, które być może uczyniłoby życie znośniejszym. W końcu wstał. Wziął Lene Galtung na ręce, o mało nie upadając pod ciężarem tej drobnej młodej dziewczyny. Stanął na krawędzi przepaści, zamknął oczy, poczuł tęsknotę i przez moment się zachwiał. W końcu ją puścił. Otworzył oczy i patrzył, jak spada. Już była tylko kropką. Zaraz pochłonął ją dym.

– W Kongu ludzie codziennie przepadają bez wieści – powiedziała Kaja, kiedy Saul zjeżdżał z góry, a Harry obejmował ją na tylnym siedzeniu.

Wiedział, że raport będzie krótki. Żadnych śladów. Zniknęli. Mogli być wszędzie. A odpowiedź na wszystkie pytania, jakie będą im zadawać, musi brzmieć właśnie tak: w Kongu ludzie codziennie przepadają bez wieści. Również wtedy, gdy pytanie zada kobieta o turkusowych oczach. Bo tak będzie najprościej dla nich. Nie będzie zwłok, nie będzie wewnętrznego śledztwa, rutynowego w wypadku, gdy policjant użył broni. Nie będzie nieprzyjemnego incydentu międzynarodowego. Nie będzie umorzenia sprawy, przynajmniej oficjalnego. Ale dalsze poszukiwania Leikego będą się odbywać tylko na pokaz. Zgłoszone zostanie zaginięcie Lene Galtung. Nie miała biletu lotniczego do Konga ani nie została zarejestrowana przez władze imigracyjne. Hagen też uzna, że stało się najlepiej. Dla wszystkich stron. W każdym razie dla tych stron, które się liczyły.

A kobieta o turkusowych oczach pokiwa głową. Zaakceptuje jego opowieść. Może zrozumie, jeśli będzie słuchać tego, czego on nie wypowie. Będzie mogła dokonać wyboru. Wybrać prawdę o tym, że jej córka nie żyje. Że Harry celował między oczy Lene, zamiast, co uważał za właściwe, odrobinę bardziej w prawo. Ale chciał mieć pewność, że ruch powietrza nie zniesie kuli na tyle daleko, by mogła zranić jego koleżankę, tę, która pojechała tam razem z nim. Będzie mogła wybrać tę wersję albo kłamstwo popychające fale dźwiękowe, które zamiast grobu dawały nadzieję.

Mieli przesiadkę w Kampali.

Siedzieli na plastikowych krzesełkach w salce przed wejściem i patrzyli na przylatujące i odlatujące samoloty, aż Kaja w końcu zasnęła i jej głowa opadła na ramię Harry'ego.

Obudziła się, bo coś się wydarzyło. Nie wiedziała co, ale coś się zmieniło. Temperatura. Rytm uderzeń serca Harry'ego. Albo linie na jego bladej czujnej twarzy. Zobaczyła rękę właśnie chowającą komórkę do kieszeni kurtki.

– Co się stało? – spytała.

– Dzwonili ze szpitala. – Wzrok Harry'ego powędrował gdzieś daleko, zniknął za wielkimi oknami, przesunął się za horyzont betonowych osłon, na sparzony słońcem błękit nieba. – Umarł.

Część X

91 POŻEGNANIE

W dzień pogrzebu Olava Hole padał deszcz. Ludzi przyszło tylu, ilu Harry się spodziewał. Nie tylu co na pogrzeb mamy, ale też i nie wstydliwie mało.

Później Harry i Sio stali przed kościołem, przyjmując kondolencje od starych krewnych, o których nie słyszeli, od starych kolegów nauczycieli, których nigdy nie widzieli, i od starych sąsiadów, którzy mieli znajome nazwiska, ale nie twarze. Jedynymi osobami, które nie wyglądały na następne w kolejce, byli koledzy Harry'ego z policji: Gunnar Hagen, Beate Lønn, Kaja Solness i Bjørn Holm. Øystein Eikeland definitywnie wyglądał na osobę gotową również już niedługo się wymeldować, ale tłumaczył się, że właśnie wyszedł z ciągu. Przekazał też kondolencje od Drewniaka. Harry wypatrywał tamtych dwojga, których zauważył w ostatniej ławce, ale najwyraźniej wyszli, zanim wyniesiono trumnę.

Później zaprosił na kanapki z siekanym kotletem i piwo do Schrødera. Nieliczni, którzy przyjęli zaproszenie, mieli dużo do powiedzenia o niezwykle wczesnej wiośnie, za to mało o Olavie Hole. Harry wypił swój sok jabłkowy, wyjaśnił, że jest umówiony, podziękował wszystkim za udział w ceremonii i wyszedł.

Złapał taksówkę i podał kierowcy adres na Holmenkollen.

Wysoko na wzgórzu tu i ówdzie w ogrodach leżały jeszcze plamy śniegu.

Kiedy szedł po podjeździe do bejcowanej na czarno willi z drewnianych bali, serce waliło mu mocno, a zabiło jeszcze mocniej, kiedy stanął przed znajomymi drzwiami, zadzwonił i usłyszał zbliżające się kroki. Również znajome.

Wyglądała tak jak zawsze. Jak zawsze miała wyglądać. Ciemne włosy, miękkość w piwnych oczach, smukła szyja. Niech ją diabli. Wydała mu się do bólu piękna.

– Harry – powiedziała.

– Rakel.

– Twoja twarz. Zauważyłam w kościele. Co się stało?

– Nic. Mówią, że wszystko się zagoi – skłamał.

– Wejdź, zrobię kawę.

Harry pokręcił głową.

– Taksówka na mnie czeka. Jest Oleg?

– U siebie w pokoju. Chcesz się z nim zobaczyć?

– Kiedy indziej. Jak długo zostajecie?

– Trzy dni. Może cztery albo pięć, zobaczymy.

– Wobec tego chętnie się z wami niedługo spotkam. Pasuje?

Kiwnęła głową.

– Nie wiem, czy słusznie zrobiłam.

– A kto to wie? – uśmiechnął się Harry.

– Miałam na myśli w kościele. Wyszliśmy, żeby… nie przeszkadzać. Miałeś inne rzeczy na głowie. Poza tym przyjechaliśmy ze względu na Olava. Dobrze wiesz, że Oleg i on… świetnie się rozumieli. Obaj pełni rezerwy. Takie rzeczy nie są oczywiste.

Harry pokiwał głową.

– Oleg bardzo dużo o tobie mówi, Harry. Znaczysz dla niego więcej, niż chyba masz tego świadomość. – Spuściła wzrok. – Więcej niż ja miałam świadomość.

Harry chrząknął.

– A więc tu wszystko pozostało nietknięte od czasu…

Rakel szybko potaknęła, nie musiał więc kończyć tego strasznego zdania. Odkąd Bałwan próbował ich zabić właśnie w tym domu.

Harry patrzył na nią. Chciał ją tylko zobaczyć, usłyszeć jej głos. Poczuć na sobie jej spojrzenie. Nie chciał zadawać tego pytania. Ale znów chrząknął.

– Jest pewna rzecz, o którą muszę cię spytać.

– Jaka?

– Możemy na minutę wejść do kuchni?

Weszli. Usiadł przy stole naprzeciwko niej, tłumaczył długo i ze szczegółami. Słuchała, nie przerywając.

– On chce, żebyś odwiedziła go w szpitalu. Chce cię prosić o wybaczenie.

– Dlaczego miałabym się na to godzić?

– Sama musisz sobie na to odpowiedzieć, Rakel. Ale jemu już niedużo zostało.

– Czytałam, że z tą chorobą można żyć całkiem długo.

– Jemu niedużo już zostało – powtórzył. – Zastanów się nad tym, nie musisz odpowiadać już teraz.

Czekał. Zobaczył, że mruga. Zobaczył, że oczy wypełniają jej się łzami, słyszał prawie bezdźwięczny płacz. Z trudem łapiąc powietrze, spytała:

– A co ty byś zrobił, Harry?

– Ja bym się nie zgodził. Ale ja jestem złym człowiekiem.

Z płaczem zmieszał się śmiech, a Harry zdumiał się, jak można tak tęsknić za dźwiękiem. Za konkretną zmianą ruchu powietrza. Jak długo można tęsknić za czyimś śmiechem?

– Muszę już iść – powiedział.

– Dlaczego?

– Zostały mi jeszcze trzy spotkania.

– Zostały ci? Przed czym?

– Zadzwonię do ciebie jutro.

Harry wstał. Z piętra usłyszał muzykę. Slayer. Slipknot.

Kiedy wsiadł do taksówki i podał kierowcy następny adres, zastanowił się nad jej pytaniem: przed czym? Przed tym, zanim skończy. Zanim będzie wolny. Być może.

To była krótka jazda.

Odetchnął głęboko, otworzył bramę i ruszył do drzwi domu z baśni.

Wydawało mu się, że przez kuchenne okno obserwują go turkusowe oczy.

92 SWOBODNE SPADANIE

Mikael Bellman stał przy drzwiach do Więzienia Okręgowego w Oslo i patrzył, jak Sigurd Altman razem ze strażnikiem więziennym podchodzą do kontuaru.

– Wymeldowanie? – spytał siedzący tam funkcjonariusz.

– Tak. – Altman podał mu kartkę.

– Coś było brane z minibaru?

Drugi strażnik zaśmiał się z tego, co niewątpliwie musiało być standardowym żartem przy zwolnieniach.

Funkcjonariusz wydał rzeczy osobiste z zamkniętej na klucz szafki i przekazał je z szerokim uśmiechem.

– Mam nadzieję, że pobyt sprostał pańskim oczekiwaniom, panie Altman, ale że w najbliższym czasie już pan nas nie odwiedzi.

Bellman przytrzymał Altmanowi drzwi. Razem zeszli ze schodów.

– Prasa czeka na zewnątrz – wyjaśnił Bellman. – Dlatego przejdziemy przez Kanał. Krohn siedzi w samochodzie na tyłach Budynku Policji.

– Mistrz zwodów – uśmiechnął się kwaśno Altman.

Bellman nie spytał, o kogo mu chodzi. Miał inne pytania. Ostatnie. I czterysta metrów na uzyskanie odpowiedzi. Zamek w drzwiach zaszumiał i Bellman pchnął drzwi prowadzące do Kanału.

– Teraz, gdy już dobiliśmy targu, chciałbym, żebyś mi wyjaśnił parę rzeczy.

– Strzelaj, nadkomisarzu!

– Dlaczego nie wyprowadziłeś Harry'ego z błędu od razu, kiedy zrozumiałeś, że on chce cię aresztować?

Altman wzruszył ramionami.

– Uważałem, że to nieporozumienie jest zabawne. Całkiem zresztą zrozumiałe. Niezrozumiałe dla mnie było, że aresztowanie musiało się odbyć w Ytre Enebakk. Dlaczego? A kiedy czegoś nie rozumiesz, to lepiej trzymać gębę na kłódkę. Więc się zamknąłem, dopóki nie zaczęło mi się rozjaśniać w głowie. Dopóki nie zobaczyłem całościowego obrazu.

– I co ten całościowy obraz ci powiedział?

– Że jestem języczkiem u wagi.

– Co przez to rozumiesz?

– Wiedziałem o konflikcie między KRIPOS a Wydziałem Zabójstw. Zorientowałem się, że to dla mnie możliwość. Posiadałem coś, co mogło przeważyć jedną albo drugą szalę.

– Ale dlaczego nie spróbowałeś zawrzeć takiej transakcji z Harrym, tylko ze mną?

– Kiedy jest się języczkiem u wagi, zawsze należy się zwracać do tej strony, która przegrywa. To ta strona jest bardziej zdesperowana. Skłonna zapłacić więcej za to, co masz do zaoferowania. Prosta teoria gier.

– Skąd miałeś pewność, że to nie Harry przegrywa?

– Nie byłem pewien, ale liczył się jeszcze jeden czynnik. Zacząłem poznawać Harry'ego. On, w przeciwieństwie do ciebie, Bellman, nie jest człowiekiem kompromisu. Nie interesuje go własny prestiż, po prostu chce łapać złych chłopaków. Zawsze tych złych. On by uznał, że skoro Tony grał główną rolę, to ja byłem reżyserem. I dlatego nie wykręciłbym się taniej. Uznałem, że taki karierowicz jak ty spojrzy na to inaczej, a Johan Krohn się ze mną zgodził. Wiedziałem, że ty w ujęciu prawdziwego mordercy dostrzeżesz osobistą korzyść. Ty wiesz, że ludzi najbardziej interesuje, kto to zrobił, kto fizycznie zabił, a nie kto to wymyślił. Kiedy film robi klapę, to dla reżysera lepiej, jeśli w głównej roli występuje Tom Cruise, bo wtedy to na nim wszyscy się koncentrują i jego zarzynają. I ludzie, i prasa szukają prostych rozwiązań. A moje przestępstwo jest pośrednie, skomplikowane. Sąd bez wątpienia dałby mi dożywocie, ale w tej sprawie nie chodzi o sądy, tylko o politykę. Jeśli prasa i ludzie są zadowoleni, to i Ministerstwo Sprawiedliwości jest zadowolone. I wszyscy mogą jako tako weseli wrócić do domu. To, że wykręcę się krótkim wyrokiem, może nawet w zawieszeniu, to niezbyt wygórowana cena.

– Nie dla wszystkich – zaprotestował Bellman.

Altman zaśmiał się krótko. Echo zagłuszało ich kroki.

– Przyjmij radę od kogoś, kto wie. Zostaw to już. Niech to cię nie zżera od środka. Niesprawiedliwość jest jak pogoda. Jeśli nie potrafisz z nią żyć, to musisz się przeprowadzić. Niesprawiedliwość nie jest częścią maszynerii, ona sama jest maszynerią.

– Ja nie mówię o sobie, Altman. Ja potrafię z tym żyć.

– Ja też nie mówię o tobie, Bellman. Mówię o tym, który z tym żyć nie potrafi.

Bellman pokiwał głową. On sam zdecydowanie potrafił żyć z tą sytuacją. Były już telefony z ministerstwa. Nie od ministra osobiście, rzecz jasna, ale odzew należało odczytywać wyłącznie w jeden sposób. Że są zadowoleni. Że to będzie miało pozytywne konsekwencje. I dla KRIPOS, i dla niego osobiście.

Wspięli się na górę po schodach i wyszli na światło dzienne.

Po drugiej stronie ulicy Johan Krohn wysiadł z niebieskiego audi i wyciągnął rękę do Sigurda Altmana.

Bellman stał i patrzył, jak zwolniony aresztant i jego obrońca wsiadają do audi i znikają za zakrętem, oddalając się w stronę Tøyen.

– Nie przyjdziesz się przywitać, skoro już się tu zjawiłeś, Bellman?

Mikael Bellman się odwrócił. To był Gunnar Hagen. Stał na chodniku po drugiej stronie, bez kurtki, z rękami skrzyżowanymi na piersi. Bellman podszedł do niego. Uścisnęli sobie dłonie.

– Ktoś na mnie nagadał? – spytał Bellman.

– U nas wszystko wychodzi na jaw. – Hagen z zimna zacierał dłonie, ale się uśmiechał. – À propos. Pod koniec przyszłego miesiąca mam wyznaczone spotkanie w Ministerstwie Sprawiedliwości.

– Aha – odparł Bellman lekko. Dobrze wiedział, czego to spotkanie będzie dotyczyć. Reorganizacji. Redukcji etatów. Przeniesienia odpowiedzialności za sprawy zabójstw. Nie bardzo tylko rozumiał, co Hagen miał na myśli z tym swoim à propos tego, że wszystko wychodzi na jaw.

– Ale o tym spotkaniu na pewno już wiesz – ciągnął Hagen. – Obu nas poproszono o przesłanie uwag do przyszłej organizacji śledztw w sprawach zabójstw. Zbliża się nieprzekraczalny termin.

– Nasze uwagi raczej nie odegrają istotnej roli – stwierdził Bellman, patrząc na Hagena i usiłując zrozumieć, do czego on zmierza. – Pewnie po prostu poproszą nas, żebyśmy powiedzieli, co o tym myślimy, tak dla przyzwoitości.

– Chyba że obaj uznamy, iż dotychczasowa organizacja jest lepsza niż skupianie śledztwa w jednej instytucji – powiedział Hagen, szczękając zębami.

Bellman się roześmiał.

– Powinieneś się cieplej ubrać, Hagen.

– Możliwe. Ale wiem też, jakie będzie moje zdanie o tym, by ewentualną nową jednostką zajmującą się zabójstwami pokierował policjant, który swego czasu wykorzystał swoją pozycję do tego, by wybronić przyszłą żonę od zarzutu przemytu narkotyków. Chociaż świadkowie wyraźnie na nią wskazywali.

Bellman przestał oddychać. Czuł, że ziemia usuwa mu się spod stóp. Czuł, jak chwyta go siła ciążenia, jak włosy podnoszą się na głowie, a w żołądku zaczyna ssać. To był koszmar, który mu się przyśnił. Denerwujący we śnie, bezlitosny w rzeczywistości. Swobodne spadanie bez liny. Upadek wspinacza solo.

– Wyglądasz, jakbyś i ty trochę zmarzł, Bellman.

– Niech cię cholera, Hagen.

– Mnie?

– Czego ty chcesz?

– Czego chcę? Na dłuższą metę oczywiście chcę oszczędzić firmie wielkiego skandalu, który nadszarpnąłby wiarygodność szarego policjanta. A jeśli chodzi o reorganizację – Hagen schował głowę w ramiona i zaczął przestępować z nogi na nogę – to oczywiście może się zdarzyć, że ministerstwo bez względu na kwestię dowodzenia zechce skupić sprawy zabójstw w jednym miejscu. Gdybym został zapytany, czy zgodzę się kierować taką jednostką, oczywiście bym się zastanowił, ale w sumie uważam, że w zasadzie wszystko działa całkiem dobrze, tak jak jest teraz. Mordercy na ogół dostają karę, na jaką zasłużyli, prawda? Więc jeśli mój przeciwnik w sprawie podzielałby taki pogląd, to obstawałbym za tym, by śledztwa w sprawie zabójstw były prowadzone równolegle i tutaj, i na Bryn. Co o tym myślisz, Bellman?

Mikael Bellman poczuł szarpnięcie, gdy lina mimo wszystko się napięła. Szelki się naprężyły, miał wrażenie, że zaraz zostanie rozdarty na pół. Plecy nie wytrzymywały obciążenia, kręgosłup groził pęknięciem. Paraliż przemieszany z bólem. Wisiał bezradnie zawieszony gdzieś między niebem a ziemią. Ale żył.

– Pozwól mi się nad tym zastanowić, Hagen.

– Zastanawiaj się. Tylko nie za długo. Mamy przecież nieprzekraczalny termin. Musimy się podporządkować.

Bellman stał wpatrzony w plecy Hagena, gdy ten drobnym truchtem biegł do wejścia do Budynku Policji. Potem się odwrócił i zapatrzył w dachy domów na Grønland. Na miasto. Na swoje miasto.

93 ODPOWIEDŹ

Harry stał na środku pokoju i rozglądał się, kiedy zadzwonił telefon.

– Tu Rakel. Co robisz?

– Patrzę na to, co zostaje, kiedy ktoś umiera.

– I?

– Dużo. A mimo to niewiele. Sio już zdecydowała, co chce zabrać, a jutro przychodzi jakiś facet, który kupuje wszystko, jak leci. Powiedział, że daje pięćdziesiąt tysięcy za wyposażenie domu. Ma też posprzątać. To jest... to jest...

Harry nie znalazł słowa.

– Wiem. Ze mną też tak było po śmierci ojca – zamyśliła się Rakel. – Te jego rzeczy, które były takie ważne, takie niezastąpione, całkowicie straciły znaczenie. Trochę tak, jakby wyłącznie on sam przydawał im wartości.

– A może to my, którzy zostajemy, czujemy, że musimy posprzątać, spalić, zacząć od nowa?

Harry wszedł do kuchni, spojrzał na fotografię, którą powiesił pod kuchenną szafką. Zdjęcie z Sofies gate. Oleg i Rakel.

– Mam nadzieję, że zdążyliście się należycie pożegnać – powiedziała Rakel. – Pożegnania są ważne. Zwłaszcza dla tych, którzy nie wyjeżdżają.

– Nie wiem. Nie pożegnaliśmy się naprawdę. Ja go zawiodłem.

– Jak?

– Prosił, żebym mu pomógł umrzeć. Odmówiłem.

Przez chwilę panowała cisza. Harry wsłuchiwał się w dźwięki w tle. Odgłosy lotniska.

W końcu głos Rakel powrócił.

– Uważasz, że powinieneś był to zrobić?

– Tak – odparł Harry. – Tak uważam. Teraz uważam, że tak.

– Nie myśl o tym. Już za późno.

– Naprawdę?

– Tak, Harry. Za późno.

Znów zrobiło się cicho. Harry słyszał nosowy głos informujący o odprawie na lot do Amsterdamu.

– Więc nie chciałaś się z nim spotkać?

– Nie mogłam, Harry. Widać ja też jestem złym człowiekiem.

– No to spróbujemy się poprawić następnym razem.

Usłyszał, że się uśmiechnęła.

– A możemy?

– Nigdy nie jest za późno na próbowanie. Możesz pozdrowić ode mnie Olega i mu to przekazać.

– Harry...

– Tak?

– Nic.

Kiedy się rozłączyła, Harry stał i wyglądał przez kuchenne okno. Potem poszedł na górę i zaczął się pakować.

Kiedy wyszedł z toalety, lekarka już na niego czekała. Razem przeszli przez ostatni odcinek korytarza do strażnika więziennego.

– Jego stan jest stabilny – oznajmiła. – Możliwe, że będziemy mogli go odesłać z powrotem do więzienia. Czego tym razem dotyczy wizyta?

– Chcę mu podziękować za pomoc przy pewnej sprawie i przekazać odpowiedź na jego prośbę.

Harry zdjął kurtkę, podał ją funkcjonariuszowi i rozłożył ręce, pozwalając się przeszukać.

– Pięć minut, nie więcej, dobrze?

Kiwnął głową.

– Wejdziemy z tobą – oświadczył strażnik, który nie mógł oderwać oczu od pokaleczonego policzka Harry'ego. Harry zdziwiony uniósł brew.

– Takie są zasady cywilnych odwiedzin. Doszły nas słuchy, że złożyłeś wymówienie.

Harry wzruszył ramionami.

Pacjent już wcześniej wstał z łóżka i siedział przy oknie.

– Znaleźliśmy go. – Harry przysunął sobie do niego krzesło. Strażnik został przy drzwiach, ale w zasięgu słuchu. – Dziękuję za pomoc.

– Ja dotrzymałem swojej części umowy. A co z twoją?

– Rakel nie chciała przyjść.

Mężczyzna nawet się nie skrzywił, tylko skulił, jakby owionął go lodowaty wiatr.

– W chacie Kawalera znaleźliśmy w apteczce butelkę – powiedział Harry. – Wczoraj oddałem kropelkę do analizy. Ketanomina. To samo, co aplikował swoim ofiarom. Znasz tę substancję?

– Dlaczego mi o tym mówisz?

– Niedawno miałem okazję poznać jej działanie. W pewnym sensie mi się spodobała. Lubię wszelkie rodzaje odurzenia. Ale ty przecież o tym wiesz. Opowiadałem ci, co robiłem w toalecie w centrum handlowym Landmark w Hongkongu.

Bałwan spojrzał na Harry'ego. Ostrożnie zerknął na strażnika i znów przeniósł wzrok na Harry'ego.

– Aha – rzucił obojętnie. – W ostatniej kabinie po…

– Prawej – dokończył Harry. – Jak już mówiłem, dziękuję. Unikaj luster.

– Ty też. – Mężczyzna wyciągnął białą sękatą rękę.

Harry przez chwilę na nią patrzył, w końcu ją uścisnął.

Kiedy strażnik wypuszczał Harry'ego przez drzwi na końcu korytarza, Harry jeszcze się odwrócił i zdążył zobaczyć, że Bałwan, poruszając się z trudem, człapie po korytarzu w towarzystwie strażnika. Skręcili do toalety.

94 MAKARON SOJOWY

– Cześć, Hole – uśmiechnęła się Kaja. Siedziała w barze na niskim stołku, z dłońmi wsuniętymi pod pośladki. Spojrzenie miała intensywne, wargi czerwone, policzki jej płonęły. Harry uświadomił sobie, że nigdy wcześniej nie widział jej umalowanej. I że nie jest prawdą, jak kiedyś w swej naiwności uważał, iż pięknej kobiety nie upiększą kosmetyki. Kaja był ubrana w prostą czarną sukienkę, na obojczykach leżał krótki naszyjnik z żółtobiałych pereł, które przy oddechu poruszały się miękko i odbijały światło.

– Długo czekasz? – spytał Harry.

– Nie. – Wstała, zanim zdążył usiąść, przyciągnęła go do siebie, wtuliła głowę w jego ramię i chwilę tak postała. – Tylko trochę zmarzłam.

Nie przejmując się spojrzeniami innych ludzi w barze, nie puszczała go, tylko wsunęła mu obie ręce pod marynarkę i przesuwała nimi po jego plecach, żeby je rozgrzać. Harry usłyszał dyskretne chrząknięcie, podniósł głowę i zobaczył, jak mężczyzna, którego postawa przemawiała za tym, że jest szefem sali, życzliwie kiwa mu głową.

– Nasz stolik już czeka – uśmiechnęła się Kaja.

– Stolik? Myślałem, że przyszliśmy tylko na drinka.

– Musimy przecież uczcić zakończenie tej sprawy. Jedzenie już zamówiłam. Coś wyjątkowego.

Dostali miejsca pod oknem, w restauracji pełnej ludzi. Kelner zapalił świece, nalał do kieliszków cydru, wstawił butelkę z powrotem do wiaderka z lodem i odszedł. Kaja podniosła kieliszek.

– Wypijmy!

– Za co?

– Za to, że Wydział Zabójstw będzie działał jak dotychczas. Że ja i ty będziemy łapać złych ludzi. Za to, że tu teraz jesteśmy. Razem.

Wypili. Harry odstawił kieliszek na obrus, lekko go odsunął. Nóżka zostawiła mokrą plamę.

– Kaju...

– Mam coś dla ciebie, Harry. Powiedz mi, czego najbardziej pragniesz właśnie w tej chwili?

– Posłuchaj, Kaju...

– Tak? – Nachyliła się przejęta.

– Mówiłem ci, że znów wyjadę. Jadę już jutro.

– Jutro? – roześmiała się, ale uśmiech zniknął, gdy strzepnięte przez kelnera serwetki ciężko ułożyły im się na kolanach. – Dokąd?

– Daleko.

Kaja bez słowa patrzyła w stół. Harry chciał dotknąć jej dłoni, ale się powstrzymał.

– Więc ja nie wystarczyłam? – szepnęła. – My nie wystarczyliśmy.

Harry zaczekał, aż będzie mógł pochwycić jej spojrzenie.

– Nie – powiedział. – Nie wystarczyliśmy. Ani dla ciebie, ani dla mnie.

– A co ty wiesz o tym, co wystarczy? – W jej głosie już było słychać łzy.

– Całkiem sporo – odparł Harry.

Kaja ciężko oddychała. Próbowała panować nad głosem.

– Czy to Rakel?

– Tak.

– Zawsze była Rakel, prawda?

– Tak. Zawsze była Rakel.

– Ale przecież sam mówiłeś, że ona cię nie chce.

– Ona mnie nie chce takiego, jakim jestem teraz. Muszę się zreperować. Znów muszę być ładny. Rozumiesz?

– Nie, nie rozumiem.

Dwie maleńkie łzy zawisły na dolnych rzęsach.

– Przecież ty jesteś ładny, a te blizny są tylko...

– Dobrze wiesz, że nie o tych bliznach mówię.

525

– Czy jeszcze kiedyś cię zobaczę? – spytała, zatrzymując palcem jedną łzę.

Złapała go za rękę i ścisnęła tak mocno, że aż pobielały jej kostki. Harry patrzył na nią. W końcu puściła.

– Drugi raz po ciebie nie przyjadę – oświadczyła.

– Wiem.

– Nie dasz sobie rady.

– Prawdopodobnie. Ale właściwie kto tak naprawdę daje sobie radę?

Przechyliła głowę i uśmiechnęła się małymi ostrymi ząbkami.

– Ja – powiedziała.

Harry siedział, dopóki nie usłyszał miękkiego trzaśnięcia drzwiczek samochodu w ciemności i odgłosu zapalanego silnika diesla. Ze wzrokiem wbitym w obrus chciał już wstać, kiedy w polu jego widzenia pojawił się głęboki talerz. Zaraz też głos kierownika sali oznajmił:

– Na specjalne zamówienie pani. Przesłane samolotem prosto z Hongkongu. Sojowy makaron Li Yuana.

Harry spojrzał w talerz.

Ona ciągle siedzi na krześle, pomyślał. Restauracja to bańka mydlana, zaraz się poderwie, uniesie nad miastem i odpłynie. W kuchni nigdy nie zabraknie jedzenia. Nigdy nie wylądujemy.

Wstał i już chciał wyjść. Ale zmienił zdanie. Usiadł z powrotem. Wziął do ręki pałeczki.

95 SPRZYMIERZENI

Harry szedł od restauracji z dancingiem, która nie była już restauracją z dancingiem, w dół zbocza do Szkoły Morskiej, która nie była już szkołą morską. Kierował się w stronę bunkrów, które kiedyś broniły okupantów kraju. W dole był fiord i miasto skryte we mgle. Samochody o żółtych kocich oczach przemykały ostrożnie. Z mgły wyłonił się tramwaj jak duch zgrzytający zębami.

Samochód zatrzymał się przed nim i Harry wskoczył do środka. Z głośników Katie Melua wylewała swoje ociekające miodem cierpienie. Harry zaczął rozpaczliwie szukać przycisku wyłączającego radio.

– O w mordę, jak ty wyglądasz? – krzyknął przerażony Øystein. – Założę się, że ten chirurg miał dwóję z robót ręcznych. Ale przynajmniej trochę zaoszczędzisz na masce na Halloween. Nie śmiej się, bo ci ta gęba znów popęka.

– Obiecuję – mruknął Harry.

– À propos. Mam dzisiaj urodziny.

– O cholera. Wszystkiego najlepszego. A tu masz papierosa, prezent ode mnie dla ciebie.

– Właśnie o tym marzyłem.

– Mhm. Żadnych większych marzeń?

– Na przykład jakich?

– Pokój na świecie.

– W dniu, w którym się obudzisz i na świecie będzie panował pokój, możesz mieć pewność, że już się nie obudziłeś, Harry. Bo to będzie oznaczało, że zdetonowali *the big one*.

– No dobrze. Nie masz żadnych prywatnych życzeń?

– Nie bardzo. Co najwyżej nowe sumienie.

– Nowe sumienie?

– Bo to stare jest już takie brudne. Fajny garnitur. Myślałem, że masz tylko tamten.

– To ojca.

– O rany, musiałeś się skurczyć.

– Tak. – Harry poprawił krawat. – Skurczyłem się w praniu.

– Jak było w restauracji Ekeberg?

Harry zamknął oczy.

– Fajnie.

– Pamiętasz tę budę, do której się wtedy zakradaliśmy? Ile mieliśmy lat? Szesnaście?

– Siedemnaście.

– Czyś ty tu kiedyś nie tańczył z Killer Queen?

– O tyle o ile.

– Przerażająca jest myśl, że MILF-y z naszej młodości trafiły do domu starców.

– MILF-y?

Øystein westchnął.

– Sprawdź to sobie.

– Mhm. Øystein?

– Tak?

– Dlaczego myśmy się zakumplowali?

– Pewnie dlatego, że dorastaliśmy obok siebie.

– To wszystko? Przypadek demograficzny? Żadnej duchowej wspólnoty?

– Ja tam niczego takiego nie czułem. Z tego, co wiem, to łączyło nas jedno.

– Co?

– Że nikt inny nie chciał się z nami kumplować.

Kilka następnych zakrętów przejechali w milczeniu.

– Oprócz Drewniaka – powiedział wreszcie Harry.

Øystein prychnął.

– Któremu tak cholernie śmierdziały nogi, że nikt inny nie chciał nawet przy nim usiąść.

– No tak – przyznał Harry. – W tym byliśmy dobrzy.

– Udało nam się. Ależ to był smród.

Śmiali się razem, miękko i lekko, ze smutkiem.

Øystein zaparkował samochód na brązowej trawie i zostawił drzwiczki otwarte. Harry wspiął się na szczyt bunkra i usiadł na samym brzegu, ze zwieszonymi nogami. Z głośników w samochodzie Springsteen śpiewał o braciach krwi w zimową noc i o obietnicy, której trzeba dotrzymać.

Øystein podał Harry'emu butelkę Jima Beama. Dochodzący z miasta odgłos samotnej syreny wznosił się i opadał, w końcu stracił siłę i ucichł. Trucizna zapiekła Harry'ego w żołądku, wywołując odruch wymiotny. Z drugim łykiem poszło lepiej. Z trzecim całkiem dobrze.

Max Weinberg grał tak, jakby chciał zniszczyć bęben.

– Całkiem często przychodzi mi do głowy, że chciałbym przynajmniej żałować – stwierdził Øystein. – Ale, cholera, nawet tego nie robię. Wydaje mi się, że zaakceptowałem to od pierwszej chwili przytomności: jestem cholernym łachudrą. A ty?

Harry się zastanowił.

– Ja żałuję jak pies. Ale może dlatego, że za dobrze o sobie myślę. Wmawiam sobie, że naprawdę mógłbym wybrać inaczej.

– Cholera, ale nie mogłeś.

– Wtedy nie mogłem. Ale następnym razem, Øystein. Następnym razem.

– Czy to się kiedykolwiek zdarzyło, Harry? Kiedykolwiek w pieprzonej historii ludzkości?

– To, że coś się nie zdarzyło, wcale nie oznacza, że się nie może zdarzyć. Nie wiem, czy jeśli wypuszczę teraz tę butelkę, to ona spadnie. Cholera, który to był filozof? Hobbes, Hume, Heidegger? Któryś z tych szaleńców na H.

– Odpowiedz mi.

Harry wzruszył ramionami.

– Wydaje mi się, że można się nauczyć. Problem w tym, że uczymy się tak cholernie wolno. Że kiedy coś sobie uświadamiamy, jest już za późno. Możliwe na przykład, że ktoś, kogo kochasz, poprosi cię o przysługę. O akt miłosierdzia. Na przykład o pomoc w śmierci. A ty odmawiasz, bo jeszcze się nie nauczyłeś. Jeszcze nie masz tej wiedzy. Kiedy w końcu zaczynasz rozumieć, jest już za późno. – Harry wypił jeszcze łyk. – Więc zamiast tego dokonujesz tego aktu miłosierdzia w stosunku do kogoś innego. Nawet do kogoś, kogo nienawidzisz.

Øystein wziął butelkę.

– Nie mam pojęcia, o czym mówisz, ale to brzmi jak bezsensowne pieprzenie.

– Niekoniecznie. Na dobre uczynki nigdy nie jest za późno, prawda?

– Chyba chcesz powiedzieć, że zawsze jest za późno?

– Nie! Zawsze uważałem, że za mocno nienawidzimy, byśmy mogli usłyszeć inne impulsy. Ale mój ojciec uważał inaczej. Mówił, że wszystko zaczyna się od miłości, a nienawiść to tylko druga strona medalu.

– Amen.

– Ale to oznacza również, że można iść w drugą stronę. Od nienawiści do miłości. Że nienawiść może być dobrym punktem wyjścia do tego, żeby się uczyć, zmieniać. Następnym razem zrobić coś inaczej.

– Mówisz teraz tak optymistycznie, Harry, że zastanawiam się, czy się nie wyrzygać.

W refrenie rozległy się organy, przenikliwe, ostre jak piła tarczowa.

Øystein lekko przekrzywił głowę i strzepnął popiół, a Harry miał ochotę się rozpłakać. Całkiem po prostu dlatego, że w sposobie, w jaki kumpel strzepywał popiół, ujrzał lata, które złożyły się na ich życie, na nich samych.

Øystein zawsze tak robił. Lekko wyginał się w bok, jakby papieros był za ciężki, lekko przechylał głowę, jakby świat podobał mu się bardziej z nieco bardziej skrzywionej perspektywy. Popiół spadał na ziemię w szkolnej palarni, do pustej butelki po piwie na imprezie, na którą się wprosili, na zimną wilgotną posadzkę bunkra.

– Poza tym zaczynasz się starzeć, Harry.

– Dlaczego tak mówisz?

– Bo kiedy faceci zaczynają cytować swoich ojców, to znaczy, że są starzy. Że niewiele im już zostało.

Harry w tej chwili uświadomił sobie, jaka jest odpowiedź na zadane przez nią pytanie o to, czego najbardziej pragnie właśnie w tej chwili. Pragnął mieć pancerne serce.

EPILOG

Granatowoczarne chmury sunęły nad najwyższym punktem Hongkongu, Victoria Peak, ale kapiący z nieba nieprzerwanie od początku września deszcz nareszcie przestał padać. Słońce przebiło się przez chmury i ogromna tęcza połączyła Hong Kong Island z Kowloon jak most. Harry zamknął oczy, grzejąc twarz w słonecznych promieniach. Ładna pogoda nastała akurat w porę, tego dnia wieczorem zaczynał się sezon wyścigów w Happy Valley.

Usłyszał szum głosów Japończyków zbliżających się i mijających ławkę, na której siedział. Szli z kolejki linowej, która od 1888 roku przyciągała turystów i miejscowych tu, na górę, do świeższego powietrza ponad miastem. Harry otworzył oczy i zaczął przeglądać program gonitw.

Zaraz po przybyciu do Hongkongu skontaktował się z Hermanem Kluitem. Ten zaproponował mu robotę poszukiwacza dłużników, tropienie ludzi, którzy próbowali uciec od swoich powinności. Dzięki temu Kluit nie musiał sprzedawać wierzytelności ze znacznym rabatem triadzie ani myśleć o jej brutalnych metodach egzekwowania długów.

Zbyt mocne byłoby powiedzenie, że Harry lubił tę robotę, ale praca była dobrze płatna i prosta. Egzekucja długów nie należała do jego zadań, on miał tylko lokalizować dłużników. Okazało się jednak, że sam jego wygląd – metr dziewięćdziesiąt trzy i lśniąca blizna od kącika ust do ucha – często wystarcza, by rozliczali się od ręki. I tylko w wyjątkowych wypadkach korzystał z wyszukiwarki znajdującej się na serwerze w Niemczech. Cała sztuka polegała jednak na trzymaniu się z daleka od narkotyków i alkoholu. Na razie mu się to udawało. Dziś w recepcji czekały na niego dwa listy. W jaki sposób został odnaleziony, nie miał pojęcia. Wiedział tylko, że Kaja musiała maczać w tym palce. Jeden list miał na kopercie nadruk Komendy Okręgowej Policji w Oslo i Harry zgadywał, że jest od Gunnara Hagena. Przy drugim nie musiał zgadywać. Od razu rozpoznał wielkie, wciąż jeszcze dziecinne litery napisane ręką Olega. Oba listy schował do kieszeni kurtki, nie podejmując decyzji, kiedy i czy w ogóle je przeczyta.

Złożył program wyścigów i położył go obok siebie na ławce. Mrużąc oczy, patrzył na chiński stały ląd, nad którym żółty smog gęstniał z roku na rok. Ale tu, na szczycie, powietrze ciągle wydawało się jeszcze prawie świeże. Patrzył w dół na Happy Valley, na położone na zachód od Wong Nai Chung cmentarze, gdzie były oddzielne sektory dla protestantów, katolików, muzułmanów i hinduistów. Widział stąd tor wyścigów, na którym dżokeje i konie już trenowali przed wieczorną gonitwą. Wkrótce zacznie napływać publiczność. Ci, którzy mieli nadzieję, i ci, którzy jej nie mieli. Ci, którzy mieli szczęście, i ci, którzy go nie mieli. Ci, którzy przychodzili spełnić marzenia, i ci, którzy chcieli tylko pomarzyć. Przegrani, podejmujący nie-przekalkulowane ryzyko i ci, którzy ryzyko kalkulowali, ale i tak przegry-wali. Byli tu już wcześniej i wszyscy wracali, również duchy z cmentarzy, tych kilkaset osób, które zginęły w wielkim pożarze podczas The Happy Valley Racecourse w roku 1918. Bo dzisiejszego wieczoru z całą pewnością była ich kolej na oszukanie losu, na przymuszenie zbiegu okoliczności, na wypchanie kieszeni szeleszczącymi hongkońskimi dolarami, na unik-nięcie morderstwa. Za parę godzin wejdą za bramy, przeczytają program, wypełnią kupony, obstawiając Quinellę, Exactę, Triplę, Kwintę, Superfectę czy jak tam się nazywają ich bogowie hazardu. Ustawią się w kolejkach do okienek z odliczonymi stawkami. Większość z nich będzie po trochu umierać po każdej zakończonej gonitwie, ale zbawienie pozostanie odległe raptem o piętnaście minut, kiedy boksy startowe otworzą się na początku następnego biegu. Chyba że znajdzie się wśród nich *bridge jumper*, ktoś, kto postawi wszystko, co ma, na jednego konia w jednej gonitwie. Ale nikt się nie skarży. Wszyscy wiedzą, jakie są szanse.

Są jednak tacy, którzy znają szanse, i tacy, którzy znają wynik. Na torze wyścigów w Afryce Południowej niedawno znaleziono w boksach startowych zakopane w ziemi rury. Zawierały sprężone powietrze i miniaturowe strzałki ze środkiem uspokajającym, które można było wpuszczać w brzuchy koni przy użyciu pilota zdalnego sterowania.

Katrine Bratt powiedziała mu, że Sigurd Altman zameldował się w hotelu w Szanghaju. To tylko godzina lotu stąd.

Harry po raz ostatni zerknął na program wyścigów.

Są tacy, którzy znają wynik.

„To tylko gra", powtarzał zwykle Herman Kluit. Może dlatego, że zwykle wygrywał.

Harry spojrzał na zegarek, wstał i ruszył do tramwaju. Ktoś mu podpowiedział, że w trzeciej gonitwie pobiegnie obiecujący koń.

Jo Nesbø
„Trylogia z Oslo"

Trylogia z Oslo to pełen szybkich zwrotów akcji i zagadkowych wątków sensacyjny cykl złożony z tytułów: *Czerwone Gardło*, *Trzeci klucz* i *Pentagram*. Wszystkie części łączy kultowa postać komisarza Harry'ego Hole – niepoprawnego anarchisty, a zarazem niezwykle utalentowanego śledczego.

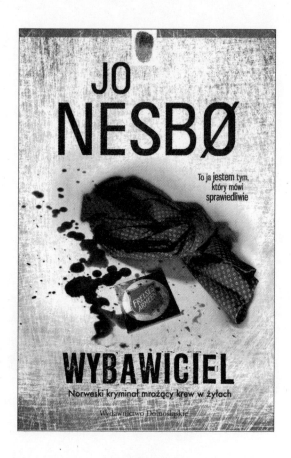

On the cover:

JO
NESBØ

To ja jestem tym,
który mówi
sprawiedliwie

WYBAWICIEL

Norweski kryminał mrożący krew w żyłach

Wydawnictwo Dolnośląskie

Jo Nesbø
Wybawiciel

Podczas przedświątecznego koncertu w zasypanym śniegiem Oslo ginie jeden z członków Armii Zbawienia. Fotograf prasowy uchwycił prawdopodobnego zabójcę na zdjęciach, ale ekspert od identyfikacji ma kłopoty z jego rozpoznaniem. Pościg komisarza Harry'ego Hole za człowiekiem bez twarzy toczy się w ciemnych zaułkach stolicy Norwegii, wśród narkomanów i dewiantów.

Kto ulepił
bałwana...

JO NESBØ

PIERWSZY ŚNIEG

Najlepsza książka roku 2007 w Norwegii

Wydawnictwo Dolnośląskie

Jo Nesbø
Pierwszy Śnieg

Jest listopad, w Oslo spadł pierwszy śnieg. Birte Becker po powrocie z pracy chwali syna i męża za ulepienie bałwana w ogrodzie. Nie jest on jednak ich dziełem... W tym samym czasie komisarz Harry Hole otrzymuje anonimowy list podpisany „Bałwan", a do gazet trafia informacja o nowym morderstwie. Ofiarą jest zawsze zamężna kobieta, a jednocześnie w pobliżu miejsca zbrodni pojawia się bałwan...

GRUPA WYDAWNICZA
PUBLICAT S.A.

Firma rozpoczęła swoją działalność w 1990 roku pod nazwą Podsiedlik-Raniowski i Spółka. W 2004 roku przyjęto nazwę PUBLICAT S.A., w tym samym roku w skład grupy PUBLICAT weszło wrocławskie Wydawnictwo Dolnośląskie. W 2005 roku dołączyło do niej katowickie Wydawnictwo Książnica. Rok 2006 to objęcie nazwą Papilon programu książek dla dzieci. W roku 2007 częścią grupy stała się warszawska Elipsa.

Papilon – baśnie i bajki, klasyka polskiej poezji dla dzieci, wiersze i opowiadania, książki edukacyjne, nauka języków obcych dla dzieci

Publicat – książki kulinarne, poradniki, książki popularnonaukowe, literatura krajoznawcza, hobby, edukacja

Elipsa – albumy tematyczne: malarstwo, historia, krajobrazy i przyroda, albumy popularnonaukowe

Wydawnictwo Dolnośląskie – literatura faktu i poradnikowa, historia, biografie, literatura współczesna, kryminał i sensacja, fantastyka, literatura dziecięca i młodzieżowa

Książnica – literatura kobieca, powieść historyczna, powieść obyczajowa, fantastyka, sensacja, thriller i horror, beletrystyka w wydaniu kieszonkowym, książki popularnonaukowe

Publicat S.A., 61-003 Poznań, ul. Chlebowa 24, tel. 61 652 92 52, fax 61 652 92 00
e-mail: office@publicat.pl, www.publicat.pl
Oddział w Katowicach: Wydawnictwo Książnica, 40-160 Katowice, Al. W. Korfantego 51/8,
tel. 32 203 99 05, fax 32 203 99 06, e-mail: ksiaznica@publicat.pl
Oddział we Wrocławiu: Wydawnictwo Dolnośląskie, 50-010 Wrocław, ul. Podwale 62,
tel. 71 785 90 40, fax 71 785 90 66, e-mail: wydawnictwodolnoslaskie@publicat.pl
Oddział w Warszawie: 00-466 Warszawa, ul. Polna 46/7